東亜新秩序の先駆

森恪

下巻　日本を動かした男

樋口正士

東亜新秩序の先駆　森恪

下巻　日本を動かした男

目次

第二篇 外務政務次官時代

第三篇　野党活躍時代

第四篇　内閣書記官長時代―犬養内閣―

はじめに

森恪は、事業を行っている支那より、「海外の発展に経験少なき東洋人の社会にありて、この種の事業を成さんと欲せば、徹頭徹尾、政治的権勢を使用するに非ざれば到底著しき効果を挙げるを得ざる事これなり。然り而して、凡衆の天下となりたる今の日本の政治界では真実かゝる大志を懐く中心的人物なきを以て、この任務はこれを吾人自らの上に発見せざるべからず」との思考に到達したと夫人に便りし、政治家として生きることに邁進したのである。

森は政治家としては未完成に終わった。だが、我が国の大正、昭和の政治史、外交史を見聞する時、彼を除外してはこの間の歴史を理解し得ない。

特に、満洲事変前後の日本の大転換を知るためには、彼を再検討することなくしては不可能である。

森の対支政策を要約すれば満蒙第一主義で、満洲及び蒙古は歴史的にも経済的にも、また国防的にも日本にとって陸の生命線であるとした。故に、日本は先ずこれを確保して、それから支那に及ぼし、支那人の奮起によって支那からソ連の勢力を駆逐して支那及び満洲の赤化を防止し、日支の提携を図るにあった。森はこの見地から、支那に対しては現地保護政策、満蒙に対しては積極政策を主張したのである。

一方、当時の軍部は、西洋流の近代思想を超克する思想として、日本の一君万民平等主義的家族的国家観をもつ尊皇思想を手に入れた。それは伝統文化に基づくものであるだけに、世論の圧倒的な支持を得ることが出来たのである。

そこに、森恪の太閤秀吉流冒険主義や、北一輝の国家社会主義的改造論、石原莞爾の最終戦争論など、将に魑《ち》魅《み》魍《もう》魎《りょう》ともいうべき思想が入り込み、収拾がつかなくなった。その結果、満洲問題の処理を誤り、更に軍縮へと向かう世界の潮流を読み誤った。それが泥沼の日中戦争そして大東亜戦争という悲劇につながって行ったのではなかろうか。

これらの事は、第一次世界大戦後ようやく確立したワシントン体制をぶちこわし、東亜の国際政治空間を、かつての暴力的植民地主義時代に逆戻りさせてしまったが、そうした彼らの政治手法に、日本の立憲主義政治家は対抗できなかったとみなされている。

恐らく、これらの不思議を解明するためには、その時代の日本に於ける政治力行使が、どのようになされたのであるかを見極める必要があると思われる。

第一篇　政界進出時代

第一章　政界第一歩

《政治家になる動機》

森は事業家として終わっても勿論一方の旗頭であった。しかし彼の志は政治にあった。**政治家となって日本の大陸政策を自らの手で完成する抱負であった。**父作太郎翁の国士的風格を十二分に受けた森は、本質的にも算盤一方で始終する肌合いの人物ではなかった。十九歳の年から支那大陸を股にかけた。**日本にとっては支那問題の解決が何よりも大切であり、その解決は結局政治の力によらねば不可能である、という考えが骨の髄まで沁み渡っていた。かくして森は遂に自ら駒を陣頭に進めなくてはならない環境に置かれたのである。**

森は、支那革命の借款問題や満洲買収問題で知己になった桂太郎と一九一三（大正二）年、東京で二時間余に亘って対支政策を談じている。桂は一九一二（大正元）年十二月第三次内閣を組織し、翌年二月には護憲運動（付記参照）の勢力に抗じかねて内閣を投げ出し立憲同志会を組織しているから、森が桂に会ったのはその年の一月と推測される。会談の内容は知る由もないが、対支政策に関して森が桂に意見を述べた事は明らかである。森の意見を桂は傾聴したものとみえ、「**君は支那を料理せよ**」と鞭撻の辞を与えている。

森は桂に共鳴し、桂の同志会によって政界に乗り出そうと考えた事がある。ある時、岡本一己氏に述懐して「俺が政界へ乗り出そうとしていた矢先に桂公が死んだので、大正二年十月、又三井に戻った。俺の政界乗り出しが遅れたのは桂公が死んだからだ」と言っている。

桂内閣が倒れ、山本権兵衛、大隈重信、寺内正毅らが次々と政権を握った。内閣は頻々と更迭する。そのたびに対支政策も又変わる。恰も黄河の流れが頻々と変わるように落ち着きがない。森はつくづくと政治家の頼りなさを感じた。「**こう政権が変わっては到底一貫した国策は建たない。内政の根本を確立しなければ外政を左右する事は不可能である。少なくとも一政権が十年くらいはじっくりと腰を落ち着けて事に当たるのでなければ大陸政策の解決は出来ない**」**と痛感した。**

後に彼は原敬のモットーとした「**政治は力なり**」に共鳴したが、原敬は日本政党史上最初の強力内閣を組織した人であり、政党を基礎にして独裁的な政治力を発揮した政治家である。

森は自ら意識すると否とに拘わらず、その当時既に**一国一党的強力政治**をその政治理念の中に包蔵していたと思われる。彼の晩年の政治哲学は、彼が政治を志す当初に於いて既に彼の血の中に、又頭の中に芽ぐまれていたものと推察して誤りはなかろう。

こういう環境と、また三井と中日実業を離れる潮時がやって来たとの条件が一致して、いよいよ一九一八（大正七）年東京に引き揚げてきた。**自分が日本の政権を握って、その企画する**「**東亜連邦**」**を実現せんと**する端緒を開いたのである。

一　立候補・選挙余談

森が初めて代議士に立候補して、しかも首尾よく当選したのは一九二〇（大正九）年五月十日原内閣の下に於いてである。この総選挙は首相原敬が絶対多数を得る目的で、普通選挙の可否を世論に問うと号して解散した結果であった。原はその計画通りこの選挙で二百八十余名という絶対過半数の**政友会**を建設した。

森は最初、桂太郎によって政界に立とうとした。だが桂が死んでその機会を失った。それが同志会（後の憲政会）へ入らなかった一つの動機ともいえるが、父作太郎翁が自由党以来の国士であった事と、彼の気質から推察しても官僚風の充満した同志会よりも、野性を帯びた政友会の方が肌に合っていたからである。また原の強力政治が本質的に合っていたので政友会に入ったのである。

森が政友会に入る橋渡しをしたのは岡崎邦輔氏で、岡崎が原に森を紹介した。又成田栄信氏も大いに斡旋し、旧友小柴英侍氏は、その友人鳩山一郎氏を紹介して森の入党の足場を作っている。

しかし最初の選挙では政友会の公認候補者になることがなかなか困難だった。同じ神奈川県第七区（足柄上・下郡）からは政友会の土井貞彌という人が、当選はしないが古い政友会員で何回も立候補しているから、これを先に公認せねばならぬ党情であった。従って森が漸く公認されたのは選挙期日が切迫してからで、時の幹事長望月圭介氏が土井氏に因果を含めて断念させたのであった。

森は金権候補といわれた。二度目の選挙では金がなくて落選したのをみると、この時はかなり金を使ったものと見える。

選挙中、森はその定宿であった東京の帝国ホテルから小田原の選挙事務所に通った。

こゝに森の面目躍如たる一つの逸話がある。

当時は選挙で戸別訪問が許されており、それが又選挙作戦の中で最も有効な方法とされていた。何れの候補者もこれを唯一の武器とした。例外は犬養毅とか尾崎行雄とかという大物、或は原敬首相をはじめ閣僚の中の少数に限られていた。

然るに、初めての選挙であるにも拘らず、森は絶対に戸別訪問をやらない。

「俺は落選しても戸別訪問は嫌だ」と頑張っている。

そこで選挙事務所の参謀たる土倉宗明氏らは、折から小田原の別荘に来ていた作太郎翁に対し「戸別訪問をするように貴下から言って頂きたい」と持ち込んだ。すると翁は「恪はやっぱりおれの子供だ。わしが大阪で二度も立候補して遂に当選しなかったのは戸別訪問をしなかったからだ。これは宿命的である」と言った。

しかし翁は「今度はそんなことを言ってはおられない。是非恪に戸別訪問をさせなければならぬ」と言い、森に毎日手紙を書いた。「戸別訪問をやれ。選挙の当落は戸別訪問をするかしないかにある」と勧告したが、森は遂にこればかりは親の命令でも服さなかった。

当時また、森栄枝夫人は小田原天神山に住んでいた。山の下の町（地元）の人々は森が戸別訪問をしようとしないので天神山に夫人を訪ね、「奥さんだけでも訪問に歩いて頂きたい」と頼み込んだ。そこで夫人が訪問の支度をして出かけようとしている所へ森が来たので「かくかくの訳でこれから戸別訪問に回るのです」と話すと、森は「お前が勝手にそんなことをすると即日離縁するぞ」と止めてしまった。

この選挙で、もう一つ微笑ましいエピソードがある。

憲政会の候補者は平川松太郎という弁護士であった。反対党はその選挙演説でこう言った。「平川候補は大学出身者であるが、森候補は中学しか出て居らぬ。以てその軽重を知るべきである」と。この宣伝には森自身は勿論何とも思わなかったが、選挙事務所の人々はその反響に驚いた。そこで対策を考えた。誰が言い出したかはっきりしないが、その前年の一九一九（大正八）年に森が慶応義塾大学で支那問題を講演した事実を思い出し、塾へ行って講演速記の載っている塾報を取って来た。それを反駁演説に使ったのである。「平川は大学を出たというが、森は大学で講演をしている。だから大学卒業生よりも偉いのだ」という戦法であった。

これらの逸話でも判る通り、森恪の何者なるかは選挙区に知られていなかった。古い昔を辿れば、この選挙区の足柄上郡下怒田の加藤家に預けられていたというだけの因縁で、こゝから立候補したのである。最初は作太郎翁の縁故を辿って大阪市から立とうとし、それがうまく行かぬので、松山小三郎氏の郷里宮崎県に行こうとした事実もある。だから小田原地方が必然的に深い縁故があったという訳ではなった。それは第二回目に落選し、栃木県に選挙区を移した事実を見ても推測に難くない。

しかし当選することはした。**当選すると直ちに政友会幹事に任じられた**。当時二百八十余名の中で、初めて当選して直ぐに幹部に任命されるという事は、余程の抜擢であった。森の人物が原敬に認められたことは勿論であるが、この選挙で彼は相当多額な選挙費を原に寄進している。その功労にもよったものである。しかし森は、そのことは誰にも口外しなかった。ただ「原さんと、うちの親父が知り合いだから、俺を幹事にしたのだろう」と言うのみであった。原総裁は大阪毎日新聞の社長をしたことがあり、作太郎翁は大阪の市会議長をしていたので、両人の交友があったことは事実である。

資料２９　原敬

二　演説の稽古

森は選挙に打って出るために演説の稽古をしなければならなかった。密室交渉が専門だった支那では演説の必要がなかったが、政治家になるには演説が絶対必要である。この演説の師匠は政友会院外団（付記参照）の土倉宗明氏であった。後には政界一流の雄弁を駆使した森も、初めは直ぐに野次り倒され壇上に立ち往生した。

ある時、江藤哲蔵氏が死に、その補欠選挙に松野鶴平氏が熊本で立候補した。森は土倉氏と共にその応援演説に出かけた。森は五分と続かず野次り倒されてしまった。選挙演説の如き気合のかゝった演壇に立った経験がないので、あの剛胆な森も聴衆を見ると怯えて気合負けしたのである。その間隙を野次が突くからたまらない。それ以来彼は先ず小さい会場を選び、舞台稽古のつもりで一生懸命練習した。

原稿は自分で書くし、演説の後では丹念に批評を求めた。こうして段々コツを覚え、遂には扇動演説まで堂に入るに至った。こゝにも彼一流の努力主義が現れている。

政談演説では熊本が彼の処女演説であるが、講演は彼がかつて学んだ慶応義塾で一九一九（大正八）年五月頃、熊本演説の前に行っている。支那解放論ともいうべき内容であった。

森が慶応義塾への紹介者小川節氏に「大衆を相手にする演説はこれが皮切りだ」と言っているところを以てみても、これが森の処女演説であったと推測される。但し選挙演説ではないので野次り倒されたという記録は残っていない。

こういう経路を経て森は政治家の第一歩を踏み出した。当選した当座、澁谷権之助氏に漏らしたことがある。

「**俺は三年にして頭角を現さなかったら代議士を断念する**」と。

そこで澁谷、小柴氏ら数人の旧友が森のために「頭角会」というのを作って月に一度くらい集まり、飯を食いながら森の気焔を聞いた。その森が大きく頭角を現す機会は果たして三年以内に来た。それは皮肉にもいわゆる**満鉄事件**であった。これによって森恪の名は全国に知れ渡り、原内閣の運命にも関し、日本的というよりも寧ろ世界的な頭角を現してしまったのである。

三　満鉄事件

（上巻第三篇第四章「搭連炭鉱と西安炭鉱」参照）

第四十四議会は一九二〇（大正九）年十二月二十五日に招集され、翌年一月二十一日から議事が始まった。憲政会は、絶対多数を占める原内閣の与党政友会を痛めつける手段として政府及び政友会の攻撃材料を探した。その結果、満鉄事件が議会に登場したのである。

満鉄事件とは何か。

満鉄の新幹部中西清一副社長に反感を抱く庶務課長山田潤二氏が、憲政会の手先となって満鉄内情を摘出し、職を辞して手記『赤心録』を大阪毎日新聞に売り込み、紙上に暴露したことに発端している。

一九二一（大正十）年二月一日衆議院予算委員総会の席上で憲政会の早速整爾氏は、大毎の記事を材料として政府攻撃の第一声を放ち、これが第一矢となって両院に亘る政治問題と化した。

早速氏演説の要旨は大略左の如くであった。

満鉄は国家の重大機関を以て任じ、事実上満洲の経営を一手に引き受けているが、その現状を見るに巨額の資本を擁しながら些かも積極的行動をなさず、却ってその内部には種々の情実纏綿し、恰も伏魔殿の観がある。特にかゝる大会社がある権力と結託せんか、如何なる大醜悪事をなさぬとも限らない。現に吾人の手にしている事実の二、三を挙げれば、

（一）搭連炭鉱買収問題

同炭鉱は坑層薄く命脈幾何もないのにこれが採掘に関する権利一切を昨年四月突然東京に於いて同炭鉱の専務森恪と満鉄副社長中西清一との間に二百二十万円にて売買交渉成立したというが、かゝる価値少なき炭鉱を高価に引き受けたる理由如何。

現に撫順炭鉱の如きは出炭過剰に悩みおる際、何の必要あって殊更に搭連炭鉱を買収したか。専門技師の鑑定によるも同鉱は先ず百万円を至当するというに、何を標準として二百二十万円という高価に引き受けたか。

（二）鳳山丸買収問題

満鉄はその以前田中商会なるものに船の注文をなしあるに拘わらず、これを破約するために二十万円の賠償金を出してまで内田信也の鳳山丸を購入したというが、その理由如何。支那の沿岸航路船としては

八千五百トンの巨船は不要のみならず、その価格についても一トン当たり三百二十五円とは驚くべき高価である。

当時の時価は二百七十五円で、大阪商船が当時仕入れたる同型の船は一トン二百八十円なりしに推しても、この時価が至当なるにも拘らず、わざわざかゝる高価を以て買収したる理由如何。
（三）日本電気化学工業会社買収問題
同社は財界不況の影響を被り経営困難の故を以て、昨年三月に買収を求め来しに、当時満鉄部内にさえ反対ありし程のものを、結局二百五十万円という不相当の価格で買収したのであるが、満鉄は何を苦しんでかゝるボロ会社を引き受けるのであるか。

以上の三問題は何れも昨年四月（売買問題は卒然東京に於いて実際問題と化し、五月四日売買契約が成立を告げた）に起こった問題で、当時は恰も五月の総選挙を控えていた事とて、右は全く某政党の選挙費用を捻出せんがための不当支出であると噂されている。

特に当時満鉄は資金の逼迫に遭って、興業銀行を通じて一千六百万円の融通をさえ受けた時である。既に満鉄自身がかゝる窮境に陥っている際、必要なき汽船、行き詰まれる会社を買収するという事は如何なく満鉄の醜態を暴露したもので、世間の疑惑が集まるのも無理はない。現に部内に於いてさえこの問題を憤慨して辞職した者、又重役を相手取って告訴しようとしておる者さえあるではないか。政府の明瞭なる答弁を望む。


一方貴族院では、仲小路廉氏が最も猛烈な攻撃を試み、更に三月十七日衆議院に於いては政府問責決議案となって現れた。

しかしながら原総理はこれに対し、

「満鉄の監督をなすは政府の責任であるが満鉄社内に如何なる事情があったか、これに対し政府は責任を負う事は出来ぬ。故に本案の趣旨に反対する」

と述べて一蹴し、直ちに採決となり、問責決議案は少数を以て否決された。


満鉄問題に関しては、一方で議会開催中既に**司法権が発動**していた。

即ち一九二一（大正十）年三月七日、憲政会院外団体所属の櫛部荒熊、古島義英、安東正臣の三弁護士が、各々満鉄の株式を三株乃至五株買って株主となり、副社長中西清一氏を被告訴人として、背任罪の告訴を提起した（同時に撫順炭鉱庶務課長小日山直登氏を偽証罪で告訴）。

予審請求決定は一九二一（大正十）年六月三日。証人として取り調べられた者四十四名、うち中西被告山田証人を始め森側の証人は左の通りである。


中西清一被告人九回、山田潤二証人十八回、森恪証人十三回、日笠正治郎証人十三回（搭連炭鉱）、大山嘉蔵証人十回（搭連炭鉱）、松山小三郎証人一回（森恪事務所）、鳩山一郎証人一回（政友会）、土倉宗明証人一回（政友会）、森作太郎証人一回（厳父）。（註：回数は取調べ回数）

次いで翌一九二二（大正十一）年一月十一日、東京地方裁判所に於いて公判に付せられた。同年三月十七日第九回公判に於いて、証人、鑑定人の喚問並びに検証の申請をなし、証人として森恪が喚問を許可され、四月二十四日第十二回公判に於いて森は、午前十一時から午後七時十五分まで八時間余に亘る長時間の訊問を受けた。

同年十月十六日、第二十四回公判に於いて公訴判決言渡しがあった。

元満鉄副社長
　中西　清一（五十）　背任罪　懲役十ヵ月
元撫順炭鉱庶務課長
　小日山　直登（三九）　偽証罪　懲役二ヵ月（執行猶予二年間）

その後一九二三（大正十二）年十一月十二日、東京控訴院で第一回控訴公判が開かれ、同年十二月二十八日第五回公判に於いて第一審は取り消され、中西、小日山両氏共犯罪の証拠不十分の理由を以て**無罪**を言い渡された。三年越しで注目された事件もこゝに終結した。

事件の真相は次の如くである。

僅かに百万円くらいの価値しかない搭連炭鉱が二百二十万円という高価で買収され、その差額が某方面（政友会）に提供されたと叫ばれたゝめ、世間は驚異の眼を見張った。

森並びに中西副社長の予審に於ける取調べの要旨は、

「中西氏は東洋炭鉱（搭連炭鉱保有者）の専務取締役森恪の請を容れて搭連炭鉱を買収した。然るにその買収は満鉄の利害のために図られずして、森の利害のために行われ、且つその買収価格は満鉄にとって甚だ不当なものであった」というにあった。

非難の要点は、主として買収の時期と価格の二点で、満鉄のために非ずして選挙戦に出馬する森のために図られたものと推定されたものであった。

そもそもこの問題は、満鉄内部の社員らの間の中西副社長不信任運動に端を発したのであるが、買収の時期が恰も衆議院の総選挙に際会していた。

満鉄の内部では、幹部が中央政府から御用金仰せつかるに相違ないと種々な噂が宣伝され、新幹部に反感を抱く社員らは虎視眈々と彼らの動向を窺っていた。特に恰も次の議会には満鉄創立以来の、しかも倍額という大増資案が提出される筈である。その総選挙であり、しかも増資案は社内の人気を集めていただけに、何事かあれば直ぐに増資案に結び付けて問題とされ、些細な事も想像から推定となり、推定から確認となるのである。

しかしながら、搭連炭鉱の買収は正常に行われたるものなること、又二百二十万円の価格が決して不当に非ずとの点を議会と社会に承認せしめんとして、満鉄が自ら発表した弁明書並びに中西副社長の行為を正常なものに足らしめんとした評価に関する説明書が、却って疑惑を深める種となった。

中西氏は公判廷に於いて、

「この必要な物を必要な手続きで買い取る機会に森氏の懇請を容れて二、三十万円だけ高く買ったが、相手が商人であるから売買取引に於いてそれくらいの儲けをさしてやるのは普通の事である」

と述べている。

最初、売買に関する話が森と中西氏との間に交換されたのは一九二〇（大正九）年五月の総選挙とは全く関係のない一九一九（大正八）年十一月で、森が正式に売却方を申し込んだのは翌年三月二十六日であった。

この最後の申し入れ値段は三百万円であったが（この時は既に総選挙が始まり森は立候補していた）、これに対し中西氏は二百万円を固執し、森は然らば二百五十万円にと折れ、その後互いに歩み寄って遂に二百二十万円という価格が成立した（この交渉の経緯が、弁護士の弁論によって明かされたことが森の疑惑の晴れるキッカケとなったものなり）。

買収の手付金三十万円を選挙中（五月三日）に中西氏が森に渡したことも疑惑の材料となった。しかしこれだけが森のために図った唯一の利便であった。

《山田潤二氏とその著『赤心録』》

そもそも満鉄事件は満鉄庶務課長山田潤二の『赤心録』に端を発している。

その中から「余ガ辞職ノ理由」が冊子に印刷され国務大臣始め貴衆両議員、名士、新聞社などへ撒布されたものである。

山田氏は次の如く言っている。

山田潤二第一回予審調書抜粋（大正十年七月十四日）

冊子は大正十年三月三日頃貴族院で印刷しました。私は満鉄辞職後その原稿を書きこれを元満鉄総裁中村是公氏並びに前の理事諸氏に示し満鉄の革正を図らんとしました。然る所、川上理事や久保理事は、私に黙って居れという忠告をしました。その頃満鉄の島、片山、中川の三理事は、中西副社長を罷めさせようという事を社長に言い社長よりその事を原首相に話したという事です。私は親友鳩山秀夫、渡邊鋕蔵の両人に話した末、私より川上理事の所に速達を出し、その翌日右両人が川上及び久保の両理事に会見しました。その結果の話によれば、中西副社長は大正九年十一月か遅くも十二月中には満鉄を罷める故、私の革正の叫びを控えて居れという事でした。

その後江木翼氏が私に書いたものを見せよという事でしたけれど、私は満鉄に政友会臭味の濃厚なるのを憤慨して罷めたくらいですから、江木氏に見せて憲政会のために利用せらるゝのは厭ですから、それを断りました。然るに江木氏より再三所望され、一日だけ見せて呉れというので江木氏に渡しました。然る所にそれが色々の事情の下に江木氏より中村是公氏に渡り、中村氏より仲小路康氏に渡り、仲小路氏が貴族院に於いて原首相に質問をなし、遂にその内容を原首相に示す事になったゝめ貴族院に於いて印刷するに至ったのであります。

《中西清一副社長の十年計画並びに満鉄と搭連》

中西氏は副社長に就任するや、**製鉄事業並びに石炭政策のため十年計画を樹立**した。この計画は満鉄経営の行き詰まりを打開し積極政策を執るための**増資案**に関連して生まれたいわば**満鉄救済策**であった。

増資案……二億二千万円の資本金を倍額四億四千万円に増加し、これを積極的に事業経営のため向こう五ヵ年間に運用せんとする大計画で、一九二一（大正十）年に議会にて決議されたる案なり。

当時は我が国の燃料の将来が甚だ憂慮されていた。内地特に九州及び北海道など国内の炭量は向こう五十年を支えることが不可能なりとの調査が与論を昂調せしめ、一方また製鉄事業の発展が欧州大戦の刺激と教訓によってますます緊急を要した時代なので、満鉄のあの膨大な増資案が何の苦もなく成立したのである。

搭連炭鉱の買収は、中西氏の右の十年計画実行の第一歩であった。満鉄ではその経営する撫順炭鉱の出炭量のみでは既に窮乏状態にあった。即ち鞍山站の製鉄事業と撫順炭との歩調が取れなかったのである。搭連は製鉄用コークスに必要な炭鉱であり、しかも撫順炭鉱の隣接鉱であったばかりか、満鉄からは既に数年来顧問技師を派して採掘計画に参与せしめていたという密接な関係にあったもので、中西氏が石炭政策遂行の手始めに先ず搭連炭鉱に着眼したのは理の当然である。

《中西氏の人物並びに政友会との関係》

中西氏は己の所信に向かって大胆に邁進した。一部社員からは独断専行なりと難じられ、非難が転じて或は政府筋との間に不純なるものゝ介在するかの懸念を抱かせた。しかしながら中西氏はそれらの非難猜疑には一切拘泥せず断乎として汽船の買収、或は電化工業の買収、或は搭連炭鉱の買収などを敢行した。

中西氏が最初に社内の一部に反感をそゝった事件は社内改革であった。氏は就任早々職制の改正に手を染め、忽ちにして重要社員（理事の馘首、社員の大淘汰）の大更迭を断行した。これに対しての不平と不安の空気が瀰漫し、風評は怨言となり、怨言は非難となり、攻撃となり、陥穽《かんせい》となった。しかもこれ皆、中西氏の政党臭味（政友会）の致すところと疑われたのであった。

中西氏は野村龍太郎社長の下に副社長となったが、これより先、野村社長の下に伊藤大八氏が副社長だった時代に、伊藤・犬塚事件というものがあった。それは伊藤氏が着任間もなく社内に一大改革を敢行せんとして理事犬塚信太郎氏の頑強な反対を招いた事件である。

一九一五（大正四）年当時中西氏は、鉄道院監督局長として満鉄の監督官を兼ねていた。これが中西氏と満鉄との関係のそもそもであった。中西氏は大隈内閣の伊藤・犬塚事件に対する措置が頗る不当にして法規の精神に反するものと主張し、強硬に政府の方針に反対して遂にその椅子を去った。次の寺内内閣（一九一六（大正五）年）には再び擢用されて鉄道院理事となり、次いで一九一八（大正七）年原内閣成るや、野田卯太郎逓相の下に逓信次官となり、居ること半年ならずして、翌年八月六日、原首相の推挽により満鉄副社長に就任した。氏は三多摩の大地主で東京府第十三区に於ける政友派の巨頭と目されていた。

満鉄は政党関係の人の這入って来るのを嫌う空気が濃い。そこへ政友会と密接な関係のありそうな中西氏が副社長に就任したので社内には期せずして警戒の目が光ったのである。

加えるに満鉄が大会社であるといっても、一件二百二十万円という炭鉱の買収は一些事ではないのに、これを僅かに社長と主席理事の了解のみで独断専行した。その手続き、手段の余りに簡略だったことが政治的な裏面を思わせた。

社内の一部、世評、司法当局などの嫌疑の重点は、これを要するに政友会との関係である。森のために買収したこと、言い換えれば政友会の選挙のために買収した、とする点にある。

この**満鉄疑獄事件**は、要するに、

一、浮薄なる与論の犠牲であった。

二、事件の形式が時代思考である強者に対する反感であった。

三、満鉄と政友会の醜関係という形式を備えて突き出されたゝめ予断憶測を与えた。

四、加えるに中西副社長はかつて大隈内閣の施政に反対して勅任官の地位を捨て、原内閣で逓信次官に抜擢されたので極めて疑われ易い立場にあった。

以上の如くにして、仮に一つの仮想を組み立てるべく一見可能な条件と環境に取り囲まれ、一時は犯意推定の有力な証拠の如くに重大視されたが、いずこにも根拠のない疑いで、いわば浮薄なる世評の捏造した空気に左右されたものに過ぎなかった。結局この事件は政争の具に供されたに過ぎない。

この事件に関して森は、別掲パンフレット『搭連炭鉱に関する真相』（P37参照）を発表して誤れる世評に応え、

「余が代議士と成る以前単に実業家たる時代に於いてなしたる純然たる一つの商行為に過ぎずして、基より政党と何らの関係も因縁も無き事件である。その如き明々白々の件を拉し来りて陰謀より議会に於ける政争の問題となすの結果が、政治の進歩を阻害し憲政の逆転を招くに至る」

と歎じているのは当然である。

森はこの不慮の災難に遭って、銀行方面に於ける信用は不当にも失墜し、その結果ひどい貧乏時代に入った。一時は、政治の愚劣に痛憤して政治をやめようかと漏らしたことさえあった。何しろ、所属の政友会にすら森の除名論が起こり、或は又、議会中は謹慎して登院を見合せるがよかろうという様な暴論さえ起こったくらいである。

《珍品五個事件》

この事件は、不幸にも加藤憲政会の「珍品五個」問題を発生させた。憲政会の攻撃の逆手をとるため、時の政友会幹事長廣岡宇一郎氏が、当時は未だ代議士になっていない内田信也氏から得た材料を使ったのであ

る。

内田氏が加藤総裁に金五万円を寄贈した際の受取りの手紙に珍品五個云々と書かれており、この五個は普通選挙法案阻止の内約に出発しているというのである。廣岡氏は幹事長を辞職して新聞価値を大ならしめた上に手紙を発表したので、興味本位の社会は満鉄事件そっちのけで大いにはやし立てた。

かくしてこの議会は醜争に醜争を続けたが、これとは別に、森はこの事件による不当の災害を防衛するために、急速に法律の勉強を始めた。当時止宿していた帝国ホテルの居室には法律書を山の如くに持ち込み、徹夜の陣を布いて読み続けた。それが幸いして、以後の政治生活に必要な法律知識は一通り彼の頭脳の中にたゝみこまれて入ったのである。

この最初の政治的試練はしかし森のために決して無意味ではなかった。政治家としてのあの迫力、あの闘争心、あの度胸が、かゝる大なる試練の中から鍛え上げられたからである。

これは正しく先駆者として働く人の頭上にはしばしば降りかゝってくる天の試練である。特に荊棘を縦横に切り拓いて進まねばならぬ植民地の先駆者にはしばしば降りかゝる運命である。クライブしかり、ヘースティングズしかり、歴史上にも幾多の開拓者がこの試練に際会しているのである。

《小日山直登氏》

終わりに一つのエピソードを加えておく。

山本条太郎氏が満鉄総裁時代に創設した昭和製鋼所は、我が製鉄事業のために大きな役割を果したが、この工場で使ったコークスは全部搭連炭鉱の石炭から作られたもので、今にして初めて当時の中西副社長が二百二十万円という寧ろ最安価で買収した功績が認められているのである。現在もし搭連炭鉱が売買の目標に上がったならば何千万、何億円という価格が生じるであろう。それは兎も角として、こゝに興味ある事実は社長小日山直登氏の事である。

小日山氏は事件の当時、満鉄撫順炭鉱の庶務課長であった。その関係から証人として東京地方裁判所に喚問されたが、裁判所側の必要とする被告及び満鉄に不利な陳述は一言も述べなかった。裁判長も業を煮やして、

「証人がこれ以上証言を拒むに於いては偽証罪として犯罪を構成するかもしれない。それでも悔ゆるところはないか」

と決め付けた。すると小日山氏は憤然と立ち上って、

「日本の家族制度は各自その家を守るにある。これが世界に誇るべき日本の家族制度であります。私は満鉄という大きな家庭に育った者であります。その満鉄を守るために断罪を受くるとも悔ゆるところはありません」

と堂々の論陣を張ったことは、山田潤二氏が満鉄本社の庶務課長でありながら満鉄を売った行為と対比して未だに世の語り草になっている。

又、当事満鉄の東京支店長であった木部守一氏もしばしば証人として喚問されたが、小日山氏と同様な心

構えを以て満鉄擁護に始終したために、東京支社の家宅捜索を受けるなどして飛沫を蒙ったものであった。
それが縁で、森と小日山、木部氏らの交際が始まった。そして田中内閣で、森の先輩山本条太郎氏が満鉄の総裁になった時、小日山、木部両氏を満鉄理事に推薦し、木部氏は人操りの都合上選に洩れたが小日山氏は満鉄理事となり、やがて昭和製鋼所長となり、木部氏は以降森及び森の親友十河信二氏と親交を続け、後に日満倉庫の社長となった。

搭連炭鉱に関する真相

森　恪

いわゆる満鉄問題は、帝国議会並びに新聞紙上に於いて頗る誇大に宣伝されつゝあるのみならず、事実の真相を誤ること甚だしきものあり。搭連炭鉱事件の如き、余の直接関係を有する事項にして、かくも誤解悪用さるゝ以上は等閑に付し去る能わずこゝにこれを正するの要あり。況んや問題はどうもすれば一部策士の害用に供され、政情を紊《みだ》るの恐れ歴然たるをや、世の誤解を解くは必ずしも余一巳のためのみにあらざらん。

大正十年三月

搭連炭鉱の由来

搭連炭鉱とは如何なるものか、将又搭連炭鉱と満鉄との関係は如何なる因由関係を有するか、先ずその由来を述べればその両者の関係は決して唐突に発生せるものに非ずして実に大正四年より連続して今日に及べるものなり。抑も搭連炭鉱の石炭採掘権たるや当初光緒三十三年中支那人孫世昌ほか数名が採掘許可を得たるに始まり大正三年十月に至り前記孫世昌らは日本人三好亀吉と支那鉱業法に準拠して共同経営契約を締結し翌大正四年三月その許可を得たり。これより前大正三年九月中新定鉱業条令に基づき更に鉱業権設定の申請をなし越えて五年六月二十一日付を以て北京農商部よりその許可証の下付を受けたるものに属し、爾来炭鉱の経営日本人側権利者に変遷あり、即ち大興公司の三好氏はその権利全部を上仲尚明氏に譲渡さんと申し出て上仲氏は飯田義一氏をして資金を提供せしめ譲受の事あり、事業の経営は上仲氏がこれに当たり、次いで大興公司全部の事業請負契約を支那側と締結し、以て事業経営上の安全を図ると同時に飯田氏より受くる資金の供給を増加し、本炭鉱の事業に著しき進捗を見、その有する炭量の豊富なる事炭質の良好なる事を確認し、こゝに上仲氏をして本炭鉱の大規模なる経営を決心せしむるに至り、大正六年三月上仲氏自ら社長となり同氏の友人たる余ら六名これを援助し、資本金壱百万円の東洋炭鉱株式会社を組織し、飯田氏個人の権利は右会社に譲与され関係一切これ無きに至れり。これ本炭鉱の由来にして且つ東洋炭鉱株式会社の組織を見たる経路なり。

満鉄先ず希望する

かゝる間に満鉄会社（中村雄次郎氏総裁時代）に於いても本炭鉱の価値を認識すること漸く明らかとなり、而も他方に於いて鞍山站に一大鉄鉱を発見し製鉄事業を創始するの企画ありしを以て、旁々本炭鉱の規模並びに経営の大ならん事を希望し、且つ満鉄より進んで本炭鉱の出炭全部を買収するの意を表示されたるを以て、こゝに東洋炭鉱株式会社側は満鉄幹部の同意を得て満鉄撫順炭鉱技師福田政記氏を聘して顧問技師としたるを始めとし、その他撫順炭鉱方面より推薦にかゝる技術者を雇用し、専ら満鉄技師の意見によりて経営方針を樹立し同時に満鉄保証の下に東洋炭鉱株式会社は株主全員をして株式全部を担保として朝鮮銀行より六十五万円を借り入れ一面事業の拡張をなし一面株主総会総株主の同意議を以て四十七万二千五百円を上仲氏に贈呈し、上仲氏をして同氏が本炭鉱以外に関係したる事業の整理並びに本炭鉱個人経営時代における同氏関係債務を整理せしめたるに、満鉄に於いても如上の事業拡張その他を承認し、事業拡張によりて増加する出炭全部を運搬するため、満鉄の経費を以て本炭鉱と満鉄本鉄道との間に約五マイルの運炭電気鉄道を敷設し以て本炭鉱の出炭を収容し使用するに至れり、この一事のみを以ても如何に満鉄が本炭鉱の出炭を要せるかを知るに足るべく、尚この中村氏総裁時代には満洲に於ける邦人の事業に対し玉石を甄別しその尤もなるものに対しては飽くまで扶掖の方針を持したる事は満洲に於いて経営をしたる者は勿論、苟くも該方面に何らかの関係を有したる者の皆な知るところ、蓋しこれ言うまでもなく満鉄当時の根本方針政策が同方面に於いて未だ大を成さざる各種の事業を大局上より観て、満鉄の栄養事業とし、共存共栄を図るに出たるものなり。然り而して東洋炭鉱株式会社は満鉄が持せるその根本方針に照らし必要欠くべからざるものとせられて、前記の如く技術上の応援指揮は勿論、更に進んで保証の地位に立ち、鮮銀よりの借款を起こさしめ、運炭用の電車も満鉄自身の経費に於いて敷設し、その上採掘せる出炭の全部を買い取り自家の用に供せるのみならず、その他に有形無形の誘発を加え、以てこの炭鉱をして独立し発展し得る様仕向けられたるものなり。

売買契約の成立

その後上仲氏は渡欧する事となりその実権を挙げて余に一任し、大正八年初春英国に向けて出発したり。以上余の本炭鉱に関係を生ずるまでの経過なるが、幾何も無くして余も又支那を去り内地に帰住し次いで政治界に出づるの希望を抱くに至りたるを以て、従来の如く大半の歳月を支那に費やす事能わざるべきを思い漸を追い支那に於ける各種関係事業の縮小を試みたるに至りたるが、その時機恰も経済界の沈衰期に差し掛かり、自然余の関係事業もそれぞれ資金の固定をなすこと多く、延いて資金調達の必要に迫りたるを以て本炭鉱の如きも他に譲渡するを便とし更に考えるに本炭鉱は当然満鉄に於いてその所有に係る龍鳳坑に併合経営するを以て彼我炭鉱自体の価値を最も有効に発揮する所以なりと思考判断したるが故に、大正八年末より進んで権利譲渡の交渉を開始し、その後費やすところ数ヵ月漸く彼我の意見一致し、余らが有する東洋炭鉱株式会社の株式全部を満鉄に譲渡する契約の締結となりたるものなり。

売買代金前渡金授受

この間に於いて売買価格の折衝あり、満鉄当事者は二百万円を以て買収せんとし、余らは三百万円を相当なりと主張し（価格算出の基礎は後の項に詳記す）、相往復すること多時の後遂に二百二十万円として折合うに至れり（この金額中より東洋炭鉱株式会社の有する債務を引き去り償却するものなり）。この契約成立と同時に現金三十万円を前渡金として受領したるが、これ契約の際（即ち総選挙当時）に於いて授受されたる金円のすべてにて、その後八カ月を経、更に現金三十万円を収受し、残額は今日に至るも未だ支払を受け居らざるものなり。

誣罔虚の宣伝

然るに世上虚構徒らに惑わすものあり。この売買契約は裏面に昨年五月の総選挙に際し政友会の選挙費を調達せんための目的を包蔵して敢行せられたる行為なるが如く宣伝せられ、特に甚だしきものを挙げれば現に憲政会代議士橋本喜造君の如き衆議院の壇上に於いて余がこの売買について現金壱百万円を総選挙費用として政友会に提供したりと放言したるなどこれなり。これらは実に無根の事実を虚構したるものにしてその心事や寧ろ憐れむに足るところなるが、世人をして誤りを抱かしむるの責は負わざるべからずと信ず。余が当時受領したる三十万円はそれぞれ正当なる費途に充当されていたものにして断じて政友会に提供したるものこれ無し、殊更言うまでも無く三十万円を得て百万円を支出するが如きは常識あるものゝなすことに非ずその種の如きは即ち誣言の標本と称して可なるべし。

確実なる採鉱権

もしそれ本炭鉱の鉱業権について言わば、その鉱業権の確実に設定されたるものなるに拘わらず、一部の論者特に過般貴族院の各議員間に配布せられたる印刷物の如きは、「採鉱権に非ず採鉱権有る支那人と協定したる合弁契約上の権利に過ぎず」と説きその権利は不確実にして危険性を帯びおるが如く高唱し非難すれども、これ全く支那に於ける日支合弁事業の真相を詳かにせざる観察なるが併せて一般世人をして誤して軽信せしめんとするの筆法を用いたるものなれば元より非難せんがための非難に過ぎず。元来東洋炭鉱株式会社が継承したる権利は原権利者が中華民国鉱業条例に基づき民国三年十月六日支那側との間に於いて共同経営契約を締結し翌四年三月十日農商部より許可を受けたるものにして鉱業条令第四条により明確に設定されたる鉱業権なるを以て、この間何ら疑点を挟むの余地無きものなり。

本炭鉱の価値

本炭鉱の売買価格を目して不当の高価なりとする者は即ち本売買を非難するものなるが、これ又事実を知悉せざるによるか徒らに宣伝に囚われたるの致すところなり。もし事実を知悉せば事の顛倒せるに寧ろ一驚すべし。余をして忌憚なく言わしむれば如何なる標準によりてその高低を論ずるか了解に苦しむところなるも、彼の配布したる印刷物及び論議を見るに、何れも数年前に於いて則ち本炭鉱の探鉱未だ完了せざるとき徒らに仮定されたる価格（今日に比し非常に差ある価格）を取りかれこれ高価なりとの説をなすものゝ如くなるが、公平に言うとき寧ろ安価に買い取られたりと信じて不可無し。

試みに本炭鉱の価値につき余らの信ずる最高計算はこれを除き、最低限度となせる計算を示せば左記の如し。

一　鉱量より見たる価値

総石炭量は　層厚左掲三種、傾斜三十度、深さ五十尺乃至三千五百尺として計算するに、

（一）深さ五十尺―五百尺に於いて

第一層厚さ四十尺	炭量	三、一五九、〇〇五・六トン
第二層同　四尺	同	二八九、〇〇〇・〇
第三層同　七尺	同	三七〇、〇〇〇・〇
合計	同	三、八一八、〇〇五・六
内概採掘量	同	二〇〇、〇〇〇・〇
差引現存量	同	三、六一八、〇〇五・六
この価格トン当金三十銭にて	金	一、〇八五、四〇一・六八円

（二）深さ五百尺—千尺に於いて

第一層厚さ四十尺	炭量	二、六六四、九四〇・八トン
第二層同　四尺	同	三三〇、〇〇〇・〇
第三層同　七尺	同	四一〇、〇〇〇・〇
合計	同	三、三九四、九四〇・八
この価格トン当金二十銭にて	金	六七八、九八八・一六円

（三）深さ千尺—千五百尺に於いて

第一層厚さ四十尺	炭量	三、〇二〇、八九六・八トン
第二層同　四尺	同	三三〇、〇〇〇・〇
合計	同	三、三四〇、八九六・八
この価格トン当金十銭にて	金	三三四、〇八九・六八円

（四）深さ千五百尺—二千五百尺に於いて

第一層厚さ四十尺	炭量	六、一四三、七四〇・八トン
第二層同　四尺	同	六四〇、〇〇〇・〇

合計　　　　　　　　　　　　同　　　　　　六、七八三、七四〇・八

この価格トン当金五銭にて　　金　　　　　三三九、一八七・〇四円

（五）深さ二千五百尺―三千五百尺に於いて

第一層厚さ四十尺　　　　　　炭量　　　　八、四七三、二四六・〇トン

最深部可採炭量を二分の一と見做し　同　　四、二三六、六二三・〇

この価格トン当金三銭にて　　金　　　　　一二七、〇九八・六九円

全炭量　　　　　　　　　　　　　　　　　二一、三七四、二〇七・〇トン

全価値　　　　　　　　　　　　　　　　　二、五六四、七六五・二五円

これに諸設備費金五三六、五九七円四九銭の中二十％を償却したる残現在備金四二九、二七八円を加算すれば、

価値総計　金二、九九四、〇四三円二五銭となる。

二　企業上より見たる価値

右の石炭総量二一、三七四、二〇七トンを填充法によりその七十％を採掘するものとして可採炭量

一四、九六一、九四四トンとなる。

この採掘年数を百年とすれば一ヵ年の出炭量は一四九、六〇〇トン余となるべし。今仮に一ヵ年の出炭量を一四〇、〇〇〇トンとし興業費の固定すべきもの三、〇〇〇、〇〇〇円としてこれが価格を算出すべし。

先ずトン当り原価により利益金を計算すれば、

直接採掘費		六・五〇円
斤先費		一・五〇
興業費償却金	$\left(\frac{3,000,000円}{14,000,000トン}=0.21\right)$	・二一
利息	$\left(\frac{\frac{3,000,000+30,000}{2}}{14,000,000}\times 100\times 0.13=1.12\right)$	一・一二
非常準備金		・三〇
販売及び諸予備金		・七〇
合計		一〇・三三

となる。販売価格十五円九十銭なる時は差引純益金一トンに付五円五十七銭。鉱山の価値を測定してこれに投資する金額を定まるに用いる計算式は次の如し。

$$(t+b)(c+w)R+\frac{2c}{2+r(t-1)}=tyu+p$$

こゝに、t　は採掘年数（一百年）

b　は一ヵ年十四万トン出炭するに至るまでの年数（五ヵ年）

c　は鉱山の価格

G　は興業費及び設備費（金三百万円也）

w　は運転資本（金二十万円也）

R　はc及wに対する利益率（一割三分）

r　は償却金の利率（八分）

y　は一ヵ年の総出炭量（十四万トン）

u　は石炭一トンに対する平均利益（金五円五十七銭也）

p　は鉱山終業の際に於ける諸設備の価値とす（金三十万円）

右値を前記公式に入れば次の如し。

$$(100+5)\{G+3{,}000{,}000+200{,}000\}\times 0.13+\frac{2(G+3{,}000{,}000)}{2+0.08\times(100^{-1})}=100+140{,}000+5.57+300{,}000$$

$$\therefore\ G=2{,}499{,}813\text{円}$$

即ち所要の探鉱の価格は金二、四九九、八一三円也を得べし。

これに償却済現在諸設備額金四二九、二七八円を計上すれば、

総価値　金二、九二九、〇九一円

前総裁時代真価既に定まる

以上の根拠ある計算により本炭鉱の価値頗る大なることは真に明白なるのみならず、而もこれかつて満鉄（中村雄次郎氏総裁時代）保証の下に朝鮮銀行より借款をなしたる際、東洋炭鉱株式会社より満鉄並びに朝鮮銀行に提示したる炭量はこの基礎的数字より算出されたるものなるを以て本炭鉱自体の有する価値は満鉄の前幹部時代に於いて既に決定せられたるものとすべくと同時に余が這回満鉄と売買契約を締結するに当たり主張したる価格算定の根拠たるなり。この計算は特に世上の宣伝文書と対照し公平なる判断の資料とせられんことを希望するものなり。

満鉄が本炭鉱買収を必要とする理由

或は絶対的な説を立てゝ搭連炭鉱は満鉄にとりて無用のものなりとの説をなす者あれども、これ又実際を解せざるものゝ観察及び本件を取りて何らかためにせんとするものゝ故意に作れるものなりとす。抑

も満鉄は撫順炭鉱を中央とし付近の炭田を統一するを以て満洲に於ける燃料政策の理想とすべき運命にあり。従って公平無私に観察を下し本炭鉱の如き炭量豊富なるものは特段の障碍と大なる不便なき限りこれを買収統一するの必要あり。特に満鉄所有の龍鳳坑と搭連炭鉱とは相隣接せるを以てもしこの両者統一せられざる場合に於いては、不必要なる設備の重複となり、如何なる方法を以て観るも相共に不利なる関係に陥るべく、これに反し両者を併合する時その価値相互にますます増大累加せらるべし、満鉄当事者これを看過する道理無く夙に両炭田の合併を予定したるが如く数年前よりこの計算の下に龍鳳坑の採掘を開始し、尚この目的計画を以て両炭田の境界に近く竪坑を設くる方針を発表したるなど満鉄が本炭鉱を必要とするの理由思い半ばに過ぎて当さに明々白々たるなり。

本炭鉱は製鉄業の死命に関す

製鉄事業が燃料に至大の関係を有することは一般に識らるゝところ、満鉄がその所有に係る日支合弁振興公司の鉄鉱を基礎とし、製鉄事業を企画して以来自然コークス原料炭を求める必要に遭遇せるも、満鉄の有する撫順炭はコークス原料となす事能わず、僅かに搭連炭鉱の隣接鉱区たる前記龍鳳坑に於いてコークス原料炭を得るに過ぎず、従って製鉄事業を経営せんためには新たに原料を産出する炭鉱を獲得するの必要あり。安奉鉄道の沿線なる本渓湖炭鉱よりコークス原料として供給を受けるの望み絶無には非ざるも、本渓湖は大倉氏と支那側の共同経営に係り而も自身製鉄事業を経営せるを以て充分他に供給するの余力無く、事実上満鉄は本渓湖に原料炭の供給を仰ぐ不可能なるあり。別に京奉鉄道の沿線に英国人関係の開灤炭鉱あれどもこれ又その供給に信じて依頼する能わざるの実情にあり。よりて満鉄が搭連炭鉱より純良なるコークス原料炭の供給を仰ぎ得る事は真に天恵と称して不可無く、満鉄が製鉄事業の経営をなす以上本炭鉱をその手に収むるは絶対に必要緊切の事に属し併せて製鉄自給の我が国策にも関係する重大のものなりとす。従ってすべてに於いてこの買収行為は国家の大局より着眼一番すべき必要あるものなり。

高所より観る満鉄の任務

又説をなすものあり。石炭市況沈衰したために余剰炭をさえ生ずるに至れる昨年度の如き場合に於いては、新たに炭鉱を併合する必要有たるや否やと。然れども善く思え僅か一年前にありて満鉄はその沿線各地の需要に追われ供給力著しく不足し炭価は勿論異常なる暴騰を告げために種々なる損害と不便とを住民及び各種の事業その他の需要者に被らしめたるの実例あり。深く察するに一時の市況如何によりて根本的政策を動かすが如きはこれ屑《せつ》々たる小事業家の取る手段小策とすべきものにして満鉄の如き国策の遂行を仁とするものゝ敢えて倣うべき態度に非ず。須らく大所より出発し余らの応じ得る機に於いてその根本政策を実行するの必要ある事は異論を容るゝ余地を存せざるところ、蓋し満鉄の真使命たるなり。然るを何事ぞ「早晩技術上及び経営上行き詰まり満鉄は瞑目しおるも先方より投出すべき時期の到来することは自然の運命なり」「運炭の鍵は満鉄の手中にあり満鉄の保証を謝絶すれば、資金に窮するに至るべしその衰微するを俟って徐ろにこれを買収するも遅からず」と説くが如きは満鉄をして餓虎の如くなれと説くもの、その心事の陋唾棄するの他無く対外政策の要訣を解せざるの無智憐むに堪えたり。蓋し遠く海外にありて事業の先達となり国策の進展に貢献すべき任務を有する満鉄の如きは、須らく高所より達観してなすべき当然の援助はこれを努め支払うべき当然の対価はこれを惜しむべきに非ず。かくの如くして初めて満鉄以外の事業を発達助成し各々の立場を安定せしむるもの、その度量有りてこそ本来の目的に副うべきなり。即ち本炭鉱の如きに対しても、宜しく創立以来当事者の致せる努力と功労を認めこれに対するに宜しくなし得る限度に於いての方法を以てし、自他両立の途を講ずるを当然の職責遂行とすべし。邦家を背景とし海外に大なる任務を有する満鉄の如き大事業に関しもし異説あらばこの機会に於いて承るを得んか。

事は政治の進歩を阻害す

これを要するに本炭鉱の売買については、その間何らの不正不当の行為無く、買収者たる満鉄より見れば中村雄次郎氏総裁時代よりの懸念を解決するもの、特にこの売買たるや余が代議士と成る以前単に実業家たる時代に於いてなしたる純然たる一の商行為に過ぎずして元より政党と何らの関係も因縁もなき事件たること前各項を通じて明確に了解せらるべきところと信ず、尚結論に当たり一言の付加を禁じ能わざるはその如き明々白々の件を拉し来りて陰謀より議会に於ける政争の問題となすの結果が政治の進歩を阻害し憲政の逆転を招くに至るの一事これなり。蓋し事業家より政治界に入るもの〻、かつて純事業家として経営せる事項を捉え政争の具に供し堪ふべからざる犠牲を強要して已まざるに於いては、志ある人物の政治界に立つ事莫かるべく、延いて国の経綸が即ち列強と経済的角逐たる今日、議政の府この方面の人材を欠如するの損失を醸すに至るべければなり。或は政治と実業と二足の草鞋を穿くべからずと称するも、これらは往時議会が単に権利の伸長を目的とする以外他事を顧みる余裕を存せざりし時代の事にて現代と没交渉の言のみ、国運隆昌の基礎経綸の根本を国力の増大に置くの時当さに経済界よりその人を議会に求むる急中の急務たりとすべく、この意義に於いて代議士が事業に関係を有する時反対の党派より陰謀を以て迫害を被るなどは明らかに憲政発達上の大障碍事とすべし。この事惟うに同憂の士少なかざらん。本問題余衆議院議員としてその席を政友会の末に列する故を以て、議会並びに新聞紙上多く誤れる論議報道の資に供せられたるが毫末も前各項以外の事実無きを確信しこゝに妄に人の心事を付度する者を誡め、誤伝を正すと共に真相を明らかにするものなり。　以上

四　ワシントン会議と森

ワシントン会議は一九二一（大正十）年十一月十二日に開会された。この会議で成立した**ワシントン条約は日本の政治外交の一大転機期をなす**。加藤友三郎、徳川家達の両全権に、法制局長官横田千之助が原首相の特命を受け、機密事項を司るために随員として行った。

これらの一行を送り出した原首相は、会議の開かれる直前、十一月四日東京駅頭で刺されて政変が起こり、会議の開かれた翌十三日に、新たに四代目政友会総裁となった高橋是清が内閣組織の大命を拝して、原敬内閣と同様、政友会内閣を組織している。

出先の全権団は勿論、原の懐刀であった横田、横田と同行した川原茂輔、山本悌二郎、その他政友会員も悲嘆に暮れた。その失意の打撃が会議を展開して行く上にも暗影を投げたのである。

《原敬暗殺事件》

一九二一（大正十）年十一月四日、首相原敬は鉄道省山手線大塚駅職員の中岡艮一によって東京駅乗車口（現在の丸の内南口）で暗殺（刺殺）された。

当日、原首相は京都で開かれる立憲政友会京都支部大会へ向かうために東京駅乗車口の改札口へと向かっていたが、午後七時二十五分頃、突進してきた中岡に短刀を右胸に突き刺された。原首相はその場に倒れ、駅長室に運ばれ手当てを受けたが、すでに死亡していた。突き刺された傷は原首相の右肺から心臓に達しており、ほぼ即死状態であったという。

大塚駅の転轍手《てんてつしゅ》であった中岡艮一は、以前から原首相に対して批判的な意識を持っていた。中岡の供述によれば、原首相が政商や財閥中心の政治を行ったと考えていたこと、野党の提出した普通選挙法に反対したこと、また尼港事件が起こったことなどによるとされている。その他一連の疑獄事件が起きたことや、反政府的な意見の持ち主であった上司・橋本栄五郎の影響を受けたことなどもあって、中岡は原首相暗殺を考えるようになった。

逮捕された中岡は、死刑の求刑に対して、東京地裁で無期懲役の判決を受けた。その後の東京控訴院、大審院でも判決は維持され確定した。

なおこの裁判は異例の速さで進められ、また調書などもほとんど残されていないなど謎の多い裁判であり、その後の中岡の特別な処遇（三度もの大赦で昭和九年には早くも釈放された。戦時中には比較的安全な軍司令部付の兵となっていたなど）と相俟って、本事件に関する政治的背景の存在を推測する論者も多い。

森恪とワシントン会議は、後述する瓜生外吉大将の渡米に関して政府との間を斡旋した以外、直接の関係はない。けれどもこの会議が支那に有する日本の権益に大削減を加えられる結果に終わったことは大陸政策を生命とする森の痛嘆事であった。彼は世界大戦が終了し、パリの講和会議が終結しない中に早くも英米仏と支那とが気脈を通じて日本を圧迫して来ると見透かしをつけていた。だから先手を打ち、支那に於ける日本のイニシアティブを失わない工作として夙に**支那解放論を唱導**したのである。それは支那の門戸を解放し、機会均等の原則を打ち立てることであり、その鍵は日本が握る事であった。

そのメモは「北京中日実業有限公司」の便箋に認められてあるが、これは一九一七（大正六）頃年に書かれたものと推定される。

森の**支那解放論**の要旨は左の如くである。

世界に於ける帝国の立場より見て、極東の平和を保持することが必要なる以上、支那の領土を保全せざるべからざることは問題として考察するの余地なく、従って支那の領土を保全し、支那を統一されたる形に改善することは、日支両国に取りて共通の利益なり。支那の領土を保全するとは何を意味するや？　また如何にして保全し得べきや？　支那大陸に住みし、また住まんとする者、即ち支那を天地とする者にとりて、統治せられ支配されるが如き形に保全することを**領土保全**と称す。支那のみの占有する領土として保全するに非ず。又一国、一民族によりて支配さるゝが如き形にて保全されることを意味せず、

門戸解放されたる富源は国籍の如何を問わず、支那人と外人とを問わず、苟も支那大陸を己の天地とするものに一様に分布されざるべからず。この意味に於いて**機会均等**ならざるべからず。機会均等は啻に支那に来らんとする列国人に対してのみ用いらるべき言に非ずして、支那人自身にも適用せらるべきものなり。

支那の領土を保全するには、天賦の富源を公開拓発して国利民福を増進せざるべからず。富源の開発利用は現在支那大陸に先住せる支那人のみに依頼し居りては目的を達し得る見込みなく、勢い支那人以上の文明国人の富力と知識を利用するにあらざれば不可能なり。これら文明人の富力と知識を利用せんと欲すれば、支那の門戸を解放せざるべからず。支那人自身の生存のために必要にして支那を天地とする人類のすべてにとりて欠くべからざる方針なり。知るべし、**領土保全を以て国是とする以上、機会均等、門戸解放は緊要方針なる**こと、故に曰く、帝国は支那の領土保全を目前の国是とし、この国是を実行する手段として門戸解放、機会均等の二大方針を声明し、支那をしてこれを厳守せしめ、苟もこの二大方針に適応せるものは助け背駆するものは破る事を以て**対支政策**とすべし。

帝国の対支外交の無為無策、多く機会を逸し去るのみならず、徒に失敗を重ねるが如き観あるは、畢意到達すべき主義方針の一定せざるが故なり。據るべき主義と方針決定すれば、問題如何に複雑するも、局面如何に展開するも執るべき道は自ら定まるべし。豈に右顧左睥するの要あらんや。もし支那を取る考えなく如上の方針をとるとすれば、如上問題に先立ちて先決問題あり。曰く、秩序の回復なり。

一、支那の統一

近き将来に於いて支那は自力を以て能く支那を統一し、安泰なる政治を形成する能力ありや否や

一、現今政治　（註：以下紛失してなし）

これが大体、森の支那解放論の骨子と思われる。この論をあらゆる機会に内地及び外地の有力者に鼓吹したことは勿論であった。けれどもワシントン会議の結果は如何。成程、門戸解放、機会均等の原則は形式上整えられたが、日本が二十一ヵ条によって有する権益の大部分は剥脱された。

一九一七（大正六）年十一月二日、我が石井菊次郎全権とロバート・ランシング米国国務長官の間に支那に関するいわゆる**石井・ランシング協定**が締結されている。

一、支那に於ける日本の特殊権益

二、支那領土保全

三、支那に於ける商工業上の門戸解放・機会均等主義

つまり森の支那解放論を骨子としたような感がある石井・ランシング協定だが、ワシントン会議では支那に対するルートの四原則によって破壊された。

支那に対する九ヵ国条約、日英米仏の四ヵ国条約などによって日本は手枷足枷をはめられ、山東は還付する結果になり、日英同盟は破棄された。また同会議に於ける海軍軍縮協定では英米日の間に五・五・三の屈辱的規律が結ばれるなど、**ワシントン会議は即ち日本の失権会議の実質を以て終わった**のである。折角伸びかけた芽は摘まれた。

森は彼の終生の政治目標として、その失権回復と共に、後年唱えられた新秩序の建設を既に当時考えていた。彼の支那解放論を良く聞かされ、彼の代弁者として『時事新報』紙上に支那解放論を執筆（一九一九（大正八）年九月）した小川節氏が語るには、「犬養内閣当時久しぶりに森さんに会ったところ、森さんは『もう解放論では駄目だ』と一言言った。その一言が満洲事変の動因をなしたものともみられ、支那事変の

因って来る遠因を発酵させたとも思える云々」。味あうべき談片と思う。

ワシントン会議が日本にとって**失権会議**であった理由は、これを欧州大戦の結果による日本内部の政治、社会、経済情勢に照らし合わせてみる必要がある。米国が一九一七（大正六）年二月二十四日、デモクラシー擁護を名として欧州戦争に参加してから、アメリカン・デモクラシーは決河の勢いを以て日本に流れ込んだ。その政治的現象として先ず普通選挙の獲得運動が澎湃として起こった。その原動力は大学にあったとみることが出来る。東京帝国大学教授吉野作造氏が『中央公論』を舞台として次々とデモクラシー論を発表して論壇を風靡し、東京帝国大学内には新人会が結成されて盟主に吉野教授を推戴し、これを中心として普選運動が一方に起こり、一方には労働運動が猛烈になってストライキが漸次その件数を増していった。一九一九（大正八）年にはその数、実に二千三百八十八件に上り、神戸川崎造船所に起こった争議にはサボタージュという新戦術さえ生まれ、小作争議も又至るところに勃発した。浅原健三氏が八幡製鉄所三万人のストライキで『溶鉱炉の火は消えたり』を発表したそのストライキは一九二〇（大正九）年二月であった。これらは皆アメリカン・デモクラシーの貢する災禍であった。

加えるに大戦の惨憺たる戦禍に漂然とした人類は、必然的に反軍国主義に向かって怒涛の如く流れて行ったのである。日本も又、その波浪に巻き込まれずにはいられなかった。然し森はその怒涛の中にあって、毅然として東洋の平和確立のため、軍備を主唱したのである。

一九二〇（大正九）年十一月頃書かれたと推定される森の草稿がこれをよく物語っている。

（上略）……国防計画が議会（四十三議会）に提出されたる時に、種々反対の声が起こりました。欧州戦後文明国の間に軍国主義打破の主張漲り、彼らの間にややもすれば、我が国を以て第二の独逸なり。東洋に於ける軍国主義国なりとするもの頗る多し。かゝる時に国費の半を投ずるが如き国防計画を実行する時は、ますます彼らの疑念を裏書きするが如き結果となり、引いては国際的孤立の位置に陥る恐れあり。由ってこの計画は中止すべし、という声であります。……しかし国際連盟規約第八条によれば、第一に、自国の独立を維持するに必要なる程度の軍備はこれを保持することが出来ること、第二に、世界の平和を強要する目的を以て作動するに必要なる程度の軍備は差し支えなきことを規定しております。欧州戦争に於いて我が国は東洋の平和を双肩に負うたのみならず、戦いの末期に於いては英仏などの連合国の強請によって遥かに地中海、或は英仏海峡まで艦隊を派遣して戦争に参加したのであります。従って国際連盟規約による時は、我が国は東洋の平和を確保し、必要の場合には世界五大国の一つとして世界の平和を保障し、強要するに必要なる程度の軍備計画をなすと雖も、他の批評を受くる要なき筈であります。今回の計画は決してかくの如き大なる計画ではありません。僅かに東洋の平和を維持するに足る最小限度のものでありますから、決してこれを以て軍国主義、侵略主義の象徴とみなさるゝ恐れなきものであります。（下略）

更に一例を挙げれば、当時官公私立の各大学校には学生の軍事教育反対運動唱獗し、その騒ぎは支那事変下の国民にとっては想像も許さぬような猛烈さを極めたものであった。

更に経済面を見るに、大戦の結果として物価は鰻上りに騰貴した。一九一八（大正七）年寺内内閣が倒れ、原内閣が生まれる直接の原因はいわゆる米騒動にあった。一般庶民階級は物価騰貴に悩まされるに反し、工業者、海運業者、貿易業者らは、製造と輸出によって莫大なる利益を占め、成金が続出するという新風景を展開した。

然るに一九二〇（大正九）年に大パニックが起こり、新興財閥の崩壊するもの頻々として現れ、従って失業者が増加して世界恐慌の先駆をなし社会不安を招いた。かくして人は皆戦争を回避し、平和を愛し、ウッドロウ・ウィルソンの唱えた人道主義に心酔してデモクラシーは一世を風靡したのである。やがてそれは共産主義横行の原因となった。思想の大動揺が現出した。そのデモクラシーの波に乗ったのが政党内閣の連続であり、曲折はあるが兎も角、一九三二（昭和七）年、五・一五事件の起こるまで続いたのである。

かゝる風潮の下に開かれたワシントン会議であったから、日本国内の人心は国権喪失に対して冷淡であり、綺麗なレッテルを貼った「世界平和」の麻酔薬に酔いしれていたのである。後年ロンドン条約が問題となり、国際連盟脱退論が国論とまで炎上したことゝ思い合わせ、動あれば反動ある歴史の原則とはいえ感慨深きものがある。

かゝる日本内部情勢に乗ずるかの如く、支那は列強にすがって日本の支那に有する権益を奪還しようとかゝった。支那が一九一七（大正六）年八月十四日、遅れ馳せに独墺宣戦を布告したのも対日失地回復をする手段でもあった。日本に対しては先ず山東の直接還付を要求し、独墺の有する租界を回収し、団匪賠償金の中、独墺の分を取り消すなどの手を打って、国際関係に新しいステップを踏み出した。パリ講和条約、ワシントン会議は便乗主義の支那にとって絶好のチャンスとなったのである。欧州大戦中にイニシアチブをとって置かねばならぬと考えた森の大陸政策は、かくしてもみくちゃにされてしまったのである。彼が**その当**

時から特に憂いていたのは、日本人はもっともっと政治と外交に関心を持たなければ国が亡びる、ということであった。政治のないところに軍事も外交もない。支那事変三年にして漸く政治と外交は即ち国民生活と離るべからざる因果関係にあることを個人個人が一様に悟った。森の憂えた現象が漸くにして実現したのである。

《瓜生外吉大将の渡米》

ワシントン会議と森にはこういう因縁がある。

森は瓜生外吉大将の娘栄枝を妻としている関係上、瓜生男爵とは親子の関係にあった。彼は日露戦争に於ける瓜生提督の功績に対して深い敬意を払い、実父作太郎翁に対すると同様な尊敬と親しみを持っていた。森は旅先などから忙しい中に能く手紙や絵葉書などを書いて瓜生男爵に送った。瓜生男爵はアメリカのアナポリス海軍兵学校の出身である。この学校の卒業生は海軍のみでなく、各方面に人材を送っているので、大将のクラスメイトも全米至る所に指導的な地位を保っていた。

一九二一（大正十）年の八月十三日、日本にワシントン会議参加招請の公文が到着した。会議は同年十一月十二日から翌年二月までかゝったが、そもそもワシントン会議開催の内意がアメリカに於いて醗酵しつゝある事実を日本で一番先にキャッチしたのは瓜生大将であった。アナポリスの同級生で政府枢要の地位にあった某氏（不明）が瓜生大将に私信を寄せて来たのは、同年の初めであった。

それには、「英米二ヵ国は世界平和のために海軍軍縮会議を開催する意向を蔵しているから、やがて日本とも公式に交渉が行われる筈である。日本はこれに対し如何なる考えを有するか知らせて貰いたい」という事が書かれてあった。瓜生大将は事件の重大性を直感した。当時まだ代議士一年生の娘婿森にこの話を打明け、時の原内閣に方針を決定させるように取り計らった。森は直ぐに法制局長横田千之助に相談し、横田氏を通じて原首相に帝国方針決定方を申し出たのであった。その情報を基礎として原内閣は秘かにその対策を練った。

前記某氏の私信では日本の意向を打診すると共に、「近くアナポリスの同窓会があるからこれを機会に渡米されたい。そして打ち割って話してみたい」という事が書き添えてあったので、瓜生大将は森と相談の結果、個人の資格で同窓会に出向いて行くことになった。その間、内閣、外務省、海軍などの間に秘密の話し合いがあったことは勿論であるが、瓜生大将のこのアメリカ行は日本の態度を決し、英米の思惑を探り、帝国の立場を有利に導くために重大な役割をなしている。しかし、この事に関しては瓜生家にも森家にも記録が残っていないから、何をアメリカで語ったか、それは判らない。公式招請状の来るに先立ち、一九二一（大正十）年五月八日、単身春洋丸で横浜を出港した事実以外判明しない。ただ英文『瓜生外吉伝』の記するところによれば、男の旧友で当時アメリカ大統領ウォレン・ジー・ハーデングに招かれ、ホワイト・ハウスの庭園で撮った写真がある。ハーデング大統領夫妻、リーズ大将、ウィルソン大将、上院議員O・E・ウエラー氏らの名士が瓜生大将を囲み、親しげなパーティであったことを思わせる。このウエラー氏が瓜生大将に私信を寄せたのではないかと思われる節があるが、それを証明する材料がない。この項では瓜生大将が個人として渡米するに際し、旅費から交際の費用まで森の手で整えられたことを記するに止める。

なお森は、満洲事変後、アメリカの対日感情悪化に備えるため瓜生大将を活用したことがある。大将はアナポリスの出身で全米に友人が多い。これを動員する必要があるというので、日本の立場を説明した手紙を大将の名で米国の各方面に送った。この手紙の原稿は、当時外務省きっての英語使いと評されていた白鳥敏夫氏の起草によるものである。

こゝに森の興味深いメモを紹介する。

強気一本張りの如き印象を与えていた森が、ワシントン会議の妥当性を認めている。これは反対党の攻撃に酬いうる演説の草稿と推定されるが、時日も演説場所も不明である。恐らく、政友会代議士として政友会内閣の主張に忠実ならんとしたものと思われる。

ワシントン会議について（森の遺稿）

（上略）また我々は国力の実際と国際的立場に対して最も明快なる理解を必要とします。この理解なくして外交を論じ国策を議するは頗る危険であります。世には国力の如何を顧みず、徒らに大言壮語し外交の要訣は一つに対外硬にあるが如き言論をなすものがあります。我々はワシントン会議を以て我現下の国力としては外交上の一つの成功というを考えるに当たり、憲政会の諸君は大なる失敗なり、米国の提議を拒絶せざりしは非常の失策なりと宣伝しております。

諸君、成功、不成功を論断する前に、我々は日清戦争後三国同盟を如何に忍んだか、日露戦争後何故に講和を急いだかを回顧する必要があります。皆これ国力足らざる結果であります。仮に憲政会の諸君が唱えるが如くこの会議が破裂したりとせば、果たして如何でありましょうか。我々は米国を相手として軍備の拡張をなさねばなりません。この競争は日本国民の堪えべからざるところであります。

我が国の農家の産業で最も大切なるは生糸であります。約五億円の生糸額は米国に売れるのであります。米国と国際的に対抗する時はこの生糸が売れなくなる。即ち五億円の貿易が出来なくなります。約四十万梱の生糸は売る場所がなくなります。この結果は我が農村の生活に如何なる影響を与えるでありましようか。又我が国の工業の六割は繊維工業であります。この中三割はいわゆる綿製品であります。この綿製品の原料たる綿花の七割は米国から輸入するものでありまして、この原料の供給が不便となる事を覚悟せねばなりません。日本の綿糸紡績が大部分休業するに至ったならばいかなる結果が国民生活に来るでありましょうか。国家は必ず困難に陥るに相違なく、実に慄然として肌に栗するの感じが致します。

幸いに原敬氏の如き達眼の政治家あり、一部反対者の声を排して断然政界の中心力である政友会の力を率いて能く国論を左右して譲るべきを譲り、守るべきを守りて円満に協調を保ちましたから、由来我々は外に力を注ぐこと少なく、内を整理するの余裕を得たのであります。従って今回の大天災（関東大震災）に遭遇し、国家百数十億円の大損害を蒙ったるに拘わらず、幸いに外憂の心配なく国威を損なうことなく悠々復興に当たる事が出来るのであります。これをしても外政上の大成功と言わずして果たして何と言えましょう。

かつてポーツマス条約の時、国力の実際に無理解なりし国民は時の全権小村氏を逆賊の如く取り扱ったのであります。而も時定まって国民が当時の国力の実際と国際関係を理解するに及び、この講和条約が能く国家を危急より救い得たることを感ぜざるものは無くなったのであります。即ち理解の有無はその結論にかくの如く大なる変化をもたらすのであります。

第二章　護憲・貴革運動

一　高橋内閣改造失敗と政友会大分裂

原敬が東京駅頭凶刃に斃れ、高橋是清大蔵大臣が臨時総理大臣に任じられた。次いで高橋内閣が成立し高橋是清氏は政友会第四代目の総裁となった。

力の政治家原敬が日本最初の平民宰相として築き挙げた二百八十名の大政友会は、瓢々乎たる高橋総裁の時代になって世帯が張り切れず、遂に大分裂を招いてしまった。

生前原首相は、教育の新興をその四大政綱の一つに加え、高等教育機関の大拡張を計画した。文部大臣に事業家出身の中橋徳五郎氏を任命したのは教育機関拡張のためであった。中橋文相は第四十四議会に臨むに際し、大正十年度から東京高等工業学校、大阪高等工業学校、神戸高等商業学校を東京高等商業学校の例に慣って単科大学に昇格し、更に東京、広島両高等師範の専攻科を拡張して文理科大学設置の案を立て、それを関係者に漏らした。当時昇格問題は学校方面の火の如き希望となっていたので、関係者は躍如として喜んだ。然るに臨時教育委員会の議決を経なければ閣議に提出する事が出来ない。肝腎なその方面に反対があって大正十年度予算に計上する事が出来なかった。こゝに於いて有名な、いわゆる中橋文相の二枚舌問題が起こった。

衆議院は政友会が絶対多数で問題にならなかったが、貴族院では非政友の三派がこの問題を以て内閣に致命傷を与えんと躍起になり、その結果非常に危ない瀬戸際まで行った。しかし原首相は最後まで中橋文相を庇い、有名な一蓮托生主義を取って動かず、一方床次内相をして貴族院研究会の抱き込みに成功したので、その時はことなく済んだ。原首相は次の第四十五議会に於いて五校昇格案を実現させる計画であった。しかし彼は東京駅頭に斃れてしまったのである。

内閣が原敬から高橋是清に代わっても閣僚は居抜きのまゝであった（「居抜き内閣」と呼ばれた）。しかし原、高橋の顔が違う如く考えも違っていた。高橋首相には昇格案を死守する意思は毛頭なく、まして一蓮托生の義理立てなどは思いもよらなかった。寧ろ内閣を改造して貴族院方面に風当たりの強い中橋文相や、党では自分の先輩である鉄道大臣元田肇氏らを引退させ、居抜きのまゝの内閣から独自の高橋内閣に改造しようと考えていた。農商務大臣山本達雄男は高橋氏の先輩であったが、財政上の意見も異なり、感情的にも合わず、中橋文相も又、昇格問題以来好くない。それに横田千之助氏と中橋氏の関係が特に悪かったことが、内閣不統一、政友会分裂の重大要素でもあった。床次内相は中立の立場にあり、山本、中橋氏らに引きずり込まれたのである。

かくして第四十五議会に昇格案を出すには出しても、まるっきり熱がなく、成立を見るに至らなかった。

一九二二（大正十一）年五月二日の定例閣議で、高橋総理は卒然として、「内閣を改造したいと思うから、全閣僚は一応辞表を提出して貰いたい」と切り出した。

すると改造のやり玉に内定している元田鉄相は「一蓮托生は原総理の遺志であり、一糸乱れざる結束は我が党伝統の美風である」と改造計画中止の勧告をした。他の閣僚はただ呆気にとられ何人も賛否を表明しない。こゝに端を発して政友会内は改造、非改造両派必死の抗争が始まって鼎を覆すような大騒動となったが、それを押し切るだけの気力は超然居士の高橋首相には無かった。そこで改造計画は一時取り止めになり、手打ちの懇親会まで開いたくらいだが、それから一ヵ月して六月五日、高橋首相は再び閣議に改造問題を持ち出し、これがきっかけで翌六日高橋内閣は総辞職した。

その行きがけの駄賃に高橋政友会は、元田肇、中橋徳五郎、吉植庄一郎、木下謙次郎、田村準之助の五名を除名した。この除名組はその後、再び復党したけれども政友会の内紛はこれを機会にますます拡大する一方であった。高橋総裁の統制力は原前総裁に比して殆んど無能力者に近いことが順次に証明されていった。

その後加藤友三郎〔一九二二（大正十一）年六月十二日第二十一代内閣総理大臣〕、山本権兵衛〔一九二三（大正十二）年九月二日第二十二代内閣総理大臣〕の二内閣を経て、いわゆる**特権貴族内閣、清浦内閣が一九二四（大正十三）年一月七日誕生した**。この特権内閣を援助すべしとする者と打倒すべしとする者との両派に分かれたが、組閣に際しては既に政友会から清浦伯と同郷の小橋一太氏が内閣書記官長として入っていた。

やがて結局**政友会は大分裂を来した**。

分裂派は山本達雄、床次竹二郎、中橋徳五郎、鳩山一郎、高橋義信、吉植庄一郎、桜内幸雄、井上角五郎、金光康夫氏ら百四十八名に達し、政友会は高橋是清、横田千之助、岡崎邦輔、前田米蔵、森恪、山本悌二郎、秦豊助、鵜澤総明、小久保喜七、小泉策太郎、春日俊文、小川平吉、松本孫右衛門、志賀和多利、山本条太郎、島田俊雄、望月主介、河上哲太、松野鶴平氏ら百二十八名であった。

二　清浦内閣成立と三浦観樹の三党首会合

枢密院議長・清浦奎吾子は一九二三（大正十二）年十二月三十一日の夜、大命を拝した。しかし彼には組閣の準備がない。そこで先ず貴族院研究会（付記参照）の青木信光、水野直らに援助を乞い、貴族院を基礎とする組閣方針を言明した。

この報道は政友会にも異常なショックを与えた。年明けて一九二四（大正十三）年一月二日、高橋総裁邸に緊急幹部会を開き、清浦内閣に対する賛否の態度を協議したが、なかなか決定しない。夕刻散会しようとしているところへ貴族院研究会から電話があって、五名の代表者を派遣するから政友会でも同数くらいの幹部を出して会見して貰いたい、と言って来た。六時高橋邸に会した顔触れは左の通りである。

研究会―青木信光、水野直、大河内正敏、馬場鍈一、宮田光雄。

政友会―高橋是清、野田卯太郎、岡崎邦輔、床次竹二郎、小川平吉、横田千之助。

研究会側は、既に私的に横田氏に対して申し込んである筋書に従って、政研両派連合して清浦内閣を援助したいと正式に申し込んできたが、政友会側では反対な者と賛成な者とあり、高橋単独内閣を希望する者あり、横田氏らの自由党型情熱派と緩和官僚派（山本達雄、床次竹二郎）らの内紛はこゝにも現れて、研究会側との共同会見の席上では確答の仕様がない。止むを得ず確答の時期に非ずという意味の返事をして要領を得ないまゝ物別れとなった。

清浦子はもともと確信もなく土台もなくフラフラと出て来ただけに、早くも組閣と前途の困難を見透かしたので、三日の朝、赤坂離宮に伺候して平田内府、牧野宮相に会見、大命拝辞の内意を告げたが、そこで両重臣から懇々と時局の重大性を説かれると、またまた翻意して組閣する気になった。そして閣僚の折衝は挙げて青木、水野、大木ら研究会幹部に一任するという前代未聞の優柔不断無信念な組閣ぶりを示したのであった。

かくして七日清浦内閣は成立したが、その顔触れは陸軍の宇垣一成、海軍の村上格一を除くほか、首相清浦はもとより内相水野錬太郎、外相松井慶四郎、蔵相勝田主計、法相鈴木喜三郎、文相江木千之、農相前田利定、逓相藤村義朗、鉄相小松謙次郎、何れも研究会を主とする貴族院議員であった。

鈴木喜三郎氏はこの時は無所属に属し、水野錬太郎氏は交友クラブに属して未だ政友会に入会しておらず、書記官長小橋一太氏は政友会から中立になって駆け参じた唯一人の人であり、憲政会系の同成会は全く除外された。

加藤高明憲政会総裁が後に多年の政敵、犬養と手を握って護憲運動（付記参照）に乗り出した理由は、最初から憲政会が相手にされなかったことも重大な素因をなしている。

かくして世にいわゆる**特権貴族内閣**が生まれ、**第二護憲運動**が起こり、時を同じくして政友会の大分裂を来し**政友本党が誕生**したのである。

第二護憲運動は、加藤憲政会、高橋政友会、犬養革新倶楽部の三党首によって旗揚げされ、そのきっかけとなったのは三浦観樹将軍（本名：梧樓、枢密顧問官・宮中顧問官）である。

一九二四（大正十三）年一月十八日、三浦将軍は小石川富坂の自邸に加藤、高橋、犬養の三党首を会合させ清浦内閣葬るべしと激励し、憲政の本義に則り、政党内閣の確立を期すという申し合わせをさせた。三浦は枢密顧問官の職を投げ打ち、熱海へ引き込んでしまった。当時は新聞記者が先に立って特権内閣の打倒を叫んだくらいで与論はいやが上にも高潮した。三浦将軍のこの大芝居は一大センセーションを巻き起こしたのである。即ち護憲の大旗は天地を蔽い、二十二日には上野精養軒で三派連合の大懇親会が催され、烽火は挙がった。三十日には大阪中ノ島公会堂で加藤、高橋、犬養の三党首に尾崎行雄氏を加えた大阪市護憲大会の大獅々吼となった。

この護憲運動には与論をリードする大作者が二人あった。一人は小泉策太郎氏、一人は古嶋一雄氏である。高橋是清翁は小泉氏の筋書に従って一月十五日子爵を拝辞し、貴族院を去って次の総選挙には断然代議士に打って出る決心を固め、かの有名な「我が屍を越えて進め」云々の大宣言を発表して護憲運動に油を注いだ。

古嶋一雄氏は三浦将軍を熱海から引っ張り出して来た。三浦、犬養、古嶋の関係は古くそして深い。彼らは揃って加藤高明が嫌いである。護憲運動もさることながら、三浦は高橋と犬養とを次の政権の枢軸にしたいと考えていたが、何しろ政友会分裂となってみれば憲政会が第一党なので、まごまごすると加藤内閣成立の恐れがある。そういう場合にも高橋、犬養を除外することが出来ぬように予め網を張っておく必要があった。三党首会合にはこういう事情が潜んでいた。

資料３０　三党首会談（左から加藤高明、原敬、三浦梧楼、犬養毅）
（出典：『新生日本外交百年史』）

清浦内閣成立当時の憲政会は必ずしも護憲一本槍ではなかった。入閣の交渉はなく好感は持ってないにしても、もし清浦内閣が憲政会の主張する普選をその政綱に取り入れるならば、好意的是々非々の立場をとっても良いではないか、とする気分が加藤総裁や幹部の中に漲っていた。加藤子は由来、横田や小泉らの自由党型を毛嫌いし、床次一派の官僚派と相通ずるものがあったので、分裂した政友本党が、普選を採用するなら、これと提携して清浦内閣を応援しても良いという腹であった。けれど、内閣も政友本党も普選を取り上げなかったので、やむを得ず三党首会合に顔を出し、精養軒の三派懇親会に出席して、最早のっぴきならぬ**護憲三派**を結成してしまったのである。

降旗元太郎、小泉又次郎氏ら、憲政会内に於ける純党人的幹部や幹事長の三木武吉氏らが、総裁をして護憲の方向に向けさすべく苦心した跡は歴然たるものがあった。加藤子は、降旗、小泉氏らが政友会の横田、小泉（策）氏らと連絡して護憲的政治運動をする事に対しては内心苦り切っていたし、その採用した普選でさえ本心からでなく、社会的要望による社会情勢のしからしむるところであったことは、先にこの問題から尾崎行雄、嶋田三郎氏らの同士と袂を別った事でも証明される。護憲運動に引きずり込まれたのも、この流儀によるものであった。

後に加藤、高橋、犬養の護憲三派内閣を組織するにはしたが、内心は単独内閣で行きたかった。しかし前述の通り古嶋一雄や三浦観樹の打った芝居が、そうはさせない破目を造っておいたのであった。

三　憲政擁護

森と護憲運動及び貴族院改革の関係は次の通りである。

当時森は政友会内の少壮代議士で、いわゆる急進派を以て目されていた。未だ指導的地位にいなかったが中心人物ではあった。

一九二四（大正十三）年の暮に松岡俊三、春日俊文、志賀和多利、森恪らの四人の強硬分子が協議した上、森、春日、志賀の三氏が長老岡崎邦輔氏の所へ談じ込んだ。床次氏一派が反総裁の運動を続けているが、それを長老が是認するのか、という詰問であった。その背後には横田千之助が糸を引いていた。

いよいよ清浦内閣が成立して政友会が将に分裂の危機に直面していた時、これら少壮代議士の間に起こった護憲運動には、横田千之助旗下の松岡俊三氏が指導的地位を占めていた。彼は後に田中義一大将を政友会総裁に引き出す有力な仕事をした人であるが、党内では横田の直系で、従って田中、横田の関係が想像されるのである。こゝに又寺内内閣のいわゆる西原借款の西原亀三氏が裏面で糸を引いている。

西原氏の肝煎りで、第一回の会合が行われたのは麹町区内幸町郡の新聞社裏の国策研究会事務所であった。この時三派を代表して集まった少壮代議士は憲政会の永井柳太郎、革新倶楽部の植原悦二郎、政友会の松岡俊三の三氏であった。松岡氏の談によると、この時森に参加を交渉すると「よかろう、入れておけ」ということで森は次回から参加することになった。森の参加した第二回の会合が即ち麻布六本木の大和田に於ける三派少壮代議士の会合である。
この会合では左のような申し合わせをしている。

三派少壮代議士の申合

大正十三年一月十四日　　麻布六本木　大和田にて

封筒保管者　松岡代議士

一、吾人は貴族院をして政機を把握せしむることは議会政治の本能を発揮する所以にあらざるを認めこれを根本的に排除すべき適切なる方法を講ずる事。
二、吾人は政党内閣を組織し右の目的を完全に達成する迄協力一致この運動を継続することを各党領袖に宣明せしむるに努る事。

付帯決議

一、議会再開の劈頭に於いて現内閣不信任案を提出する事。
二、申合の目的を達するためには連立内閣の組織をも辞せざる事。

以上

大正十三年一月十四日

森　恪（政）　志賀和多利（政）　森　達（憲）　川口　義一（政）
平野光雄（憲）　植原悦二郎（革）　樋口秀雄（憲）　鈴木錠蔵（政）

武田徳三郎（政）　松井鐵夫（憲）　春日俊文（政）　石井三郎（政）
松岡俊三（政）　作間耕造（憲）　近藤達児（革）　永井柳太郎（憲）

総裁との会見談話要領

申合第一は政党政治にあらざれば立憲の本義を達する事は能わず従って政権の授受は甲党より乙党もしくは両党に移るべきものなるが故にこれに反する政権の推移は累を皇室に及ぼすの恐れなきにあらざるを以てこの意味に於いて賛意を表明す。

申合第二は既に第一の意義なりとすれば当然なさるゝべからざる事に属し加藤憲政会総裁と雖も必ずや賛意を表すべきを確信す。

付帯決議に付いては運動の方法に属するが故に党の機関の決議を俟つに非ざれば言明するの限に非ず。

尚連立内閣組織の件は大勢これに至れば敢えて辞する所に非ず。

明十六日中各派代表諸君に会見することを諾す。

大正十三年一月十五日午前十一時半

総裁邸に於いて
松岡　俊三
春日　俊文
森　　恪

武田　徳三郎
鈴木　錠蔵
山口　義一
志賀　和多利

この会合の申し合わせの中に連立内閣云々と銘記してあるが、これは三浦観樹、古嶋一雄氏らの思惑と相通じている。折角清浦内閣を倒しても、政党内閣の建前により加藤高明子に大命が降下した場合、単独内閣を組織されては虻蜂取らずに終わる恐れがある。そこで永井柳太郎氏を主とする憲政会の少壮代議士を取り入れてのっぴきならぬ立場に置くことは、三浦の三党首会合が加藤高明氏を取り入れてのっぴきならぬ立場に置いたのと軌を一つにしている。そうしてまた連立内閣が成立した場合、貴族院改革を旗印に掲げざるを得ない立場に憲政会を引っ張り込んだ点も共通している。大和田の会合が十四日であり、三党首会合が政友会の大分裂を見た後、即ち十八日であったという点に興味深いものがある。

四　議会解散と森の落選

特権清浦内閣の下、第四十八議会は一九二四（大正十三）年一月二十二日再開された。護憲運動はますます炎上し、打倒清浦特権内閣の声は全国津々浦々に満ちた。衆議院は到底無事に議会を開くことが出来ない。

然るに摂政宮殿下と良子女王殿下の御成婚を二十六日に控えている。この際政界の不安、動乱を来すことは恐懼の至りである。よって、野田卯太郎氏の提案の動議に従って衆議院は一月三十日迄休会する事になった。

しかし貴族院は議会を開いて清浦首相の施政方針演説があり、中川良長男、佐々木行忠侯、徳川義親侯ら貴族院にあって特権内閣に反対の人々の質問が行われた。その質問の中で徳川義親侯は「少数貴族専制の後には必ず革命が起こる。これ世界の歴史が教えるところである」と叫んだ。

この事実を捉えて、森は後の総選挙で同志山口義一氏の応援演説のため大阪府堺市に行った時、こう演説している。

「第四十八議会は国民を代表する衆議院では議事の進行を中止し、独り特権階級の代表機関たる貴族院のみ開会して議事を続けていたのであります。語を代えて申しますれば内閣は貴族院これを独占し、議会は貴族院のみ開会し、立法府並びに行政機関は挙げて皆貴族院これを独占し、国民は全く没交渉であったのであります。これ立憲政治に非ずして貴族専制の政治であります。かつてフランス革命の起こるや、決して一朝一夕の事ではなかったのであります。天は幾度かフランス国民に注意と暗示を与えたのであります。しかも当時のフランス人はこの天意を理解する事能わず、局面の重大なるを悟らず呑気にして無頓着でありました。彼らは断じて妥協を許さざる形勢の中に居りながら、依然として調和的の態度を採り優柔不断でありました。こゝに於いて遂にかの如き悲惨なる大革命が起こったのであります。云々」

さて衆議院は一月三十一日解散の方向に向かって開会した。清浦首相の施政方針演説に先立って護憲三派は緊急質問を出した。「思想悪化に関して」という命題である。

代表演説は革新倶楽部の濱田国松氏であった。前日三十日大阪で開いた護憲大会の帰途、加藤憲政会総裁は名古屋で下車したが、高橋、犬養の両党首及び尾崎行雄氏ら一行二十六名が再開議会に出席すべく東上の途次、東海道線一ノ宮付近で、その列車を転覆せんとする陰謀事件が起こった。その問題を捉えての緊急質問なのである。

「近日中には御成婚あらせられた摂政宮殿下同妃殿下お揃いにて伊勢神宮を始め関西の各御陵に御参拝の時期を控え、かくの如く思想悪化したのは誠に憂うべき事柄である。これ一つに特権貴族的内閣が出現して国民思想を悪化せしめた結果である」云々、と政府に詰め寄った。

議場の内外は顎紐をかけた守衛によって固められ、物々しい空気は日比谷界隈に暗雲の如く垂れ込めた。小松鉄道大臣が答弁に登壇したけれども、これを聞こうとせず、清浦首相が登壇しても発言の機会がない。後に速記録を調べてみると、首相の発言は「只今……只今……」とだけしか載っていない。後にも先にも清浦首相の衆議院での発言はこれだけである。かゝる空気の中に、政友会院外団体で森恪直系の土倉宗明ほか数名は大臣席背後のドアを排して闖入し、「万歳」を叫んで仁王立ちとなり、議場は騒然、議長は唖然、閣僚、政治委員、手の下すところを知らない。かくして粕谷議長は「只今、議員ならざるものが議場に闖入したるは真に重大事件なり。よって調査のため休憩す」と宣し、その休憩中議会解散の詔書は小橋書記官長から粕谷議長の許に伝達されたのである。

解散後の総選挙は五月十日に行われた。

政友会では総裁高橋是清が悲壮な決心を以て護憲の先頭を切り、平民宰相原敬の選挙区であった盛岡市から立候補し、政友本党の弱冠田子一民氏と相争い、わずか四十九票の差で勝つという際どい競争まで演じた。政友本党は何をいうにも政府党である。憲政会は大政友会が血で血を争う間に処して、地盤関係からいっても極めて有利である。政友会と革新倶楽部はその叫ぶ護憲の声が強く高いのに反比例して、極めて不利な選挙であった。**この選挙で、森は再び神奈川県から出馬したが、憲政会の平川松太郎と闘って一敗地に塗れた。**余りにも護憲と貴族院改革とを叫び過ぎた故に政府の圧迫干渉が強かったのと、更に満鉄事件が祟ってあれもなく評判を害し、加えるにこの時代は彼の政治生活中で最も財政難に襲われた時代であったからである。

選挙の結果は、憲政会が百三名から百五十四名に増加し、政友本党が百四十九名から百十四名に転落し、政友会が百二十九名から百一名に没落し、革新倶楽部は四十三名から二十九名に減ってしまった。即ち第三位であった憲政会が一躍第一位を占め、次の政権はその総裁加藤高明氏に降って、かねての約束通り三派連合内閣が成立したのである。

五　護憲三派内閣の成立

清浦内閣は六月六日総辞職し、いわゆる**護憲三派内閣**は六月十一日に成立した。閣僚は左の通りであった。

内閣総理大臣　　子　加藤　高明

外務大臣　幣原　喜重郎
内務大臣　若槻　禮次郎
大蔵大臣　濱口　雄幸
陸軍大臣　宇垣　一成
海軍大臣　財部　彪
司法大臣　横田　千之助
文部大臣　岡田　良平
農商務大臣　高橋　是清
逓信大臣　犬養　毅
鉄道大臣　仙谷　貢

この内閣の特徴は、高橋、犬養の両氏を入閣せしめた点にある。高橋氏は先に栄爵を拝辞し、勅選の椅子を捨てゝ代議士に当選して来たばかりである。大衆の人気は彼に集中されている。しかも高橋氏は内閣総理大臣の経歴を持っている。その人が釈然として、むしろ伴食ともいうべき農商務大臣の椅子に着いたことはいやが上にも人気を高めて、第一次加藤内閣に光明をもたらす結果となった。又、犬養氏は国民党大分裂以来、加藤高明子とは肌が合わず、むしろ軽蔑さえしていた程であるのに入閣したのであるから、世間は拍手してこれを迎えた。

しかしながら、護憲三派内閣は最初から危機を孕んでいた。それは後に述べる森の行動によって明らかになるが、こゝには犬養氏の懐刀として高橋、犬養両氏の入閣に関係した古嶋一雄氏の談を掲げるのが当を得ているると思う。

木堂が三度目の逓信大臣をやったのは、例の護憲三派内閣の時で、あの時は加藤高明が大命を拝するや、木堂には司法大臣を持ってきた。いや加藤の気持ちからは木堂に入閣して欲しくなかったらしい。入るなら関直彦に入って貰いたかったのだろう。その時木堂は吾輩に「貴様やらぬか」と言われたが、「私は御免だ。今度は是非貴方に出て貰わなくては困る」と言ったので、木堂自身が引き受けることになった。それには又訳があった。「こゝで関直彦を出すと、政友会はきっと野田、小川あたりを出すに決まっている。三派内閣の名は良いけれどもそれでは加藤に思う存分やられる。それより思い切って是非貴方に出て貰わなければならない。我が党から貴方が出られ、政友会から高橋が出るということになれば、こゝに始めて内閣、即ち三派合同内閣という事になるではありませんか」と言うと、「それじゃ出る。出るには出るが高橋は出るか」と言われるから、「あなたが入れば高橋も入りますよ」—実は私は横田、小泉に内々意見を聞いて、犬養が入るならば高橋も入るという内約が出来て居ったので—そこで政友会の方ではこの内閣に誰を入れようという相談が始まって、結局高橋総裁に一任という事に決まった。私は木堂と一緒に高橋邸に乗り込むと、丁度この時に残って居った者が、高橋、野田、岡崎、横田、小泉の五人であった。私は岡崎、小泉、横田の三人に耳打ちして別室で相談を始めた。すると岡崎君は、総理大臣をしていた高橋が加藤の下に平大臣をやるということは政友会で問題だというから、私は言った。「それは貴下方の考えが間違っている。世間では高橋さんが華族を辞して護憲運動に参加したことで現に評判が良くなっている。そこに今三派合同内閣に於いて平大臣として加藤の下についたとしたら、世間は却って度量の大きい人だと言って、高橋の器量が上がるとも下がるようなことはないと思わないか。私の方の犬養は、加藤とは犬と猿の間柄だと世間に言われている。その犬養が加藤の内閣に入るとなると、世間は政権欲しさに加藤の風下に立ったと言われるのだ。それさえ我慢しようというのだ。俺の方が却って割が悪いのだ」と言うと、岡崎君は「犬養君は本当に入閣するか分からないじゃないか」と言うから、それなればこゝに犬養を呼んで聞いて見たらよかろうとなり、木堂に来て貰って意見を聞くと、「高橋君が入るならば俺も入る」と明言されたので、高橋、犬養と決まったのである。話が決まって元の部屋へ戻って来ると、野田が居るので一寸具合が悪い。ところが高橋という人は非常に淡白な人で、「お前方は一体我々をどうするのだ」と言われた。「お互い顔を見合わせて居ても仕方がないから、私は高橋、犬養両氏にご苦労をお願いする事に決めました」と言うと、「なに、又俺にやらせようというのか」と言うから、「決議したことは動かすことは出来ません」と言うと、「それなら後の一人は横田を連れて行く」と言われ、そこで三人の入閣が決まった。それから相談になったが、木堂は高橋さんに、「君は加藤が大蔵大臣と内務大臣を除く他は何でもよいと言うたのを、大蔵、内務の中どちらでもやってくれというように聞いたと言うのだが、一体加藤は語尾の不明瞭な男だから聞き違えているのだ。加藤の料簡では大蔵、内務を除く他なら二つの椅子は何でもよいと言ったに違いなし。だからそれ以外から選ばなければならない。君は何をやるか」。「そうだナ、農商務でもやろう。俺は特許局長をしたこともあるから農商務をやろう」。すると犬養氏は「そんなら俺は逓信の古巣へ戻る。横田、君は司法をやれ」と言われた。横田君は「司法を貰えれば有り難いが、司法はよこしますまい。選挙に困るでしょう」と言われたが、「何そんなことは構わない。俺と高橋と二人が入るのだ」。そこで引き受けるということになった。高橋、犬養両氏が加藤氏の許に返事に行くと、果たして加藤君には難色があったが、「木堂と決めて来たのだ。決定通りにやれ」と言われ、加藤君も渋々ながら承諾してこゝに三派内閣が出来上がったのである。（『犬養木堂伝』より）

六　森の貴革論とその行動

森の貴族院改革論とその行動とは、一九二〇（大正九）年初めて衆議院に議席を持ってから一九三二（昭和七）年世を去るまで継続している。森は風雲児であり、革命児であった。

「法理論の末を云々するまでもなく、特権貴族が政治の根幹を握って、野に遺賢あるもこれに入れず、国民団結するもこれに抗し得ず、国民を基礎とする政党内閣如何に強力なりと雖も貴族院の牙城に対しては一指も染め得ないという政治バリケートを打ち破らなければ、国民の政治進路はない。また貴族院制度の根幹をなすものは明治時代に制定された欽定憲法である。時代の推移と共にこゝにも又改正を要する点がある」というのが森の考えであった。

森はその二回目の総選挙に特権貴族清浦内閣の下に一敗地に塗れた。その一つにはあまりに貴族院攻撃の火の手を挙げ過ぎたためだといわれる。その一九二四（大正十三）年五月の総選挙には、森は自分の選挙区を留守にしてまで同志の応援に出かけ、至る所で清浦内閣の攻撃と貴族院改革の喫緊事なることを力説している。

清浦内閣に次いで第一次加藤高明内閣、即ち、憲政、政友、革新のいわゆる護憲三派内閣時代にも、政友会が与党の立場にあるにも拘らず、党内少壮代議士を糾合してリーダーとなり政府に貴革を迫っている。

森の貴族院改革論が具体的に現れたのは、彼が初めて当選して政友会幹事になった一九二一（大正十）年の春である。森は近衛文麿公、山口義一氏らと発起人となって**憲法研究会**を設けた。これがそもそもである。

そのメンバーは、

貴族院……近衛文麿公・二条基厚公・小村欣一侯・堀田正恒伯・西尾忠方子

政友会……森恪・河上哲太・高橋本吉・山口義一・一ノ宮房次郎・山口恒太郎

憲政会……森達三

国民党……堀川美哉

氏らであった。

《近衛公と森の関係》

近衛文麿公は京都帝大を出て間もない理想に燃える青年貴族であり、革新的気概が高く森と共鳴したのであった。憲法研究会は言わば憲法運用に関する研究を主とした。その結論が**貴族院改革論**となったのである。近衛公は貴族院に入った時からの貴革論者であり、森の貴革論は憲法研究会に出発したものである。彼らはしばしば会合し、専門学者を招いて座談会を開いた。この会合は森の貴革の情熱に法理的根拠を与えるために役立っている。近衛公と森との関係は貴族院改革論に於いて一致し、後に近衛公がいわゆる革新政治家として立つ動機をもなしていると思われるから、左に近衛公の森への手紙及び談話を掲げる。

資料３１　近衛文麿

近衛公から森への手紙

拝啓その後は御無沙汰致候。不相変御勇健の事と存候。この度の中橋問責には小生別紙の如き趣意にて（時事新報切抜き）反対無所属団にて孤軍奮闘致候が貴族院改造の急務を感ずる事甚切なり。承れば、政友会にも昨今この話ある由、悲しい哉政友会は言論機関に有力なる後援無之、もしこの点に従来多少の注意し居りたりしならば今回の機会は第二の憲政援護運動を起こす絶好の機会なりしならんこと遺憾に堪えず。

上院改造問題は議会閉会後、早速同志にて研究の必要ありと愚考仕候。

先は御無沙汰御見舞旁、右愚見述候。

大正十年三月十五日

近　衛

帝国ホテル

森　恪　様

○

文相問責案に不賛成の近衛公

—大正十年三月十一日　時事新報所載—

中橋文相問責案は十日貴族院に上程される事となった。賛成者中には、二条基厚公だの、徳川圀順侯、山内豊景侯、佐々木行忠侯のような無所属に籍を置く少壮華族も進んで名を出して居るが、独り、近衛文麿公のみは明らかに不賛成を声明して加わって居られ、公は往訪記者に語り、

「我が憲法の解釈並びに我が国政治の実際上からみて貴族院が衆議院に於ける多数党に基礎を有する内閣に対し弾劾をなすの権あるを認むるは止むを得ない事であるが、貴族院が事こゝに出づるには一面に於いて政府の余程重大なる過失あることを要し、他面に於いて貴族院自ら弾劾の結果に対し責任を負担するの覚悟あるを要すること勿論であるを思う。扨て今度の問題であるが、中橋文相が予め臨時教育会議の諒解を経る事なくして昇格を約束したのは慥かに軽率であった。又文相が臨時教育会議の有力者の反対に逢って実行を躊躇するに至った事も失態である。

これらは素より咎むべく事であるに相違ない。しかしながら如何に思い直してみてもこの事が政局の変動を余儀なくせしめる程の重大問題なりとは私にはどうしても合点がいかぬ。苟も冷静公平なる頭脳を有する人なれば何人と雖も同感であるべきことだと思う。凡そ物には大小軽量の差別がある。今日議会会期を余すところ幾千もなく幾多重要なる法案の輻輳して審議を俟ちつゝあるこの際かゝる問題のために貴重なる時間を空費するは実に本末転倒の甚だしきものと言わねばならぬ。特に貴族院自ら弾劾の結果に付きて責任を負うの覚悟なく、弾劾の実を行いつゝしかも弾劾の名を避けんとする結果曖昧模糊たる新文字の製造に腐心して曠日彌久幾多重大なる国政を等閑に付し去りたるが如きは、何の意味なるやを解するに苦しむものである。私は独り無所属の最も自由なる立場にあるものであって、現内閣に対しては素より何らの恩縁情実を有するものではないが、以上の理由によりこの度の問題につきては多年親友たる無所属の諸君と行動を共にするを得ざるに至り、誠に遺憾の次第である云々」。

○

森君と自分

――近衛文麿公談――

大正九年の暮れに私はヨーロッパから帰って翌十年一月流感に罹った。当時森君も酷い流感で帝国ホテルに寝ていたそうである。私のところへ来る医者が伊丹繁という人で、この人がやはり森君の主治医であった。伊丹博士は済生会病院の副院長で、小村欣一君の親友であった。この人は変わり者で自分の気に入った患者でなければ診察しなかった。その伊丹博士が私のところに来て森君の話をしたので、初めて森という人を知った訳である。森君は喘息もあって余程ひどく患ったらしい。伊丹さんが三日も徹夜でつきっきりに治療した御蔭で森君は命を取り止めたという。その後森君と知り合いになってからも、森君は折に触れ「俺は伊丹のお蔭で命を取り止めた」と言っていた。

病後の療養に私は鎌倉の海浜ホテルに行った。森君もやはり同じ海浜ホテルに行っていた。そこへ岩永裕吉君が来て森君と私を紹介したのが交際の始まる動機であった。多分大正十年の三月頃であったと思う。その当時からいろいろ話し合っている中に**憲法研究会というものを森君と私でやろうということ**になって、各方面からあれこれとメンバーを並べてみたが、森君の言うには、原さんに一応話さなくてはならないが、僕から話をしてくれという事で、私が原さんの所へ話しに行った。すると原さんは「やるのもいゝが、他の党の者を入れないで政友会と研究会だけでやって貰いたい」という注文であった。当時原さんは研究会を懐柔しており、これと政友会とを結び付ける事ばかり考えて居ったからであるが、それは困ると、私は森君に話した。ならば形だけでいゝから他の党派の者を容れようと言うので、国民党の堀川美哉、憲政会の森達三らの

―穏健な人を入れたのである。**憲法研究会は我々の貴族院改革論の発生地であった。**

次ぎに揚げる森の貴革論は、彼の遺稿を整理する時発見されたものである。多分演説のメモであったろう。名の入っていない書簡箋に鉛筆で横書きに書いた原稿である。年代は不明であるが、彼の貴族院改革論の骨子はこゝにあると思われる。その他にも数種の演説草稿の中で貴革論を述べているが、それらは補遺の文叢編に採録する。

貴革論――貴院制の欠点

森　恪

我が国の貴族院制度には根本的に幾多の欠点があります。

第一に華族に何故特権を許したのであるか、歴史上から言っても、現状からみても華族に特権を与える理由は少しもありません。日本の華族は社会上一種の尊敬を払われている以外、政治上何ら勢力の背景を持ちません。この背景なき華族に貴族院の大勢を支配するに足るが如き特権を与えた事は憲法起草者の大いなる失策であります。

第二に公侯爵が無条件に議員たる特権を有するが如きは殆んど意味をなしません。加うるに現役軍人は政治には関与してはならない事になっている。しかるに公侯爵の現役軍人は議席を持っている。又枢密顧問、宮内省の役員、礼遇停止の公侯爵も議席を持っている。かくの如きは明らかに欠点である。

第三に憲法起草者は、華族は立派な階級で悪いことはしないという事を前提としてこの制度を作ったものである。故に衆議院議員の選挙法には幾多の罰則があるが、貴族院令には何らの罰則がない。又華族は各自の良心によって公正なる選挙をするという考えから、彼らに連記制を許したのである。今日の如く彼らが団体を組んで選挙に臨み、過半数を制するというが如きをなすとは想像もしなかったのである。又衆議院では代理投票を許さない。しかるに彼らはこれを許している。これ彼らが今日の如く不正なる代理権の行使をなすものではないと思われていたからである。又選挙事務所の管理は衆議院では政府の役人がこれに当たり、その費用も政府が負担している。しかるに独り華族には自治を許し、その選挙細則の如きも、彼らの自治裁量に任せている。選挙細則の如きは法律の一部である。断じて一般私人の自由に任すべきものでない。華族なるが故に、私人であるものにこれを許したることは大いなる失策である。又警察官を議員とする事は衆議院では厳重に禁じておる。しかるに貴族院では、警視総監、警保局長の如きに議席を与えている。これ大なる矛盾である。特に貴族院が衆議院の選挙法に容喙し得るに拘わらず、衆議院が華族院令に一指も染め得ざる事は大いなる間違いである。

私はかくの如き、不都合なる貴族院を有する今の議会の現状をみて、不満に堪えないのであります。今の議会は我が国の実情に適しません。どうしても今の議会制度の改善をなして、その能力を充分に発揮せしむる必要があります。

元来立憲政治なるものは、時代の最も強大なる勢力を引き来って、これを国務の上に利導し、その能力を発揮せしむるにあります。語を代えて申せば政治的勢力をして革命の如き流血の惨事を見ることなく、新陳代謝の作用を円満に行わしむるにあるのであります。しかるに我が国の議会の現状は如何であるか？　国民の政治的勢力なるものは常に一部特権階級によって遮断され、国民の政治勢力は立法府にも行政府にも行き渡らないのであります。国民の力が議会にも政府にも行き渡らない立憲政治がどこにあるか、この如き名は立憲政治であっても、その実は一種変体の専制政治であります。我々は憲法によって二院制度の帝国議会を持っております。しかしながら、国民が選挙権を行使するのは衆議院の一院である。他の一院たる貴族院に対しては殆んど没交渉であります。貴衆両院の間には何ら政治的連絡を結ぶことは出来ません。衆議院に於ける政党勢力の消長は貴族院には及びません。貴族院は国民の選挙権を有する衆議院に対しては独立であり、同等以上の大なる勢を有しております。また貴族院は政府に対しても独立であります。従って衆議院に多数を制する政府必ずしも貴族院の反対より免がるゝことは出来ません。政府、衆議院共同一致の努力を以てしても、貴族院の意に反しては財政及び立法のことを決する事は出来ません。彼らが一度その分を忘れ、不当に活動を試みるが如きことあらば、如何に巨大なる政府と雖も遂に如何ともすることが出来ません。我が国の立憲政治は実にこの特殊なる貴族院があるがために政治の安定を保つことが出来ないのであります。我が立憲政治の発達を阻害するものは実に貴族院であります。

我が国の内閣制度は統一的連帯責任の制度であります。即ち内閣は政党組織によって、その運用を円満にすることが出来るのであります。この他に衆議院は早く既に純乎たる政党組織になって居るのであります。かくの如き内閣制度と、立法事項の他に立って、己は言論自由であり、解散もなすこと能わず、反省も又促すこと能わざる難攻不落の要塞に立てこもってやゝもすれば政変の中心となり得る力を振い得る貴族院制度とは、その根本に於いて相容れざる立場にあります。

我々は進んで貴族院の権限を縮小するか、或いはまた貴族院を政党化して、貴衆両院を縦に通じて政党を組織するに非ざれば、国家の政治を安定し、重要なる国務を遂行する事が出来ないのであります。縦断政党案は議会政治の幅を狭くするのであって賛成できぬと英国の例、即ち我々も英国の如く国民の力でこれを縮小するに非ざれば民意暢達の政治をなすことは断じて出来ません。今や解決を要する問題は極めて多いのであります。が蓋しこの問題より重大なるものはないと信じます。即ち貴族院の改善をなせば政治の安定を得るのであります。従って政界の中心勢力が行くべきところに行き、落ち着くべきところに落ち着くのであります。国家の前途は多難でありますが、政界の中心さえ動揺しなければ、如何なる難関も国民の力相応にこれを突破して国運の発展を計ることが出来るのであります。

一九二五（大正十四）年十一月、近衛は、森の主張する貴族院改革論に対する批判に答えるため、「我が国貴族院の採るべき態度」と題して次のように述べている。

「貴族院は自ら節制して、いかなる政党の勢力をも利用せず、又これに利用せられず、常に衆議院に対する批判牽制の位置を保つと同時に、一面民衆の世論を指導し是正するの機能を有することに甘んじ、大体に於いて衆議院に於ける時の多数党と、よし積極的に強調しないまでも、これに頑強に反対してその志を阻むようなことがあってはならない」

要するに、「貴族院は直接民意を反映している訳ではないから、衆議院の判断を尊重すべきだ」と言っているのである。

清浦内閣成立前後の貴革運動は既に述べたが、森が落選してから選挙地盤を栃木県に移し、故横田千之助の補欠選挙に打って出て再び議席を得るまで一ヵ年足らずの間に於ける情勢は左の如くである。

第一次加藤内閣は特権清浦内閣の後に成立したいわゆる護憲三派内閣である。そもそも加藤内閣成立の原因は打倒特権内閣を旗印とし、貴族院改革を叫んだ結果に他ならない。三浦観樹による加藤、高橋、犬養の三党首会合といゝ、麻布六本木の大和田に於ける三派少壮代議士の申し合わせといゝ、先ず清浦内閣を倒して三派連立護憲内閣を作り、真っ先に貴族院改革を断行しなければならない軌道に乗って来たのである。

然るに護憲三派内閣が成立してみると、在野十年苦心の結果、漸くにして政権を獲得した加藤子は貴革を旗印としていない。折角獲得した政権を維持するために貴族院と正面衝突をしたくないのである。この内閣には栄爵を辞し、代議士に当選してきた高橋翁も農商務大臣として入閣し、始終一貫、憲政のために尽くして来た犬養翁もいるにも拘わらず、その挙げた三大政綱は普選の断行、行政財政の整理、綱紀粛正の三つで、肝心な貴族院改革は姿を歿している。こゝに先ず森の憤懣は湧きあがった。

加藤首相は与党三派の少壮代議士から貴革促進の決議を突き付けられ、与論は約束手形の支払いを求めるという形勢で、首相の内心は如何にあろうともこの問題は解決しなければならない。

中でもこれを捨てられて一番困るのは政友会である。しかし何分にも与党三派の一つに加わっているので、即刻不満鞭撻の声を挙げる訳には行かない。しかも閣僚には高橋、横田氏らが入っており、党の幹部は事を荒立てまいとしている。しかしいつまでそれが続く訳はない。特に森恪、春日俊文、松岡俊三、松野鶴平氏ら中堅どころは枕を並べて特権貴族内閣のために落選の憂き目を見ている。理屈に感情の加わるのは当然である。

漸く政治季節に入ろうとする一九二四（大正十三）年九月二十七日、**貴族院改革問題有志代議士会**が政友会本部で開かれた。その席上森は発起人代表として左の通り述べた。

「我党は貴族院改革について第四十九議会に建議案を提出し、清浦内閣の出現によって更にその要を痛感し、これを天下に公約した。然るにその後の政府並びに加藤首相の態度を見るに不満足の甚だしいものがある。この会合を開いて速やかに問題を解決せんとするものである」

と熱烈な演説をした。その結果誓詞を作成し、出席者各自が署名した。その要旨は、来たる第五十議会に政府が貴族院改革案を提出しなかったなら直ちに内閣の信任を問うであろう、というものである。

本問題の実行委員に、森は山口義一、内田信也、春日俊文、松岡俊三氏らと共に加わり、加藤首相を訪問して手形の支払いを迫っている。


第五十議会の開会を目前に控えた同年十二月九日、やはり**貴革問題有志連合協議会**を本部に開いて、山口義一氏から、休会明けの議会の劈頭、貴族院に貴族院改革案を提出してその同意を求めるべし、という決議案が提出されたのに対し、森は、

「貴革は普選と相俟って大正維新の大業である。これを第五十議会に実現せしめねば、又七年間の任期だけ伸びる。断然この機会を逸してはならない」

と激励演説をしている。決議案提出の案は満場一致で可決され、憲政会、革新倶楽部、政友本党、中正クラブ、各派に交渉することゝなり、森は山口、春日氏らと共に交渉委員に選ばれた。

又第五十議会開院式を明日に控えた十二月二十五日、護憲三派及び中正クラブの有志交渉会は突如として

「政府は速やかに貴族院令及び貴族院に関する法令の改正を行うべし」という決議案の緊急上程を申し合わせ、三派幹部の交渉会は卒然としてその上程に賛成してしまった。

更に第五十議会開院式当日午後、やはり政友会本部に**貴族院改革促進決議案提出者有志代議士会**が開かれ、折柄総裁邸に於いて開会中の幹部に交渉する事となったが、その交渉委員石井三郎氏から「会見の結果、幹部の態度は頗る軟弱で憂慮に堪えない」と報告があったのに対し、森は「幹部が困る場合は何時も握り潰しの慣用手段を取っている。この際幹部がうやむやにせぬよう、その回答に時間の制限を付する必要がある」と述べている。その結果、三派協調の成否及び党議たる事を得ると否とに拘わらず、所期の決議案を二十七日の本会議に緊急動議提出する事を決議している。

驚いた政府は二十六日開院式終了早々、院内大臣室に加藤、高橋、横田、犬養、濱口、仙谷の五閣僚を会し、その結果、決議案の代わりに緊急質問となり、政府がこれに答弁するということで妥協した。

かくして二十八日の衆議院本会議では横田法相が政府を代表して、貴族院改善案を本期議会に提出するの言明を与えた。改革といわず改善といったところに加藤首相の妥協的な、従って極めて薄弱な意志が表現されている。

この議会には**普通選挙法案**が提出されており、一方**貴族院改善案**が、議会も終わりに近づいた三月十日になって漸く提出されたが、貴族院側は絶えず脅迫的態度で、もし改善が改革になるような場合は普選案を握り潰すという態度に出た。**貴族院の最も恐れるのは互選規則の改正である。**しかもその改選期はその年の夏に迫っている。もしこれに手を付けて連記投票を単記投票に改革するようなことがあれば、有爵議員の幹部にとっては咽喉を絞められるに等しい絶体絶命の脅威である。森の主張はその改正にあったこと勿論であるが、**加藤内閣は遂に互選規則の改正には手を触れなかった。**改正の要点は、有爵議員の定員減少、学士院議員新設、多額議員の基礎拡張、有爵議員年齢資格の引き上げなどで、僅かに有爵議員の絶対多数性を改善した点が眼目であった。

七　栃木県に横田千之助の後を継ぐ

政友会の中軸をなしていた横田千之助氏は護憲三派内閣に、農商務大臣の高橋総裁と共に司法大臣として入閣していたが、一九二五（大正十四）年二月四日、帰らぬ旅に立った。政友会にとっては大打撃であり、森にとっては相棒を奪われた感が深かった。

さて、横田の補欠選挙に誰を立てるかが、政友会で大問題となった。その選挙区の栃木県第七区塩谷、那須両郡の地盤は、横田氏の前は星亨系統の政友会の地盤であった。いわば政友会にとっては家柄のある重要な選挙区なのである。

武藤金吉氏は横田氏の秘書官山崎猛氏を推し、小泉策太郎氏は横田氏の実弟横田稔氏を出そうとした。政友本党からは、これも落選中の中橋徳五郎氏を輸入しようという計画があり、又横田傘下の松岡俊三氏は、その兄弟分たる春日俊文氏を持ち込もうとするといった風で、候補者は押すな押すなの盛況であった。

資料３２　横田千之助

神奈川県第二区で一敗地に塗れた森を横田の後に持ち込んだのは志賀和多利、春日俊文の両氏である。志賀氏と森との関係は一九二〇（大正九）年以来で、その交情は深かった。

志賀氏は宇都宮で五年の間、新聞記者生活をしている間に司法官と高等文官の試験を通ったが、そういう関係から栃木県の政情に通じ、地方政治家たちと交際があったのである。志賀氏は横田氏の葬式の日に栃木県会議員小野崎甚吉氏に会ったところ、彼は横田の後の候補者がなくて困ると言った。志賀氏は立ちどころに「いゝ候補者がある。森恪はどうだ」と言った。「それはよかろう」という事になり、この両人の間では早くも森の輸入計画が成り、栃木県政友会の長老たる支部長榊原武氏の了解を得てしまったのであった。この話には春日氏も大賛成であった。松岡氏の出馬勧告を拒否し森を推すことになった。

神奈川県第二区の選挙区に対して森は相当の金を注ぎ込み、選挙区の青年も世話し、或は東海道線の下曽我駅、熱海線の鴨ノ宮駅の新設に努力するなど、及ぶだけの力を尽くしてきたが、満鉄事件が祟って資金が途絶し、前回までは同志であり有力な後援者であった鈴木英雄氏が政友本党に走って土井定彌氏を候補に担ぎ、政府の方針として森の落選を企画するなどの悪条件が重なりあって、とうとう対立候補の憲政会の平川松太郎氏に三千二百三十九票対二千六百五十二票で一敗地に塗れたのである。

第一回の選挙には豪勢を極めた森もこの第二回では有り金を全部投じてしまったので、今横田の地盤から打って出ようにも選挙費の工面など思いもよらなかった。だから志賀、春日両氏が勧めても最初のうちは「俺は金がないからやらん」と言い張ったくらいである。

春日氏は森の輸入に反対する幹部と大激論をした揚句、選挙費まで作る約束をして、森に立候補の決意を促して決定した。いよいよ明日選挙区へ乗り込むという日、春日氏が「君はいくら金を持っている」と森に尋ねた。森が懐中の財布から「これしかない」と出した金はたった五十円であった。流石の春日氏も森の貧乏ぶりに開いた口が塞がらなかったそうである。そこで春日氏は自分の懐にあった五百円の金を森の財布に入れ、「あとは心配するな、明日までに何とかする。元気を出せ」と激励した。森は春日氏の手を握りしめた。熱いものが両人の瞼を曇らせるのであった。

志賀氏の語るところによれば森はこの選挙に自分では一文も出さず、春日氏が一万円、山本悌二郎氏が一万円の合計たった二万円で当選したのである。この間、志賀氏は岡本一巳氏と共に地盤工作に苦心し、春日氏は密策を用いて憲政会の候補者を引っ込ませるなどの友情によって森は横田の後継者となったのである。

森は、金と選挙区関係の事は一切友人に任せ、一九二五（大正十四）年三月二十一日政友会の公認が発表されると持病の喘息を押して翌二十二日矢板町弘生館の演説を皮切りに投票前日の二十九日まで政見発表演説を続けた。その演説の内容は地方問題などには一切触れることなく、貴族院改革問題、大陸政策、経済問題、農村問題などを大所高所から論じていった。最後に僅かに横田氏の補欠に立候補するの弁を述べている。

（上略）そもそも故横田法相は如何なる人でありましたでしょうか。これを知る者は私より諸君であります。我が党の高橋総裁は故人を指して、「これが我が党にとりては柱石であり、国家のためには棟梁の材である」と言われました。真にその通りと信じます。今世を憂い、国を案ずるものは頗る多いのであります。憂うものは多いのでありますが、その憂いに直面して身命を投げ出すものは頗る少ないのであります。我が法相の如きは正しくその人であります。特にこの貴族院問題の解決に当たりたる際の如きは、真に決死的態度であったのであります。私は始終法相指導の下に犬馬の労に服したのでありまするが、私の不覚によりて昨年の総選挙に敗れ、この大事なる戦いの第一線に立つ事が出来なかったのでありまして誠に無念至極であったのであります。法相はその死の数時間前、独り暗然として「時局重大、時局重大」と独語されたそうであります。これを聞きました時に、私はこの人をかくまで心を労せしめたる今日、政職に不運にも参加し得ざる我が身の不甲斐なさを感じて暗涙にむせんだのであります。然るに計らざりき運命は、私をしてこの英傑を生み出したる諸君によって、こゝに諸君の御信任を求むるに至ったのであります。法相と諸君、而して諸君と私、前世果たして如何なる宿縁があったのでありましょうか？　諸君、私は微力でありますが、私は法相の志を継いで邦家のために最善を致さんことを誓います。何卒諸君の参政権の行使によって、諸君の信任を全うするの機会を与えられんことを祈るものであります。云々。

開票の結果は森の独壇場たることが証明された。即ち、当選森恪（政友会）六千八百五十票、次点鈴木延吉（中正クラブ）二千七百四十五票、横田稔（中正クラブ）三百六十六票で、憲政会の候補者は遂に立たず、たった二万円の選挙費でいわゆる理想選挙を以て堂々当選した。この選挙区には後に彼の本籍まで移して身を入れ、再び政治的地盤を変えることはなかったのである。

第三章　波乱の政局を行く

#（A）内政篇

一　田中義一大将、政友会の総裁となる

原敬が凶刃に斃れて高橋是清が政友会の総裁になったのは一九二一（大正十）年秋である。高橋総裁の統率力は最初から原総裁の半分にも及ばなかった。その結果が大政友会の分裂となって、政友本党が生まれ、清浦内閣の出現によって護憲運動が起こり、次いで護憲三派内閣が成立して高橋総裁は横田千之助と共に入閣したのであるが、高橋総裁については最初から横田自身が永久対策でないと見極めをつけていたのである。陸軍大将田中義一氏を高橋氏の次の総裁にしようという案は既に早くから横田氏の胸中に秘められていた。

田中、横田の関係は、田中氏が少将で参謀次長、横田氏がまだ当選二回の代議士であった頃から始まっている。原内閣が成立して田中氏は陸軍大臣、横田氏は法制局長官となり毎日のように顔を合わせている中に早くも田中氏を政友会の総裁にしようという腹案を持つようになった。それについては田中大将と密接な関係にあり、且つ横田氏とも深い交わりのあった西原亀三氏の談話を紹介するのが便宜である。二人の間には早くから田中引き出しの密議が込められていたのである。

―西原亀三氏談―

政友会分裂の前のことで、多分大正十二年山本内閣が成立した前後だったと思う。横田が自分のところへ来て言うには、「俺自身が働いたのでは党内が煩わしい。そこで手足になる人物が必要だ。しかしこれも俺自身から言い出すと事が面倒になる。そこで君が一つその役をやって貰いたい。俺の見るところでは森恪と春日

資料３３　田中義一

俊文が使える男だから、これを抱き込んで田中引き出しの急先鋒をやらせたいが、それには松岡俊三を使って先ず森と春日に会って貰いたい。度々会ってもらいたい。そうしている中にはきっと彼らが田中に会いたいと言い出すに決まっている。それから緒口をほぐして行った方がいゝ」。横田がこう言うので松岡に旨を含めて、麻布の興津庵で森、春日、松岡と自分の四人で飯を食った。そうしているうちに案の定、森と春日は田中に会いたいと言い出したので会わせた事がある。

またこれも自分が利用された話だが、後に横田が自分のところにやって来て、「近頃岡崎邦輔に会うか？」と言う。そこで「あまり会わない」と答えると、「岡崎のところへ行ってくれんか」という話である。どんな用事かと聞くと、「君が岡崎の所へちょいちょい行ってくれゝば、その中に岡崎はきっと田中に会いたいと言い出すに違いない」というのである。そこで横田の頼み通りにすると、果たして岡崎は一度田中に会いたいと言い出した。田中に会わせた時の話の内容を自分は知らないが、下の方では森や春日のようないわゆる勇気もあり決断力のある得難い人物を引き入れ、上の方では智者といわれる岡崎を手に入れ、着々と田中大将引き出しの基礎工作をやったのは如何にも横田らしい遠望深慮、水も漏らさぬ手を打っていたのだが、惜しいことに横田は志の成らぬ前に死んでしまい、小泉策太郎が横田の志を継いだ形になっている。横田は小泉を評して、「政治家としては危ない。心が許せない」と常に敬遠していたが、その小泉が横田に代わって田中引き出しの役割を勤め、補佐役を買って出たのだから妙な廻り合わせである。当時もし森にもっと貫禄があったならば、当然横田の後を継いで田中の補佐役になっていただろう。が何分にも当時の森は一年生であり、実力はあっても貫禄が備わっていなかった。

西原、田中、横田の交友関係から推せば、西原氏の談は横田の田中総裁引き出し計画が既に早くから稠密な計画の下に行われていたことが証明できる。又松岡俊三氏は都新聞社の記者として田中大将とは佐官時代からの交際があり、一方横田氏とも密接な関係があったので、田中総裁引き出しには重要な役割を勤めている。横田氏が森、春日の両人を使いこなすために松岡を使えと西原氏に策を授けた点からみてもこれは了解できる。

○

——松岡俊三氏談——

森と横田との関係は取り立てゝ深いという程ではなかった。が横田は早くから自分の推薦によって政友会の中で将来用うべき人物は森と春日を置いていないと知っていた。森、横田の間柄は勿論深くなかったが、悪い訳ではなかった。が何分森は自分の事を高く持して傲然と構えていたので、横田の方でも「こやつは到底一筋縄では行かぬ代物だ」と睨んでいた。しかし田中大将を引き出そうという腹は共通であった。清浦内閣が出来て、我々は護憲運動の中心となったが、これは一つはといえば、やがて田中引き出しの手でもあった。田中大将は清浦内閣の組閣に容喙した。組閣本部側では陸軍大臣には薩派の福田雅太郎を上原元帥の推薦で陸軍大臣に内定していたのを、陸軍大臣には原内閣以来前任者が推薦するのが慣例であるという理由を盾にとって田中陸相の次官であった宇垣一成氏を入閣させることに成功した。次いで大蔵大臣には西原亀三と関係ある勝田主計を入れ、書記官長には矢張り長州の福原俊丸を入れようとしたが、勝田だけ成功して書記官長の方は小橋一太に振り代えられた。けれども田中大将の腹は最初から清浦内閣に自分の腹心を入れて、中から爆破するつもりであった。護憲運動のそもそもは西原亀三と自分が計画し、森、春日は勿論、憲政会の

—永井柳太郎、革新倶楽部の植原悦二郎らと組んで下の方から始めた運動であった。

こゝで思い出されるのは少壮派の護憲運動と相呼応して三浦観樹将軍が加藤、高橋、犬養の三党首会合を行い、嫌がる加藤憲政会総裁を強引に打倒清浦内閣、護憲運動に引っ張り込んだ一事である。それが後に田中大将を政友会総裁にする仲介役となった三浦将軍は同じ長州の関係から田中大将とは深い関係があり、従って三浦、田中の間に早くから政友会総裁の話し合いが行われていたことを松岡氏の談話によっても推察することが出来る。

横田氏は三浦将軍ともかねてから懇意であり、三浦、横田の間を使いした者は後に森のためにも働いたことのある植木三郎氏であった点からして、横田、三浦の間にも田中総裁引き出しの話し合いが（大正十三年頃）早くから行われていたことが推察される。

松岡氏の話はなお続く。

横田が死んだ日、横田邸で顔を合わせた森と春日の両人を伴って田中に会った。この時、我々三人は田中大将に向かって、横田の死んだ後は横田に代わって不肖我々三人が貴下を支持すると誓い、田中の面前で森、春日、自分の三人は誓約の盃を取り交わした。その席上で森と春日が田中に対して、今後我々の言う事は何でも聞いて貰いたいと言うと、田中は良かろうと答えた。森は自分に対して「お前と田中は主従関係だが俺は違う。俺は田中のいゝなりにはならん。俺の命令を田中に聞かすんだ」と偉い剣幕であった。こうして田中引き出しの下ごしらえが出来ると、横田の代わりに小泉策太郎を表面に立てるがよかろうという三人の話し合いで、直ぐに小泉の所へ出かけて行った。小泉は非常に喜んだ。小泉は横田在世中、いわゆる熱海会議

でこの計画を横田から打ち明けられていたので、「待ってました」というところだったのである。いよいよ相談がまとまると、その後は南部坂の小泉の邸に集まっては田中引き出しの作戦を凝らし、同時に加藤内閣を倒す策謀を燃やした。尚西原の手で岡崎を落城させてあり、機はいよいよ熟して来た。そこで小泉は高橋に因果を含め総裁を辞任させ、いよいよ田中が政友会総裁に乗り出して来た。

三土忠造や堀切善兵衛ら高橋系の子分が憤慨したのはこの時の事である。

三浦観樹将軍は前にも述べた通り、かねて久原氏や横田氏から田中総裁引き出しの相談を受けており、直接田中大将を政友会に引き出す仲介役であった。又三浦将軍の相談相手であった古嶋一雄氏のこの間に関する消息談は左の通りである。

―古嶋一雄氏談―

ある日三浦の所から一寸来て呉れというので行ってみると、三浦の言うに「今高橋が来て政友会総裁を辞めたいと言った（大正十三年の秋と推定される）。君が行って後をどうするつもりか探って来い」ということなのだが、私は「それは高橋の本心かどうか、先ず確かめるために貴下が自分でもう一度高橋に会っておいでなさい」と言うと三浦は直ぐ自動車を呼んで飛び出して行った。私は三浦の家でその帰りを待っていた。三浦は間もなく帰って来て、これだよこれと言った。これというのは金の事である。高橋は金が続かないから辞めるという訳なのだ。それから又しばらくして三浦が一寸来てくれという。行って見ると政友会の後釜に田中はどうだろうと言う。田中って誰ですか、と言うと、田中義一さ、と言う。田中が軍服を脱ぐという訳である。私は当時革新倶楽部だったので、政友会の総裁はどうでもいゝようなもの、軍服を脱いだとて根が兵隊ではどうかと思ったが、兎に角、政友会の事なら横田と小泉に話して御覧なさいと勧めた。横田は原敬の代理として常に三浦の所へ出入りし懇意な中であった。それから話は急速に進んだ。三浦の所へ田中を持ち込んだのは久原房之助であり、産婆役を三浦老人が勤めたという訳である。

久原、横田両氏の関係は高橋内閣当時からあった。久原の腹心の実業家に田邊勉吉という人があり、田邊氏は横田と親友であった関係から、氏を仲介として両人の関係は成立したのである。その関係から、久原氏は横田氏と田中義一大将の総裁輸入を話し合ったものと想像される。しかし横田は慎重を期して党の惑乱を防ぐため、自分は飽くまで表面に立たず、いざ担ぎ出すという際にも久原氏から三浦将軍に持ち込ませ、将軍が仲介役に立ったという形をとって自分は蔭の人に始終しようと考えていたものと思われる。だから、一方では党内の与論を作り、一方で党外の大勢を制して形式を整える苦心を重ねた跡が今日にして歴然たるものがある。

「時事新報」の記者前田連山氏は横田と森を比較して左の通り論評している。

認識に知性的認識と直観的認識の二形式があることは講釈するまでもない。横田氏は知性的認識に傾き、森君は直観的認識に傾く。即ち横田君は論理的であり、森君は芸術的である。即ち横田君は概念的で、森君は表現的である。いや横田君も一般の学者弁護士に比すれば直観的であったが森君に比すれば知性的であった。政治は一種の創作であって理論ではない。表現であって概念ではない。故に政治家としては直観力が最も大切である。横田君も常に「弁護士は政治家として成功できぬ。吾らにはどうしても弁護士的欠点がある」と言っていた。それを知っていたから政治家としてあれまでに成功したのであろう云々。

横田氏の死んだのは議会中であった。高橋総裁が加藤首相を番町の邸に訪れて、政友会総裁の辞任と共に農商務大臣も辞職する旨を申し出たのは議会終了後まもない一九二五（大正十四）年四月四日であった。やがて政友会が協議員会を開いて高橋総裁の辞任と田中新総裁就任を決定したのは四月十日である。森が三月三十日に横田の地盤から当選して来てから一旬の間に政友会総裁の更迭は実現したのであった。

二　三派協調の破綻・犬養古嶋両氏の引退

横田法相は田中大将を現実に政友会総裁として引き出さぬ前に物故した。しかし高橋総裁の辞意を助長させるような工作が彼一流の周密なる用意の下に着々と進められたことは、古嶋一雄氏の談にある通り、横田氏の在世中、既に高橋氏から三浦観樹将軍に総裁辞任の内意を打ち明け、田中引き出しの工作が進められたことによって証明される。

さて横田氏は志半ばにして逝き、法相の後任には政友会から小川平吉氏が就任した。この陣容で議会を終わり、高橋総裁は総裁と農商務大臣を辞任し、**田中義一大将が軍服を脱いで政友会の第五代目総裁**になったのである。

それ以前に政友会の中堅以下少壮分子には既に早く三派内閣を打倒して政権を奪取しようというプランがあり、それが時として政界の表面に出る。加藤首相を始め、憲政会では絶えずこれを警戒しなければならなかった。高橋翁は政友会の総裁といゝながら倒閣的な言動には一切同ぜず、加藤首相とは常に腹を打ち明けて事を談ずる間柄であったので、総裁を通じて倒閣運動を実現する事は出来ない相談であった。それが又党内の不平分子急進派にとっては甚だ気に入らぬ点であった。

田中大将を担ぎ出そうとする森らの一党がその急先鋒であったことは勿論である。かゝる矢先へ突如として高橋総裁が引退し、田中新総裁が推戴されたのであるし、横田氏がいなくなれば当時既に芽を出していた政友会と政友本党とが焼け木杭に火をつけて提携し、倒閣運動が表面化し、それと共に三派協調の破綻が目前に迫る。憲政会側をして警戒させたのは蓋し当然である。そこで加藤首相は高橋総裁の引退による大臣辞任の後任には当然田中新総裁の入閣を懇請して止まなかった。しかし田中新総裁は就任早々の事ではあり、党情これを許さずとして入閣を拒否した。その代わりに副総裁の野田卯太郎氏を商工大臣に、岡崎邦輔氏を農林大臣に推薦する事になった。

これは、農商務省を農林省と商工省に分離する案が議会を通過したことと併せ、高橋農商務大臣が加藤首相を番町の邸に訪れて辞任の内意を告げる時、自分の後任は政友会から入閣するようにしたいと了解を求めてあったからである。

しかしこの時は既に政友会の反政府気分が相当高潮に達し、三派協調持続の無意義なるを説く者が公然と現れて来た。その理由とするところは、国民に公約せる三大政策であり、三派協調の主眼たる普通選挙法、行政整理、貴族院改革の三政綱が曲がりなりにも達成したのであるから既に協調の目的は達しているというのであるが、しかし内実は、素質と肌合いの違う憲政会と袂を分かち、政友本党、革新倶楽部、中正クラブなどと大合同を敢行して政権を奪取しようとの案が既に策士の間で成っていたのである。しかし犬養逓相、宇垣陸相などがこの間に立って調整し、この場合は事を荒立てず三派協調を継続する事になって、野田、岡崎の両閣僚親任式は四月十七日に行われたのであった。

そこで世間の三派協調破綻の誤解を解くためにという理由から左の如き共同声明が発表せられた。

一、田中男は加藤子が三派の協調を尊重し最も有効にこれを具体化するため、田中男の入閣を希望せらるゝの誠意を了とすると同時に、加藤首相は田中男の政友会入会早々入閣をなすは党情の許さざる止むを得ざるものあるを了とすること。

二、両子男は元より飽くまで現政局の基礎たる三派協調を持続するの牢固たる決意を有すること。

三、田中男は入閣せざると否とに拘わらず、責任を以て現内閣の政策を支持援助すること。

しかし三派協調の破綻は一片の覚書によって彌縫せらるべくもない。組閣早々から政友会と革新倶楽部は憲政会に壟断せしめぬために協調しており、性格から論じても犬養、加藤は昔から合わない。高橋翁は兎角として政友会と憲政会も又、その肌合いに於いて百八十度開きがあった。憲政会は由来官僚気質であり、故に後に官僚気質の政友本党と合同する可能性は最初からあったが、横田、小泉、或は森、春日らの純党人型の政治家と肌の合う訳はなかった。で、共同声明は出したけれど、政友会、革新倶楽部は段々憲政会と離れて行った。

やがて間もなく五月五日には、政友、革新、中正三派の有志協議会を開いて合同談は着々として進み、十一日には芝の三縁亭で三派合同の第一回懇親会が催された。かくして国民党以来、革新倶楽部に至るまで永年貧乏所帯を張って来た犬養毅氏は、その腹心古嶋一雄氏らと田中政友会に合同し、若尾璋八、若宮貞夫氏らの中正クラブも又政友会の傘下に抱擁せられたのである。この懇親会の席上、高橋前総裁は「従来の三派協調が今日以後二派協調に代わったに過ぎず、故に現政府成立の基礎には何ら変動はない」という趣旨の演説をして高橋一流の好人物振りを発揮したが、しかし事実上破綻の実現はますますその速度を加えるのみであった。

中正クラブの如きは、元より寄せ集めの中立団体であるから論は無いとして、犬養翁が四十年の清節を投げうち、合同と名ばかりの政友会の傘下に駆け参じたことは、いろいろ論議の対象となった。理由は何とつけても、世帯が張りきれず、遺孤を田中総裁に託したというのが真相である。やがて間もなく五月二十八日に至り、木堂翁は突如として逓信大臣を辞し、同時に代議士も辞任した。古嶋一雄氏もまた逓信政務次官と代議士を辞し政界引退を声明した。このことは秋田清、濱田国松両氏を始め、木堂と共に合同を敢行した同志にとっては不意打ちであった。両氏は犬養、古嶋両氏を訪ね、ひたすらその翻意を懇請したが受け容れられず、木堂は僅かに「政界引退に非ず。政友会の政綱政策貫徹のためには大いに努力するつもりである」と声明した。だから政友会には党籍を残し、高橋前総裁と共に党の長老（最高顧問）に推されたが、古嶋氏は党籍をも離脱してしまった。犬養翁が党籍を残していたことは、やがて田中総裁の後に六代目政友会総裁として登場する因縁をなした。

犬養、古嶋両氏の辞任の声明を参考のため記載する。

犬養氏声明

この度の辞職は、先日革新倶楽部の合同に於いて協議会の席で演説した通りの主意で、普選法執行に対する自分の責任を尽くすべき方法としては、一切の職務を捨てゝ一意専心にこれを努める他ないと考えたからである。故に自分の辞職はいわゆる円満辞職であって、人と衝突もせねば、不平も不安もなく、久しき間考えていたことを行い得たので実に気持ち良く辞職したのである。辞職したとて決して国事を放棄したのではない。徹頭徹尾国家への御奉公は勉めるのである。只、従来の如く国体という小さな範囲で働くか、又小さな範囲を脱して広き範囲で働くかの別である。自分つらつら考えたが、自分の年齢と健康からみると、今より五、六年以上は迚も奔走活動は出来ぬであろう。五、六年でも七十六、七歳であるから生存も問題である。そこでこの短き五、六年を如何にせねば最も有効に奉公せんかと熟考の末、終に一切を投げ去り、赤裸々に無物の公平なる地位に立って、名実ともに何の繋累もなく、何の欲求もなき純粋の浪人として青年の相談対手となって、普選に新たに権力を得たる人々の水先にでもならば自分の及ぶだけの力は尽くしたいのである。

かく言えば何か青年党の頭にでもなる野心でもあるように取られては困る。自分は今後一切そんなことには関係せぬのである。自分は二十代の青年時代から四十幾年の間政治専門でやって来たが、その間には失敗もし、成功もしたと言いたいが、実は失敗だらけで今日に至ったのである。それ故失敗の経験からこれを青年に話して、青年をして自分の如き失敗を繰り返さしめぬように、いわゆる水先案内でもしたいのである。その他には何の理由もない。これまでは小と雖も一城の主人であるから敵もあったが、真裸の浪人となれば敵も無く味方も無く天空海闊で、広き世間を十万方無礙に渡るのである。

古嶋氏隠遁の辞

僕は元より合同を最善の策とは思っていなかった。政権争奪を本位とする既成政党の弊害を知っているからだ。さらば現状を維持せんか、倶楽部の前途には大なる不安があった。国民党の解党はよって以て幾分でも既成政党の改造に刺激を与えるためであったが、不幸にして事は志と違って、現に既成政党と握手して三派協調をやらねばならぬようになった。さらば更に進んで新政党を樹立せんか、普選後に於ける新興勢力が我らの味方であると思うのは余り虫のよい打算である。況や現在代議士の小集団を基礎としての新党樹立など無意味の甚だしきもので、こんな政治的遊戯は最早飽き飽きした。

解散か、三十年来の同志を奈何。しからば犬養翁を奉じて最後の一人となるまで戦わんか、翁は嫌とは言うまい。否言えまい。湊川の討死は成敗論よりすれば値もないが、千古の歴史に燦然たる節義の光を放つ。死ぬるまで戦ってくれと言いたかった。しかし僕らは従来余り個人の力に頼りすぎた。個人の力に頼ることが既に国民政党の本義に非ずと考えた時、しかも七十一歳の老翁の顔を見上げた時、僕はこれを強いゆる力がなかった。僕はかねてより普選案の通過を以て、翁なり僕なりの今日過渡期の政界に貢献し得る涯分であると考え、これが通過のためには翁を始め僕も及ぶ丈の努力はしたつもりである。しかも現にこの普選案が通過した以上、今日こそ翁が隠退の時であると覚悟した。合同の決行に多大の困難のあるのは明らかであるが、幸い政友会が更始一新して能く我クラブの主張を容認した以上は、小異を捨てゝ大同につくべきであった。かくして初めて同志の前途も見届け得ると共に、三十年来我らの唱え来た政策も実現を期待し得る。ただ翁がいわゆる理想を正常なる手段によって実行せしめんと欲する時、僕はそこに十分なる自信がなかったのだ。あゝ金力が権力がなければ現代の政治に生きて行くこ

資料３４　古嶋一雄（提供：毎日新聞社）

とが出来ぬと思えば僕らの胸にも悲憤の焔が燃える。三十年来の同志に対して節に殉ぜよとは言えるが、翁に殉ぜよとは何として言われよう。同志の前途に対する情熱と、国家の前途に対する責任を思う時は、翁も泣くに泣かれぬ思いであろう。しかし翁は金力権力以外に大なる力を持っている。しかり翁は今日の政治に死しても将来の民心に生くべき人だ。翁は隠退してますますその本領を発揮せらるゝであろう。合同即隠退と決定した時、翁の眼は僅かに光った。僕は始めてホッとした。故に僕は飽くまで踏み止まらんとする諸君の意気と、合同して国家民人のためにその志を行わんと欲する諸君の熱情に対して、共に満腔の敬意を払う。更に翁を信じて行動を共にせられた人々の至情に対して感激の涙に咽ぶ。翁が隠退と知ったら行くのではなかったと悔やむ人もあろう。翁が隠退の機会を作るために同志を売ったと憤る人もあろう。翁は常に自分一人のためにこの上同志を苦しめるなと言っている。僕は同志をして翁に殉じせしめず、翁をして同志に殉じせしめたかった。これがために己を欺き世を欺いた。あゝ国民党を誤ったのも僕の罪だ。クラブを誤った僕の罪だ。而して翁の最期を誤ったとすれば、これも又僕の罪である。僕こゝに政界を退きて同志及び天下に謝する。

三　第一次加藤内閣の瓦解

政友会、革新倶楽部、中正クラブの合同が成っていよいよ加藤内閣の土台をなす憲政会との間は乖離し、加藤内閣を倒壊して次の政権を田中政友会に奪取せんとする傾向は漸く表面化してきた。政革、中正合同によって百三十七名の代議士を擁し、これに加藤内閣との決裂が実現すれば政友本党から六十人の参加者があるという情報も手伝って、政友会の腰はいよいよ強くなった。

いわゆる「抱き合い心中」の手段として、内閣が次の議会に提出せんとする重大政策、税制整理案の決定にその機会を狙ったのである。濱口蔵相の手によって決定された税制整理案は左の如き要点を持っていた。

一、所得税免税点を八百円から千二百円に引き上げる
二、地租一分減及び免税点の新設（免税受益者三百万人）
三、酒税及び相続税の増率
四、通行税の廃止
五、自家用醤油税の廃止
六、綿織物消費税の廃止
七、売薬税の低減
八、化粧品税の増率
その差引減収約八千万円を酒税及び関税の増収で補填する。（『加藤高明伝』より）

政友会出身三閣僚の中、野田商工大臣は病臥中であり、小川法相と岡崎農相の両氏が憲政会との太刀打ちに当たらなければならなかった。

然るに憲政会側は、加藤首相自身がその昔大蔵省の主計局長であり、若槻内相、濱口蔵相共にこの道の専門家である。素人の小川、岡崎両氏は財政論で太刀打ちすべく甚だ分の悪い立場にあった。しかし問題は財

政論に非ずして倒閣にある。抱き合い心中にある。

小川法相は先ず、右税制案中に政友会の主張する地租委譲がないのは政友会の存在を無視し政友会に最後通牒を突き付けたものである、という論法を以て進んだが、濱口蔵相と若槻内相は詳細に亘って税制案の妥当なる所以を陳述した。

しかし、岡崎農相は更に、憲政会一色の税制案を以て政友会に追随を強いんとするのは即ち協調の否定である、という政治論を以てこれに対抗し、遂にまとまる見込みがつかなかった。

それで憲政会閣僚の中にはもし政友会閣僚が辞職しないならば上奏免官に訴えるべしとの硬論を唱える者あり、政友会の中にも意見が合わぬのなら出身閣僚は潔く辞職すべしとする論もあったが、目の前に政権がぶら下がっていると信じた党の大勢は遂に抱き合い心中を決し、第一次加藤内閣はこゝに一九二五（大正十四）年七月三十一日、一年二ヵ月の寿命を以て総辞職を遂げたが、大命は再び加藤高明氏に降下し、**第二次加藤内閣、即ち純然たる憲政会内閣が八月一日に成立**した。

四　鳩山一郎と森

先に政友会が分裂する時のことであった。森は盟友鳩山一郎氏が床次氏と行動を共に脱党して行く時、鈴木喜三郎氏の邸で決別を告げた。森は鳩山氏に言った。

「今、お前と別れても又どうせ一緒になるのだ。政治上の行動は別々になっても私交は変わりなく従来通りに往復連絡しよう。お互いに今は経験修養の時代なんだ。どんな道を歩くのも経験のために悪くない」

二人は固く手を握って将来を期した。鳩山氏は当時政友会の中堅層にあって党内のホープであった。脱走派からも引っ張られるし、横田、小泉、森らの残留組からも惜しまれた。この三人は「鳩山だけは惜しい。必ず取り戻す」と話し合ったくらいである。

鳩山氏と森は、森の晩年犬養内閣当時から政治上の意見を異にした。森は政党中心主義を一擲して革新政治の方向に歩み、鳩山氏は飽くまで政党中心の議会主義によって行動しようとしたから、理論上のギャップは相当深いものがあった。

—鳩山一郎氏談—

犬養内閣当時、書記官長室別室で森と二人で大議論を闘わせたことがある。森は私の行く道を否定して、「もう時代が違う。お前がそんな考えを持って居れば命が危ない。俺がお前の地位や名誉を作るから、一切は俺に委せて妨害するな。**俺は支那問題さえ解決すれば他に政治上の目的はない**。内政の上に於いてはどこまでも君を立てる」と言うのである。しかし、私は「僕の命は僕が守る。そんなことは心配せんでも良いが、お前の考えは間違っている」という様な対立を来たし、終にはお互いに涙ぐんで別れた事がある。彼の晩年に至っては私とは政治上の意見は違っていた。しかし私は友情に於いて私交上、森とのギャップを感じた事はないし、森も又一時は兎も角、死ぬ一、二カ月前になっては昔の友情を取り戻してくれたものと思っている。森が病みついた当座、私は関西への旅行先から「シズカニネテオレバナホルヨケッシテツヨキヲダスナ」という意味の電報を打った。すると森は折り返し長い返電を寄こした。私の友情に感謝し、「お前も体に気をつけろ」というしみじみした電報を京都の宿で読んだ記憶がありあり残っている。又鎌倉の海浜ホテルへ彼の病床を訪ねた時、それは死ぬ一カ月くらい前だったと思う。森は自分の病気を自覚していて私に伝染させまいとする思いからであろう、私の手をしっかり握って顔は向こうに向けポロポロと涙を流したのである。私も不覚の涙を流した。森は、やはり俺の変わりなき友人だと感慨にふけるのであった。今でも私は思っている。いくら喧嘩してもいゝから森が居て呉れたらどんなに心強いかと、何か事がある度にあの元気な森の姿を思い浮かべるのである。私の子供たちも森が好きで、森が来るとみんなガヤガヤ出て来て歓談したものである。長女の百合子が結婚する時、森が祝いに呉れた指輪を、百合子は未だ指から離さず、時々森の想い出をいゝ出すのである。

鳩山、森の交友は政治家以前からの因縁であった。鳩山氏は政治家としては森の先輩で、森の父作太郎翁とは同じ弁護士同士の知己であった。のみならず森夫人の父君瓜生外吉男夫婦と鳩山氏の先考和夫氏夫婦との間には昔からの交際があった。瓜生、鳩山両先考はアメリカに留学した時に交際があり、瓜生夫人繁子女史と鳩山氏の母堂春子女史とは女学生時分からの友人であった。そういう関係で瓜生、鳩山両夫婦は一郎氏の幼児からお互いに家庭的な交際を持っていたのである。

森が政治家になる時、鳩山氏に森を紹介したのは小柴英侍氏であった。両人は前述のような関係から忽ち兄弟のような深い交わりを結び、森が選挙に打って出る時、東京市議会の大御所である鳩山氏は「東京から出るならば、必ず当選させてみせる」と言ったくらいで、選挙区選定の相談から預かっているのである。

また森が代議士に当選して最初にぶつかった難関は満鉄事件であった。当時、党内には森の除名論さえ起こったくらいであるが、鳩山氏は親身も及ばぬ程打ち込んで森を擁護した。鳩山氏の義兄鈴木喜三郎氏は当時司法部内に於いて平沼騏一郎氏と共に飛ぶ鳥を落とす勢力家であった。鳩山氏は鈴木氏に対し、森の人物

資料３５　鳩山一郎

と満鉄事件の実情を述べ、法律的見地から決して有罪になるべき筋のものでないから、検事局なども心して取り調べを行うよう懇談したこともあるのである。

かゝる事情は人一倍情熱家の森の感激するところであった。鈴木、鳩山、森の三角同盟はこの時に出発している。だから鈴木、鳩山両氏と政治上の意見を異にするようになった晩年に至っても、森は個人的な事情に関して鈴木、鳩山両氏に対し非難を加えた事はなかった。

さて森と鳩山氏は政友会と政友本党とに別れ、護憲三派の前線の闘士森と特権清浦内閣のいわゆる足軽党の中堅鳩山氏とは表面の政敵であった。しかし常に連絡往来して居ったのは論を俟たない。

五　床次竹二郎の去就

大正の末期から昭和の初めにかけて床次竹二郎氏の政界流浪約七年、この間床次氏の動きによって政界は甚だしく混迷を来した。即ち、一九二四（大正十三）年一月、政友会が大分裂して政友本党が出来、床次氏が総裁となった。それから一九二九（昭和四）年七月、田中総裁の政友会へ再び帰って来るまでの間、或は政本提携、或は憲本連繫、民政党成立など数えるに暇ないくらいであった。

一九二五（大正十四）年二月、横田千之助氏が死に、四月、高橋是清翁が政友会の総裁を辞任し、田中総裁が就任する前後にかけて、政友会と政友本党との合同運動が漸く高まって来た。横田が死に高橋が去れば、中橋氏や山本男にとっても最早政本分裂の大部分の原因は消滅したからである。そこでいわゆる四人組、鈴木喜三郎、山梨半造、大木遠吉、水野錬太郎の諸氏は床次氏に対し政本合同を勧説し始めたのである。その間鈴木氏を中心として森、鳩山の両人が蔭に動いていたことは勿論である。しかしこの時は田中義一男が総裁に就任したので床次氏は甚だ快からず、政友会が護憲内閣より手を引かぬ限り合同は不可能であるという理由を以て反対した。かくて政本合同問題の喜劇性は始まるのである。

やがてその年の七月三十一日、第一次加藤内閣は瓦解した。すると急遽として政本提携運動が再燃した。それは政権を奪取しようとの動機からきている。内閣瓦解の即日、芝三縁亭に両派が会合し、「既に提携なる。政権はこの上に降下すべし」という気焔を挙げているのである。それは興津の西園寺公に対するデモンストレーションでもあり、その日興津に脈引きに行った小泉策太郎氏の注文にもよるものであった。小泉氏は森と共に本党の鳩山氏と緊密な連絡を取っていた。いわばこの三人が政本提携による田中政友会内閣を計画したのである。興津からの小泉氏の電話では「西園寺公の意志、我々の志すところと違わず」という情報であった。しかし小泉は余りに希望付きの観測をし過ぎたとみえて、翌八月一日には加藤高明子による憲政会の単独内閣が成立したのである。けれども政権を取り損なったからといって提携運動を中止するのは如何にも世間体が悪い。床次氏にはその意志はないが、田中男の方には本党を取り込みたいという熾烈な希望がある。

八月四日、田中・床次の会見に於いて左の三ヵ条を申し合わせた。

一、政治の公明を期すること。

二、提携は中央政界に於いてすること。

三、提携は野党の立場にて於いてし、将来個々の問題について時々協定すること。

形は整ったが内容は雫である。やがて間もなく研究会の仲介よって、憲政会と本党との合同の可能性が現れて来た。こゝには、田中総裁は長州人であり床次総裁は薩摩人であるというギャップがある一方、本党は由来、政友会の中から官僚、インテリ分子を離脱せしめた政党で、その思想、感情に於いては同じく官僚インテリ的憲政会と肌が合う。その上本党の山本達雄男と加藤首相の間は三菱の関係を中にして深い交わりがあった事も見逃がすべからざる事実である。政友本党の中にはいわゆる、自由党的政友型が残っており、中橋徳五郎、鳩山一郎氏らは元より、床次氏の参謀長榊田清兵衛、小橋一太、川村竹治氏らを始め、憲政会と根本的に感情の合わぬ人々が居るので床次氏も去就に迷っていたが、いよいよ第五十一議会の開会を前に一九二五（大正十四）年十二月末、委員長の選任問題に端を発し床次氏を中心とする本党の主流は憲政会とますます接近し、政本の提携は反故の如く掃き去られてしまった。

同月二十八日夜、小石川音羽の鳩山邸に二十一名会合して本党脱党を決定し、翌二十九日は中橋徳五郎氏が大磯の別邸から帰京して、こゝに**同交会**を結成したのである。この時もやはり政友会の森と本党の鳩山氏が中心人物である。大晦日の夜、森、鳩山は鳩山邸で久しぶりに晴れて握手した。その時将来を誓う意味に於いて色紙に寄せ書きをした。「力」という字を鳩山が書き「行」という字を森が書き、一郎、恪と各々その字の下に署名している。

かくて憲政会と本党との連繫により、議会は政友会が反政府気勢を挙げても解散の恐れなく無事終了した。中橋、鳩山両氏らの同交会は議会中の二月十日政友会に合同した。

資料３６　鳩山一郎と森恪の揮毫（「力」は鳩山氏、「行」は森）
（出典：山浦貫一編『森恪』）

六　森は事実上の幹事長

議会後の政友会の幹部改選に当たって復帰早々の鳩山氏は幹事長になり、森が筆頭幹事になった。鳩山、森のコンビが形に出た訳である。その間には左の如き経緯がある。

当時は小泉策太郎氏が田中総裁の知恵袋乃至は懐刀であり、これに森が一枚加わっていた。小泉、森は鳩山氏の政友会復帰について骨を折った因縁があり、田中総裁また鳩山氏を幹事長に懇望して止まなかった理由がある。

当時の鳩山氏は政界の花形であり、また一面にはダークホースであった。そういう関係から田中総裁は明るい鳩山氏を幹事長にして、暗い噂と悪評のある政友会の色上げを計ろうとしたのである。しかし鳩山氏の語るところによれば、帰り新参ではあり、党に威令が行われないと思ったので、なかなか受諾しなかった。しかし田中総裁は鳩山氏の好きな通りに役員を選定するというし、森は森で「俺が筆頭幹事になって極力補けるからやれ」と勧説するので、遂に新幹部発表の朝になって承諾したという事情であった。かゝる事情であったから、事実上の幹事長は森が勤めたようなものであった。即ち朴烈事件の如きは別項にも述べる通り、森によって政治上の大問題になったものである。その朴烈問題が漸く白熱化し、これを中心として政友本党も動き出した一九二五（大正十四）年十一月に入って、突如として政界の惑星後藤新平伯が政治の倫理化を看板にして政本合同の仲介に乗り出して来た。

後藤伯は当時、いわゆる高等浪人であった。しかも天下の権を握らんとする野心満々たるものがあった。後藤を政界の表面に担ぎ出して政本の握手をさせようと計った張本人は、後藤伯の恩顧を蒙っていた読売新聞社長正力松太郎氏であり、彼が政友会、政友本党の間を奔走して伯が表面に立つ足場を造ったのである。

田中男は田中男で、後藤伯を利用して政権の王座に座ろうと考え、床次氏は床次氏でこれ又次の政権を目指していた。当時の落首（風刺・嘲笑・批判の意味を込めた匿名の歌）に、

船は稲荷丸、船頭は狐、乗ったお客はみな狸

というのがあった。能く各々の思惑を表現したものと思われる。それは兎も角として、狐の船頭後藤が舵を取る稲荷丸に、田中、床次の二匹の狸が乗り込んだ。そして純然たる憲政会の加藤・若槻内閣反対の立場に立つ政本提携を先ず協定したのである。第五十二議会を目前にした十二月中旬、後藤、田中、床次の東京クラブが催された。田中男は全面的な提携を希望するに対し、床次総裁は一方、憲政会に対する恋々たる情が動いている際とて、局部的な問題で協調しようとした。即ち『床次竹二郎伝』によれば、床次氏が後藤氏の要求に従って後藤邸を訪ねた時、

「政友会と我が党とは政策的に大きな隔たりがある。しかし政策問題を超越した朴烈問題に対しては既に両党とも意見が一致しているから、来議会にはこの問題で自然一致の行動を取ることになろう」

と答えている。かくして朴烈問題、不景気回復問題、綱紀粛正問題の三問題について議会で統一行動を取ることに決めたのであった。森が取り上げた朴烈問題はかくして次の議会の中心問題になったのである。森、鳩山氏らは事既に成就し、若槻内閣の倒壊は目前にあると考えた。疲弊困憊せる政府をして既に解散の気力

を失っているものと見たのである。しかし、若槻、田中、床次三党首の闇取引による妥協の結果、森らの目的は達せられず政本提携は再び破れ、一九二七（昭和二）年三月に至っては逆に憲本連盟が成立して、やがて四月、若槻内閣が財政混乱の余波を受けて瓦解し、田中内閣が成立して、床次氏の政権の夢は文字通り槿花一朝の夢と化した。

やがて床次氏は民政党と看板を変えた原内閣以来の宿敵濱口雄幸氏を総裁とする憲政会に合同したのである。続いて翌一九二八（昭和三）年には、同氏は民政党を脱党し新党クラブを結成し、一九二九（昭和四）年七月には政友会森幹事長の「お迎えに参りました」という言葉に乗って、政友会脱党から七年目にして田中総裁末期の政友会に復帰したのである。

七　朴烈事件

朴烈事件は若槻内閣の命取りとまでなった。後藤新平伯が乗り出して政友会と政友本党とを結び、第五十二議会に不信任案を提出し、それが一転して三党首妥協となり、田中内閣成立の遠因となっている。大正から昭和にかけての一大政治問題であった。この事件の発生進展については森が深い関係を持っている。否、森が構成した政治問題である。

関東大震災直後、朝鮮に於いて検挙した不逞朝鮮人の秘密結社事件を発端として、はしなくも朴準植（通称・朴烈）及びその内縁の妻金子文子に係る大逆事件、即ち一九二三（大正十二）年秋挙行あらせらるゝと伝えられた皇太子殿下の御婚儀を機として、鹵簿《ろぼ》（註：行幸の時の行列）に爆弾を撃ち奉らんと企てた事件が発覚し、東京大審院検事局に於いて取り調べの結果、両人は不敬罪として大審院の特別裁判に移され、一九二六（大正十五）年三月に至って両人とも死刑の判決を受けたが、畏くも恩命によって死刑を免れ、無期懲役に減刑された。

同年七月二十九日、大逆犯人朴烈並びに文子が予審調室に於いて、相擁して嬌態を尽くした醜怪な写真を印刷した怪文書（冊子）が各関係方面並びに各新聞社に突如として撒布され、こゝにいうところの「**怪写真事件**」が突発したのである。

この怪写真は一九二五（大正十四）年五月二日、予審判事立松懐清氏が市ヶ谷刑務所内の予審調室に於いて撮影現像して朴烈に与えたものである。朴烈は折柄入監中の石黒鋭一郎氏が出所するに際し、右の写真の搬出を委託した。石黒氏は市ヶ谷刑務所からこれを持ち出し、大化会（註：国粋主義の右翼団体）の岩田富美夫氏に示した。

一方、当時千駄ヶ谷の社会運動家・北一輝氏の邸では連夜「お経の会」と称し、岩田富美夫、西田税、満川亀太郎その他北氏を中心とする人々が集まって時事批判を行っていたが、席上岩田氏が手に入れた怪写真を示すと司法部の腐敗を痛嘆し、「これを世上に発表して若槻、江木両相を詰問し、場合によっては内閣糾弾国民大会を開くべし」との議論が出た。

而して北一輝氏はこの運動を具体化するには政友会によって政治問題化せしめるのが適当であると断じ、筆頭幹事の森に持ち込んだ。森は当時院外団員であった津雲国利氏に事件の構成を命じた。しかし森は蔭で

資料３７　朴烈事件（問題となった怪写真）

采配を振い、いよいよ政治問題化するまでは表面に立たなかった。

越えて翌八月二十六日、政友会は本部に綱紀粛正調査会を開き、最近政界各方面に異常の衝撃を与えた司法部内の一大怪事につき意見の交換を行い、左の如く決議した。

一、朴烈及び金子文子の大逆事件は明治時代に於ける幸徳事件に等しき一大不肖事件たるは本件の予審決定判決文を読了せるもの全部が容認するところである。かゝる大逆犯に対する相当の極刑を減刑奉請せる政府の挙措は不当も甚だしきもので、我が国体擁護からも且つ又朝鮮統治からするもその責任を正すべきである。特に大権発動に先立ち予め優諚降下の趣を発表せるは不都合極まれる挙措にして官紀紊乱の甚だしきものたること。

一、未決在監中大逆犯人に与えた行動の自由及び非例の優遇は実に言語道断の沙汰なりしといわれる。怪写真事件の如きは単なる一事例に過ぎず。詳細は尚調査中に属するが、この間幾多治罪機関の紊乱を物語るべき事実伏在するものゝ如し。

一、いわゆる怪文書として発表せられたる朴烈・文子の相擁して嬌態を尽くせる状は大逆事件の主任たる立松判事の映写現像せるもので被告朴の手に渡りしは立松氏の承認するところにて吾人は本件怪文書に接した当初真偽を疑うと共に、もし事実とせば由々しき大事なりと言っておいたが、今や争いなき確定の事実に直面して我が司法権のために実に痛嘆禁ずるを得ぬこと。

一、江木法相はいわゆる怪文書に対し何者かの偽作と断言していた。今日これに対し何と弁明せんとするか、特に醜怪なる写真を立松氏が撮影したことを永く隠蔽し遂に病気を口実に諭旨退職せしめてその責任を糊塗せんとする当局の措置は許すべきに非ず。

一、林司法次官は写真の出所及び宣伝に利用せるにつきては目下検事局で厳重取り調べつゝありと言明しつゝあるが、右の様な事柄は枝葉の問題にして当局としては宜しく問題の骨子を明らかにすべきである。即ちこの奇怪なる写真が何人の手によって何所に於いて如何なる理由によって撮影され、如何にして外界に出たるかを明らかにし、以て責任を明にすべし。苟も天皇の御名によって公正なる審理裁判をなすべき秋、官吏が神聖なる法廷に於いて大逆犯人訊問の場合、被告に対し猥に同情を寄与し懐柔策を弄するが如き不謹慎の挙動をなして、どこにその威信を求めんとするか、如何にして神聖を保持せんとするか、綱紀の頽廃、官紀の紊乱もこゝに至って極まれりというべし。

一、凡そ在監囚の待遇は一視平等なるべく断じて差別を許さぬ。然るに皇室に対する大罪人に対し不可解の優遇をなし、他囚羨望の標的足らしめ、或は共犯男女を同棲せしめ、或は獄の内外交通を許せるが如き、極度の失態に堕せるは、到底一私事一刑務所の独断専行とみるべきに非ず。必ずや司法首脳部に何者かの了解ありしを想像せしむ。少なくとも監督上重大責任を免れず。

一、或は撮影時期につき前法相時代として責任回避の辞をなしおる心事の陋劣は唾棄すべく、撮影時期は昨年十月頃と見るべく、仮に前法相の時期とするも現法相の責任を不問に付すべき理由とはならぬ。江木氏就任以来一年有余、その間厳粛神聖なるべき司法部内の綱紀弛廃監督上の責任を尽くさざりし失態は如何にするか。断じて容赦すべからざること。

一、特に本件の如き我が国体の大本に影響する重大事に関しては国民と共に厳重に政府の挙動を監視し最善の方途に出づべきこと。

《政友本党乗り出す》

政友本党もこの日、綱紀紊乱調査特別委員会を開いて事件の真相調査に乗り出した。こゝに於いて怪文書並びに怪写真事件は大逆犯人を主材とし、事、皇室に関するの故を以て広く朝野の視聴を集めたが、政府は、本事件は第一次加藤内閣当時（小川法相時代）の出来事であると反撃した。これに対して一九二五（大正十四）年八月二十六日、小川前法相は、在任中にかゝる事態の惹起せるものとせば当然責任を回避するものに非ずとして、政府に対して公開状を発表した。

次いで床次政友本党総裁の若槻首相訪問となって事件はいよいよ重大視されたが、床次総裁に対する首相の態度は曖昧冷淡、答弁は誠意を欠いたゝめ、本党の対政府態度は著しく悪化の傾向を見た。事件は政治的に重大化し政局は頗る緊張するに至ったが、政府は故意にこれを冷視するに努めた。

「即ち身分保証を受けつゝある判事の行為を行政権を以て束縛するが如きは全然不可能であり、特にそれが小川前法相時代の出来事である以上、現内閣として責任を負担すべきものではなく、況や江木法相の進退問題に及ぶべきものではない。一体かゝる問題を政争の具に供し、政治問題とか政府の責任問題などといって騒ぐ者の気が知れぬ。政府はこの問題では断じて辞職せず」

と称し、九月二日、司法省は次官林頼三郎氏の名を以て発表し、怪写真撮影は小川法相在任中の一九二五（大正十四）年五月二日なること、立松氏の被告優遇問題は決して免職の程度のものに非ずと称した。

かゝる折しも第二の巨弾、**看守事件**が飛び出し、事件はいよいよ本格的になっていった。

一九二五（大正十四）年九月十九日、朴烈・文子両名が市ヶ谷刑務所在監当時両人の付添い看守をしていた事のある同刑務所看守巡査平井伴三、小田倉金吉の両氏が、共に職を賭して腐敗し切った刑務所内の浄化と司法部の改革を叫び真相を摘発し、これによって司法省発表の声明書は全て裏切られる結果となった。

小田倉看守の摘発書は、

一、刑務所内に於ける朴烈優遇の事実八項

二、地方裁判所に於ける朴烈・文子を○○○○○○事項一項（六字伏字）

三、朴烈の言行二項

の三ヵ条十一項であり、

平井看守のそれは、

一、予審室に於ける事実

二、東京地方裁判所仮監に於ける事実

三、市ヶ谷刑務所内に於ける朴烈優遇とその態度

の三ヵ条十項に及び、内容には意外な事実が詳記してあった。

以上の摘発書は両看守の名を以て二百通を西園寺公、山本権兵衛伯、若槻首相その他大官政治家に密送されたのである。

新たなる事実は司法部に対する国民の疑惑を一層深め、司法省はじめ政府は大狼狽した。

右の摘発書の出現によって政府の声明が反古となり全く窮地に陥ったものゝ如く、早くも議会前に総辞職の観測さえ行われるに至った。即ち両看守によって摘発された獄中優遇の事実は、政府数次の声明言説を根本的に覆し、朴烈が何ら改悛の情なくますます皇室の尊厳を冒涜し、政府自ら司法部の権威を地に堕せしめ

た事実を暴露したものであった。

摘発者の一人平井看守は、数年前中央大学在学中、故横田千之助氏の子分であり森とも深い関係のあった植木三郎氏の許に書生をしていた。その関係から摘発の端を発している。

一九二五（大正十四）年八月三十日、平井看守が植木氏を訪ね、話の序に「刑務所内の腐敗は実にお話以上だ」と朴烈・文子の事につき伝えられている以上の隠れた事実を語った。「それなら何故社会問題にしないか？」「問題にすれば免職になる」「それは単なる生活問題ではない。天下の由々しき問題だ。国家のため甘んじて犠牲になれ」と激励され、遂に小田倉看守と共に職を辞して摘発書を発表したのである。

この事件も詮ずるところ、森の仕事であった。即ちすべて森の指令によって津雲氏らが糸を引いたもので津雲、植木氏らの間に勿論連絡があったのである。即ち摘発書の発表は植木三郎、岩田得三、鈴木龍二、深澤豊太郎、大野重治氏らによって段取りがつけられ、同氏ら立会いの許に日比谷松本楼で新聞記者団と両看守の会見が行われ、席上摘発書発表となったのである。

両看守は直ちに松本楼から房州方面へ身を潜めた。警視庁は事の重大性に鑑み慌てゝ両看守を追跡した。そこで岩田、鈴木、窪井義道氏らは官房主事大久保留次郎氏と会見し、「一週間以内に必ず両看守を警視庁の手に渡すから行方を追跡せぬこと」との協定が成立したので、警視庁はこれを信じ追跡を解いた。一週間目には約束通り両看守を警視庁に引き渡した。一週間としたのはその期間内の社会的政治的状勢の推移を観測する必要があったからであろう。

朴烈事件は遂に本格的な政治問題と化し、政友会並びに政友本党は轡を並べて政府糾弾に蹶起したが、九月二十日朝政府は首相官邸に緊急会議を開いてこれが対策を議し、床次本党総裁は蹶気の次第を研究会を通じて伝え、その了解を求めた。

朴烈事件と国家（時日場所不明、察するに国民大会に於ける演説の草稿か）

森　恪

世に投げ出されたる怪写真なるものが世に与えたる波紋は極めて重大なる意義を有す。即ちこの怪写真に対して現内閣のとれる方針によって国民は分岐点に及んだので、今にして国家の名分を質するの必要あるを感じ、信頼したる司法権の独立が危機に瀕し、刑罰の威信失墜されたのを知ったのであります。こゝに於いて識者先ず憂え、事情を知らざる民衆はただその好奇心をそゝられたという現状であります。諸君は憂うところの識者であるか、好奇心を満足せしめんとするただの民衆であるか。

明治維新以来約五十年間の間、法制万能の政治と、弱肉強食である資本主義的経済政策の跋扈を致したる結果、上下を駆って物質主義の国民たらしめ、立国の本源たる大義名分なるものは漸くにして地を払わんとする恐れがあるのであります。我々はこゝに静かに考慮を廻らす必要があるのである。

憲政会の人々は国民の実生活に触れざる問題には政治問題になすに足らずと唱えて居る。元より実生活に触れたる問題即ち衣食住の問題は極めて重大であります。然れども人間が国家を組織して政治生活をなすに当たり、すべてを衣食住の問題によって支配せしめんとするは、これ明らかに誤れる唯物主義の結論であって、人を以て一般動物と同一視するところの謬論である。衣食住の満足は必要である。しかしこれのみによって国家生活の意義を明にすることは出来ない。義理人情は多くの場合に於いて食う事の困難よりも人間を支配します。食うものがなくて死んだ人よりも義理、人情、責任感で死ぬものゝ多い事は世の中の実際が我々に教えるところである。彼の野蛮人の如く、はたまた猶太人《ユダヤ》の如く国家生活をなし得ざる人間にとって衣食住はすべてであるかも知れない。我が大和民族の如く二千数百年来の大日本帝国という一大国家組織の下にその生存権を確立し来られる人間にとっては衣食住の問題を超越して我が国特有の文化に立脚する大義名分なるものがなくてはならないのであります。

即ち我々には大義名分、語を代えて言えば皇室を中心とする我が国特有の国家観念なるものが、衣食住の問題を超越したる重大な問題であるのであります。我が国家を守るものは衣食住の問題のみではありません。真に国家の運命に関する重大なる問題は、この国家観念の消長であり、大義名分に対する理解の厚薄であります。皇室と国民とは二にして一、一にして二であって全く不可分の関係にあります。皇室なくして国民はありません。即ち万世一系連綿たる皇統は実に帝国万民の一大国是であります。この大なる国是を生命として生存するものが帝国臣民であります。故にこの国是を安全にするがために我が国の刑法は世界に見る事を得ざる厳重にして絶対的のものとなって居ります。

刑法第七十三条に、「天皇、太皇太后、皇太后、皇后、皇太子、皇太孫に対し危害を加え、又は加えんとする者は死刑に処す」とあって、極めて直裁に取り極めてあるのはこのためである。

然《しか》るに朴烈・文子なるものは、この国民の生命であり、国是であり、大義であり、名分である皇室に対して危害を加え奉らんとしたのであります。国民がこの問題に対してその考を明にすることは、実に衣食住を超越したる重大な政治問題であります。

即ち、我々は天皇の名に於いてなすところの裁判所が彼らに死刑の宣告を与えたるは当然であると考えるのであります。然るに政府は何の見るところがありましたか、これに減刑の奏請をなし、終に大権の発動を乞うて死一等を減じたのであります。その当時我々国民は事の真相を知りません。ただ大御心の広大無辺なるに歓喜したのであります。然るに何事であるか、今回図らずも刑務所の内より怪写真なるものが現れ、これが動機となって識者の注意が喚起され、現内閣の態度に疑を挟む事となり、研究するに従って、終に現内閣の諸公がこの問題について輔弼の大任を誤り、而もその責任を回避する不都合なる心事は、やがて国体の基礎を危なくせんとするものある事が発見せられたのであります。

我々の研究するところによれば、朴烈・文子は強烈なる虚無思想の持ち主であり、この思想を実行する第一歩として、我が皇室に危害を加え奉らんとしたのであります。而もこの犯人は強き意志の所有者であって、初めから終わりまで、「我に死を与えよ、然らざれば無罪として世に出せ。世の中に出たら幾度でもこの思想の実行を繰り返してみせる」と豪語して居ったのでありまして、甚だしきは減刑の恩命に浴したる後に於いてもこれを有り難く思わず、先日林次官が明言した如く少しも改める風なく、却って不都合極まる言辞をなし、文子の如きは終に平生明言して居った様に自ら死んでしまったという有様である。

かくの如き犯罪人に対して政府は何故に減刑の奏請をなしたか。これ明に上聖明を蔽い奉りたる政治上重大なる失態である。しかも大権の下らざるに、大権を予断してこれを外間に宣伝し漏洩するの非違を敢えてしたのであります。かくの如きは君徳を傷つけ、皇室の尊厳を冒涜し大権を干犯したるも同一である。

又政府は減刑の理由は朝鮮統治政策のために新付の民を懐柔する必要上已むを得なかったと弁解して居るが、朴烈は虚無思想の所有者であり、日本を認めざると同様に朝鮮をも認めていない人間である。この事は公の記録特に判決文によって明に考えることが出来るので、朴烈を許すことは朝鮮統治の上にも百害あっても一利もないのであります。

政府はこの事件に対して責任を免れんがために百方陳弁して居りますが、元より真実を偽るのでありますから、陳弁すればするほど国民の疑は深くなるのであります。国家の大義名分を乱したる責任を明にせず耳を蔽って鈴を盗むが如き態度を続けさす事は断じて国家の利益ではありません。凡そ大逆事件に対する国務大臣の態度は極めて謹慎でなくてはならぬ。従来の国務大臣は皆然りである。

幸徳事件に於いて時の総理大臣は衆議院の秘密会に刑の過酷に非ざるなきやの質問があった時、「事苟も皇室に関する不敬の行為である。断じて極刑を加えざるべからず」と答えた。虎の門事件起こるや山本伯は即日責を引きて総辞職をなした。

然るに現内閣の諸公は明に輔弼の大任を誤れるに係らず非法なる刑事政策を以てその罪を蔽わんとし、終に累を皇室に及ぼさんとしている。憲政会内一人の義人なきか。

現内閣は緊縮政策を標榜して富豪階級を擁護し、あらゆる生産的事業を中止して一般国民の生活に脅威を与え、国民は今や全く疲弊困憊し、なすところを知らない有様である。しかも綱紀粛正を唱えながら、そのなすところは悉く綱紀の糜爛である。

諸君、国民の生活が困難となり、しかも政治の局に当たるものが大義名分を乱る時に於いて次いで来るものは何であるか。歴史は何事を我々に教えるか。

八　三党首妥協

大正天皇は一九二六（大正十五）年十二月二十五日崩御あそばされ、世は**昭和の時代**となった。

森が一大政治問題にまで構成した朴烈問題を中心として、政友会と政友本党の在野党的連繫はますます深まるかに見えた。両党が連携して政治弾劾の挙に出れば、絶対的多数を持たぬ若槻憲政会内閣は総辞職か議会解散か、二途何れかを選ぶより他はない。政局はいやが上にも緊張した。

翌年一月二十九日再開の議会では、政本連繫による内閣不信任案が提出された。これは政友会にうっちゃりを食わすため本党の床次氏が打った大芝居である。床次氏の本党的性格から割り出せば解散を最も恐れる筈である。しかるに彼は解散除けの手段として不信任案提出のイニシアチブを取ったのである。『床次竹二郎伝』によれば、一月十九日の午前二時、研究会の青木信光子が人目を避けて若槻首相を駒込の私邸に訪い二時間会談している。その結果、その日の午後青木子は院内に於いて田中政友会総裁と会見し、次いで床次政友本党総裁と会見している。こゝで既に**三党首妥協の闇取引**は出来上がっていた。

しかし一方政友、本党両派の内部に於いては一挙に不信任案を叩きつけて若槻内閣を退場せしめようという空気が濃厚になりつゝあったので、その排け口を見つける必要があった。それには一応鬱憤晴らしをさせる必要があると認定したのであろう。開会前の政本両党代議士会はいわゆる出陣の勢揃いで、各々猛烈な政府弾劾演説をやり、朴烈事件の如き不敬な問題を惹き起した現内閣に御大葬の事を執り行わせる訳にはゆかぬと叫んだものである。いざ、開会して入場すると間もなく三日間停会の詔書が下った。若槻首相は田中、床次両総裁を院内総理大臣室に招いて、左の通りの妥協が成立した。

「新帝、新政の始めに当たりお互いに政治の公明を望むを以て、今後は各自各々党員を厳に戒飭し、言論を慎み、ますます国民の議会に対する信頼を厚くすることに努力すべし」

三党首妥協の闇取引は、研究会の青木信光、水野直両子と若槻、田中、床次の三党首が知っていただけで、閣僚も党の幹部も後になって知ったほど秘密裏に行われたのであった。

朴烈事件をこゝまで持ってきた森も鳩山幹事長も事前に知らされていなかった。だから政友会全体は呆気にとられると共に田中総裁に対する不信任の声とさえなった。しかし、その日の幹部会で田中男が、「もし次の政権が我輩に来ない時は、腹を切って申譯する。我輩を信じてよかろう」

と言ったので、総裁には何らか確信があって妥協したのであろうという事で納まった。

一方政友本党の方はこれで解散がなくなったし、床次総裁が秘密代議士会での経過報告によって、「次の政権は我が党に」という見通しをつけてたことで、総裁絶対信任の拍手が送られたものである。憲政会の方は党内反若槻派の三木武吉氏一派及び議会解散論者であった安達謙蔵内相の配下が若槻首相の打った手を手温しと非難したけれども、兎も角政権の危機は経過して、政本提携は事実上破壊され、憲本連繋による新局面が展開されて、議会は政友会の反対に拘わらず解散なしに終わりを全うしたのである。

資料３８　若槻禮次郎

若槻首相が「議会後適当な機会に進退について考慮する」と田中総裁に言ったことが田中男の確信を深め、一方床次氏の方は、やはり議会後適当な時機に若槻内閣が引退して、当時三百万円事件などで頗る不評の田中男には政権は行かず、必ず我が党の天下になると信じたからこの芝居を打ったのである。

だが政治の闇取引でノホホンとなっているべく不景気問題は余りに深刻になった。一九二七（昭和二）年三月十四日予算総会で片岡蔵相が渡辺銀行の取り付けに関する重大なる失言をなしたるに端を発して、閉会後間もなく鈴木商店の破綻、台湾銀行の破綻、日本銀行の特別貸出及び損失補償の緊急勅令などを案出し、若槻内閣は財政恐慌の彌縫策に頭を悩ました。そしてこの緊急勅令は枢密院の伊東巳代治伯らのために否決され、こゝに若槻内閣はあえなく最期を告げて、政権は床次氏には行かず、田中政友会総裁の手に帰した。

九　若槻内閣の瓦解（幣原外交の清算にあり）

若槻内閣は、台湾銀行救済問題に絡む銀行恐慌によって倒れ、政友会の田中内閣がこれに代わった。

しかし、政権交代の原動力をなしたものは、台湾銀行の問題よりも、革命支那に対する日本外交の根本的転換要望にあった。この事は二つの事実によって証明できる。

一九二七（昭和二）年四月十七日、二億円を以てする台湾銀行救済案が若槻内閣によって枢密院に提出されたが、枢密院はこれを否決したので内閣は遂に倒潰せざるを得なくなった。次期田中内閣は、若槻内閣とは比較にならぬほど巨額の資金と広汎な権限を与えられた。

即ち、日本銀行は恐慌で取り付けを受けた銀行救済のため巨額の貸出しを行った。その額は四月二十一日の一日だけで六億三千九百万円に上った。しかし、それだけでは事態は停止せず、同月二十一日には台湾銀行の他十五銀行も支払を停止し、二十三日には三週間に亘る全国的なモラトリアム（支払猶予令）が布かれ、約三十の銀行が支払を停止せざるを得ない事情に置かれたのである。こゝに銀行券流通は、四月十六日の十二億二千六百万円から二十四日には二十三億三千九百万円に増加したのである。

このことは既に緊急勅令案が枢密院に提出された時想定し得られたことであったに拘わらず、枢密院が敢えてこの恐慌の危険を無視して若槻内閣の緊急勅令案を否決したということは、国内に於けるかくの如き恐慌を犠牲にしても対支政策の更新を必要と認めたからである。

第二の事実は枢密院の論戦に現れている。即ち、伊東巳代治伯が専ら政府との論戦に当たったが、その議論は諮詢事項たる銀行問題を離れて、断然支那問題、幣原外交の攻撃に集中されたのである。

枢密院会議の状況を知るために、当時の国民新聞（四月十日）から左の記事を採録する。

四月九日の枢密院本会議では、国民革命運動の経過と今日までに於ける帝国政府の執った方針並びに今後の対策に付して政府が了解を求めたけれども、各顧問官、就中伊東巳代治伯は痛烈なる弾劾質問をやった。

その質問の要旨はこういうものである。

資料３９　伊東巳代治

一、帝国政府は今次の動乱に対し、支那に於ける帝国既得の権益確保と、在留邦人の生命財産の保護を全うせんがために必要なる軍艦並びに陸戦隊を派遣したるにも拘わらず、南京事件の如き重要なる国辱事件に関して袖手傍観して、婦女子に対する侮辱と、将士に対する威嚇、及び至らざるなき掠奪に対し無抵抗主義を奉ずるの態度に出た事は、自ら帝国の威信を傷つけ、名誉ある国軍の志気を沮喪せしめたるものに非ずや否や。軍艦の陸戦隊派遣は如何なる目的のためにありしや頗る疑わざるを得ぬ。

二、南支に於ける在留邦人の生命財産は目下の所稍々安全なりとするも、各般の情勢は容易に楽観を許さず。邦人の密集されつゝある上海は何時紊乱に陥るやもしれずと見るを至当となす。万一その場合に於いても尚政府は南京同様無抵抗主義を奉じて、絶大なる国辱と至らざるなき掠奪を甘受する方針なりや否や。

三、政府の袖手傍観方針は遂に長江一帯に於ける我が産業貿易を根底より覆滅するに至りたるが、右は政府の失態に基づくものなりと思惟せざるを得ず。

四、要するに南支の変乱に際して帝国政府として充分執るべき対策方針ありしに拘わらず、遂にその事は出でず、今日の如き結果を生ぜることに付いては頗る遺憾とす。

五、国民革命運動は北支那に波及せんとする傾向歴然たるものあり。既に革命軍の便衣隊は北京、奉天に出没しつゝあり。今後形勢の推移如何によっては北支那に於いても南京、漢口両事件の如き不祥事の勃発なきを保し難し。これに対する政府の対策如何。

六、今次の国民革命運動はある意味に於いてソビエト社会主義共産国連邦の抱持せる世界赤化革命運動の先駆と見るを得べし。この点に関する政府の所見並びに対策如何。

七、北支那並びに満蒙に対する共産党の赤化運動は如何なる程度に迄進展しつゝありと見るを至当とすべく、これに対する政府の所見如何。

八、国民革命運動の北進は最も重大なるべき我が満蒙の既得権益を危殆ならしむる。第三インターナショナルの勢力背後にありて、着々赤化の手を伸ばしつゝあるに於いては、その結果は満洲のみに止まらず、直に朝鮮にも波及し来るべきは容易に想像し得るところなり。この点に対する政府の対策所見如何。

以上

要するに政府の見解は国民革命運動と第三インターナショナルの関係を軽視して、従って満蒙の赤化並びに朝鮮への影響などを余り重大視していないのに対して、枢密院側の意向は革命運動と第三インターナショナルの関係を重大視し、満蒙並びに朝鮮に及ぼす赤化の影響を極度に重視して、速やかに万全の対策を樹立すべしというにあった。而して政府の特に幣原外相の詳細なる説明があったけれども、枢密院は非常に不満の意思を示し、遂に流石の幣原外相をして支那今後の情勢の変化に対しては到底それを予測し得ないと絶望の声を迄出さしめた。

更に、当時の政界が南京事件によって如何に刺激を受けたか、また時の政府の意見並びに陸軍内部の状勢を知る一つの材料として、一九二七（昭和二）年三月二十九日午後二時、陸軍大臣の官邸で開かれた陸軍の巨頭会議の記事が当時の国民新聞に載っているからそれも採録する。

即ち、それによると会議には、閑院宮殿下、久邇宮殿下、梨本宮殿下、奥元帥、上原元帥、白川、菅野、森岡、井上各参議官、それに宇垣陸軍大臣、鈴木参謀総長が出席したが、その席上某元帥から、

「今回の支那動乱は、既往のそれと目的に於いて、組織に於いて断然異なったものがある。その影響の及ぶところは、経済的にも政治的にも極めて重大である。勿論支那国民のなす革命運動そのものは帝国の敢えて関するところでないとはいえ、今回の南京事件の如き忍ぶべからざる屈辱的暴威を甘受しなければならぬという理屈はない。如何に政府が厳重抗議すると言っても、果たしてその責を尽くすに足る相手があるかどうか。又将来を保証し得る何ものがあるか。陸相は現内閣の一人として予め今度の事を見透かし得なかったのか」

という質問があり、宇垣陸相は、

「革命の推移は既に昨年の冬から明瞭に予想されていた。支那の民情と革命の真に通ぜざる我が国民は、無抵抗主義単独行動を以て支那国民の輿望と信用を回復し得るが如く考えるが如きであった故に、暫らく仮すに時日を以てしたならば、やがて安定の時期にも遭遇すべし。前途を痛心しながらも、今日に到り遂に南京事件の如き不祥事件に当面する事となった。しかし、又は小なりと雖も、かようなる事件は昨年以来頻々と起こっているので、これが善後措置は要するに国民の自覚反省に俟つにあらざれば如何とも致し方はあるまい」

と答えている。軍の意見と政府の意向を知るに足るものがある。

右の通りの原動力によって若槻内閣は倒れた。即ち、この原動力は森の方針と寸分違わぬのである。森と伊東伯らの間に如何なる交渉が行われたか、陸軍との間に何の密約があったかは知り得ないけれども、森の手が動いていた事実は決して見逃し得ないところである。

（B）外交篇

《若槻・幣原両相と森の食違い》

国民党が連露容共によって革命の陣容を新たにし、国内的には軍閥、土豪、劣紳の打倒、そして民族的国家の統一、対外的には帝国主義打倒、即ち、一切の不平等条約を廃止して政治的経済的独立（租界の回収、治外法権の撤廃、関税自主権の回収など）を目標として立ち上がった事は、支那革命史上のエポックであったばかりでなく、東洋、否、世界を揺り動かす変革、転換の重大ポイントをなしたものであった。

しかし当時未だ何人もこの情勢を察する事が出来なかった。特に、日本では支那革命に対する充分な認識がなく、その内情も殆んど知られていなかった。かつて孫文、黄興の第一次革命には日本の志士浪人が参画して盛んに活躍したので、比較的その内情が日本人に解っており一般の関心にも上がったが、蒋介石の国民革命軍の再出発に対しては日本の何人も参画した者なく、従って深い関心を持った者もなかった。ミハイル・ボロジンとは何者か、ガロン将軍とは如何なる人物か、その正体すらも知られていなかった。従って政府にもこれに対する政策もなく、当時の幣原外相はただ従来の不干渉政策を支持して、漫然とその推移を見過していた。

幣原外相は一九二七（昭和二）年一月八日の第五十二議会で、支那の事態に関し次の如く述べている。

「外部からの圧迫によって、支那の国内平和を強要せんとする如何なる試みも有益どころか有害である…現在の支那の情勢に於いては寛容にして忍耐ある態度、同時に政府のなし得るあらゆる合理的手段を以てする日本の重要なる利益及び権利の合法的擁護…」

そして彼は、革命支那の日本に対する態度は友情的であり、決して革命支那の政策中にはボルシェヴィキ的性質を含んでいない事を強調した。

これに対して森は早くからソ連の支那進出に関心を抱き、革命支那に対する根本的政策を樹てる必要のあることを力説していた。

森はこれより先一九二六（大正十五）年二月二十三日、第五十一議会の衆議院本会議に於いて、若槻首相に対し次の如き質問をしている。即ち、先に幣原外相に質問して十分なる回答を得られなかったからである。

「最近我々の感情を最も刺激している事実は対岸支那大陸に於けるロシア国民の勢力が拡大せられたという事実であります。我々はこの事実に対して深甚なる憂いを抱きますが故にしばしばこの点に対する政府の所見を質すべく外務大臣に質問を重ねた。然《しか》るに如何なる理由があるのか外務大臣はこの点に対して明確なる意思の表示を拒まるゝのであります。又甚だしきに至っては逆襲的態度を執られて『ロシアは日本にとっては友好国であって敵国ではない。世間の人々が色々な事を申していることは余り確実的なる証拠に基づいたものとは認めない。漠然たる想像を根拠として政策を定めることは危険である』と答えた。我々は更に満足を得ずして再三尋ねると、外務大臣は冷然として、『こゝにこれを議論する事は極めて帝国の将来のために不利益であろうと考えるが故に、これに対する自分の意見を申し述べない』と答弁せられたのであります。かつてロシアに在住しその事情に精通せられていると認められている川上俊彦氏（註：ポーランド初代公使、ハルビン総領事、モスクワ総領事、満鉄理事）は、二月十五日発行の『外交時報』に『支那に於いてロシアの勢力が漸次拡大していることは断じて否定し能わず（中略）その形式に於いては大いに異なるところありと雖も、日露戦前の形勢と殆ど選ぶところがないのである。この点については日本朝野に警告するに止まらず、支那の朝野もまた考慮を怠ってはならぬ』と警告しているのである。私はかくの如き重大なる警告は以て帝国国民の叫びであると考える。二月十三日、我々は更に陸軍大臣に対して同様の所信に基づいてこれを質問した。陸相はこれに対して『お尋ねの様に大戦前に比すればロシアの力が支那に深く加わってその範囲が広まっているという事は私共も同感であります。軍事上の考えはそれぞれ考究を進めつゝあるのであります』と述べたのであります。陸相の御答弁は真に我々国民の要求する御答弁である。国家の憂いに向かって直面するという立憲的態度であると思うのであります。これを外務大臣の答弁と比較する時に果たして何れがこの立憲内閣を以て標榜しておらるゝ内閣の方針であるか、これについて若槻総理大臣にお尋ねしたいのであります。若槻総理はロシアの勢力が支那大陸に入りますますその力を拡大せんとする事実をお認めに相成るや否や。果たしてお認めになるとすればその事実に対して国家として対応する策を講ずる必要ありという考えであるや否や（中略）外相陸相の矛盾、撞着に対して若槻首相は如何なる考えを持っているのであるか。これを国民に示して頂きたい。

次に朝鮮人のシベリア或は満洲に対する移住民に対して政府はこれを奨励する方針であるか、或はまた禁止する方針であるかという我々の質問に対して外務大臣は、『これは実に機微な問題である。朝鮮人の国外移住を奨励するなどという事は朝鮮人の間に極めて重大なる誤解を生ずる問題である。海外移住を奨励するという考えは持っては居らん。また海外に出て行く事を禁止も致して居らん』と答えております。我々はこの現内閣の施政方針に於いて大なる疑問を抱くのであります。（中略）即ち奨励もなさず成り行きに任せて置くというが如き態度を執られるという事は、国家に対する大なる毒害に相成ると私は想うのであります。総理大臣の明快なる意思表示を希望致すのであります」

これに対して若槻総理は以下の如く答弁した。

「一国の勢力が他の一国に拡充せられて居るや否やという事の観察を、私はこゝで申し上げる事は政治上利益のない事と思うのであります。もしそれ帝国の公明がこれがために脅威を受けることがありましたならば、政府はこれを阻止する事に於いて全力を尽くす考えであります。朝鮮人のシベリアに移住する考えについての御質問は私は外務大臣と断然同一の意見であります」

以上の問答によって森と当時の若槻首相、幣原外相との見解、認識の相違を知るに足るであろう。

一　革命の支那視察

森、山本条太郎、松岡洋右氏らの一行が支那視察の途に上がったのは、丁度支那が国民革命軍の北上により一大変革を来さんとして湧きかえっている最中であった。

資料４０　支那視察の際、上海にて（４５歳）（出典：山浦貫一編『森恪』）
※右より森恪、江藤豊二氏、山本条太郎氏、矢田七太郎氏、松岡洋右氏、名倉重雄氏

《視察の目的》

一九二七（昭和二）年二月、森は政友会代表として山本条太郎、松岡洋右氏らと支那を視察した。視察の目的は、前年広東を出発した国民革命軍が既に武漢を占領し、勢いに乗じて長江を下り南京、上海をも手中に納めんとしており、支那の物情頗る騒然としていたので、その実情を見るためであった。予定は上海を経て漢口に赴き、ボロジン、蒋介石ら革命軍の首脳要人と会って、親しくその実情、人物を視察してから北京に転じ、当時北京にあって大元帥と称し北方の実力を握っている張作霖を尋ねて、北方の情勢を見る筈であった。

当時の支那の情勢を概観すると、一九二四（大正十三）年秋の奉直戦争で常勝将軍呉佩孚を破ってから以来の張作霖は、北京に乗り込んで自ら大元帥と称し支那の支配者を以て任じていた。これに対し国民革命軍は破竹の勢いを以て北上し、武漢を占領し長江沿線を風靡し、又、先に張作霖に追われて露都に亡命していた馮玉祥が南北の形勢麻の如く乱れたのを見て機惜しくべしと帰国し、旧部下の西北軍を収拾、山西の閻錫山と連合して京津に侵入しようとしていた。将に、天下三分して覇を争わんとしていたのである。

《森の新しき政治的出発》

森は漢口に滞在中、寸暇を惜しんで革命の実情を視察した。ボロジンを始め外交部長陳友仁、交通部長孫科、顧孟余その他国民政府の要人は勿論、各方面の人と接見した。

森の目的は、革命と国民政府の内容を調査すると共に、日本の態度を支那側に説明して正しい理解に導くにあった。当時日本に於いては未だ革命の内容にも武漢政府の実情にも通じたものがなく、又、支那側でも、ボロジンその他のソビエトの指導によって日本を殊更に曲解する傾向があったので、その蒙を啓かんとしたのである。

森は政友会本部からの召電で視察半ばにして急遽帰国したが、この旅行が森に与えた政治的影響は非常に大きかった。第一に、**森は日本の内政外政に対し大転換の必要を痛感して帰った。この支那旅行が森の政治生活に新しい出発点を与えた。**その出発点は同時に、日本の歴史に新しい展開の端緒を作った。

また森は**この旅行で新しい交友を得た。それは陸軍の鈴木貞一氏である。**その頃鈴木氏は陸軍省から使命を帯びて、国民革命の進行途上にある漢口に派遣されていた。そこへ森の一行が行ったのである。森と鈴木の親交はそれを機会として、爾来森が生涯を終わるまで続いた。

次にその視察談を紹介しよう。

動乱中の支那視察談（要旨）

於交詢社常例午餐会（四月一日）

衆議院議員　社員　森　恪

司会者紹介……

森君は目下動乱中の支那より三月十七日にお帰りになられましたので、広間の方で御視察談を窺いたいと存じます。

講演概要……

本日は午餐会にお招きに預かりまして有り難くお礼申し上げます。

私は所属政友会の命を受け、先輩山本条太郎氏と共に支那の政治上について約三週間の視察を終えて三月十七日帰京いたしました。従って昨今新聞紙上に出ている支那の惨状（南京事件）は目撃致しません故、皆さんの期待に添わぬことゝ存じますが、要するに私共の見て参ったところでは、南京事件も既定の道程を辿っているものと考えます。もし時間が許すならば、皆さんに私の目撃したことを詳細に申し上げたいが、時間がない故その結論だけを二、三申し上げます。

私が第一に感じました事は、最近支那の日本に対する政治的態度が大いに異なって来て、排日態度が強硬になって来ております。これは何のためであるか。然《しか》るに日本は極めて同情的な柔らかい態度、悪く言えば成り行き主義の現象を呈しております。これは支那人が日本の実情を知らず、日本人は支那の実情を知らぬためであって、もし私の意見が容認さるゝならば、日支関係はますます悪くなると申して憚らんのであります。この誤解とも思う点を強く指摘しますと、日本側より見れば如何に支那事情に疎いかと申せば、日清戦争後支那の内面には我が民間浪人、政治家、軍人らがその事件に深く関係しておりました故、良く真相が知れましたが、今回広東に起こっている事件には一人の日本人もその内部に食い入らず、親日支那人も埒外にある状態である故に、我が外務当局も今回の南京事件に関し、その前日までかゝる計画あることを予期せざりしを公言して憚りません。

私は多数の支那南北の要人や、今回の事件に重大なる関係あるロシア人にも面会致しましたが、その人々の言うところは皆大同小異で一つのテキストブックの様であります。即ち次の如く申しております。

第一……

日本は今や経済上全く行き詰まり、国を挙げてこれが転回策に没頭し支那を苦しめんとするも、日本の実力がこれを許さん状態にある。その上戦争を開始すれば日本の海外貿易の六割は支那貿易であるから経済上一国の死命を制するに至る故、一部の者が帝国主義に出んとするのは大いなる誤りである。実に日本活殺の鍵は支那が握っているのである。

第二……

満洲問題に於いては、日本が大いに神経過敏である。これ何故かといえば、日本の経済問題、食糧問題、人口問題に関するが故で、我々が満洲に於ける日本の要求を容れゝば宜しいのである。而《しこう》して我々は基礎的事業が出来た時、これを始末すればよろしいのであって、今は余り必要ないから、いゝ加減な事を言って居ればよろしい。

第三……

南方支那人にあっては、我々東洋人は被圧迫民族である。その被圧迫に反抗した運動の第一の革命者は日本人で即ち明治維新の革命運動がそれである。然《しか》るに日本は我々の革命運動に一行同情せん。大体以上の三つの誤解が非常に強いのであります。

要するに、我々は支那現今の写真を撮りに行ったのでありますが、これらに対して我々も一応反駁いたしました。

第一の経済問題についていうと、日本は支那が考えたる程貧弱に非ず、支那がその大胆不敵な態度を改めぬと両国間に大いなる不幸が起こると思う。日本の支那貿易は僅かに我が貿易総額五十億円余の二割か二割五分に過ぎん。国民党顧問ボロジン氏の如きは、我々にこの点を指摘されて大いに狼狽いたしました。

第二の満洲問題については、支那よりも却って日本に発言権があると思う。ロシアの圧迫により馬山をすら取られんとした支那が、ロシアの南下政策を十分防がざる間は、日本は断じて満洲を渡さん。日本は、支那が完全にロシアの南下を防ぐことが出来れば、明日でも満洲を引き渡すのである。かく我が国に重大なる関係を有する満洲問題を支那が簡単に片付けんとすれば、そこに大いなる誤解が出来ると思います。

第三、我が国維新の革命は開国運動でありましたが、支那の被圧迫運動は却って閉鎖運動であります。先ず以て内を整えずして如何に立派な事を言っても誰も承知せんと言ってやりました。皆さんは如何思わるゝか知らんが、我々は大体以上のような弁駁を致しましたるところ、何事にも反対したがる支那人も、誰一人としてこれに対して何も言いませんので、我々は相当反響があったものと考えます。

尚一つ見逃すべからざる事は、支那に最近外的関係が加わっている事で、私一個の考えより見れば極めて重大であると思います。私は支那を支那自身に治めさす時、今よりは善くも悪くもならんと思うが、最近の支那には支那プラスXの力が加わっております。即ちロシアのインターナショナルというXの力が過去約四年間加わって大なる支那動乱となったのであります。馮玉祥軍にもロシアの力が加わっております。

最近漢口に於ける動乱にも、その背後にはロシアの力があります。私が議会に於いてボロジンの事を外務当局に質したところ、外務当局は、南方とロシア人との関係は知って居るがロシアの力を認めん、と申しました。私は蕪湖《ウーフー》が南方に占領されて三日目にそこに参りましたが、市民大会で一番長い演説を致したのはロシア人であって、その意味は世界的革命を謳歌したものでありました。私は九江まで国民政府支配地を往復致しましたが、その途中ロシア人が盛んに往復して居りました。一支那人に聞けば、ロシア人は政治上すべてに関係して居ると申しております。

私は駐日ロシア大使の紹介状を持参して面会し、午後十時より十二時までボロジン氏と会談致しましたが、私の観察したボロジン氏は相当の政治家であると見ました。身長六尺近く眉目優秀で、例えてみればフランスの小説にでも現れてくるような沈んだ性格の人物に見受けました。而《しこう》して支那問題の何を捕えて質問しても、恰も自国の問題を解説する如く直ちに解説致すのであります。

我々は手分けをして、各方面の要人を訪問致しました。私は実際方面に活動しつゝある人に会いましたが、ボロジン氏の感化は実に大なるもので、ボロジン氏は会談中難解な問題に遭遇すると額に手を当てゝ黙考する癖がありましたが、私が面会した国民政府の有力者は、何か考える時にはボロジン氏と同じような態度を致しますのを見ても、ボロジン氏の感化の実に大なるを知りました。

南方支那の政治教育問題の方向を指示し得るものはボロジン氏であります。またロシア人の背後にロシアある事は明らかであって、ロシアが国民党に軍器や軍費を供給しつゝあるはボロジン氏も明らかにこれを認めております。またボロジン氏夫人は上海まで帰ったところを漢口に呼び戻されました。その時ロシア御用船レニーナ号に乗って漢口に戻りましたが、その船が山東軍に捕獲され、同船に居った四人のロシア官吏と共に捕縛されました。その中の一人はロシアに於いて現在三、四位にある人であったのを見ても、国民政府とロシアの関係が推察できるのであります。

南京事件の如きは突発的の事件と我が外務当局は見ておりますが、我々の観察では皆計画的であって、南京事件は先に南蕪湖などで行ったことゝ全く同工異曲であって、今回の動乱は根強い計画的のものと思います。南京事件に対し突発的のものと考えてこれに臨むは大なる誤りで、若槻内閣ではこれを突発的と見ておりますが、私はそれを大に憂得るのであります。

尚一つ申し上げて置きたい事は、最近二十年来日本人が揚子江沿岸に扶植せる勢力が根底から滅ぼされつゝあって、在留日本人は今や生活して行くことが出来ないと思うことであります。これは労資の問題ではなく、経済的政治的革命に、ある一部の支那人が計画的に努力して、日本人を滅ぼさんとして居るためであります故に、今日の支那は日本人が進むか退くか、その一を選ばなければならない状態に遭遇し、大なる苦境に陥っております。彼ら在支日本人の叫びは我が当局を動かすに足らんが、事実困難している日本人の支那発展上大なる問題であります。我が当局者は海外の事情に疎く、海外貿易の第一線に出て奮闘しつゝある在支日本人の苦境を顧みざることは如何なものでしょうか。大いに深甚にお考えを願う次第であります。

我が外務当局者の中にも、支那を統一するは欧州諸国を統一すると同じく頗る難事であって、革命後十五ヵ年くらい動揺するのが当然ではないかと言うものがおります。然《しか》るにこの治まらざる支那に投資し、人を遣るのは大なる誤りで、我が当局者の矛盾も実に甚だしいと思う。政府は多少の不利は隠忍すべしといわれますが、現実に苦しんでいる人に、何時までとも言わず隠忍しろとは実に無惨な事で、これまた深甚に皆さんのお考えを煩わしたいのであります。

先ほど申し上げた支那プラスXの問題は、日本がこれに対し何時までも傍観的態度を持って居ると、数年の中に支那は秩序をなし、一つの形に統一されます。このXが日本であるとしても支那を統一出来ます。日本とロシアが提携したとしても、また欧州諸国の中であったとしても、又支那を統一できるのであります。支那単独では何でも無いが、Xのために大いに変化を来します。兎に角現実に我々の前に投げ出されたる問題について大いに考えなければならないと思います。

二　南京・漢口事件顛末

《南京事件》

森が支那旅行から帰京すると殆んど前後して、支那では蒋介石の国民革命軍が進んで上海、南京を占領した。この南京入城に際して起こったのが、いわゆる**南京事件**である。

この南京事件が動機になって、日本では対支政策の更新を必須とする気運が醸成され、若槻内閣の外交政策に対する非難攻撃が起こり、若槻内閣は遂に台湾銀行救済問題をきっかけにして総辞職せざるを得ない破目に陥った。当時政友会が国民革命の発展と南京事件の発生とに鑑みて主張した政策、即ち実力によって在留邦人の現地保護をなすべしとしたことが、後に田中内閣になって済南出兵の動機・理由となり、済南事件の起こる遠因をなしたことは後述する。

まず南京事件の概要を述べる。

《南京事件顛末》

福建、浙江方面より北上せる南方革命軍は、一九二七（昭和二）年三月、揚子江の線に向かって進軍して来た。当時張宗昌、孫伝芳の北方軍は上海付近にいたが、南軍来の声に恐れて殆んど一戦も交えず、三月二十一日には上海を奪われ、二十三日には南軍は既に南京城近くに迫った。浮足立った北方直魯連合軍は二十三日既に団結崩れ、同日午後から夜にかけて下関（南京の揚子江沿岸）浦口（南京対岸）方面に遁走した。

南京在留の日本人側では直魯連合軍敗退の際に於ける掠奪暴行を予想し、二十二日城内の婦女子を領事館に避難せしめたが、混乱いよいよ甚だしきに及び残っていたその他の者も続々領事館に集まった。二十三日午後八時頃までに下関方面の残留者と市内の二、三の者を除いては全部引き揚げを了し、約百名が領事館に収容された。かくて混乱と不安の一夜は明けた。やがて午前六時頃革命軍の先鋒が入城した。これより先、第二十四駆逐隊に属する駆逐艦「檜」の荒木亀男大尉は、居留民保護のため、約十名の水兵を引率して領事館に至った。

午前八時頃になるや、南軍の制服制帽を着用する約三十名の一隊は我が領事館正門に現れ、北軍逃亡兵の捜索と称し内部を覗き込んでいたが、間もなく立ち去った。ところが暫らくして約百五十名の歩兵が将校の指揮下に正門から闖入し、折柄立哨中の西原二等兵曹に向かって銃剣を突き付け、外套越しに突きまくった上殴打し、その他に赴援した水兵にも同様暴行を加え、更に一隊は事務室及び館員官舎を、他は領事官邸を襲い、病辱にあった森岡領事を始め館員及び同家族、避難居留民に対し実弾を発射し、或は銃剣を擬し、或は殴打刺突の暴行を加え、婦女子はこれを裸にして身体検査を行い、領事館備付の物品はもとより領事以下居留民の所持品は、寝具、寝巻に到るまで一物も残さず剥ぎ取って持ち去った。しかもかくの如き暴行掠奪は午後一時頃まで数回繰り返され、数名は重軽傷を負った。

これらの暴徒が退散した頃、第二軍党代表兼第六師政治部主任揚某現場に来り、暴行兵を鎮め且つ謝罪の意を表したので一同はやっと愁眉を開いた。

以上の椿事に際し予め派遣されていた荒木大尉以下の海軍兵員は、上司の訓令と領事館及び在留民の懇請により隠忍自重武力行使を避け、惨劇の程度を少ならしめた。

右領事館の事件と略同時に日清汽船の曳船に対しても又南軍の掠奪団殺到し強奪を行い、又我が軍艦に対して射撃を加え、機関兵一名は銃弾に当たって即死した。

江上にあった我が海軍は通信不通のため領事館の惨事も知らなかったが、音信不通と一般の事情とにより領事館の安否を気遣い、司令吉田海軍中佐は翌二十五日朝、杉浦大尉の決死隊を率い、万難を排して城内に乗り込み初めて実情を知った。かくて同日午後六時四十分領事以下居留民全部を駆逐艦に収容した。

英米側に於いても二十四日、城内の居留民を各自の領事館に避難せしめんとしたが城壁より南軍の射撃を受け、且つ停泊の軍艦に対しても射撃して来たので直ちにこれに応戦し、避難民救護と同時に南軍威圧のため約一時間砲撃を行った。二十四日城内の英米司令官の報によれば、米国人男子九十余名、女子四十五名、英国人二、三十名は未だ生死不明でこれを収容し得なかったが、二十五日に至り、英米領事館も又前日の南軍に襲撃せられ、英国領事、館員、英国水兵三名負傷し、英人港務員一名死亡、仏伊人にも被害あった事が判明した。

日本は、虐殺を誘致する恐れありとして砲撃には参加しなかった。日本側の思惑とは反対に、中国民衆からは日本の軍艦は弾丸がない〝案山子〟、〝張子の虎〟として嘲笑されるようになった。その上、国民党は日本の無抵抗主義を宣伝したゝめ、この事件は多くの中国人に知られるようになり、中国人は日本を見下すようになった。

右事件に対し、在漢口の日、英、米、仏、伊五ヵ国総領事は本国政府の訓令に基づき、一九二七（昭和二）年四月十一日国民政府外交部長陳友仁に左記の共同通牒を提出し、同時に在上海五ヵ国総領事は同通牒を国民軍総司令蒋介石に通告した。

去る三月二十七日、南京に於いて国民軍が各国国民に加えたる暴虐行為によりて生じたる事態の迅速解決を期せんがため、下名らはこゝに日、英、米、仏、伊国政府の訓令の下にその各国の在支外交代表者により貴下に対し左記の要求を提出すべきことを命じられたり。尚本要求は同時に国民軍総司令蒋介石将軍にも通告せらるべし。

一、虐殺、傷害、侮辱、並びに損害の付責に任ずべき軍隊の指揮官及びこれに関与せる者に対し厳重なる処罰を加えること。

二、国民軍総司令より文書を以て謝罪をなし、該文書中に外国人の生命財産に対する一切の暴行扇動を行わざる旨の盟約を含ましむること。
三、人的傷害及び物的損害に対し完全なる賠償をなすこと。
国民政府当局に於いて速やかに右要求に応ずる意図を明らかにし、関係国政府をして満足せしむるにあらずんば、関係国諸国はその適当と認むる措置を執るの止むを得ざるに至るべし。

これと同時に右通牒に対する声明書として、「日英米仏伊国政府は明らかに予謀せられたる暴行に対し責任ある国民政府当局にこれが満足なる匡正を要求する必要を認めたるものにして、その要求条件は妥当を旨とし、自国の威厳と国際団体内の友邦に対する義務と認識する何国政府と雖も、その体面上匡正をなすべき最小限度のものに過ぎざる」旨発表した。

然るにこれに対する外交部長陳友仁の回答は、各国に対し各別に、「大体に於いて国民政府の責任成るべきを是認し遺憾の意を表するも、事件の発生は畢竟支那に不平等条約の存するにあるを考慮せられ度い。将来の保証は新たに平等なる条約を作りたる上極力その保証をしよう」というのであった。

各国はこれに不満足なりとして四月十五日、五カ国公使北京に合し、第三回共同通牒案並びに声明案を協議し各国政府に請訓したが、制裁問題及び交渉の対手を武漢、南京何れの政府とすべきやの問題で各国の意見一致せず、この間武漢政府倒れ、南京政府は翌年三月十三日、南京事件の暴行兵及び暴民約五十名を銃殺し、首魁林祖涵の逮捕令を下して責任を逃れ、米国とは同年三月二十九日相互遺憾の意を表する程度（米、英は軍艦より反撃せるに止まる）で本件を解決し、英国とは八月九日、イタリアとは十月八日、フランスとは十月十六日略同様程度の条件により解決した。

日本は事件当時、無抵抗主義を取ったから支那側より何も乗ぜらるゝ節は無かったが、一九二七（昭和二）年及び一九二八（昭和三）年に山東に出兵したため、支那側は口実を設けて日本との交渉を避忌し、一九二九（昭和四）年三月済南事件解決後、漸く五月二日文書の交換を了した。

その内容は、南京事件に関しては、支那政府は遺憾の意を表すると共に、共産党の仕業なるも責任を負い将来の保証をなし、暴行を加えたる軍隊は既に解散し、兵卒は処罰せること、損害を補償すること、を述べている。しかし賠償は未だ支払われていない。

この事件は日本の外交政策を大きく変えるきっかけとなった。

《漢口日本租界襲撃事件》

漢口のイギリス租界が暴力によって回収されてから、工人《こうじん》（労働者のこと）の横暴、失業者の増加によって支那人の空気が不穏で、日本人に対する迫害侮辱窃盗などが頻発していた。

一九二七（昭和二）年四月三日神武天皇祭の休日に、我が水兵が空気銃持参で日本租界内を通行中、突然支那の子供が投石した。これと口論中、支那の野次馬が群集して来て、該水兵を取り巻いて暴行を加えた。水兵は衆寡敵せず付近の邦人宅に逃げ込んだところ、群衆は家屋内に闖入して来て家具を破壊し器具を掠奪するなど散々に暴行を働いた。

暴行は引き続いて各所に発展し、至る所で日本人に対する暴行掠奪に転じ、遂に日本領事館警察を襲撃するに至り全く収拾すべからざる事態となったので、碇泊中の軍艦より陸戦隊を上陸せしめて警備したが、英租界回収で味を占めた支那側は陸戦隊の上陸くらいでは退散しない。却ってこれに向かって攻撃を開始してきたので、陸戦隊もこれに応じて数度に亘る射撃を加え、漸く群衆を追っ払った。

この事件は、支那側が子供を囮に使って計画的に行ったものと推察されたが、一方、南京事件の後でもあり、日本との間に事端を繁くする事の得策ではない事を覚ってか、支那側もこれ以上に事態の発展を避けた。外交部長陳友仁は我が総領事に対して遺憾の意を表し、支那側が全責任を負って解決する事を申し出て、衛戍司令唐生智もまた遺憾の意を表し、租界は支那軍隊で護衛すべきにより陸戦隊を撤退されたいと言ってきた。我が政府も地方的にこれを解決する方針で、四月二十七日調査の上、損害に対する慰謝、賠償、並びに将来の保証に関する要求を陳友仁を通じて国民政府に提出した。

しかし、この交渉は支那側が言を左右にして時日の遷延を計り、南京事件と同じく一九二九（昭和四）年五月二日になって、支那側より「本事件は共産党の扇動によって発生したことだが、政府として遺憾の意を表し、且つ日本側の損害を補償するが、事件発生の当初支那人（車夫一名）が負傷を受けたから、日本より相当の撫恤《ぶじゅつ》を与えられたい」という公文が送られて漸く解決した。

三　支那の革命外交と幣原不干渉外交

　これより先、漢口の英租界が暴力によって回収された時、英本国の与論は硬化し在支英官民の憤慨も非常なるもので、武力政策を強調し、列国に向かって共同出兵を提議した。時代は既に英一国の力では如何ともすることが出来なくなっていた。

　欧州大戦（第一次）を終えた後の英国は、東洋に於いては日本を度外視して極東政策を遂行し得ない立場にあった。英国は先に、アメリカと共にワシントン会議に於いて東洋に於ける日本の立場に掣肘を加えた。欧州戦争で英国が東洋に力を用いることが出来なくなった結果として、日本がこれに代わって台頭する事を警戒したのである。しかし、ベルサイユ条約とワシントン条約に忠実であった日本、特に当時の幣原外交は、支那に対して文字通りの不干渉方針を持して何らの積極的行動に出なかった。

　駐日英国大使が三度外務省に幣原外相を訪問し、英政府の希望をもたらして共同出兵並びに日英提携して革命支那に応ずることを求めたが、幣原外相は応じなかった。

　この日英の外交関係の機微を掴んだのが、支那の**革命外交**である。**国民政府の対外政策は**素よりボロジンの指導によるものであるが、その眼目は**列国、即ち彼らのいう帝国主義列強間の矛盾と利害の衝突及び各列強個々の国内に於ける対立した勢力及び意見を利用し、その間隙に乗じて各列強を個々に撃破するにあった。**

即ち、彼らは広東を発し武漢に入り、漢口の英租界回収までは明らかに排外運動の鉾先を英国に集中し、日本に対しては殊更に好意的態度を示していた。支那に於ける英国的勢力の駆逐はやがて日本の勢力の台頭と扶植を意味するかの如くを説き、孫文の大亜細亜主義まで持ち出して日支提携の空気を日本の国内に逆輸入することに努めた。この政策は相当に日本の朝野に浸み込んだ。

然るに、漢口に於ける陳友仁と北京イギリス公使館参事官オマリーとの交渉を機会にして、英租界奪回後に来るものは英国に代わる日本勢力の台頭なくして、却って、第二の英国たるものは日本だという見解が起こって来た。この見解を下に日英協調論が日、英両国人の間に起きて来た。

そこで、この形勢を看取した国民政府は一九二七（昭和二）年一月、呉鐵城を日本に派遣し、幣原外相以下外交首脳者を訪問せしめて了解を求めた。即ち、

「排英の次に排日が起こるとの懸念は何ら根拠のないところである。国民政府はどこまでも日本と提携を欲するから、日本も国民革命の運動を理解し且つこれを援助されたい」

呉鐵城は、当時武漢政府の先端に立って活躍していた孫科の一派である。呉の幣原外相訪問がどれだけ効果があったか不明だが、兎に角支那の革命と新たに成立した国民政府に対して何らかの方針決定を迫られていた日本は三月初旬、条約局長佐分利貞男を漢口に派遣した。

佐分利は約三週間に亘って武漢政府の要人と会見し、特に陳友仁とは室を隣にして朝夕に意見を交換した。佐分利、陳間の了解が如何なるものであったか、これも不明だが、その後ボロジンは頻りに佐分利、陳の諒

解を仄めかして、

「日本が南方国民政府と提携することを勧めた。陳氏も同様の態度を示した。日本の対支外交、特に国民革命軍に対する態度は佐分利局長の帰国後確立されたものだが、その結果は必ずしも一大変化を来さず、南方に対して好意的態度を取り、目前、随所に起こる民衆運動による被害に対しては隠忍自重すべきである」と語っている。

幣原外相の不干渉政策、隠忍自重外交は佐分利の報告を得て一層鞏固なものになった。南京事件、漢口事件は、恰度その折柄に幣原外交の信念を裏切るかの如き形で起こったのである。

四　幣原外交の価値

南京事件が起こった時、森は既に支那旅行から東京に帰っていたが、その報を受けた彼は正に奇貨措くべしとした。**外交政策の転換、彼の志とする対支政策実行に絶好の機会を掴んだのである。**

森の政治活動は始まった。**彼の主張は、実力によって在留民の現地保護をなすべしというにあった。彼はこの積極的主張を以て、政治の裏面に、或は与論の喚起に懸命の努力を開始した。**彼の所属している政友会も一九二七（昭和二）年三月三十一日午後一時から本部にて緊急幹部会を開き、委員を挙げて幣原外相を訪問させ、事件の真相と外務省側の執った措置を聴取することにして、この事件に対して内閣糾弾の火の手を

資料４１　幣原喜重郎

挙げることを決議した。

実行委員は同日午後五時半、幣原外務大臣を外務省に訪問して会見し、次の如き応酬を試みた。

政友会の委員‥

「南京事件につき外相は国威を傷つけたるものと考えないのか。若槻首相並びに外相は支那に於ける在留民の生命財産に対してはしばしば万遺漏なきを期しつゝありと陳述したが、今回の事件に対して外相は如何なる感想を有し、如何なる責任を感ずるか」

幣原外相‥

「お答え致しません」

委員‥

「しからば南京事件は現在支那の態度が日本在留民の経済上重大影響を与えるのみならず、帝国全体の経済界にも多大の影響をもたらせるものと信じないか」

外相‥

「影響ありと信ずる」

委員‥

「外相は在留民に対して常に隠忍せよと口にしていたと言われるが、かゝる事件ありとするも隠忍するや否や、前途に関する考え如何」

外相：
「隠忍も程度問題なり。しかし即今のところ最善を期している。これ以上はお答えの時機でない」
委員：
「ロシア人の勢力が支那で活動して、支那の国政に干渉している事実はないか」
外相：
「お答えし難い」
委員：
「そんなら今回の事件は計画的のものと認めるか」
外相：
「南京の共産党と国民軍の一部の計画的のものと信じ得られる」
委員：
「未然に防止出来なかったのか」
外相：
「予想しないことである」
委員：
「南京で婦女子が凌辱及び侮辱を蒙ったとの風聞あり、如何」
外相：
「その公報なし」
委員：

「既に計画的と認めるならば、在留民の救護に対し軍隊の力その他にて防止し救護することが出来なかったか」

外相：

「在留民の存在する地域ならば国際法上兎も角、しからざる限り支那より抗議を受ける恐れがある。よってそれは出来ない」

委員：

「今後長江の沿岸にかくの様のことが起こらないと確信できるか。確信ないとすれば、沿岸居留民の立ち退き召還の措置を講ずる考えがあるか」

外相：

「場所によっては婦女子に対し上海への召還の注意を与えた」

政友会は更に、四月二日、次の声明書を発表して態度を明らかにした。

支那の時局は客秋国民軍の長江進出により不幸にして険象を呈し、事態の進展は節々帝国の重要利益を脅威するに至れるに鑑み、我が党は先きに議会の内外に於いて屢次国民与論の存するところを述べて、当路の注意を喚起し、各所の変転に対処し機宜の措置を誤らざるの要切々偲々たるに拘わらず、政府は事態の重大に適応の考慮を払わざるもの丶如く、漫然居留民の生命財産保護に違算なきを予言し、偏に拱手傍観因循推移を糊塗しつ丶あるの際、遂に南京事件の発生により国辱に逢着したるは、国民の痛恨措く能わざるところなり。

本件に付ては事件発生後週日を経過せるの今日、政府は尚まだ国民に向かって何ら要領を得たるところの明示を行わず、ひたすら一般の亢奮を抑圧するに汲々たるもの丶如くなるも、事態の真相は今や中外に照乎として顕著なるところなり。避難邦人の通信並びに英国外務大臣の議会に於ける報告演説、共に委曲を尽くしている。

即ち帝国領事館は長時間に亘り南軍赤兵の占領に帰し、館内公私の器材は挙げて掠奪するところとなり、暴兵は病辱中の領事に銃を擬し、駐在武官と警部に重傷を加え、館内避難の婦人はその着衣をすら剥奪されて、領事夫人以下あらゆる婦人は女性として言語に絶するところの凌辱を受け、居留民の店舗住宅は悉く破壊剥奪せられ、小学校、病院又火の厄に遭い、かくの如く帝国国旗の稜威空しく南軍暴兵の蹂躙するところとなり、同胞男女は名状すべからざるの凌辱を蒙る。彼らの惨憺の苦心に成れる公私の経営は瓦然として一空に帰せり。更に領事館護衛の海軍将卒がその武器を用うるに由なく、無限の忍辱の下に居留官民共に辛うじて九死に一生を得たりというが如き、実に国民をして血湧き肉踊らしむ。かくの如きの恥辱は対支邦交五十余年の久しき、帝国の未だかつて遭遇せざるところにして、実に現内閣の一大失態に属す。我が党はこゝに国民と共にこの空前の失態に対し、最も厳粛に政府の咎責を糾弾するの意を闡明すると同時に、事件善後の処理並びに今後幾万同胞の安寧と列国に優越する我が商工業の利権擁護に関する政府の措弁に対し、引き続き厳重監視を怠らざるを期す。

この政友会の態度決定の内部に森の力が全面的に作用していたことは言うまでもない事である。

森は四月七日、松岡洋右氏と共に青山会館の演説会で、**南京事件**に関して大いに与論の喚起に努めている。

森の演説は「**幣原外交の価値**」という題で要旨は次の如くである。

幣原外交なるものは如何なる利害得失、如何なる信念の下に国民の福利を計って居るものであるかをこの際明白にしたい。私の眼に映じている支那は、支那人自身の活動によっては今日以上に良くなる事も悪くなる事も出来ない。支那は支那の力に他の或る力が加わった時に、こゝに大なる衝動変化が起こる。もし列国が不干渉、傍観的態度を守って居れば、支那の形勢は変化することはない。過去数年間、特に幣原外交に至ってから極めて厳密にこの不干渉主義が行われたのであるが、南京に於ける暴動によって領事館の菊の御紋章は破壊され、国旗は引き裂かれたのである。而も尚日本の国威は失墜せざるやと私は外務大臣に対して責任を問うたのであるが、彼は何ら答えることが出来なかった。苟も外交の秘密の蔭に隠れて自らの責任を免れて居ることは断じて我が国民の利益ではないと信ずる。而して帝国の居留民、軍人の居る所に於いて日本の婦人が甚だしき侮辱を受けた事実に対して足下はこれを認めむるや否やと問うたところ、彼は一週間前のこの事実に対して未だ何ら公報に接せずと答弁したのである。男子の面前に於いて自己の妻女が侮辱を受けて居ることは最も我が国民の血を沸かす問題であるが、速やかにこの真相を調査する事を要求するのである。私共は支那の学生が国民運動を過信して今日の悲惨なる事態を惹起したことを断じて許すことは出来ない。特に若き軍人が丸腰で領事館に行き、自分の責任を行うことが出来ずして、荒木大尉は自殺したではないか。而してこの丸腰を以て在支国民を保護せよと命じた政府当局の非を私共は断乎として責めなければならぬ。（中略）支那の如く生活上最も恵まれたる土地は宜しく世界人類のために解放せられなければならぬところである。我々は彼らが真面目なる政治行動に出るというならば敢えて反対するものではないが、世界革命を以てそれを終局の目的とするソビエト政府が背後にあって、その革命運動をやっている以上、我が日本国民は断じて安閑たる事を許さない。

五　支那外交の方向転換（戦時外交政略）

帝国主義打倒を旗幟として、傍若無人にも民衆運動即革命外交なる手段によって対英外交に成功した国民革命軍も、南京事件、漢口事件では大いに日本の感情を刺激した。日本国内では与論が硬化し、幣原外交に対する囂々たる非難が起こった。幣原的隠忍自重外交に対して外交政策の転換を必須とする形勢になって来たので、国民政府も俄にその態度に戒慎を加え、革命外交に新たなる方向転換を試みざるを得なくなった。

即ち、漢口事件が起こるや先の南京事件で燃え上がった日本国内の与論は、幣原外交の清算、支那の革命外交否認の叫びとなり、対支武力解決と在留邦人の現地保護を避くべからざる方針たらんとした。現地では、日本租界からフランス租界の江面には十三隻の日本軍艦が、また、旧英租界よりロシア租界の江面にはホーキンス級重巡洋の英艦が、そしてその中間には米仏伊各国の艦隊が続々として来泊し、江を圧して厳重な警備に入った。特に英国はその機会に租界の武力奪還の用意をしていたので、武漢政府も大にこれが威圧を受けたのである。

これに加えるに、河南方面には奉天軍が控えていたので、今日本と事を構えることの不利益な事は言うまでもない。そこで国民政府は連日協議の結果、新たに戦時外交戦略を練り直し方向転換を図った。

《国民革命軍の内部抗争と分裂》

当時の国民革命軍の内情を見るに、蒋介石総司令を中心とした党内の右派と、武漢に進出した党内左派及び共産党との間に軋轢が起こって、両派の対立は深刻になっていた。

この両派の対立は国民革命軍の武漢占領後、まだ蒋介石の総司令部が南昌に根拠していた時、即ち、森の一行が漢口に旅行した頃、既に対立抗争の口火を切っていたのである。

即ち、武漢方面では、徐謙（司法部長）、鄭演達（政治部主任）らが蒋介石の政治関与、党権蔑視、右翼的傾向に対して不満を起こし、隠密裏に蒋一派の勢力剥奪の機を窺い、前総司令唐生智、第四軍（軍長陳銘枢）副軍長張発奎を引き入れて武力的背景となし、一方共産党系の蘇兆徴、譚平山及びボロジン、ガロンらのソビエト顧問と連繋して孫文の三大政策、連露、容共、労農を高調、階級闘争の姿態で民衆即ち労働運動、農民運動を展開し、蒋介石以下、張静江らの南昌派に対して蒋の独裁を非難攻撃し始めた。

これに対し蒋介石は、第四軍長陳銘枢に命令して武漢派にクーデターを加えようとしたが、唐生智及び陳麾下の裏切りによって成功せず、陳は辞表を出して姑山領に走り、蒋の計画は失敗した。

かくて武漢派は一九二七（昭和二）年三月十日から十六日まで、漢口に第三次全体会議を招集して党及び政府の組織を改め、蒋の主席を廃止し平委員となし、蒋介石の権限を削除剥奪した。蒋は南昌にあってこれを聞くや、軍事会議を開いて声明した。

「余は、漢口中央執行委員会全体会議なるものによって、今、従来の職務を免ぜらるゝの通知に接した。余は孫総理の遺訓を尊守し、身をもって国民党のために尽くし、北伐軍を統轄し、革命軍将士の勇敢なる奮闘と党員各位の合作援助により今日まで成功を収めるを得た。革命軍目前の形勢は頗る有利で、我が軍が有終の美を収めることも近々にあらんとする今日に於いて、党の内部に岐異を生じ、余を免職せんとするは党のために遺憾に耐えず。余は、漢口中央執行委員会全体会議が例え如何なる決議をなすも、総理の生前最も親愛なる譚延闓、張静江、汪兆銘の同志が均しく余を免職せんとするならば、釈然として卸責すべきも、これまで進行した革命を今にして捨つるは余の忍びないところであるから、余は飽くまでも現状を維持して革命を継続すべし」

しかし、蒋としては北に大敵を控えているので、進んで武漢派と直接に争うよりは、長江を下って江の東南に新たなる自派勢力を確立する事の方が賢明であった。そこで南京、上海をその手中に納めようとした。しかしこれを察知した共産派は先回りして三月二十一日、上海を占領しその実権を握ってしまった。蒋は同二十四日、遅れて南京を占領した。

しかも、こうして上海、南京を国民革命軍の手に納め江南の全部を領するに至ったが、南京ではその入城に際し、共産党の使嗾で南京事件が起こり、上海その他でも外国人に対する不法行為、外国船に対する不法射撃などが頻発したので、蒋介石は国際的に窮境に立たざるを得なかった。

共産党派はまた、それに乗じて蒋を偽革命反革命と称し、列国の帝国主義に迎合するものだと宣伝した。

こゝに於いて蒋はいよいよ共産党との断絶を決意し、折しも外遊から帰って四月一日上海に到着した汪兆銘を迎え、党の粛清、共産党との分離について協議した。

蒋はその会見で、

一、ボロジン以下ソビエト顧問の追放。

二、共産党との決別。

を主張したが、汪は、未だ国共関係の悪化した事情に通じなかったゝめか、蒋の主張に同意する事を躊躇し、もし国共の分離が止むを得ないものとすれば第四次全体会議を南京に招集して党の決議として合法的に解決すべきことを勧告した。

汪兆銘の計画では、自ら武漢に乗り込んで武漢派を説得し、政府及び党部を南京に移転せしめて、その上で第四次全体会議を開き党議で決定しようとしたのである。

汪は蒋との会見後、同月六日上海を発して武漢に向かったが、蒋は汪が武漢に赴くことを欲しなかった。汪が武漢に赴けば武漢派はいよいよ蒋に対して犯行の気勢を上げるだろうと思った。

蒋は通電を発して、

「一切の政務を汪の指揮に委ね、自分は北伐の一指揮官として軍事に専念する」

旨を声明したが、やがて実力を以て共産党の掃蕩を決意し、汪が武漢に着いた四月十一日を以て、**白崇禧を上海戒厳司令に任命**し、十二日、上海の実権を握っていた共産党に対して断乎**クーデター**を敢行した。

白は先ず共産党の組織下にあった労働者の武装を解除し、総工会を襲撃した。そして共産派によって樹立されていた上海臨時政府を解散させた。これで上海は完全に蒋介石の手に帰したのである。

これに対して武漢派は十五日、南京との決裂を声明し、十七日には蒋を反革命として免職した。

しかし蒋介石は更に進んで、十八日には南京に**新国民政府を樹立**して自ら首班となり、二十九日これを中外に声明すると共に、三十日の議会では武漢政府の一切の命令を否認し且つ共産党の討伐**（国共分離）を決議**した。

蒋と共に南京に拠ったものは、国民党の中間派と右派及び蒋麾下の青年将校、浙江系軍、広西系軍で、これに財的援助を与えたものは**浙江財閥**と**広東財閥**である。

当時上海財界の実権を握っていた浙江財閥は、共産党の活躍によってその財的権益が危機に瀕していたので、共産党弾圧を条件として蒋と結び付いたのである。広東財閥も、先には英国との提携によって容共政策の国民革命に反対し商団軍を組織してこれに対抗したが、蒋の国共分離と国民革命の大勢を見透かして方向転換を考えていた英国との関係で蒋と提携し、やがて広東も蒋の治下に帰したのである。

この形勢の変化に対しては武漢に赴いた汪も如何ともすることが出来なかった。彼は後にその時の事情を語った。

「武漢では、即時、国共分裂の出来ない事情にあった。何となれば四月十九日には既に北伐を開始して、第四方面軍は陸続きとして出発し、京漢線に沿って張作霖と交戦しているが、軍隊の中には容共時代に既に少なからぬ共産分子が入っていて、国民党の武装同志と共に枕を並べて戦死している。もし後方で分共問題が発生したら、連合戦線はこれがために動揺し、張作霖に絶好の機会を与えたであろう」

《張作霖・蒋介石との妥協と反共政策》

南方の国民革命軍が容共政策によって軍閥の打倒、帝国主義排撃を呼号したのに対して、北方の張作霖は赤化討伐を以てこれに対抗した。

やがて国民革命軍が武漢派と蒋介石派とに分裂して軋轢し始めると、蒋介石の反共と張作霖の赤化討伐との間に一脈霊犀相通ずる気運が生まれて来た。即ち、張作霖麾下の揚宇霆と国民革命軍の唐生智との間に、一九二六（大正十五）年秋以来密使の往復が始まった。

蒋、張の妥協条件は、

一、漢口にある呉佩孚と上海にある孫伝芳を犠牲にして、蒋介石は江南下流に進出し、張作霖は武漢に向かう。

二、ソ連のボルシェヴィキ勢力を支那より駆逐する。

三、不平等条約の撤廃。

にあると当時一般に理解されていた。

然るにあらぬことか、蒋介石のクーデターと足並みを揃えず、張作霖は武漢に兵を進める一方、北京では一九二七（昭和二）年三月末に左傾学生の検挙を行い、次いで四月六日には憲兵及び巡警三百名を以てソ連大使館を襲って家宅捜索をなし、証拠書類を押収してソ支の共産党員数十名を逮捕した。

そして張はソ連に抗議して、

「貴国中華代理公使は中国政府所在地たる北京に於いて、共産党員を使嗾して中国国民を撹乱し、現政府転覆の陰謀を企てるのみならず、大使館内に中国共産党員並びに多数の武器及び赤化宣伝書類を隠匿せる事を発見した。これ明らかに国際法違反であるのみならず、支蘇協定に規定せる宣伝禁止事項に悖《もと》るものである」

と主張した。

それに対してモスクワ政府は四月十日、抗議を駐露支那代理大使鄭延禧に手交して、大使館員の召還、逮捕者の釈放、軍警の撤退、書類その他奪取品返還を要求した。

蒋、張の関係、そして張作霖のソ連大使館捜索事件は日本との関連に於いて、列国、特にソ連の注目を惹いた。即ち、ソ連が張作霖に交付した抗議中にも「某帝国主義国家」と暗に日本を指しているように、それが何れも日本の使嗾によったものだと猜疑したのである。

ヴァルガは次の如く記している。

「過去一ヵ年以来の日本の政策は、張作霖に南方ブルジョアジーとの戦争を戒め、張作霖と革命運動内のブルジョア翼との結合を計る事であった。そして今やブルジョア翼の軍事代表として蒋介石は現れて来た」

(『世界経済年報一』ヴァルガ著・経済批判会訳・一九二七年・叢文閣邦訳抜粋)

こゝで起こった二つの事を注目してみよう。

その一つは、張作霖のソ連大使館捜索事件に際し、張をしてこの大事を敢行せしめたものは日本の森恪だというデマが当時北京を中心に流布されたことである。

しかし、その前後森と張作霖との間に如何なる交渉があったか定かではない。ただ、森と行を共にした山本条太郎、松岡洋右氏らが森の帰国後も支那旅行を続け、北京では長時間張作霖と会談し、山本氏は張に対して防共、即ち赤化討伐を力説した事実がある。或は、それと後の田中内閣に於ける森外交との関係に於いて、左様な憶説が伝えられたのかも知れないと思われる事である。

もう一つは、蒋、張の交渉及び張作霖の赤化討伐の政策が日本の指導の下に行われたという、ソ連及び英独の新聞論調である。しかしこの宣伝は英国の政策によるもので敵本主義的に日本が反ソ反革命の責任を背負わされたものであることを理解する必要がある。

即ち、英国は初め旧軍閥、財閥を使嗾して国民革命軍の勢力を打倒しようとした。そのために出兵を断行し、日本にも協調を求めた。英国は日本の武力と支那軍閥を利用して、国民革命に反対せしめようとしたのである。そして英国を始め日本も他の列国も、ソ連のボルシェヴィキ勢力と支那共産党によって指導される国民革命に対し何れも反対であるということが、張作霖をして進んで赤化討伐を使命となすに至らしめたものである。

この事は、当時の我が若槻内閣と幣原外交の本質、並びに専ら排英に向かっていた革命外交の方向を排英から排日に転化せしめんとして努力していた英国の外交を見れば一層明らかになるであろう。

第二篇　外務政務次官時代

（A）内政篇

第一章　政策実行第一歩

一　田中内閣出現と森の外務政務次官

田中政友会内閣は一九二七（昭和二）年四月二十日成立した。憲本連盟による床次内閣の夢は破れ、三党首妥協の時、政権が来なければ腹を切ると言った田中男が切腹しなくて済んだのみならず、オラが世の春が晩春、八重桜と共に咲き出たのである。

閣僚は左記の通りである。

内閣総理大臣兼外務大臣	田中　義一
内務大臣	鈴木　喜三郎
大蔵大臣	高橋　是清
陸軍大臣	白川　義則
海軍大臣	岡田　啓介
司法大臣	原　嘉道
文部大臣	三土　忠造
農林大臣	山本　悌二郎
商工大臣	中橋　徳五郎
逓信大臣	望月　圭介
鉄道大臣	小川　平吉

内閣書記官長　鳩山一郎
法制局長　前田米蔵
警視総監　宮田光雄

政務官は左記の通りである。

内務政務次官武藤金吉、参与官加藤久米四郎、**外務政務次官森恪**、参与官植原悦二郎、大蔵政務次官大口嘉六、参与官山口義一、陸軍政務次官竹内友治郎、参与官高草美代蔵、海軍政務次官内田信也、参与官杉本君平、文部政務次官山崎達之輔、参与官安藤正純、司法政務次官濱田国松、参与官黒住成章、農林政務次官東武、参与官砂田重政、商工政務次官吉植庄一郎、参与官牧野良三、逓信政務次官秋田清、参与官向井倭雄、鉄道政務次官上野安太郎、参与官志賀和多利。

閣僚に高橋是清翁を引き入れたのは田中大将の独断で、これは成功しているし、貴族院研究会からの猛烈な入閣運動を阻止して司法大臣に一介の弁護士原嘉道氏を据えたのも、好人事として好評を博した。若槻前内閣で片岡直温蔵相が失言問題から財界の大混乱を惹起した直後であり、それを整理するために財界に絶対の信望ある高橋翁を隠居所から引き出してきたことは、先ず混乱渦中にある財界に押しが利き光明をもたらした。

ある者は山本悌二郎氏を蔵相にと推薦し、田中男もある瞬間には日銀総裁井上準之助氏をとも考えたが、大命を拝受しての帰途、車を高橋邸に走らせ、先ず大蔵大臣を決めた手際は好評であった。また司法部は朴烈問題などで党人では威信が保てぬ状態にあったので、党外から原嘉道氏を起用し司法部の権威を確立した。その他は全部党人を以て充足し、貴族院の割り込み運動を排した。後には田中の無茶人事と評判されたが田中男にしては傑作であった。

しかし、政務官の選任では組閣当初に党内紛争を惹起した。閣僚や政務官に漏れた不平組は充満している。閣僚の方では穏健な人事だったから表面切って不満は述べ得ないけれど、政務官の方は、二回当選の森を一躍外務政務次官にしたこと、同じく内田氏を海軍の政務次官にしたことが先ず不平組を煽り立てた。入党したての鈴木氏を内務大臣に、本党から復帰したばかりの鳩山氏を書記官長にしたことも一緒になって、鈴木、鳩山、森のブロックが田中内閣の中心勢力たることに対する不満と反感が、政務官騒動となって現れたのである。

森は田中総裁引き出し、護憲運動、或は朴烈問題を以て倒閣の急先鋒を承るなど、二年生に過ぎないけれども党のためにはかけがえのない働き手なので、これを重要視しないという訳には田中総裁としてもいかなかったのである。

最初森は、鈴木氏の希望によって内務政務次官に内定していた。これを探知した武藤金吉氏は田中首相に直談し、内務政務次官の椅子を奪取したのである。森としては春日俊文、松岡俊三両氏との密約があって、田中内閣が出来ても役人にはならぬ筈であった。しかし自ら積極的に運動はしないが、望まれゝば勿論辞退するものではない。特に森は、その大陸政策を解決するためには先ず日本内部の政治勢力を把握しなければならぬ、という考えを持っており、それには内務省を握ることが好都合と考えた。鈴木内相の下の政務次官になることは、彼の満足するところであったに相違ない。しかし、武藤氏が小泉策太郎氏を説いて、自分で総理に直談判に出かけ、その椅子を奪取してしまった。

当時森は酷い風邪をひいて高熱を発し、築地の金水館に寝ていた。自分が飛び出して工作する事は勿論不可能である。この事情を知っている鳩山氏や村田虎之助氏らが田中総裁に談判した結果、外務政務次官に回されたのである。**外務大臣は田中首相の兼務であるから、森は事実上の外務大臣なのである。**

こゝに逸話として述べておくが、春日氏は森が任官したことに対し、かねての約束を破るものとして面と向かってこれを批判した。森はこれに対し一寸参ったらしい。しかし、「俺の抱懐する大陸政策を達成するためには、これも一つの便宜な手段だから悪く思うな」という事で話をつけた。

さて、森が金水館に病臥している間、不平組に院外団まで加えての政務官騒動は田中首相を苦しめた。その結果、来たる臨時議会終了後、森外務、内田海軍、竹内陸軍の他二、三を更迭させるという了解の許に一応騒動は納まった。この間、騒動の火元と思われる岡崎邦輔氏に対しては犬養木堂、小泉策太郎氏に対しては古嶋一雄氏らが奔走したということである。しかし臨時議会が過ぎても更迭などの破綻を見ずして済まされたのは、その間森があらゆる努力を以て院外団を手に入れ、彼らを森陣営に引き入れたことに起因すると推測される理由がある。

大野重治氏を主盟とする政友会の院外団は、代議士以上の勢力を党内に持っていた。大野氏は最初のうちは反森であったが、いつの間にか森の懐刀のような存在になってしまった。

さて田中内閣は、成立すると同時に財界混乱に対処すべく先ずモラトリアム（支払猶予令）と、政府の支払保証による五億円の日銀貸出しを決定して、財界を混乱の中から安定の方向へ誘導した。この問題を処理する第五十三臨時議会は一九二七（昭和二）年五月八日に終わって、六月には一役済ませた高橋蔵相が辞職し、三土文相がその後を継ぎ、水野錬太郎氏が三土氏の後任として文部大臣になった。

六月、濱口雄幸氏を総裁とする民政党が成立し、床次氏の政友本党はこれに合同した。その結果民政党は二百十九名、与党政友会は百六十余名で少数党なるが故に第五十四議会は解散された。

二　鈴木内相の単独辞任と久原房之助の入閣

田中内閣ではある意味に於いて、鳩山、森が枢軸をなしていた。森は鳩山氏を兄貴分と立て、常に首相官邸や院内の書記官長室で談合していた。当時の彼にはまだ具体的にいわゆる革新政治一国一党の理念は蔵されておらず、政党政治で邁進している時代であった。

野党時代に鳩山幹事長、森筆頭幹事のコンビで党を経営していた形を、そのまゝ内閣に移して、鳩山、森のコンビはますます固まる一方であった。鳩山氏は鷹揚で、番頭役は得意としない。ゴルフに行ってしまった後を総理の方からその行方を探し回るという様な事がしばしばあり、森はまた、その仕事好きな性格から鳩山氏の鷹揚な欠点を十分に補うという風であった。この両人にバツを合わせたものが警視総監の宮田光雄氏である。

第五十四議会解散の直前、民政党側には内閣不信任案を提出する議があった。どうせ解散になるのだから翌一九二八（昭和三）年一月二十一日の再開劈頭、多数党の勢力を以て日程を変更し、首相以下の施政演説の前に弾劾案を出そうというのである。院内閣議ではこの問題を前にして、言論の自由を尊重するというジェスチャーを示すために日程変更に政府が同意すべしという軟論も出た。政府が同意しなければ多数党でも日程の変更は出来ないのである。この軟論を一蹴りしたのが鳩山書記官長であった。森は政務次官で閣議室には入れないから、予め鳩山氏と緊密な打ち合わせをしておいたのである。

さて議会は解散になり総選挙が終わってみると、こゝに困難な問題が起きてきた。与党政友会は二百二十一名に増加したが、反対党民政党は、たった三名減っただけで二百十六名の数を維持していた。そして中立が十五、無産八、実業同志会四、革新党四という数字で、この間でキャスティング・ボードを握るものは中立を糾合した七名の明政会の鶴見祐輔氏一派であり、その向背によって議場の勝敗が決するという際どい瀬戸際であった。

人々が待望した第一回の普通選挙の結果は予想に反して明朗な政情を提出することが出来ず、逆に政治の暗黒時代、闇取引横行の時代となってしまった。即ち一九二八（昭和三）年四月二十日に開かれた第五十五特別議会には、明政会一派は政友、民政両党の間に介在し、闇取引の目標になったのである。これを称して少数派の無銭遊興時代、或は少数専制時代とも呼ばれた。たった四名の同志の革新党の清瀬一郎氏がこの機会を掴んで副議長に当選したこともその現れである。

さて第五十五議会は少数党専制裡に開かれた。先ず御大礼予算、山東出兵などの重要案が満場一致を以て可決された後に、いよいよ闇取引政治の本舞台に入った。

キャスティング・ボードは七名の明政会に掌握されている。四月二十七日には尾崎行雄氏提出の鈴木内相弾劾の意を含んだ政治国難決議案と民政党提出の総括的内閣不信任案が緊急上程されようとしている直前、民政党の鈴木富士彌氏の「田中首相が総選挙の結果について虚偽の上奏をした」という演説から議場は混乱に陥り、二十八日、いよいよ政治国難決議案が上程され、尾崎氏が一方政府を叱り、一方民政党に訓戒を与えた演説をして降壇すると共に、三日間停会の詔勅が下った。

その間に政府が反対党を切り崩して議会を切り抜けんためであった。もし切り崩しが成功しなければ、政府が総辞職するか、議会の再解散を主張して選挙のやり直しをするか重大な瀬戸際であった。民政党は政府に再解散の腰がないものと見て専ら切り崩しを防衛した。停会中、熱海、伊東、湯河原その他東京近郊の温泉場や花柳界に所属代議士を遠足に連れ出し、いわゆる缶詰事件という珍風景を展開したのである。かくして政府の切り崩しはその効を奏せず、更に三日間の停会を奏請せざるを得なかった。


この間、政府の苦悩は深刻であった。鈴木内相は選挙中声明した議会中心主義を否定するような言辞、即ち皇室中心主義と、その露骨な選挙干渉によって不信任を表明されているのだが、本人は党のため、政府のためにやったことで、少しも悪いとは思っていない。故に勿論、責を負って単独辞職しようなどとは夢にも考えないのであった。森は初め鈴木氏の心境に同情し、議会の再解散論を以て政府全体を動かそうとした。田中首相は鈴木氏に対して、政府の延命策から単独辞職をして欲しい、とは言い出せなかった。言い出したら却って事が面倒になることは鈴木氏の強気な性格から推して眼に見えていたのである。

資料４２　鈴木喜三郎

鳩山書記長は、この間の事情をすっかり腹にたゝみ込んだ。そして先ず強気な森を説服し、鈴木内相の単独辞職で局面を収拾する以外に道はないとした。それには鈴木氏だけ見殺しにするのは忍びないから、鳩山、森の二人が同時に辞職して田中内閣を窮地から救い出そうではないか、という相談を持ちかけたのである。鳩山氏は鈴木氏の義弟である。森は鈴木氏の信頼する後輩である。この二人が泣いて鈴木氏に訴えれば情に脆い内相が聞かぬことはあるまい、という深謀であった。森はこれに賛成した。そして鈴木、鳩山、森の三人は辞表を提出したが、結局鈴木氏の慰留で二人は思い止まり、五月四日、内相の犠牲的単独辞職で窮通の道は開けた。

それによって明政会は民政党提出の内閣不信任案に反対することになった。また尾崎氏の政治国難決議案中にある「鈴木内相の処決を促す」という文句を削除し、「将来かくの如き非違を再現せしめざらんことを期す」と修正して、これもめでたく可決され、台風は一過したのであった。民政党の不信任案は上程されたけれども、既に気の抜けたビールである。提出者自身が強いて決議まで持って行こうとはせず、審議未了にて終わってしまった。

鈴木内相辞職後は一時田中首相が兼務したが、議会直後望月圭介氏が逓信から内務に回り、逓信大臣には久原房之助氏が就任した。

この内閣改造がそもそも田中内閣のケチのつき始めであった。一九二七（昭和二）年六月、高橋蔵相は三土氏に椅子を譲って退き、文相に水野錬太郎氏が就任していたのであるが、閣内ではこの両氏を急先鋒とし、閣外にあっては田中首相の知恵袋をもって自任している小泉氏が久原氏の入閣には真っ向から反対した。久原氏は田中首相とは切っても切れぬ縁があり、田中男を政治家に仕立てるために多大の犠牲を払ってきた。

どうしても大臣にしなければならぬ義理がある。しかし党内には久原反対の声が強い。小泉氏は自分が大臣になれぬ不平もあったが、党内の与論を代表したものでもあった。三土、水野氏らは小泉氏と同工異曲の意味を以て絶対反対をしていたからだ。田中首相は久原氏を最初外務大臣にという腹であったが、それだけは遠慮して逓信大臣にしたのである。久原入閣の波紋は、水野文相の優諚問題となり、小泉氏の脱党となった。そして水野文相辞任の後には、寺内内閣以来、田中男と深い親交ある勝田主計氏を据えたのである。

森は当時、久原氏とは良かった。大陸政策強硬論に於いても共鳴し、野党時代に村田虎之助氏を介して田中総裁の財政難を救うため久原氏と取引した関係もあり、しかも小泉氏とは政務官騒動以来離反してしまっているので、鳩山氏と共に久原氏擁護の線に立った。又、勝田新文相とは、中日実業創立当時から深い関係があるので、内閣改造に対しては満腔の支持を与えたことは論を俟たない。即ち森はいわゆるジャーナリスティックな与論とは反対の方向へ、この時分から既に早くも歩み出したのである。満洲問題の解決、東方会議の方針などに関しては久原、森のコンビがむしろ田中、山本の方針に先行したことはこの間の事情を物語るものである。

当時閣僚中で大陸政策に多大の関心を持っているのは田中首相を始め、久原、勝田、小川の三閣僚と、森外務政務次官、山本条太郎満鉄総裁ぐらいなものであった。

（B）外交篇

第一章　東方会議

一　対支政策の更新

田中内閣は組閣後の一九二七（昭和二）年四月二十二日に施政方針を発表したが、そのうち支那に関しては次の如く述べている。

「現下差し迫り我国及び極東にとって重大な問題は支那の事態でありますが、支那国民の正当なる要望に対して深甚の同情を有しておりまして、篤と内外の情景を考慮しその達成には自ら順序があり、方法ありと思います。この点に考慮を措かずして、徒に支那の動乱をいやが上に激甚ならしむることは決して支那国民の本意にもあるまいと信ずるのみならず、支那と諸外国との関係につきましても、支那国民の正当なる要望が達せらるゝ以上、これを危殆に陥れる事は決して支那国民の望むところではあるまいと思います。而して支那に対して重大関係を持って居る諸外国の態度を観るも又支那国民の正当なる要望を容れるゝに吝かでないものと信ぜられる。かく観察してくれば私は諸外国と支那との間に於いて両者の関係に何ら険悪なる事態を醸さずして、支那国民の正当なる要望を達成するの途は自ら存するという事を確信して疑わざるものであります。この点については支那国民の慎重なる反省熟慮を希望せざるを得ない。もしそれ支那に於ける共産党の活動に至りましては、その結果如何によっては直接最も影響を受くるところある我が国の立場として、又東亜全局保持について重大なる責任を感じて居る日本として全然無関係である訳にはいかない。況して世界の平和と一般人類の福祉との上から考えるも極めて重大視するべき事態である。よりてこれらの見地よりして時期と問題とその方法とによっては列強との協調を保持すべきは勿論であります。而して私は右の如き我が国の立場は隣邦ロシアについても充分諒とする事と信じます」

かくして必然的に、田中内閣は支那に対する外交方針を全面的に更新する使命を担うことになったのである。即ち、従来の民政党内閣、幣原外交に対して、新たなる外交の機軸を打ち建てゝ、革命支那とベルサイユ条約、ワシントン会議以降の国際情勢に対して方針を開拓すべき責任をもって成立したのである。

そこで田中内閣の新政策、新方針として、直ちに実行に着手したものが、支那に対しては**山東出兵**であり、外交政策の全面的更新に関して政府の方針を在外使臣に徹底せしめ、かねてその実行の準備に資するために開催したものが**東方会議**である。

田中外交、そして同時に森の外交は、この二つの問題を政策的な出発点として展開されたのだが、それから二ヵ年間の田中内閣の事績は、結局に於いてこの二つの問題の解決のために苦難の道を歩いたことになるのである。而して田中内閣の苦難の道は、第一に、国内に於ける反対党の攻撃に出発したこと。即ち、その第一の烽火は、田中内閣の対支方針に対して民政党の永井柳太郎氏が五月九日の衆議院に於いて次の如き攻撃的質問を試みたことに始まる。

永井柳太郎氏質問の要点は以下の通りである。

一、若槻内閣の対支外交を非難した田中首相は、先ず国民の前に如何なる対支政策を持って居るかを表明すべき義務がある。

二、四月二十二日の田中首相の声明は支那に於ける共産党を撲滅せんとの態度を示したが、これ内政干渉を表明するものではないか。
三、支那の共産党に脅えている田中首相はその本場たるロシアに対して如何なる政策を執らんとするか。
四、南京事件に於いて、政友会は在野時代に頻りに流言を放ち宣伝を試みていたが、右事件の調査は已に出来て居ると思う、今尚流言を信ずるや。

これに対する田中首相答弁の要点は以下の通り。

一、現内閣は一方に偏してこれを援助するという事は毛頭も考えては居らぬ。しかし苟も我が帝国の権利利益を擁護するという立場に成りました時には、自衛の見地から相当の措置を執ることは言う迄もない。つまりこういう場合にも遠慮して何もしないという意味ではない。
二、ロシアの共産党に関する質問も又、多大の独断的御演説である。私の声明したるところは、兎角暴力を以て破壊的行動を採るものに対して充分の監視を加えなければならぬこと。即ち彼らの行動が我が帝国の危険を感ぜしむるが如き場合には、我らはこれに向かって無干渉では居られぬものであることであり、これらの事柄についてはロシア自身も良く了解して居るのであって、これは今日、日露親善には何ら支障はない。
三、支那に於ける共産党派の状態は今日では変化している。もしも今日の状態で進んで行っても、支那国民が本来の立場に帰ったならば、彼らが年来臨んだところのいわゆる自立独立の要求もそれは喜んでこれに応ずる覚悟である。

四、次にやゝもすれば私が兵を出してどうかするという事については、なんとなく誤解され居るように考えますが、私は何時でも出兵するということは慎むべきものであると思って居る。

五、南京事件については段々調査するとかつて世間に流布せられる事柄には往々誤解あるということが判った。一例を挙げれば婦人の恥辱という如き事は事実ではありませぬ。また帝国軍人の無抵抗主義ということは、これも軍人が好んでやった無抵抗ではなく、その居留民全体が要求したため、軍人は涙を呑んで抵抗しなかったのである。

六、次に南京事件に関して第二回の交渉につき研究し、又列国と協調を保つため努力致して居る。要するに列国との協調という事で、今日対支外交に於いてその必要を感じている。

二 事実上の外務大臣

田中兼務外務大臣の下に外務政務次官になった森は、この機会にかねての志としていた対支外交、大陸政策の解決を実行しようと決意した。

その手段として、先ず**東方会議の開催**を田中兼務外務大臣に進言した。

東方会議には二つの目的があった。

その一つは事務的な方面。国外にあって活動している使臣と本国政府との間の意見の相違、方針の不徹底はあってはならない。政党内閣、特に我が党内閣の成立した今日では、政府の政策と政党の方針を一致さす事が絶対に必要である。即ち在外使臣と本国と政府と政党、この四つのものが水も漏らさぬように緊密に連絡する事が必要である。

もう一つは、この機会に外交を政争の外に置いて永久的な国策を樹立し、内閣の更迭によって変更を来さないようにすること。その方法として関係各責任者の間で協議して、これを一つの恒久的な仕組みにして、国策の樹立遂行の基礎にしようというのであった。

かくして、森は先ず自分の政策を政府、政党、在外各関係者に徹底させる必要があった。同時に、総理大臣で外務大臣を兼任した田中大将自身にも「オラが外交」を実行しようという意志があったので、旁々、それを支那及び満洲にある在外使臣を招集して明示することにしたのである。

丁度その頃外務省でも、革命軍の北伐以来、支那が南北とも乱れていて支那の情勢が急激な変化を来していたのに対して統一的政策を行う必要を認めていたが、しかし、どういう政策を行うべきかについては、はっきりした方針が未だ樹っていなかった。そこで先ず実情を調査するために外務省の役人を支那の各地へ派遣して調査する一方、各方面の意見を聞いて種々案を練っていた。しかし未だ区々たる意見の集積に留まって、はっきりした政策の結論には達していなかったのである。即ち、そこに森の東方会議開催の信念があった。

だから東方会議は森の信念と計画方針に従って招集されることになったものであるが、同時に田中大将にとっては総理大臣兼外務大臣としての方針政策を宣明する機会となり、また一方外務省事務当局者にとっては、未だ統一の域に達していなかった支那に対する政策に対して一定の方針を与えるところの機会を提供することになった。

当時の、外務省に於ける森の面影を、当時亜細亜局長で、東方会議の開催に関し森の協力者であった木村鋭市氏は次のように語っている。

森君は外務省に来ると直ぐ事務次官以下省内の事務官を集めて、対支外交の刷新、積極的政策の遂行について一席講演して、郭松齢事件に対する前内閣の消極政策を非難し、「前内閣が郭松齢の山海関突破を許したことが不都合だ。満蒙の特殊権益の擁護について何ら積極的に行動しなかったことはけしからぬ」。南京事件の如き不祥事件の勃発に対しても、直ちに居留民の保護、支那膺懲の軍を起こさなかったことを攻撃するという風で、従来の外務省の軟弱振りを攻撃して気焔当たるべからざるものがあった。

――木村鋭市氏談――

又陸軍の鈴木貞一氏談によると、

その頃、田中総理はよく若い者に向かって「どうも外務省の外交が弱くて困る。それには、自分が一つ外務大臣になって、しっかりした者で外務省を改革して建て直す」。こういう事を言って居られた。それで、まあ、森氏を政務次官に持ってきて、積極外交をやろうという考えだったらしい。

――鈴木貞一氏談――

従来の政務官は、いわゆる盲腸的存在であり、重要会議には出席しないのみか重要書類などは見せられず、従って勿論外交の秘密などに関しては預かり知らぬのが普通であり、誰もこれを不思議には思わなかった。だが外務政務次官としての森恪は事実上の外務大臣であった。

——植原悦二郎氏談——

森は満蒙第一主義で、「満蒙は日本にとって陸の生命線ともいうべき、特殊にして且つ重大な地域である。幣原前外相の方針は機会均等主義を建前とする石井・ランシング協定を基準とするが、これを認めない。門戸解放の原則は認めても満蒙に於ける日本の特殊権益は絶対にこれを冒させない。それがために支那との関係がどうなろうとも、それは次の問題である」。かゝる鞏固な積極方針を持っていたから、伝統的に幣原閥で固まっている外務事務当局との間に摩擦は免れなかった。しかし田中男が首相兼外相であり、その片腕ともいうべき森が事実上外務大臣である以上、どうにも排撃の方法がなかった。それに森独特の政治的手腕が作用して、やがて間もなく外務省は森の思う通りにリードされるに至った。森政務次官、当該局長、参与官の私三人が相談してすべて決まった。森は在外使臣との往復電信の原文を起草し、及びその一字一句の末に至るまで周密な注意を怠らなかった。かくして政務官の観念は一変した。しかし一面田中首相、山本満鉄総裁らの間にギャップがあり、森の創意になる東方会議でも森の思う通りにはならなかった。

森は一九二九（昭和四）年四月二十六日に政務次官の辞表を提出し、翌々二十八日、政友会臨時大会の幹部改選で幹事長に就任した。

三　東方会議の歴史的使命

実は東方会議というものは二度開かれている。

その**第一回の東方会議**は一九二一（大正十）年五月、原内閣の時である。

会議は五月十六日から二十六日までの五日間、総理大臣の官邸で開催された。

会議の構成要素は、原総理大臣を始めとして、閣僚全部、それに外地の首脳者として斉藤實朝鮮総督、水野錬太郎朝鮮政務総監、山縣伊三郎関東庁長官、立花小一郎ウラジオストク派遣軍司令官、由比光衛青島派遣軍司令官、大庭二郎朝鮮軍司令官、河合操関東軍司令官、小幡酉吉駐支公使、赤塚正助奉天総領事らの顔触れで組織された。

会議の議題は、山東、満蒙、朝鮮、シベリア、支那本土に亘り、重大な対外関係諸般の問題について意見の交換をした。その主なる目的は、当時最も政治的に問題になっていた**シベリア撤兵問題**、**山東撤兵問題の善後措置**を決定する事であった。

第一回東方会議で決定されたのは、次の如きものであった。

一、シベリア出兵を中止してウラジオストクから撤退して極東共和国との外交交渉を開始する（ただし、北樺太占領は継続する）。

二、間島の警備は当面警察力により、朝鮮独立派の活動が活発化した場合に備えて派兵の準備を行う。また、満洲に於いても独立派の取り締まりを強化する。
三、奉天軍閥の張作霖を支援するが満洲経営の必要の範囲内に留め、張の中央政権進出（安直戦争・奉直戦争）には加担しない。
四、満洲に於ける日本利権の確保と方針統一のため、関東庁、関東軍、朝鮮総督府、現地領事館、南満洲鉄道などが協議を持つこと。
五、ロシア革命後に経営が悪化していた東支鉄道に対する経営支援を行うと共に、南満洲鉄道との直通運転を強化する。又、スキャンダルが噂されていた南満洲鉄道首脳部を交替させて経営透明化を図る。
六、山東鉄道沿線からの撤兵を図り、将来的には青島のみの駐在に留める。山東鉄道の中国側（北京政府）との共同経営を提案する。
七、北京政府に対する借款は西原借款のような日本単独の借款は避け、今後はアメリカ・イギリス・フランスとの四ヵ国共同の「四ヵ国借款」に切り替え、対支二十一ヵ条要求のうち四ヵ国借款の障害になるものは事実上放棄する。

また、対支政策要綱は次の如きものであった。

一、支那に於ける保険制度に五十万円を融通する。
一、支那にある商工業者金融機関に銀資本で五千万円を融通する。監督機関は外務省、大蔵省から委員を出し委員会を組織しこれに当たる。
一、長江流域の居留民に対して一千八百万円を融通する。

一、東三省財政整理に関して金融界の専門家を顧問とする。
一、整理借款の財源は大倉組、満鉄、東亜勧業よりの借款とする。

さて今回の**第二回の東方会議**は、一九二七（昭和二）年六月、即ち、田中内閣で森の主唱によって開かれた。森は議長となって議事を進めた。

会議の中心議題は、専ら**対支政策、特に満蒙政策に関するもの**で、これを中心として一般対支政策、南方革命軍に対する政策、北方に於ける北方政権に対する政策、これをもう少し具体的にいうと、**満蒙の鉄道敷設と対支経済発展策、長江沿岸に於ける居留民の保護**などであった。

そこで第一回と第二回の東方会議を比較してみると、同じ東方会議といっても、その性質が非常に違っている。

第一回の方は広く満鮮、シベリア、山東、支那一般に関する懸案解決について政府の方針を決定する準備のための会議で、言葉を換えて言えば一般国策の決定会議である。ところが第二回の会議は、内閣の方針を在外使臣に徹底さすためのものであり、実行方法まで指示説明した。会議の性質も国策会議と違って、外務省関係の会議という形式を採った。前者は国策会議である性質上、総理大臣の官邸で開かれた。後者は外務大臣の官邸を会場として開かれた。

時に陸海軍、鉄道、内務、大蔵、文部、農林などの大臣が出席したが、それはオブザーバーとしてたまたま出席したのであって、会議そのものゝ協議に與たるという性質のものでなかった。

第二回東方会議の議事経過については、支那時報（第七巻第二号）に左の如く記載されている。便宜上、それをこゝに若干修正し摘録する。

《東方会議の召集》

田中首相はその組閣に当たり、聖上陛下より対支政策の運用については特に慎重熟慮すべしとの御言葉を賜りたるおもむきであるが、その結果、田中首相は自ら外相を兼務すると共に対支政策の確立を期し、統一ある対支政策を行うべく、先ず外務省員を支那に派遣してその実情を調査せしむるの他、各方面の意見を徴し、種々研究考量しつゝあった。しかしながら右の如き施設だけでは単に区々たる意見に止まり、完全なる結論に到達し難いので、田中兼務外相は対支政策運用に関係ある外務、陸海軍、大蔵、関東庁などの首脳を一堂に召集し、以て各方面の隔意なき意見を聴取し、然る後に田中内閣の対支綱領を確立訓示するの意を決し、こゝに**東方会議**を召集することゝなった。

そのため同会議の出席者は現在支那各地に駐在する使臣の他大体左の顔触れを以て一九二七（昭和二）年六月二十七日から霞ヶ関外相官邸に於いて開かれた。

（外務省側）　田中義一兼務外相、森恪政務次官、出淵勝次次官、植原悦二郎参与官、木村鋭市亜細亜局長、小村欣一情報部長、斉藤良衛通商局長、堀田正昭欧米局長、芳澤謙吉駐支公使、吉田茂奉天総領事、高尾亨漢口総領事、矢田七太郎上海総領事。
（陸軍側）畑英太郎次官、南次郎参謀次長、阿部信行軍務局長、武藤信義関東軍司令官、松井石根参謀第二部長。
（海軍側）大角岑生次官、左近司政三軍務局長、野村吉三郎軍令部次長。
（その他）児玉秀雄関東庁長官、富田勇太郎大蔵省理財局長、浅利三朗朝鮮総督府警務局長。

先ず開会の劈頭に当たり田中外相は大要左の如き挨拶を述べ、次いで木村亜細亜局長より議事日程を報告し散会した。

「支那の時局は極めて紛糾している。従って政府の対支政策を遂行するについては、深甚なる考慮を払う必要がある。故に支那の戦局も一時小康を得ておるから、この際に支那に於ける各方面の日本官憲を代表する諸君の支那時局に対する御報告と腹蔵なき御意見を徴し、政府の参考とすると共に、政府の政策運用について十分に諸君の御理解を得、その上で統一徹底せる政策を行いたいと思う。この意味より本会議を開催した次第である。尚政府の政策を運用する方法を考慮する場合に当たり、細目に亘る事項については会の進むに従い、必要に応じて特別の委員を組織するような事があろうと思惟するから、この場合にそれをも了解しておいて貰いたい」

本会議は前後五回開催され、出席委員よりそれぞれ対支意見を開陳し種々討論した上、最後に田中首相より対支政策に関する綱領を訓示し、以て対支政策運用とその統一とを期する事となったが、その議事経過並びに内容は略次の如くである。

――第一回会議――

六月二十九日午前外相官邸に於いて、関係各委員の他、小川鉄相、山本農相、三土蔵相、白川陸相ら出席、鳩山書記官長ら傍聴者として出席の上開会したが、先ず矢田上海総領事より大要左の如き報告があった。

「上海より冷静に支那の大勢を考えると、支那は民国元年以後騒乱絶えることなく、名義上は共和国であるが実質上は武力によって権力を争奪している中世紀の封建時代と更に変わりない。それに昨今広東に生まれ出た特殊な新分子があるが、これは統一も節制も無く、只ユートピアを夢想して居る状態で極めて混沌たるものである。しかし支那を考えるについては、この二個の異なれる点を総合せねば適当な考察は出来ぬと思惟する。かく変転極まれなきヌエの如き支那を相手にする我が国であるから、それに向かって一定の対支政策を遂行することは非常に困難な事である。如何なる手段方法を以てするも、日本としては支那と経済上密接な関係を結ばなければならぬ。日本商品が円滑に支那に輸入されることを考えねばならぬ。又日本のための安全な策を樹てねばならぬことは勿論で、我が政府の対支政策は常に機宜を失せざる様考慮せねばならぬ」（矢田七太郎上海総領事）

午後は左の如き報告及び意見の開陳あり、何ら議事に入らずして散会した。

「武漢政府は対日政策を可成り深刻に考慮している。我が山東出兵に関してこれを云為し、事を醸成するが如きは好まず、永久的に日本との了解を得ようと欲しているものゝ如くである。武漢政府は現在委員会制度で政治を行いつゝある状態であるから、一個人によって政府の運命が決定されるものではなく、団体的行動によって決するのであるから、その基礎は相当鞏固なるものであると思う。而して四月の騒擾事件や共産主義の実行に対しては、彼らは失敗したと考えているくらいであるから、漸次堅実味を増しつゝあることは事実である。しかしながら武漢政府を鞏固ならしむるためには不逞共産党員を排除することが出来れば相当有力なものになり、或は南京政府とも連絡を保つようになるかもしれぬであろう。これについては、馮玉祥氏と唐生智氏及び馮玉祥氏と蒋介石氏の二個の関係もあり、俄かにその将来を逆賭することは出来ないから、今後共深甚の注意を要する」（高尾亨漢口総領事）

「奉天を中心とする支那の勢力は、目下張作霖氏が北京にあるため政治的には空虚の状態である。従って東三省の問題を考察するためには北京の状態と併せ考える必要があるが、将来東三省の主人公が何人となろうとも満洲に於ける日本の地位は頗る鞏固なるものであるから、今後は公平且つ合理的の主張を以て日本の権利利益を擁護し経済的発展を獲得すれば足れりと信ずる。只こゝに一言注意すべきはこの確固たる勢力を濫用して誤解を受けぬ様、厳正公平なる態度を執らねばならぬと思う」（吉田茂奉天総領事）

「支那政局の推移は必ずしも兵力や武器弾薬の量により決すべきものでない。故に戦局と政局とを併せて考える必要がある。軍事上及び政治上の見地より見て南京政府はその組織実体、財政上などより判断して漸次堅実になりつゝあるように思われる。武漢政府とは根本の概念が相違しており、既に共産主義を捨て三民主義に立脚している。しかし馮玉祥の出現によって、北伐という点に於いては武漢、南京、馮玉祥の三者は一致せぬとも限らぬ。けれどもその主張、信念まで一致して居る訳でないから、何時互いに確執を生ずるか分からない。北方の勢力については、奉天派は河南の失敗以来内部を整理したから、現状を維持するに於いては左程困難を感ずるようなことはあるまい。しかし奉天軍の退却によって山西と山東との連絡が断たれたので、今日最も憂慮されているのは山東の戦勢である。もし北伐軍の陣容が整って南軍が袞州まで進出すれば、済南も危険地帯になるであろう。但し南方各派が完全に一致している訳でもないから、その目的を一にしたところで如何なる程度まで山東における北方軍隊を討伐しやるやを未だ明瞭に予想する事は出来ない」（松井石根参謀第二部長）

――第二回会議――

六月三十日午前、前回に引き続いて開催。武藤信義司令官より左の如き意見の陳述があった。

「過去二十年間に亘る満蒙政策が相当の効果を収めたことは勿論であるが、交通並びに資源の開発は如何ながら充分ではない。満蒙の主人公が誰であっても、東三省の政治の基礎の安固とその地方の和平を切望する。しかし東三省の政府のためにも、又その住民のためにも、資源の開発と産業の発達を計らしむるように仕向ける事が重要である。要するに満蒙に於いても、交通機関並びに資源の開発が我が国の満足する程度に実現せざりしは、過去の帝国政府が一定不変の政策を樹立し、これを遂行せざりしにあると思う。日本は満蒙に対し特別の利益関係あるが故に確固たる政策を確立し、東三省住民のため又日本のため、交通並びに資源の

資料４３　武藤信義

開発に努めねばならぬ」（武藤信義司令官）

右終って、左近司政三海軍軍務局長から今回の動乱により海軍側の執りたる処置を報告し、更に兒玉秀雄長官より満蒙沿線関東州租借地に対する行政上の意見を開陳し、最後に東方会議の中心人物たる芳澤謙吉公使より支那一般の政情、特に支那南北の両勢力対立の将来などに関し左の如き意見が開陳された。

「支那問題の判断には何時も条件付きでなければ明言し得ない。南方派が一致して北伐して六分は勝ち、残る四分は危険と見るべきである。又南方勝つもこれによる支那統一和平は必ずしも可能とは断定し得ない。何人が支那の天下を取るも政府は依然として安定せぬであろう。民国建設以来、政権の争奪がしばしば行われたが、何人が政権を取った場合でも前政府の組織構造及び施設は根本から破壊し去った。憲法の完全なる実施又過去に例がない。要は日本のためというよりも支那のために公正なる手段を講ずべく、但し支那を偏重して真のスポイルドチャイルド化するのは絶対に不可である。こゝに日支関係上デリケートな点がある」（芳澤謙吉公使）

――第三回会議――

七月一日午前、前回に引き続き意見の交換を行い、特に**満蒙問題**を主題として攻究するところがあったが、該問題に対する列席者の一般的意見は大体次の如きものであった。

資料４４ 芳澤謙吉

「満洲は日本と特殊関係にあり、しかもその関係は結ばれて以来二十ヵ年も経過せるに拘わらず、その間に於ける鉄道問題、租借地問題、商租問題など幾多の懸案は満足なる解決を来さず、加えて或意味より言えば経済的にも行き詰まっている。その原因は、

(一) 鉄道付属地、租借地以外に於いて土地所有権なきこと

(二) 商租問題の解決せざること

(三) 交通機関の未整備

などであるが、右以外の**最も重要なる理由は、一貫せる満蒙政策を確立せず、又かゝる政策の実現に一定不変の行動を執らざりし点に帰する。**

而して右の如き政策上の欠点は、

(一) 満洲の政治上の安定を得ざりしこと

(二) 支那本土の政変や兵乱が満洲に幾多の波動を与え動揺を来たせること

などによるから、従って満蒙に対しては一定不変の政策を樹立するの要あり。而して同時に満洲の政治的安定を得せしめ、尚兵乱極まりなき支那の紛糾錯雑せる政治的影響より満洲をして免れしむるにある。これがため我が国として当然採用実現すべきは『**日本の特殊地位を飽くまで擁護するのは勿論なれども機会均等、門戸開放主義に則り満蒙の産業化に鋭意努力すべきである**』という事である」

次いで午後も満蒙問題につき協議したが、各委員の主張は、従来の欠点は、満蒙の資源開発について国策を遂行しなかったことゝ資源調査を満鉄にのみ任せていたことなのだから、この際機会均等主義によって、支那、ロシアと共同してこの調査を実行せねばその発展は出来

ぬが、先ず土地の所有権を得せしめねば確実な満蒙の産業化は出来ぬ。それには商租権の解決もその一つの方法であるが、支那官警をしてこの土地所有権を承認せしめねばならぬ。日本に於いてもかつて外国人に土地を所有せしむることを禁じていたが、それを許可したとてさして危険はない。況や広大な満蒙で外国人に土地所有を許しても心配する事はない。故に支那官警をして自発的にこれを承認せしむる事は支那自らのためにも、満蒙の産業化のためにも有益である。又我が国の立場として従来の如く満鉄を中心として大連集中主義によって満蒙の経済発展を図るばかりでなく、満蒙各未設の鉄道の完備をなさしめ、一面清津などに出口を求める策をとるのも一法であるのみならず、厖大な満鉄の二、三機関分離作用を実現せしめ、満鉄で所有する多分の附随事業を分離し、満鉄は鉄道鉱山を主体として調査研究の事業を独立せしむるが良いとの議論と、専ら満鉄をして経営せしむるがよいとの両論に分かれ、又満鉄の地方行政を関東庁に任せて一切商事のみをなさしむる議と、これを否とする者に分かれた。

―第四回会談―

四日目の七月二日は、(一) 満洲問題 (二) 長江流域問題の二分科委員会を開き、第一分科会は吉田奉天総領事中心となり鉄道問題、商租権問題、奉天省問題につき討議をなし、第二分科会は矢田上海、高尾漢口の両総領事が中心となって長江流域の避難民救済並びにこれの復帰問題を協議された。

長江一帯の復興並びに引揚居留民救済策として、大体救済費七十万円を支出することに内定した。

そして二日午前、その他の一般問題などについても協議の上、東方会議は七月四日閉会することに決定した。(大阪朝日新聞)

―第五回会談―

四日は過去に於ける支那投資問題に関して討議を重ね、

「過去に於ける無担保の対支投資が三億五千万乃至四億円に達しているが、この問題については小委員会に付記して更に擬議研究の要あり」

というに決した。


次に日支通商条約の改定及び現行条約の違反に関しては、

「条約改定問題は、支那側より見れば治外法権の撤廃と税制の改定にある。日本は関税会議に於いても支那の片務的な諸問題に対して列国に先んじて同情もし、努力もして、支那のために有利的解決を図った。しかしその実現を促進するについても、支那自ら協約条約その他の約束を一切履行するという実証を示す必要がある。条約改定、税権回復などの問題の解決は、畢竟支那の統一と政治安定と支那国民の条約履行に対する自覚に俟たねばならぬ」

というに決した。

《東方会議の収穫》

右の如くして東方会議は前後五回の討議により大体議事終了したるを以て七月七日午後最終会議を開くことゝなり、先ず木村鋭市亜細亜局長より会議経過の大要を報告し、次いで田中兼務外相が、

「今回の東方会議は極めて重要なる会議であって、外務省委員は勿論その他陸海軍及関係各省の当局者にも出席を煩わして腹蔵なき意見を承ったが、これによって各自には将来政府の執るべき政策の徹底的統一の方針を諒解され、且つ実現さるゝ事を信じ、この機会に於いて政府の対支政策の綱領を訓示したい」と前提し、後掲の「対支政策綱領」を発表した。

尚、東方会議の収穫を具体的に示せば左記の如くである。

一、対支綱領により対支政策の運用が統一せられ、中央と出先は素より各機関の間に扞格嫉視する弊を除去したること。
二、外交の継続性により対支不干渉政策が依然支持されて支那側の誤解を一掃したこと。
三、満蒙問題特に東三省の治安につき率直に我が国の立場を明らかにして、その要求希望を鮮明にしたこと。

東方会議は非常に内外の注目を惹いた。特に支那ではこれを重視して、その内容に対し種々推測臆測を逞しくした。後に東方会議と田中積極外交を結び付けて、日本が野心を持って満洲を占領し大陸に進出を企てるものとなし、田中総理の上奏案（付記参照）なるものを捏造して排日宣伝に利用し、国際的に日本を牽制する手段に出た。特に王正廷が国民政府の外交部長になるに及んで極端にこれを利用した。

故に対外的影響からいっても、田中内閣に於ける第二回の会議の方が原内閣の第一回の東方会議よりも反響が大きかったのである。

田中内閣は内外の疑惑を一掃するためと、田中内閣の外交方針、即ち、対支政策を宣明するとの意味から、七月七日会議の最終日に於いて左記の如く田中兼務外相から対支政策の綱領を訓示すると共に、直ちにこれを内外に声明した。

尚、**通知された国からは一つの抗議もなかった。**

《対支政策綱領》

極東の平和を確保し、日支共栄の実を挙ぐることを我が対支政策の根幹とす。而してこれが実行の方法に至っては、日本の東洋に於ける特殊の地位に鑑み、支那本土と満蒙に付、自ら趣を異にせざるを得ず。今この根本方針に基づく当面の政策綱領を示さんに、
一、支那国内に於ける政情の安定と秩序の回復とは現在の急務なりとは雖も、その実現は支那国民自らこれに当たること最善の方法なり。従って支那内乱政争に際し一党一派に偏せず、専ら民意を尊重し、苟も各派間の自己清算に干渉するが如きは厳にこれを避けざるべからず。
二、支那に於ける穏健分子の自覚に基づく正当なる国民的要望に対しては、満腔の同情を以てその合理的漸次達成に協力し、努めて列強と協力し、その実現を期せんとす。同時に支那の平和的経済的発達は世界の斉しく熱望するところにして、支那国民の努力と相俟ちて列国の友好的協力を要す。
三、如上の目的は軍意鞏固なる中央政府の成立により初めて達成すべきも、現在の政情より察するに

かゝる政府の確立容易ならざるべきを以て、当分各地方に於ける穏健なる政権と適宜接合し、全国統一の政府の気運を俟つの他なし。

四、従って政局の推移に伴い南北政権の対立又は各種地方政権の連立を見るが如きことあらんか、日本政府の各種政権に対する態度は全然同様なるべきは論を俟たず。かゝる形勢の下に対外関係上共同の政府成立の気運の起こるに於いては、その所在地の如何を問わず日本は列国と共にこれを歓迎し、統一政府としての発達を助成するの意図を明らかにすべし。

五、この間支那の政情不安に乗じ、往々にして不逞分子の跳梁により治安を紊し不幸なる国際事件を出現のところあるは争うべからざるなり。帝国政府はこれら不逞分子の鎮圧及び秩序の維持を、共に支那政権の取り締まり、並びに国民の自覚により実行せられんことを期待すと雖も、支那に於ける帝国の権利、利益並びに在留邦人の生命財産にして不法に侵害せらるゝのところあるに於いては、必要に応じ断乎として自衛の措置に出でこれを擁護するの他なし。特に日支関係に付捏造虚報の流説に基づき妄りに排日排貨の不法運動を起こす者に対しては、その疑惑を排除するは勿論、権利擁護のため進んで機宜の措置を執るを要す。

六、満蒙特に東三省地方に関しては、国防上並びに国民的生存の関係上重大なる利害関係を有するを以て、我が国として特殊の考慮を有するのみならず、同地方の平和維持、経済発展により内外人の安定の地たらしむることは、接壌の隣邦として特に責任を感ぜざるを得ず。然り而して、満蒙南北を通じて齊しく門戸解放機会均等の至義に内外人の経済活動を促すこと。同地方の平和解決を速やかならしむる所以にして、我が既得権益の擁護乃至懸案の解決に関しても又右の方針に則りこれを処理すべし。

七、もしそれ東三省の政情安定に至っては、東三省人自身の努力に俟って最善の方策と思考し、而して満蒙に於ける我が特殊権益を尊重し、同地方に於ける政情安定の方途を講ずるに於いては、帝国政府は適宜これを支持すべし。
八、万一動乱満蒙に波及し治安紊れ、同地方に於ける我が特殊の地位権益に対する侵迫起こるのところあるに於いては、その何れの方面より来るを問わず、これを防護し、且つ内外人安住発展の地として保持せらるゝよう機を逸せず適当の措置に出づるの覚悟あるを要す。
終わりに、東方会議は支那南北の注意を喚起したるものゝ如くなるを以て、この機を利用し各位帰任の上は文武各官協力以て対支諸問題乃至懸案の解決を促進することゝし、本会議をしてますます有意義ならしむるに努められたく、将又如上我が対支政策実施の具体的方法に関しては、各位に対し本大臣に於いて特に協議を遂ぐることあるべし。

こゝでこの政策を吟味すると、田中内閣の外交と幣原前外相の外交との間に政策上大いなる開きがあることが分明する。
それはこの声明の第五に掲げられている「帝国政府はこれら不逞分子の鎮圧云々」並びに「帝国の権利、利益並びに在留邦人の生命財産にして不法に侵害せらるゝのところあるに於いては、必要に応じ断乎として自衛の措置に出で云々」の二ヵ所で言明されている。これは暗に**支那に於ける共産党の跳梁**、**支那の赤化に重大な解釈を与えたもの**で、**自衛のためには進んで断固とした外交政策を執るという政友会の積極政策を強**

調したものである。この「自衛措置云々」は、田中内閣時代に二度済南に出兵し、現地に於いて在留民の保護をしたことによって証明されている。

第二に重要な相違点は、**満蒙問題に関して特に我が帝国の政治的、経済的、軍事的、特殊地位というものを強調したこと**である。

即ち、声明の第六、七、八の三項に於いて、いわゆる**満蒙特殊地位擁護のために帝国政府が積極的行動に出づべきこと**を強調している。

「満蒙特に東三省地方に関しては、国防上並びに国民的生存の関係上重大なる利害関係を有するを以て、我が国として特殊の考慮を要するのみならず、同地方の平和維持、経済発展により内外人の安定の地たらしむることは、接壌の隣邦として特に責任を感ぜざるを得ず」と宣言している。就中満蒙を「内外人安住の地たらしむる云々」とは、換言すれば**満蒙を王道楽土たらしむるということに当たるもの**で、特に帝国の特別の責任、義務であるということを大胆率直に宣言した点が、その後の満洲国と日本のいわゆる**防守同盟の協定**の主題と合致している。

更に第八項に於いて、「万一動乱満蒙に波及し……その何れの方面より来るを問わず、これを防護し云々」と言っている点は、その後の満洲国と日本との密接な**共同防衛**の実情を既に一九二七（昭和二）年に於いて予言したものと言っても良いであろう。

これを概言すれば、一九二七（昭和二）年の田中外交の声明と、その後に於ける日本の方針とを比較すると、その政策は殆んど同じである。唯時勢の変化によって、その実行の方法、表現の形式が変わっているだけである。森が、その最も力を入れた東方会議の政策が、十余年を過ぎてから日本の朝野を挙げて一致した政策となって実行されて行ったことを知ったならば、必ずや地下で快心の笑みを漏らしていることであろう。

四　森外交と幣原外交の相違

東方会議を巡って森の果たした役割は偉大である。寧ろ歴史的である。その後の日本の国内政治の動向にも、又大陸政策の進展にも重大な影響を及ぼしている。このことは東方会議に於ける田中兼務外相の訓示した対支政策綱領の内容と、一九二八（昭和三）年以後に於ける国内政情の変遷、大陸政策の現実的発展の跡とを照らし合わせてみれば一目瞭然である。蓋し日本の政治及び対外政策は、一九二七（昭和二）年の森の方針を基礎とした東方会議から画然と新たなる出発をしたといって良い。

森は在野時代から幣原外交を攻撃していたが、それは森に支那に対して確固とした一定の抱負と経綸があったからである。**森の対支政策を要約すると満蒙第一主義で、満洲及び蒙古は歴史的にも経済的にも、また国防的にも日本にとって陸の生命線であるとした。故に日本は先ずこれを確保して、それから支那に及ぼし、支那の奮起によって支那からソ連の勢力を駆逐して支那及び満洲の赤化を防止し、日支の提携を図るにあった。森はこの見地から、支那に対しては現地保護政策、満蒙に対しては積極政策を主張したのである。**

当時、満洲に於いても南方と同様利権回収熱が盛んに起こっていた。張作霖は、先にソ連との間に東支鉄道の実力回収を企て失敗したが、日本に対しては、彼が未だ支那の中原に対して志を得ず野心に燃えていた間は日本の援助を乞う必要もあって態度を緩和していたが、一九二四(大正十三)年の第二次奉直戦争で大勝し、翌年郭松齢の事件でも危機を脱し、一九二六(大正十五)年、いよいよ北京に乗り出して北支の支配権を一手に握るようになってから意は次第に驕って事毎に日本に楯突くようになり、日本の在満権益も漸次駆逐せんとしてその鋒鋩を現して来た。

支那の利権回復運動に動機を与え、且つ拍車を掛けたものは対外的に二つある。一つはソ連の支那進出によって支那の民族運動の昂揚を促したことである。他の一つは、ワシントン会議を機会とする米国の日本に対する圧力である。

米国の圧力は厳密にいうと英米の提携した力であるが、彼らは現実的にはワシントン会議の九ヵ国条約を以て、支那に於ける列国の均勢という形で日本の支那及び大陸に対する進出を阻止することに努めた。それが支那に於ける対日軽侮の感情を煽る因となったのである。

更にこれを対内的に見ると、欧州戦争後の世界的風潮である国際協調、平和主義の思想が日本の国内にも弥漫して、大陸に対する国民の関心を薄弱にした。当時の幣原外交は、その国際的情勢と国内の事情を端的に表現したものである。この関係をもっと穿って言えば、幣原外交はその国際情勢と国内事情とから必然的に生まれたものだということも出来るのである。

そこで起こって来た問題は、**満洲を支那の一部として見るか、支那本土とは区別した特殊地域と認めるかということであるが、幣原外交はこれを支那の一部と認め、森は支那本土とは断然本質を異にした特殊地域**

と認めたのである。

この意見の相違、というよりも思想的な対立は、郭松齢事件に於いて明瞭に示されている。幣原外相の方針は支那に対する不干渉政策で、満洲に於ける日本の権益が現実に犯されない限り政権の異動も争乱も日本の関する限りでないとして傍観政策を執ったのに対し、森は、満洲が戦乱の巷になるということが既に日本権益を冒すことになるのであるから、日本がその権益を防衛するためには積極的政策に出て治安の維持をなすべきだとしたのである。

特に支那本土の勢力が満洲に進出する事には断じて反対であった。この森の主張は後に一九二八（昭和三）年六月、張作霖が京津に敗退して東三省に帰還する時に田中内閣の政策として実行に移されたが、兎に角**幣原外交と森の外交方針との差は、満洲に対して、幣原外交が石井・ランシング協定を基礎にしたのに対し、森はこれを否認して、満洲に於ける門戸解放は認めるが日本の特殊地位と権益は絶対的なものだとした事にある。森はそのために、万一日本と支那との関係がどうなろうとそれは次の問題だ、としたのである。**

つまり、これが森の発案たる東方会議の出発点だったのである。

而して、当時日本の対満政策として懸案になっていたのは**鉄道問題**であった。即ち、張作霖は日本の在満権益駆逐の手段として奥地居住の日本人駆逐、商工業の妨害、朝鮮人に対する圧迫などあらゆる方法を執っていたが、就中、**満蒙鉄道計画による満鉄包囲政策**が米国の後援の下に着々と進められていたのである。

満鉄包囲政策というのは、一九二五（大正十四）年張作霖が東北交通委員会なるものを設置して満蒙鉄道の統一発展を計画し、我が満鉄を並行線で包囲し、満洲の特産品をその並行線で葫蘆島に運び、大連の繁栄と満鉄の利益を奪わんとして、先ず打通線、奉海線を敷設したことに始まるのである。

即ち、打通線は京奉線打虎山から分岐して、黒山、八道溝、新立屯、彰武を経て四洮線の通遼駅に至る百六十マイルの線であるが、これと四洮、洮昂と連ねると往年の錦愛線そのまゝになるので、日本は並行線として抗議したが、張は日本の抗議を顧みず、一九二七（昭和二）年十月には通遼まで開通してしまった。奉海線（瀋海鉄路）は奉天から海龍に至る鉄道で、一九二五（大正十四）年に起工して一九二七（昭和二）年五月竣工した。吉海線は日本の満蒙四鉄道の権利に属するものであるに拘わらず、一九二七（昭和二）年に起工した。

葫蘆島の築港は連山湾の築港問題として随分古くから伝えられていたが、当時は未だ着手するに至っていなかった。

張作霖は、これらの計画によって北満の物資を葫蘆島又は営口に集めようとしたのである。特に、米国は日本の満鉄経営以来一再ならず買収、並行線の敷設を計画し、満洲の権益に割り込もうとしていた。

森は、この満洲の現状に対し、

一、国防上の見地から、日本に於いて新たに満蒙の鉄道計画を樹立する

二、張作霖に対しては一切の政治的野心を持たしめぬようにする

三、支那に対しては列国、特に英国と協力して南北の統一を援助する

という方針を建てたのである。

森が大陸政策の確立に如何に渾身の知能を傾け努力を払ったかは、彼を知る者の一様に驚嘆し、推奨して措かないところである。

東方会議の開催とその献立に森と協力した木村鋭市氏は、次の如く語っている。

——木村鋭市氏談——

東方会議は前後二回の総会を除いては、一切の委員会、協議会に於いて、森君が政務次官として議長と進行係を一人で兼ねていたが、彼は誰よりも第一の討論家であった。これは一寸異様な観を呈していたが、それは森君でなければ出来ないことで、如何にも森君らしい舞台であった。そうして一人三役をやってのけた森君の武者振りは、また同君の政治生活中の華々しい一舞台であったと思う。

更に森は、その大事業を成し遂げるには政党の力だけでは駄目だと信じた。彼は、田中内閣をして東方会議を召集せしむると共に、その他の面では軍部との提携に努め、又官界、財界の各方面に人材を求め、その糾合、網羅に努めた。次にあげる**鈴木貞一氏の談話は、東方会議の裏面史**であると共に、森の人材網羅の一端を知る資料とするに足るであろう。

——鈴木貞一氏談——

東方会議の頃には、僕は参謀本部に行っていた。森が会いたいというので会った。どういう事かと聞くと、森の言うに「政治家と軍が本当に一体にならなければ、この大陸問題の解決はむずかしい。どうしても、とっくりと話し合ってやらなければいかん。そこで本庄（繁）氏に会った時に、陸軍では誰と話したらよいかということを聞いたら、『まあ鈴木君と話したらいゝ』。こう言うから、一つ君と話をしようと思うのだ」ということだった。そこで本当にやるのかと聞くと、本当にやるという。それならば自分にも考えがあると言うと、森は「自分の東方会議に対する考えは、要するに満洲の治安を日本が負担する、それを中心としてすべてをやって行く。つまり満洲問題の解決、土地の問題とか商租権の問題とか、いろいろ紛糾していた問題を片っ端から片づけて行く」という意見だった。それに対して僕が「満洲問題の解決という点はそれで良い。だが情勢の上から自分には自分の見る所がある」と言うと、森は「その意見を一つ書いてくれないか」と言う。それで、「大正十三年に露支外交が回復して、ロシアが大手を振って支那の赤化をやる。こういう時代に即するために色々考えてみたが、結局昭和二年頃になって、これではいかん。日本の現在の状態は、一遍○○○○（不明）なければ大陸問題の解決は困難だ。それでどうしても、軍だけでその方向に歩調を固めて置かなければならぬと思ったので、昭和二年森と初めて漢口で会った頃から、僕は自分で参謀本部、陸軍省あたりの若い同じ年配の連中に会った。今の石原莞爾とか河本大作とかであるが、そうして一方では、日本の軍備の根底をなす政策を確定しなければならぬという考えで、いろいろ若い人に話して、略こうすれば軍部は固まり得る、少なくとも下の方の若い所は固まり得るという案を考えている。その案というのは、方針だけいうと、満洲を支那本土から切り離して、そうして別個の土地区画にして、その土地、地域に日本の政治的勢力を入れる。そうして東洋平和の基礎にする。これが日本のなすべき一切の、内治、外交、軍備、その他庶政すべての政策の中心とならなければならない。そこでそれを実行するためには、今度は支那の現在の情勢をどう利用するか、ロシアに対してはどういう政策と採るべきか。それにはいろいろ時日も必要だし、技巧も必要なのであるが、これを今卒然としてやったところで内閣で賛成する人もなし、なかなか難しい。こういう事を考えていた」という事を森に話した。

そうすると森は直ちに同意して、「それじゃ、それでやろう」ということだった。が、「しかし、今の内閣にいきなりそういったところで誰も大臣で賛成する人がない」と言う。「それを説くのが政治家の任務ではないか」と言うと、森は「兎も角それは俺一人の力でも出来ないから、丁度奉天総領事だった吉田（茂）が東京に来ていたので、吉田と相談しよう」ということで、僕と森と吉田とで会見した。ところが吉田が言うのに「これはどうしてもアメリカにグウの音も言わさないようにしなくてはいかん。それには丁度斉藤博（註参照）が東京に帰って来ているから、斉藤と相談して一つ考えようじゃないか。アメリカの事は斉藤が良く知っている。しかし、こういう考えを剥きだしに出したのでは、内閣ばかりでなしに、元老、重臣、皆承諾しそうもないから、これを一つオブラートに包まねばならぬ。どういうオブラートに包むか。それを斉藤と相談しよう」とのことであった。それで更に斉藤を加えて会見した結果、自分の書いた案を更に斉藤が筆を取って書き改め、オブラートに包んで一つの案を作り上げた。つまり、斉藤の考えに従って、日本が満洲で仕事をしてもアメリカがグズグズ言わないような外交の素地を作り、それを基礎にして、吉田、斉藤が外務省の基礎工作をする。即ち、**東方会議**というものが、その政策を実行する場合のオブラートの役割をした。それで吉田は元老、重臣の方を説く。森は内閣や政界の方面を引き受ける。斉藤は外務省とアメリカを率いていく。こういう話になったのだ。

註：**斉藤博**（一八八六〜一九三九）は、堪能な英語力を持った欧米畑のエリート外交官である。一九一九（大正八）年、第一次世界大戦後のパリ講和会議に参加。吉田茂がロンドン勤務中であり、そこで吉田・斉藤のコンビが生まれた。翌一九二〇（大正九）年の国際軍縮連盟総会、一九二一（大正十）年の海軍軍縮を決めるワシントン会議に参加。一九二二（大正十一）年シアトル領事。一九二三（大正十二）年に帰国したが同年十二月にニューヨーク領事となる。

一九三一（昭和六）年の満洲事変、一九三三（昭和八）年の国際連盟脱退など世界の孤児の道を進む日本

資料４５　鈴木貞一（提供：毎日新聞社）

の外交の中で、一九三三（昭和八）年にオランダ大使、その翌年には四十九歳の若さで特命全権アメリカ大使となる。

近衛文麿首相から外務大臣の要請を受けた時は、帰国出来ないほど肺疾患が悪化。アメリカのホテルで日米の和平を念じながら一九三九（昭和十四）年、五十四歳の人生を閉じた。

五　大連会議を開く

田中内閣の満蒙積極政策が東方会議を巡らして伝えられ、更に山東出兵の断行を見たので、満支一帯は多大の衝動を受けた。

特に奉天官民は、田中内閣の対満蒙政策は日本帝国主義の発現だとし、主権を剥奪する侵略的野心を蔵するものとして、これの反対の策略を凝らしていた。一九二七（昭和二）年八月下旬には奉天総商会の排日大会を導火線として、**奉天省会議**でも排日の実行方法を協議するなど、満洲の排日運動は漸く重大化せんとする形勢を示した。

従って、東方会議で決定した政府の方針に基づいて満洲当局と交渉を開始した吉田奉天総領事の交渉も全然埒が明かず、殆んど決裂の状態に陥った。

一方、満人側の排日運動に対して在留邦人も又起こって、諸懸案の解決のために、積極政策を執るべきことを要求し、**満洲日本人大会**を開いて気勢を示すと共に、我が国論を喚起するために代表者を東京に派し、朝野各方面に運動を開始するに至った。

このように満洲に於ける日満の対立が激化し、日満交渉も停頓するに至ったので、森は同年八月十一日東京を出発、出先官憲との連絡を図るために自ら大連に出張し、大連に於いて吉田総領事を始め在満各領事及び芳澤駐剳公使並びに最寄りの在支外交官を集め、連絡会議いわゆる**大連会議**を開いたのである。

森はこの大連会議で、満蒙懸案解決の交渉を北京に移し、張作霖と芳澤公使との間で折衝させ、一方満洲に対しては強硬手段の実行に移る事を決定した。

しかしこの計画は、満鉄総裁山本条太郎氏との間に対満政策上の意見の相違があったゝめに中止するのやむなきに至った。

森は八月末に満洲から帰京したが、その途中、彼は新聞記者に左記の如く車中で語っている。

―森外務政務次官車中談―

僕の今回の旅行に対し種々誤った報道が伝えられ非常に迷惑している。単なる一次官が出先で国家の重大政策を決定し得る力も機能もないではないか。支那人間には我が政府の積極政策を侵略政策でもあるかのように誤解し、俄かに排日行動を取り官憲もこれを扇動するかの如く見受けられるが、日本の積極政策は唯既得権侵害に対する強硬なる防衛手段に過ぎず。満洲の排日は根底極めて薄く大して憂うものではない。同地の治外法権撤廃は部分的ではあるが少しも差し支えないと思う。しかしその前に支那側はもっと治安維持に努め現在の如き不安は一掃せねばならぬ。山東撤兵は時期尚早である。蒋介石の失脚が意外に早かったため北方はやゝ気抜けの態で、このため張宗昌と孫伝芳の仲違いとなり、北支那の不安は出兵前と大差ない状態にある。折角出した兵を今退くことは余りに軽率で、今少し形勢を見た上にしても遅くあるまい。

今回の視察で驚いたことは北満の急速なる発展振りである。支那本土から戦乱を避けて永住の地を北満に求める支那人は年々五十万以上に上がり、本土が人を相手に凌ぎを削っている間に、彼らは非常な努力で自然と戦い富源の開発に努めつゝある。今や支那の富源は本土に非ずして北満にありというも過言ではあるまい。沿線至る所に新市街の建設を見、経済力の発展は素晴らしいもので、何れの地に鉄道を敷設するも極めて有望である。今後は南方に力を注ぐよりも堅実味ある北満に心を寄すべきだ。

○

——森外務政務次官車中談——

自分の今回の旅行で最も驚嘆したことは、北満地方に於ける支那人の自然開拓が非常な勢いを以て発展している一事である。現に山東、直隷の支那人の北満に移住する者の数は毎年五十万から八十万人に及び、鋭意開墾と耕作に従事しているが、これに因って満洲の自然の富源は大いに開発せられ、従って一般支那人の衣食住も大いに向上し、又購買力も大いに増している。これは打ち続く戦乱によって南支の経済状態が全く荒廃しているに反し、北満が比較的に治安が維持され平和状態が続いていたがために他ならない。しからば翻って何故満洲に於いて平和な状態が存続する事を得たかといえば、何といってもそこに日本の力が加わっているという事実を度外視する事が出来ないのである。それ故に日本は満洲に於いて商業並びに産業上に於いて、支那人と共同して満洲富源の利用と享有とに対する当然の権利を有するものである。この点に関して自分は大いに我が国民の注意を喚起したい。

ただこゝに厄介なのは過日の本溪湖煤鉄公司の罷業事件の如く、一般に南北満洲全般に亘って共産党の破壊的行動が蔓りつゝあることである。これは今にして断乎たる処置を講じなければ将来非常なる禍を残すものである。自分の滞在中も満鉄沿線一帯に亘って五十名の共産党員を捕縛して彼らの不穏な陰謀を未然に防止したといった事件があったが、取締法規の不備のために断然たる処罰を下しかねていたことは全く遺憾千万な事だ。尚奉天を中心とする満洲の排日問題は世間で取りざたされているほど大げさなものではなく、問題とするに足らない。

六　山本条太郎満鉄総裁と森の対満意見の相違

森と山本条太郎氏の間に起こった対満政策上の相違は、これを一事にしていえば、山本氏は内科的治療法を執ろうとしたのに対し、森は外科的治療法を執ろうとしたのである。当時大連にいた森の幼友達である満鉄の田村羊三氏によると、森は、

「場合によっては内科的手段で不可ない。外科的手術によって一挙に治療しなければならない場合もある。対満政策はどうしても後者の方法を採るべきだ」

と感慨を述べていたという事であるが、これより先、田中総理の懇望により満鉄総裁になった山本氏はその就任に当たって、満鉄自体の事ばかりでなく、満蒙問題の根本的解決の具体的案として張作霖との間に**満蒙**

鉄道問題の解決を図ることを胸中に蔵して田中総理との間に秘密に了解を遂げ、全権委任を受けていたのである。その交渉が内外に洩れないよう周密な注意を払い、**全く秘密裡に山本・張作霖覚書を北京に於いて締結**した。それが成立するまでは、北京駐在の芳澤公使にも、勿論外務省にも何ら中間報告を行わずに独断により決行した。

然るに、一方では東方会議、奉天・大連会議に於いて森が対満強硬手段の画策を巡らせていることを耳にしたので、山本氏は急遽帰京して張作霖との秘密交渉の結果を田中首相兼外相に報告すると共に、私邸に森、出淵、木村、植原氏ら外務省首脳を招き、初めて交渉の経過を語り、その未完成の途上に於いて大連会議の如き強硬策を実行するに於いてはすべてが御破算に帰すと力説した。

この山本氏のやり方に対しては、森は勿論反対であり、芳澤公使も憤慨し、出し抜かれた外務省にも異論と非難があったが、田中大将との間に暗黙の了解があった事であるので、結局森が一ヵ月余に亘って練りに練った対満強硬策も一時中止する他なかったのである。

蓋し、この森・山本氏の錯誤は、総理である田中男に一貫した方針がなかったからである。

第二章　済南事件

一　第一次山東出兵

一九二七（昭和二）年四月に田中内閣が成立した時、革命支那は新たなる情勢の展開によって再び風雲急を告げていた。

即ち、先に南京によって江南一帯の地を手中に収めた蒋介石の国民政府は、その勢いを駆って北支に向かって作戦を開始した。**第二次北伐**である。これに対して北京にあった張作霖も、長江沿岸で破れた東北軍を京津の間に集結して、蒋介石の北伐軍と南北の一大決戦を試みようとしていた。

この時、河南では前年張作霖に追われてロシアに亡命していた馮玉祥が、ソ連の後援の下に帰国して旧部下の西北軍を再収拾し、山西の閻錫山と連携して、張作霖の隙を窺い京津に侵入しようとしていた。将に、三大軍閥の鼎立による天下三分の形勢であった。

当時既に蒋介石と馮、閻の間には、張作霖に対して共同戦線の連携が成ったとも伝えられ、また逆に張作霖と閻錫山との間に合従連衡の議が熟したとも伝えられて、北支、特に京津一帯は物情穏やかならず、さながら革命軍が武漢・南京に侵入した時と同じ形勢で人心兢々たるものがあった。

一九二八（昭和三）年四月六日、列国外交団は北京で公使会議を開いて、これの善後策を協議し北支増兵について研究した。

かくて五月下旬、東北軍が蚌埠の戦に敗れ、革命軍が徐州を占領するに至ったので、田中内閣は閣議を経て現地保護の政策を決し、五月二十八日、田中総理は鈴木参謀総長と前後して赤坂離宮に参内、旅順柳樹屯にある姫路第十師団管下の部隊二千名を大連より海路青島に派遣して万一に備うべき旨上奏、御裁可を仰ぎ、直ちに武藤信義関東軍司令官に対し出動命令を下した。

これが即ち、田中内閣の**第一次山東出兵**である。

一方、田中兼務外務大臣は同日、英、米、仏、伊四ヵ国代表を外務省に招致して山東出兵の理由を説明すると共に、各国駐在の我が使臣をして同様の趣旨を列国に説明せしめ、また支那に対しては、北京、漢口、南京の三大政府及び直魯連合軍総司令張宗昌、青島商埠督弁、並びに汕頭、福州、厦門など南支各地の国民党支部に対して、それぞれ出先外交官をして日本政府の意のあるところを伝達させたのである。

政府の声明左の如し。

対支出兵理由声明書

(外務省発表) 支那に於ける最近の動乱特に南京漢口その他の地方に於ける事件の実跡に徴するに、兵乱の際支那官憲に於いて保護十分なるを得ざりしため在留帝国臣民の生命財産に対する重大なる危惧を被り、甚だしきは帝国の名誉棄損の暴挙を見たり。従って現下北支の動乱切迫の際、この種事件再発のところなきを保持せず。

今や右戦乱は広南地方に波及せんとし、同地在留帝国臣民の生命財産の安全につき、危惧の念措く能わざるものあり。同地には帝国国民の居留するもの二千の多数に上がり、しかも同地は海岸遠き奥地にあるを以て、長江沿岸各地に於けるが如く、海軍力により保護する事到底不可能なるにより、帝国政府に於いては不承事件の再発を予防するため陸兵を以て在留邦人の生命財産を保護するのを得ざるに至れり。然《しか》るに右保護のため派兵の手配をなすには相当日時を要し、しかも戦局は刻々変化つゝあるに顧み、応急措置として、在満部隊より約二千名の兵を不取敢青島に派遣し措くことに決せり。右陸軍力による保護は固より在留邦人の安全を期する自衛上已むを得ざるの緊急措置の他ならずして、支那軍及びその人民に対し何ら非友好的意図を有せざるのみならず、南北西軍何れの軍隊に対しても、その作戦に干渉し軍事行動を妨害するものに非ず。帝国政府はかくの如く自衛上やむを得ざる措置として派兵を行うと雖も、初めより永く駐屯せしむるの意図なく、又地方の邦人にして、戦乱の患を受くるのところなきに至れば直ちに派遣軍全部を撤退すべきことをこゝに声明す。

（陸軍省発表）満洲駐在師団より歩兵第三十三旅団長郷田兼安指揮の下に歩兵第三十三旅団（歩兵第十、第六十三連隊）の約二千名、工兵（第十四大隊中一小隊）及び無線電信部隊一班の約二百人を派遣す。

初め、この出兵に対しては政府部内、特に陸軍に異論があった。森は在野時代に積極外交を唱え、郭松齢事件、南京事件に対して若槻内閣が機宜の処置を誤ったことを非難していたので、山東出兵の急務を主張したことは言うまでもないが、軍部方面では、出兵によって不測の紛争を惹起する危険があるとして反対を唱える者があった。田中総理も取捨に迷い躊躇の態度で、天津から二個中隊くらいを青島に派遣してはとの折衷案を提出した。しかし森は、政府がこの政策を発表することが出来なければ、政友会の党議として出兵、現地保護の要求をすべしとなし、

「もし田中が肯かなければ、総裁を引退させる」

と、非常な勢いで強引に朝議を決定せしめたのである。

我が派遣軍は、かくして予定の如く五月三十日青島に到着した。

これに対し、張作霖の北京政府は「日本の出兵は国際情誼に悖り、支那の主権を侵害して支那国民の反感を買い、却って事態悪化の恐れあり」と抗議し、南京政府も同じ意味の抗議をした。

しかし、列国は北支の情勢に鑑みて六月上旬、日本の出兵に続いて英国は約千七百名の軍隊を上海より天津、威海衛に移し、米国はタンク（戦車）を有する約三千の海兵を上海より天津へ移し、更に千五百名を増加する計画を立て、フランスもまた約千名の兵と別に一個大隊の軍隊を天津に派遣した。

越えて七月、蔣介石の南方軍が山東の南部を占領し、それに呼応して膠州駐屯の周険人の旧部下が南軍に加担して青天白日旗を掲げたので、膠済鉄道の交通が杜絶し、済南の在留邦人の生命財産が危険となり、更に張宗昌が四万の大軍を以て済県方面に進み、陳軍と決戦せんとする形勢になったので、田中内閣は七月六日左の声明を発して青島派遣軍を済南に進駐せしめ、大連にある第八旅団を青島に急派した。

済南進駐の声明

帝国政府は支那動乱の形勢に鑑み、済南在留約二千の邦人保護のため危急の際直ちに同地に進出しむるの準備として、先に不取敢軍隊を青島に派遣し措きたるが、果然山東方面特に済南、青島間鉄道沿線に於いて最近支那軍隊間に戦端開かれんとし、同沿線地方擾乱の危険切迫せるの報に接したり。この際直ちに済南進兵に非ずんば鉄道交通遮断などのため進兵不可能に至るべく、遂に派兵当初の目的たる済南方面多数邦人保護の任を全うすること能わずるに至れるの恐れあり。よって帝国政府はこゝに当初声明の趣旨に基づき、我が派遣軍を青島より即時済南に進展せしむるに決せり。右は基より在留邦人の安全を期する緊急自衛の措置にして邦人の保護の他他意なきことは中外の斉しく了解すべきを疑わず。

然るに、この時南方革命派では、武漢に政変が起こって国共分裂し共産党が逃亡したので、武漢の国民党と南京政府との間に合体の議が起こり、武漢派は合体の条件として蒋介石の下野を要求した。蒋介石は一旦北伐を断念して兵を後退させることになった。従って、済南の危険も無くなったので政府は八月三十日左の声明を発して撤退することに決し、九月八日を以て全師団の撤兵を完了した。

撤兵の声明

帝国政府は支那山東方面動乱の形勢に鑑み、在留邦人保護のため、先に軍隊を不取敢青島に派遣したが、果然同方面は南北戦乱の巷にならんとし、済南青島間鉄道沿線地方戦乱の危険切迫したるを以て、遂に我が派遣軍を済南に進出せしむるの已むをなきに至れり。かゝる動乱に拘わらず幸にして今日に到るまで邦人の保護を全うし、何ら不祥事発生を見ざりしは、正に我が出兵の効果たるを疑わず。最近政局の変転と共に山東方面の事態安定に向かい、当分邦人戦乱の禍を受けるところなしと認めらるゝを以て、帝国政府は当初声明の通りこの際派遣軍の引揚帰還を決行することゝせり。将来支那に於いて、独り同方面のみならず、日本人居住地にして治安定まらず、ために禍害再び邦人に及ぶのところある場合には、帝国政府としては機宜自衛の措置をとるの已むを得ざるものあるべし。

この声明の末項こそ、政友会、即ち森の南京事件以来の積極政策の表現であるが、同時に第二次山東出兵の前兆をなしたものである。いわゆる**済南事件は、第二次出兵の際、共産党の撹乱の陰謀によって発生したもの**である。

二　武漢・南京の合体

こゝで少し**蒋介石の行動**を見る必要がある。

田中内閣は撤兵の声明に於いて、「正に我が出兵の効果たるを疑わず」と言っているが、我が出兵によって東北軍が間接的に力を得た事は事実であろう。孫伝芳の長江軍が漸く頽勢を挽回せんとしていた。しかしそれよりも蒋介石をして北伐を一事中断せしめたものは、前述した如く武漢の政変と武漢・南京の和平合体である。

これより先、蒋介石と袂を分かって武漢入りした汪兆銘は、武漢に留まって武漢の情勢を見ていたが、共産派の外交政策は一面極端な暴力による排外運動と列国間の利害の摩擦を利用し、且つ巧みにその国内に於ける党派関係の間の隙間に乗じて対支政策の一致を阻む政策によって国民革命に対する列国の同情を失したのと、国共の関係に於いても共産派が、コミンテルンの指導によって国民党を攪乱し、国民党の領袖を駆逐して革命の勢力を共産党の掌中に握らんとする計画が顕著になって来たので汪兆銘が中心になって国共分離を決意し、一九二七（昭和二）年七月十八日、武漢に共産党・国民党の連席会議を召集して、汪兆銘より共産党の錯誤糾声の火蓋を切った。これに孫科、唐生智らが和して遂に**国共分離**となり、ボロジンらソ連顧問は支那を退去し、共産党も武漢を逃亡するに至った。更に八月二日、南昌に於ける共産党の独立暴動に対し、武漢政府が討伐命令を出したので、武漢に於ける国共両派は決定的に分裂するに至ったのである。

こゝに於いて、南京より遅るゝこと三ヵ月とはいえ、武漢政府も完全に共産党を駆逐した以上、武漢、南京の対立を続ける必要がなくなったので、期せずして両派の間に**和平合体**の議が起こり、南京で李宗仁、白崇禧、何応欽が策動して斉電を発した。

「共産党が全部国民党より脱退すれば、党としては全面的にこれが善後策を講ずべきで、両派争執すべき理由はない。速やかに中央全体会議を開いて大会の進行を促すべきである」

と提議し、武漢派もこれに応じて、

「現在の武漢中央党部及び政府は実に当国の最高機関である。故に第四次全体会議を開いて全国を統一する政府を作るならば、一切の分離現象は解消するだろう」

と答えた。

当時、武漢派は蒋介石の下野を以て合体の希望条件として、南京の内部にも反対の空気が濃厚であつた。で、機を見るに敏なる蒋介石は、孫伝芳軍の南下、猛攻撃の真最中、軍事的にも最も重大な時期であったにも拘らず、八月十二日、突如戦線を脱して上海に赴き、自派の有力者と進退について協議した結果、先ずこの際は武漢、南京両派を合体せしめて、然る後に徐ろにその全体を手中に収めるに如かずと決し、翌十三日長文の下野宣言を発し、十四日には郷里奉化に隠退して、更に九月末漂然として亡命の身を船に託して日本に来り、雲仙、別府を経て、十月十三日東京に入った。

蓋し彼は、亡命の機会を以て、国民革命に対する日本朝野の意見を打診せんとしたのである。

一方、武漢にあった汪兆銘は、譚延闓、于有任、孫科、顧孟余、唐生智ら武漢の要人と共に八月二十日漢口を発して二十一日九江に着し、二十二日南京より来着した李宗仁と会見し、いわゆる**九江会議**を開いて両派合体を決議し、九月五日、いよいよ九江を下って南京に入ったので、こゝに武漢、南京を合併した新たなる**南京国民政府**が成立した。

三　田中・森・蒋の箱根会談

一九二七（昭和二）年十月十三日、張群を帯同して東京に入った蒋介石は、入京の第一声として次の如きステートメントを発表した。

「貴我両国民は一致して東亜の平和に努力するため、先ず中国革命の完成を謀り、真正なる両国歓喜の基礎を建てなければならぬ。かくしてこゝに同文同種共存共栄の理論は初めて実現し得るのである」

蒋は入京に先立って、先ず張群をして東京の要人と接近せしめた。張は陸軍省に鈴木貞一氏を尋ね、次ぎに参謀本部の第二部長であった松井石根氏を訪ねて、田中総理との仲介を依頼した。

蒋は、田中総理及び森と箱根で会見した。

蒋の来朝の目的は、前述した如く**国民革命に対する日本朝野の意見を打診し、田中内閣の方針を革命承認に導くため**であった。

蒋と田中及び森の会見では、

一、共産党と分離し、ソ連と断った後の国民革命の成功、支那の統一を日本が認める。

二、満洲に対する日本の特殊地位と権益を支那は認める。

ことを要点として、双方に円満な了解が成立した。

このことは、蒋介石が日本から帰って上海に着いた時、新聞記者団との会見で次の如く述べていることによってその内容を察する事が出来る。即ち、

「我々は、満洲に於ける日本の政治的、経済的利益の重要性を無視しない。我々はまた日露戦争中の日本の国民精神の驚くべき発揚を知っている。孫先生もこれを認めていたし、又、満洲に於ける日本の特殊的地位に考慮を払うことを保障して来た。

我々の革命が成功した暁には、その鉾先はインドに向くであろう。我々は、朝鮮を使嗾して日本に反対せしめようとは思っていない」

田中総理はこの了解によって、第二次済南出兵に寧ろ反対であった。出兵する結果が革命軍の北伐、支那統一を妨げるという理由からであった。しかし森は、政党内閣として、党の声明した方針を捨てることが出来ない。特に、第一次の出兵を撤兵することにも森は反対であったのと、その撤兵の声明で公約した手前から出兵すべきであるという立場を取った。

四　第二次山東出兵

武漢、南京両派の合体、反蒋気運の濃化に機先を制して、一時下野して日本に来遊していた**蒋介石は一九二九（昭和四）年一月、再び迎えられて南京政府の主席となった**。

前年彼が下野して日本に亡命の身を託していた間に、南京に於ける政府及び党部は、中央特別委員会の職権、第四次全体会議の開催手続きに関して党内の議がまとまらず、更に、唐生智一派が武漢政治分会の廃止に反対して武漢に政治分会を設置したので、これの討伐命令を発するなど、党国の紛糾混乱がいよいよ高まり、汪兆銘もこれを如何ともすることが出来なくなったので、汪は蒋介石に帰国を促し、十二月、蒋が日本より帰国するや汪は蒋と上海に於いて会見し、提携して第四次全体会議の準備会を開いた。たまたま広東に共産暴動が起こり、汪は政治的責任を問われたので、政界引退の声明を残して後図を蒋介石の実力に委ねフランスに外遊した。

南京政府の首脳となった蒋介石は、党内の陣容を整備して着々準備を収め、一方、閻錫山、馮玉祥とも連携して二月中旬には河南省開封で**蒋介石、馮玉祥、閻錫山（代表）の三巨頭会議**を開き、北伐の共同戦線の結束と作戦に関する協定を遂げ、

第一集団軍総司令　　蒋介石
第二集団軍総司令　　馮玉祥
第三集団軍総司令　　閻錫山

を決定した。

蔣は更に麾下の第一集団軍十五万の部隊編成を行い、三月十六日、各路軍に進発命令を発し津浦線に沿った北上を開始させた。

第一縦隊総指揮　　劉　峙　　津浦線正面より済南を衝く
第二縦隊総指揮　　陳調元　　海岸線に沿って青島を衝く
第三縦隊総指揮　　賀耀祖　　瀧海線方面より済南を衝く
別働隊総指揮　　方振武　　左翼方面を担当

馮玉祥もまた、九万の基本部隊を中心に総勢十五万を鄭州に集結し、京漢線正面から北軍の中央突破を準備し、閻錫山は山西の省境から京綏線に沿って北京に向かった。

蔣介石の革命軍は四月一日徐州に入城、次いで東北軍を圧迫して四月中旬には山東に進出し、馮軍の一支隊も又四月十六日、済南の西方百マイルの地点にある済寧を占領し、済南を半円形に包囲することになった。

こゝに於いて田中内閣は、先の声明に基づいて再び山東に兵を進め、在留邦人を現地に保護せざるを得ないことになった。**（第二次山東出兵）**

当時済南付近の日本人在留民は約二千人、山東鉄道沿線及び青島付近に約一万七、八千人あった。革命軍の中には排外熱が盛んで、我が在留民の生命財産は頗る危険を感じていた。

この時も、第二次出兵を主張した急先鋒は森恪であった。森が出兵を主張する根拠は、政友会の先の声明即ち、積極政策を実施して実力により在留民の生命財産を保護するという事、並びに、第一次出兵を撤するに当たって、「将来、同方面のみならず多数日本人居住地にして治安定まらず、ために禍害再び邦人に及ぶの恐れある場合には、帝国政府としては機宜自衛の措置を執るの已むを得ざるものあるべし」と声明した、その公約を果たすためであるとしたのである。

これに対して田中総理及び陸軍は、今度の場合もまた出兵を躊躇した。その理由は、第一に出兵によって不測の事態の起こることを恐れたのである。更にある一部には、蒋介石が前年来遊した時の交渉で瀧海線以北に進出しないことを信ずる者もあった。最も中には南京、漢口事件によって飽くなき排外、排日を行って気驕れる革命軍に対し、この機会に徹底的応懲を加え軍の威力を示すに非らざれば、到底将来の日支関係の打開は出来ないとする意見もあった。特に、北京を中心とする政情が張作霖の東三省帰還を勧める日本の政策と相俟って、閻錫山を北京に入れ京津の治安を維持しようとする運動も進んでいたので、出兵に対する異論百出、議容易に決しなかったのである。

こゝに運命的な歴史の不思議を感じるのは、この第二次出兵によって起こったのが済南事件であり、**済南事件は田中内閣の外交を決定的に失敗に導いたところの重大なモメントをなすものである**ことだ。森の対支政策はもともと国共を分離せしめるにある。ソ連と断絶した後の国民革命はこれを認め、これを受けて支那の統一を完成せしめる。そして、多年の懸案である満洲問題を解決するという計画であった。森は前年、その方針で蒋介石とも交歓したのであるが、その森が蒋介石の再北伐に際し、政友会伝統の積極政策主張の建前から出兵を主張せざるを得ない立場に立ち、従来国民革命の立場を取り、北支は北京を中心として独立した政府を樹立してその支配に置くべきとした人々が、事勿れの一時的方便から出兵に反対し、革命を武力によって応懲しようとした者が却って森の出兵論を支持するに至った逆現象である。

而して**第二次出兵は、田中外交の功罪を決すると共に、済南事件以後の日支関係の複雑錯綜即ち、満洲事変となり、支那事変となり、共に東亜の開放のために協力せねばならぬ筈の日本と支那とが血みどろの戦いをしなければならなくなった歴史的運命の分れ道になったものである。**

しかしそれは後の問題として、この時第一に問題になったのは、第一次撤兵の際の声明にある再出兵の公約である。森の解釈は、革命軍の侵入に備える必要がないにしても、山東軍の撤退に対しても警戒をする必要があるという事と、声明による出兵であるから、なるべく小部隊の出動が良いという事であった。しかし軍は、出兵する以上小部隊では万一の場合危険であるから統帥部が必要と認めるだけの兵力を出動せしめなければならぬとした。そして森と内閣と軍との間に頻りに折衝が行われたのである。その結果、森の主張と軍の見解との間に一致点を発見して再度出兵の方針を決定し、取り敢えず天津駐屯軍より一個中隊を済南に急派し、次いで内地より第六師団を動員して派遣することになった。即ち、森の主張が政府及び軍隊の意志を決定したのである。

かくて田中内閣は四月十九日、各部隊に出動を命じ、天津よりの派遣部隊は四月二十日済南に着し、福田師団長の第六師団五千の兵は二十三日門司を発して二十五日青島に上陸、先頭部隊の斉藤旅団は四月二十六日済南に到着した。

五　済南事件

済南事件は一九二八（昭和三）年五月三日に起こった。

日本軍の先頭部隊が四月二十六日済南に到着して警備に着くや、既に戦意を失った東北軍では三十日夜になって、張宗昌、孫伝芳を始め将領が前後して済南を逃げ出した。将領を失った全軍は潰乱し同夜から翌未明にかけ済南を棄てゝ退却を開始したので、南軍は五月一日払暁から殆んど血を見ずして済南に侵入した。福田中将の第六師団司令部は二日午前二時、青島より進んで司令部を済南に移し、蒋介石もまた二日総司令部と共に済南に入城した。

かくて済南の授受は平和の裡に行われた。我が方はこれで安心と思った。特に一日、南軍第四十万軍方振武は入城後直ちに我が斉藤旅団長を訪問し、日本軍に敬意を表すると共に「万事宜御指導を乞う。日本の出兵声明は十分承知した。治安維持は全責任を負う」旨を述べ、西軍の連絡は頗る円滑に行われた。且つ翌々日総司令蒋介石は「国民党は誓って治安維持の責に任ずるにより速やかに日本軍の撤退を希望す」と通告し、済南の治安は大体に於いて国民党の手に維持さるゝが如き形勢にあったので、我が軍はその声明を信じ一部の防備を撤去した。

然るに三日午前十時頃、南方賀耀祖軍は突如として市中の掠奪を開始した。商埠地の東部警戒区にあった我が一部隊はこれを阻止せんとしたところ、支那兵は反抗して発砲し、我が軍は自衛上已むなくこれに応戦し、こゝに両軍衝突の火蓋が切られたのである。

この間、西田畊一済南総領事及び佐々木到一中佐は蒋介石と折衝し南軍の商埠地撤退を要求したが、国民軍の停戦命令は一向に徹底せず、交戦は翌四日迄断続し、午後七時に至って漸く国民軍の撤退により事件は表面平静に復した。

陸軍当局は五月四日公報を発している。

事件発生前、賀耀祖の軍隊が我が歩哨の面前に於いて「打倒帝国主義」のビラを貼布したり、我が将校に拳銃を発射して力めて挑発的態度に出た事実、及び当時支那軍隊の手榴弾を有したる事実などに徴し、同事件は全く支那側により計画的に行われたことを指摘している。事件が蒋介石らの最高幹部の意図に出たという事は常識から見て信じ難いが、支那軍隊が当初より日本の出兵に不満を抱き、日本軍隊の実力を軽視し、且つ又共産党の策動が行われ、一旦事件突発するや、蒋介石の威令全く行われず、了解と昂奮のまゝに拡大し、計画的に日本軍の全滅を図った跡は否認し難い。

而して両軍戦闘中支那側によって行われた日本人の虐殺は、殆んど鬼畜も及ばざるのものあり、その詳細の発表せらるゝや、全世界の耳目を聳動した。日本人の墓場は暴かれ、婦女子はいうに忍びざる暴行を蒙り、大阪朝日新聞の写真付録は国民の前に暴露する事の影響を怖れ、一部の発表を憚った程である。尚又北伐軍中に配属されて、南軍と日本軍の意思疎通に奔走しつゝあった佐々木到一中佐は、二日支那軍隊に捕えられ危険に瀕したが蒋介石軍の将校に発見され、漸く危地を脱する事を得た。支那側交渉委員蔡公事また当時戦火の犠牲になりたるものゝ如く国民政府は挙げて極力逆宣伝を試みつゝある。事件当時の支那側軍隊は方振武、劉事、賀耀祖らの配属部隊、大約十万近しと称され、これに対し我が軍は第六師団の主力と小泉派遣隊と合して、約五千五百名内外に過ぎなかった。

一事彼我の善後策に対する意見一致し、戦闘行為を打ち切ることになったが、蒋介石側に於いてはその配下の兵及び塹壕により我が軍の駐屯する商埠地包囲の形勢をなし、明らかに敵対行為を示してきた。福田中将は危険状態を察し、七日午後四時南軍に向かって武装解除の最期要求を通告したが、十二時を過ぎたる八日午前四時に至るも南軍は僅かの誠意を示さず満足なる回答を取らざりしにより、我が方は布告をなすと共に積極的軍事行動を執ることゝなり、遂に同四時両軍遂に砲門を開いて一大激戦を始めるに至った。その結果激戦の後十一日午前二時、済南城高く日章旗は飜々として翻った。

かくて我が軍は一部を以て残存支那兵の武装解除に従事すると共に、主力を以て退却する支那兵に属して済南城外二十支里内に敵兵を見ざるに至り、我が安全区域の確保に成功した。

《第三次山東出兵》

済南に於ける事態重大を蒙るや、帝国政府は居留民保護及び既得権の確保の目的のためには在来の兵力を以て不足とし、更に**第三次山東出兵**を断行することに決した。五月九日第三師団に動員命令下り、戦時編成の下に予後備兵をも召集し、約一万五千名に近き兵員を充実して青島に派遣した。一方全支那の排日気勢台頭に顧み軍艦をも配備し、尚出兵声明書を発表した。

その出兵費は、一九二七（昭和二）年夏の第一次出兵より第三次出兵迄に合計三千八百八十二万円である。

《善後交渉》

済南に於ける戦闘行為終息と共に、我が軍は厳正に居留民保護の在来の職責に還元し、市内の行政警察は支那自体の力を以て当らしめることゝし、**総商会**を中心に善後措置を講じた。一九二八（昭和三）年五月十二日支那側は賀耀祖の免職以下五ヵ条の我が要求に対する回答を提示して来たので、帝国政府は十四日首相官邸に軍部巨頭会議を開き、午後二時より外務省に於いて海陸両相を合せた関係三省会議が開催され、その結果蒋の陳謝以下の要求条項を福田師団長に訓電した。

南京政府は、北伐当面の目的のため一時暫行的に事件の解決を希望し、十一日責任者賀耀祖の免職を発表したが、山東出兵そのものに対し根本的抗議の態度は飽くまでこれを放棄せず、五月十日国際連盟に提訴すると同時に、米国に伍朝枢、英国に王寵恵、フランスに胡漢民、ドイツに孫科を派遣してそれぞれの策動を開始せしめた。

国際連盟では、事務総長ジェイムス・エリック・ドラモンドが支那の訴状を理事国全部に移牒する手続きを取った。しかし、これ国民政府が加盟国でなく、これを正式に取り上げるためには北京政府の裏書が必要なので参考として取り上げたのである。

訴状の内容は、日本軍の行動を以て規約第十条及び第十一条に違反せる事実及び日本軍の暴状を訴え、支那の立場を説明して宣伝に供し、連盟に向かって実情の調査と調停を依頼したものである。即ち、**日本に対して列国干渉を求めたのである**。

事件の善後交渉はこうした支那側の術策のために遷延に遷延を重ねた。加えて支那側が、この機会に津浦線の交通の回復、山東省の地盤の回復、関税問題、通商条約の改定などの交渉を全面的に求めてきたので、翌年まで持ち越され、一九二九（昭和四）年三月二十八日になって漸く解決した。

日支の共同声明は左記の如くである。

済南事件は両国民伝来の友誼に鑑み極めて不幸悲痛の出来事なるを認むるも、右友誼増進のために、この際該事件に伴う不快の感情を記憶より一掃し、将来両国国交もますます醇厚成らん事を期す。損害問題は双方に於いて各同数の委員を任命し、日支共同調査委員会を設置し、実地調査をなしてこれを決す。

六　王正廷の革命外交

済南で日本軍と国民革命軍とが衝突したことは、事件以後の日支関係と、日本と列国の関係に重大なる変化を加えた。

事件が起こった時、一時、国民政府は非常に驚愕した。これによって革命の功を一簣に欠く危険を感じたからである。しかし、事件が漸次鎮静するに及んで奇貨措くべしと活躍し出したものが**革命外交**である。

外交部長黄郛が退いて**米国派の王正廷が外交部長に就任**した。王正廷は、ベルサイユ会議、ワシントン会議以来、対日外交の駆け引きに長じていた。というよりも、王の背後に米国がいるということが、王正廷の活躍として一層効果的ならしめたのである。黄郛は日本留学生で、比較的に日本を理解していた。その黄が退いて、米国派の王正廷が登場したのである。

外交部長に就任した王は、先ず米国に援助を求めて、日本にある種の警告を発せしめた。米国のこの警告が田中総理及びその周囲の要人に非常な衝撃を与えた。そしてその衝撃が森の宿志とする大陸政策の遂行を阻み、頓挫せしめる動因となった事で、政治家及び軍の要路にある人々に対する認識評価が、これを機会にして一変した。それはその後の森の政治行動によって裏書きすることが出来る。

米国は、初め日本の済南出兵に対して寧ろ好意を有していた。日本が列国を代表して北支在留の外人を保護するものと認めていた。然るに、日本が第三次出兵を決行するや、田中内閣の対支政策に疑問を持ち始め、やがて王正廷の排日外交を支持して日本牽制の方針に態度を一変した。

王正廷は同時に済南事件を国際連盟に訴え、日本が支那に対して領土的野心があると宣伝し、**田中上奏文**（付記参照）なるものを捏造してこれを流布した。

王は対日交渉に入るに先立ち、米国を始めとして列国の同情を支那に集めることに努力した。又事件の善後交渉に於いては第一に日本軍の撤退を要求した。事件の真相に対しては日支共同調査によって解決すべきも、すべての前提として日本軍が撤退することが先決なりとして動かず、外交交渉はそのために頓挫して進展しなかった。

資料４６　王正廷

折柄、北支に於ける戦況が東北軍に不利で南軍は直隷に大勝し、北京から奉天に帰る途中に**張作霖爆死事件**が起こって革命軍の意気昂ぶり、民衆の声も対日強硬に変わってきた。王は機を逸せず、外交の鉾先を、民衆を背景とする**民衆外交、革命外交**の方向へ指導した。

先に国民革命軍が武漢に入った時は、ボロジンらの指導による陳友仁の革命外交は帝国主義打倒をスローガンとし、その帝国主義国家の目標を英国に置いて排英運動に主力を注いだが、**済南事件を機会とした王正廷の外交は、日本を目標にして日本の支那に対する領土的侵略の野心なるものを誇大に吹聴し、国内及び列国の日本に対する反感を煽った**。陳友仁の外交は、ソ連以外の列国の同情を克ち得なかったので有終の美をなさなかったが、**王正廷の外交は米国という有力な背景によって着々として成功した**。革命外交も王に至って一段の進歩を示したのである。

済南事件と王正廷外交によって、革命外交の目標が排英から排日に転化したのを喜んだのは勿論英国である。次いでソ連である。

英国は既に蒋介石の国共分離を機会として、広東、浙江両財閥を仲介し、援蒋、即ち国民革命是認に方針を一転していたが、国民革命の旗幟とする帝国主義の鉾先が日本に集中されるや、威海衛の返還を始めとして、既に政治的経済的に利用価値を失った旧権益の放棄という手段によって革命支那の歓心を得るに努めた。ソ連はまた、支那の革命を脅かすものは日本の帝国主義なりと宣伝した。

更に王正廷外交に成功を授けたものは、日本国内事情であった。

王は党部と連絡して対日強硬の民衆を利用し**日貨排斥**の準備をした。この手段は、かつて二十一カ条交渉で袁世凱が日本に加えたあの支那一流の外交手段である。

国民政府及び党部は全国に指令を発し、各地の商務総会を指揮して、既に輸入せるもの、或は契約せる貨物を登録させ、爾後日本品の輸入販売を一切禁じ、日本船よる貨物の輸送をも禁じた。そのために揚子江沿岸を航行する日清汽船は空船で走り、対支貿易は停止状態に陥った。

ところで、日貨排斥は、日本と支那とでは断然正反対の結果をもたらす。日貨排斥の結果支那の巨商富豪は巨利を拍する。従って排日貨政策は政府と財閥が提携する。これに反し日本に於いては、財界を脅かして内閣倒潰の機運を作るのである。何故なれば、支那商人は日貨排斥以前に充分仕入れておいて、排斥後価格が数倍に沸騰した頃を見て売り出す。その間、商人と政府との間には既に計画が成っているからである。

しかし、日本に於いてはその反対で、囂々《ごうごう》たる日貨排斥の声は対支貿易の中心地たる大阪商人を脅かし、更に、在支日本人商人の悲鳴となり、国民の神経を焦燥せしめる。国内に沸き上るこの空気が内閣の反対派をして政争の具に供せしめるのである。

就中、大阪に於ける幣原前外相の田中外交の否認演説及び民政党大阪支部大会に於ける濱口総裁の演説は、南京政府に絶好の口実を与えた。

即ち、田中内閣は、国内に於いては民政党の反対、大阪商人の非難、支那に於いては王正廷の外交と民間の排日貨、そして国際的には米国の牽引によって満身創痍の難境に立ち、遂に満洲某重大事件、即ち張作霖爆死事件の責任を以て瓦解するに至った。

第三章　張作霖爆死事件

一　事件の突発

済南事件が起きてから一ヵ月、未だ北支の情勢が物情騒然たる真っ最中の一九二八（昭和三）年六月四日、今度は満洲に於いて青天霹靂の事件が起きた。

すなわち、**張作霖の爆死事件**である。

京津に敗退した張作霖は、日本の勧告に従い六月三日、その憧憬の都北京を捨てゝ東三省に引き揚げて来た。張作霖の乗っていた列車が翌四日の午前五時二十三分、満鉄の奉天駅手前約一キロ、満鉄線陸橋下の京奉線を進行中、突如轟然たる音と共に爆弾が破裂した。満鉄の陸橋は爆破され、特別列車の貴賓車及び客車三両が破壊され火災を起こして焼失し、貴賓車に乗っていた張作霖、呉俊陞が爆死、同乗していた日本の軍事顧問儀我誠也少佐は軽傷を受けた。

この事件がどうして起きたか。その真相は未だ不明であった。当時、南方革命党の便衣隊の仕業であるとか、或は日本の陰謀であるとか、又、共産党の計画だとか、種々なる噂が飛んだ。張作霖、呉俊陞の死も長い間秘密にされていた。

これより先、北京に蟠踞していた張作霖は蒋介石の第二次北伐を迎えて一大決戦を決心し、馮玉祥、閻錫山の連合軍に対しては張学良、楊宇霆を総司令とし京漢鉄道を中心として軍隊を配備し、津浦線による蒋介

資料４７ 爆破の瞬間の現場写真（提供：山形新聞社）

石の革命軍に対しては張作霖自ら総指揮に当って、張宗昌、孫伝芳の軍隊を備え、京綏線方面は張作霖直属の第五師団で対峙した。戦争の主力は津浦線の方面で、蒋介石の主力軍と馮玉祥の部隊とを向こうに回し、滄州県の付近で天下分け目の戦いが行われる形勢であった。

同年五月三日から十一日に亘る済南事件は、恰かもかくの如き南北分け目の戦いを前にして、その対峙の間に起こったのである。

済南事件が起きた時、張作霖はこれを好機として南北妥協し一致して外敵に当らんとの声明を発して局面の打開を策したが何ら反響なく、蒋介石軍は、閻、馮の連合軍と連絡を取り、済南を迂回して北上し始めたので張の北京没落は時間の問題とされ、京津一帯に在留する二万の外人の保護は当面の急に迫って来た。京津の警備問題の急迫に伴い、列国の北支駐屯司令官は再三に亘って協議し、その善後策を講ずることに汲々としていた。

こゝに於いて、田中内閣は直隷平野に展開されるべき南北大決戦の結果は当然満洲の治安に影響を及ぼすものとし、五月十八日**満洲治安維持の宣言**を発した。即ち、

「**満洲に於ける日本の権益を擁護する必要上、戦乱が満洲に及ぶ場合には、帝国政府は満洲の治安維持のため、適当にして且つ有効なる措置を執る**」

そして、**戦乱に対しては厳正中立の態度を確守する**旨を声明した。同時に、北京にあった我が芳澤謙吉公使は、政府の訓電に基づいて同日大元帥府に張作霖を訪問し、日本政府の覚書を手交すると同時に、

「大勢既にこうなった以上は、戦乱が京津地方に波及する前に軍隊をまとめて東三省に復帰し、満洲の治安を完全に維持する事が支那国民のため、又奉天派のために万全の策である」

と、張作霖の関外引き揚げを勧告した。

北京を引き揚げたくない張と日本側との間には以後数次の交渉が行われたが、結局張は北京を閻錫山に委ねて奉天に帰ることになった。彼が後ろ髪を引かれるようにして北京を去る時の光景を朝日新聞の北京電報は劇的に描写している。

（三日北京発）新緑の町を薄気味悪く照らす満月の光を浴びながら、過去二年の間住み慣れた大元帥府の正門を立ち出でて、窓越しに名残惜しげに、張氏の南海の森の彼方を振り返る眼には、彼にも似合わず涙が光っていた。大元帥の行列というのに、自動車は僅か四台きりの淋しいもので、国務総理の潘復を先頭に、次に続く黒く塗られた鋼鉄張りの自動車には、「張」と印したマークが夜目にもありありと読まれる。これぞ張氏の座乗車で、運転台の右手よりは機関銃が物々しく突き出ている。

その夜北京の停車場からは、午後十時半護衛隊を乗せた列車を手始めに、数限りなく家財を満載した列車が運転された。午前零時三十分、鉄道保線材料と自動車八台を積んだ先駆車が十八両編成で発車し、同四十五分には、十八台の列車に溢れるほどの護衛隊を載せて発車し、一時十三分水も漏らさぬ物々しい厳戒中に、プラットホームに張氏一行は立った。

静かに自動車から立ち出でた張はと見れば、鼠色の通常礼装を着し、痛々しさは顔に姿に隠すべくもない。

支那統一の大望も夢も見果てぬ裡に、こゝに敗残の身を包んで、今北京を去ろうとする彼を目のあたりに見て誰か感慨なきものがあろう。一歩一歩踏みしめる蹬音にも力なく、彼の四辺には淋しい一抹の蔭がまつわって居る。

流石に夜は更けて、構内の煌々たる電光に護衛兵の剣銃が底気味悪く反映する。この時突如嚠喨たる軍楽が、恰も彼を送る挽歌の如く響き渡る。

張氏は佩剣を左手に固く握りながら、近親の人はもとより警護の人に至る迄一々挙手の礼を丁寧に交わして別れを惜しむ。特に張学良、楊宇霆、孫伝芳らは、一入別離の哀愁をそゝられるかの如く、乗車した後も列車が動き出すまで昇降台に立っていた。かくして列車は午前一時十五分というに、滅入る様な汽笛の余韻を残して静かに発車した。途中万一の場合に備えるために、機関車を二台と鋼鉄車を前後に一両宛繋ぎ、これに機関銃隊乗り込み二十台の長い列車で、平素なら彼の専用車を用いるのに、この日は一等車に乗り、車室の前後には着剣の将兵が厳めしく警護して居た。


然るに翌四日早朝には、奉天を目前にして、彼は不慮の最期を遂げた。一時は夕陽を招き返す勢を誇った張作霖も、かくして敢えなく没落したのである。

二　森と田中首相の疎隔

一九二八（昭和三）年五月十八日、満洲治安維持の宣言を発した田中内閣は、同時に**旅順の関東軍司令部を奉天に進駐**せしめた。然るに東京では、恰も米国から、

「日本は満洲に対して何らかの積極的行動に出るのではないか、もしそうなら事前に米国にその内容を示して欲しい」

という警告的要求があったので、米国に対する回答と関東軍に対する指令とを巡って、関係当局間に意見の相違を来し、二十日から連日、外務、陸軍、海軍、大蔵の関係当局者の会議、即ち、東方会議を開いて協議したが容易に意見はまとまらなかった。

勿論、議長は森で、同時に進行係も兼ねていた。森は、

「既定の方針に従って邁進する以外にない」

とし、衆議を東方会議の政策決定の出発点に引き戻してまとめようとしたが、議論は小田原評定で進展しない米国の警告が、閣内の衆論を東方会議とは逆の方向へ引き戻してしまったのである。会議は小田原評定のまゝ、二十一、二、三、四、五日と連日続いた。言うまでもなく各省それぞれに省議を開いている。

関東軍の方からは奉天進駐後の行動を規定すべき命令を仰いで、

「未だか未だか」

と催促して来る。

正に緊張した生息詰まるような幾日かであった。その一刻千秋の際の森について荒木貞夫大将が、こう追憶している。

「あの時は、実に我々もイライラした。愚論百出で何時まで経っても結論に達しない。それなら初めから東方会議なんかに賛成しなければよかったのだ。初めは無考えに同意しておいて、今になって躊躇してどうするかと、まあ、我々でさえ憤慨した。そういう時になると、あの平生気の短い森が、却って冷静になって決して慌てたり焦ったりしない。腹の中は煮え滾っているだろうが、少しも面に出さず諄々として対手を説得している。その頃、よく帰りに、森が「一緒に帰ろう」と言い、彼の自動車に同乗した。その車の中で我輩がそれを言って憤慨すると、森は「まあもう少し待て」と、逆に我輩が慰められるという始末だった」

事態は、もうこれ以上、小田原評定を続けていることを許さないほどに切迫して来た。二十五日、森は力で押し切った。

「既定方針で進む」

という事に決定した。

丁度その時、田中総理は腰越の別荘に居た。会議の結果をもたらしてその決済を得るために同夜、外務省亜細亜局長有田八郎氏と陸軍省軍務局長阿部信行氏が腰越へ出かけて行った。本当は森が自身で行くべきところであるが、どうしても離すことが出来ない用事があったので森が指名した。

「有田君、行ってくれ」

しかし非常に重大な問題なので、有田氏も、

「僕一人では責任が持ちきれない。誰か軍の方からも一緒に行って貰いたい」

「それなら、軍務局長として阿部君が行ってくれ」

と森が言った。

その晩は月が明るかった。腰越に行った有田、阿部の両氏が田中首相に誘われ、夜更けの海岸を散歩したという記事が当時の新聞に載っている。さて翌日帰って来た有田、阿部両氏の報告は森にとって頗る意外であった。

「**総理の決済は一切の行動中止**」

だったのである。月の明るい海岸の散歩で何を語り合ったか知らないが、こゝに至って万事休止である。もうこれ以上の時間的余裕がないのだから、森が更に田中首相を訪ねてその決心を促す暇がない。森は歯ぎしりして悔しがった。

しかしこれからが問題であった。満洲では、関東軍が急速に原状復帰をしなければならないのである。森には、これが非常な経験と刺激になった。森が田中男に対して不満を抱き始めたのはこの時からである。

《武藤信義将軍》

田中内閣成立当初、田中兼務外務大臣の下で森がイニシアチブを取って開かれた東方会議に於いて大陸政策を決定するに当たり、逸すべからざる逸話がある。


関東軍司令官武藤信義中将が田中男に向かって、

「これは決して欲する事ではないが、それだけの大方針を実行に移すのには、そのために世界戦争が起ることをも覚悟しなければならない。少なくとも米国は黙っていない。米国が黙っていないとすれば、英国も、その他の列国も、その尻について騒ぎ立てることになるが、その米国に対する対策、又、世界戦争が起こった場合にどうするかその決心と用意があるか」

と、注意を喚起して田中首相の決心を訊いた。

首相は即座に、

「おら決心がある」

と言った。武藤将軍は重ねて、

「後になってぐらつくようなことはないか」

と念を押した。すると首相は、

「おら大丈夫決心している」

と断言した。そこで武藤中将は、

「政府にそれだけの決心と準備があれば言うことはない。我々は、何時でも命令一下、政策の遂行に当たるだけだ」

と言った。

武藤中将は以後、会議中に一言も発しなかった。森は後に、武藤将軍の態度を極力推賞していた。かゝる経緯があったにも拘らず、田中大将が米国の横槍に作用されて「行動一切中止」の断案を下したので、森は田中大将から離れて行ったのである。

三 蒋介石の南北統一と張学良の東三省統一

張作霖の爆死、東北軍の京津撤退によって、旧軍閥は敢えなく没落した。呉佩孚は四川に遁れ、孫伝芳は失脚した。青天白日旗は北京城頭に翻って蒋介石の国民革命軍による北伐は完成され、支那の統一は成った。

一方、東三省にあっては張作霖の死後その子張学良が東三省保安総司令の地位についた。彼は、亡父の参謀であった楊宇霆及びその股肱である常蔭槐を麻雀に事寄せて自邸に招致し、咄嗟の間に殺害して後顧の憂いを断ち、東三省の実権を握った。

一時、田中内閣の警告によって南京政府との妥協も中止したが、やがて張学良は日本を無視して南京政府と妥協し、満洲の全土に青天白日旗を掲げた（**易幟**《えきし》）。日本と張との関係も悪化の一途を辿るに至った。

かくして情勢は、漸次、一九三一（昭和六）年の満洲事変に向かって進んで行ったのである。

四　田中内閣総辞職

田中内閣は、一九二九（昭和四）年七月、張作霖爆死事件の責任に絡んで辞職した。即ち、**張作霖爆死事件が田中内閣を倒したのである**。

第五十六議会〔一九二九（昭和四）年春〕における反対党の民政党がこれを政争の議題に供した暴露戦術と、その政争の裏面に潜んでいたかの一端を暗示する新聞記事を採録する。

一九二九（昭和四）年二月二日の国民新聞に次の記事が載っている。政界はこれに不審の眼を注いだ。

満洲某重大事件（註：張作霖爆死事件のこと）の発展するところ、遂に、参謀本部の一角と在野党、就中貴族院方面の陸軍出身議員との間に通牒の痕跡漸く歴然たるものありとなし、公正会（註：大正・昭和期の貴族院に存在した院内会派）から満洲事件とは別個に現に両院間に一大問題起こり、次第に各派の共鳴するところとなりつゝあり。即ち、議会再開と共に満洲事件の重大性を帯び来るや、政界に於いては早くも、陸軍内部に於いて在野党側と消息を通ずる者あるに非ざるかと政府部内不統一の疑をかけるに至ったが、最近公正会に該事件促進決議案の議起こるに及び、某々陸軍出身議員の提供する資料の多くは参謀本部筋から供給されつゝありとの説専ら起こり、必ずしも流言蜚語に非ざる故あるを以て、こゝに新しき軍規、官規の大問題を惹起せんとす。既に内々調査を進めた者もあるから遠からずその真相は白日の下に暴露されるものと信ずる。

議会では、先ず衆議院で、民政党の中野正剛、永井柳太郎、山道襄一、工藤鐵男氏らが本会議、委員会で轡《くつわ》を並べて内閣攻撃の材料に供した。

民政党の第一段の作戦としては田中首相に突撃する。第二段階の作戦としては白川陸軍大臣を追い詰める。かつて尼港事件当時の田中陸軍大臣が、陸軍大臣として責を取ったと同一な経路に陥し入れて、白川陸軍大臣を辞職させ、それをきっかけに内閣の連帯責任で内閣を倒すにあった。

民政党の攻撃の焦点は、「張作霖の爆死事件の起こった地点は帝国政府が完全に行政権を保持し、我が軍隊の警備区域であり、同時に時節柄最も厳重に警備しなければならぬにも拘わらず、何故に同地点の警備を支那側に引き渡したのであるか、これ即ち行政権の放棄である」というにあった。

これに対して田中総理大臣は、「それは同地守備隊のやったことで総理大臣には責任がない。出先官憲の行為を一々総理大臣が責任を負っているならば総理は何万人にあっても足りない。それにはそれぞれの法規があって、責任の所在が規定してある。内閣の責任ではない」と答弁をした。衆議院は第一にこれで揉みあった。

第二に田中内閣の対満政策に対して攻撃した。「満蒙の重大懸案中何か解決したものがあるか。鉄道問題は行き悩み、不法課税問題も解決されていない。何一つ解決されていないではないか。又満蒙の土地は日本人にとって決して安住の地になっていない。政府は安住の地にすると言ったのに少しも安住の地になっていないではないか。満蒙の特殊権益については、帝国政府は自ら適宜、機宜の処置を取ると声明したが、それに対してどういう覚悟があったのか」と追及した。

田中総理は、「懸案の解決については今迄も努力したが今後も努力する。又満洲の在留日本人は今日少しも不安を感じていない。満洲の治安は厳然として維持されている。日本政府の満蒙の特殊権益に対する声明に対しては列国から非常に好感を受けている」と答弁した。

それから第三に、「事件の起こった地点の警備区域は日本の警備区域ではないか。それをあゝいう事件が起きるのに、日本で守備していなかったのは怪しからん。日本はその守備権を支那に引き渡したのか」と質問した。

田中首相は、「支那に引き渡したことは認める。しかしそれは出先の官憲が打ち合わせてやったことで、政府の責任ではない」と述べた。

この問題はやがて貴族院にも波及してきた。貴族院では同和会の石塚英蔵氏が起こった。

その質問では、「政府は満洲問題の責任につき、昨年五月二十六日全責任を負うべき旨の声明を発しておる。その声明は閣議を経、且つ上奏御裁可を仰いだものと信ずる。次に関東軍司令部を奉天に移したのも上奏の上の事と信ずる。第三に満洲某重大事件に対する政府の責任の帰着如何。こういう要点で政府は実際の真相を調べるのに査問会又は軍法会議を開いておるのは本当か」と追及した。

かくしてこの問題は全く倒閣の道具となり問題が大きくなって行った。

政府の方では問題を関東軍の責任にしてこの事件を解決しようという態度に出た。それで攻撃軍の方もますます勢いを得てきた。先に揚げた国民新聞の記事は、その際この論戦の蔭に動く陰険な政争の一面を示したものである。

田中内閣は、この問題で議会後に倒れた。政界の消息通間では、倒閣の策源地は宇垣一成、安達謙蔵、江木翼氏あたりにあったと伝えている。

《森外交の歴史的価値》

森の外交は田中内閣から始まったといえる。

森は支那問題の解決を畢生の志として政界に入った。彼の抱負も経綸も、従って彼の**政治目標は支那問題の解決、即ち日本の大陸政策に新たなる進路と基礎を打ち建てゝ、これを実行するにあった**。

その実現の機会を得たのが田中内閣である。故に、もし彼の政治生活を区分して、政界に入ってからの八年間を政治に対する準備期間とすれば、田中内閣以後の彼の政治生活は政策の実行、抱負の実践時代だということが出来る。その意味で、田中内閣は森という蛟龍に雲を与えたのである。

田中内閣の外交は、一般的には田中男の『おらが外交』として、民政党（憲政会の後身）内閣の幣原外交と対照的な関係で評価されている。

即ち、幣原外交が民政党の外交政策を代表するに対して、田中外交は政友会の外交政策を代表し、幣原外交が平和主義、不干渉政策の外務省イデオロギーとして認められているのに対して、田中外交は武断主義、実行使政策の陸軍的伝統を表現したものと概論的には診断されている。

しかし、田中内閣の外交は、単にこれを民政党と政友会、外務省と陸軍省、幣原と田中という対照的関係からのみ観察されるべきものではない。もっと厳密にいうと、**田中内閣の外交には、田中男及びその周囲の伝統を主とした認識と、森恪によって新生面を開かんとする努力と、イデオロギー的にも実践的にも本質を異にした二つの要素が、田中外交という一つの形態の中に包まれていたのである。**

而して田中内閣の外交は、田中内閣一代の事績としては決して成功でなかった。寧ろ失敗だったと認められている。その失敗の原因は、支那の革命外交と列国の利害関係、乃至は政友会と民政党、田中と幣原という、内外に繋がる相克関係ばかりではなく、田中内閣それ自体の内部に於ける田中男及びその周囲の古い伝統と、森によって新たに伸びんとしていた政策との間に本質的に相交錯するものがあり、しかも総理大臣としての田中男に、これを統一し実行する力と識見が不足していたからである。

例えば田中男は東方会議の当初、

「おらが決心したから、世界戦争も敢えて怖れない」

と断乎たる決心と態度を示した。その東方会議で決定した政策を、いよいよ実行に移す瀬戸際に立つと、卒然として、

「一時中止」

の決済を下して些かも自己矛盾を感じなかった。その結果大陸政策の遂行上、千載の好機を逸したことになった。

田中男をして、首鼠両端《しゅそりょうたん》的態度に出でしめたものは、**田中男周囲の古い伝統であり、更にそれを動かした動力はワシントン会議以来の米国の日本に対する圧力であった。**

我が大陸政策の遂行上千載の好機を逸したというのは、それがやがて満洲事変となり支那事変に発展し、東洋に於ける二大国が血みどろになって相克抗争を続けたことを指す。もし、田中内閣の時代に森の政策を驀進的に遂行していたならば、満洲事変も支那事変も、仮に起こらざるを得ない必然的な運命を帯びたものであったにしても、その姿は余程趣を異にしていたであろう。

第一に、当時は蒋介石の革命は未だ中道にして成功せず、内には共産党との抗争、旧軍閥との対立があり、外にはソ連を巡る列国関係が、そのまゝ支那革命の方向に直接に反映していた。

これをその後の事情と比較すると、満洲事変は支那が蒋介石よって殆んど完全に統一された時に起こっている。特に、日本の国内事情はワシントン条約に次ぐロンドン条約により、海軍力が英米より低位にあることを強要され、その結果鬱勃たる不満が新たなる勢いを作らんとしていた。

田中内閣の外交は、かくして田中内閣一代の外交事績としては成功しなかった。しかし、**田中内閣に於いて新しい機軸と局面を開こうとした森の努力は、これを一転機としてその後の事態に直接作用し、次の時代を誘導し、その母体となり出発点となって現代日本の新体制を規定する歴史的モメントとなった。**

即ち、濱口内閣は田中内閣に次いで成立したが、その濱口内閣時代のロンドン条約を巡る国内事情、更に次の若槻内閣の時代に勃発した満洲事変を契機とする国内事情の変化は、何れも濱口、若槻の民政党内閣乃至幣原外交の方針によって生まれた事態ではなくて、田中内閣時代に新生面を開かんと努力した森の政策の糸を引いて生まれたものである。即ち森は内政外政の新体制を作った先駆者だったのである。

田中男と森の相違は、時代に対する認識の相違であったといえる。田中男は過去の伝統を基礎にして現在

の事実に執着したが、森はやがて来るべき未知の将来に対して如何に現在の事態を誘導すべきかについて渾身の知能と努力を払ったのである。

戴天仇の著書『田中義一論』の中に、田中内閣成立の前後、田中男と会見した時のことを書いている。

戴はその印象をこう言っている。

「余は数年間日本を訪れなかったが、今春命を奉じて日本に使し、東京に於いて田中大将に会見した。彼は元気旧の如く雄心尚衰えなかったが、唯一つ大いに異なる点があることを覚った。即ち先日の田中は終日『我なさん』としていたが、今日の彼は『我なさざる能わず』となっていた。『我なさん』の田中の心は時局を動かすことにあったが、『我なさざる能わず』の彼は時局に動かされるのであった。『我なさん』の田中は『恐れず』であったが、『なさざる能わず』の彼は『これ恐る』であった」

即ち、田中男は『我なさざる能わず』の心境にいたが、森は『我なさん』の雄心に燃えていたのである。森は進んで時代を動かし、時局を動かして、新しい時代を創造しようとしていた。

張作霖の跡を継いだ張学良が南京の国民政府と款を通じて、**東三省に青天白日旗を揚げた時、森は許すべからずとして反対した**。日本が容易に東三省と国民政府との妥協を認め難いことを観取した学良は、康尚銘を東京に派遣して田中男の了解を求めた。男はその時康に向かって、

「作霖はおらが弟のようなものだ。だから孤児となった学良はおらが本当の子のようなものでの―」

と感慨を示した。

田中男の個人的主観としては、張作霖は彼の弟のようなものであったかも知れず、学良は肉親の子の様にも感じられたであろう。だから彼は、一方に森を指導者とする東方会議で政策方針を決定しながら、他面では山本条太郎氏による鉄道交渉を独自に進めて少しも矛盾を感じなかったのである。

しかし、一国の興廃に関する政策、外交、特に日本にとっては生命線である大陸の問題を決定するに当たって、

「学良は、おらが本当の子のようなものでのー」

では済まされぬ部分がある。

果たして学良は、

「田中総理の了解を得た」

と称し、平然として青天白日旗を掲げ、やがて南北妥協しては自ら北京に移って日本との直接の交渉を回避し始めるに至った。

満洲事変は、この学良の不遜な態度、驕れる心によって日一日と近づいて行ったのである。

第三篇　野党活躍時代

第一章　田中総裁より犬養総裁へ

（幹事長時代）

一　金解禁政策に反対する

森の政治活動が最高潮に達したのは一九二九（昭和四）年から、その最後の一九三二（昭和七）年迄である。この間の時期は世界的にも国内的にも、経済的、政治的、社会的にも非常な転換期に差し掛かっていた。

先ず世界的な観点からすれば、**世界恐慌**の始まったのが一九二九年即ち昭和四年であった。その十月**ニューヨークの株式市場に大暴落が襲来**したのがきっかけで、アメリカと欧州、特にイギリス、フランスとの貿易は極度の不振に陥った。日本としては生糸（蚕の繭を製糸し、引き出した極細の繭糸を数本揃えて繰糸の状態にしたままの絹糸）貿易の一大不振期を招来した。

第一次世界大戦終了後のベルサイユ講和会議では、ドイツが連合国側に支払うべき戦債は千三百二十億マルクという取り決めになっている。然るに英仏などの如く勝利者の側に回ったとはいえ戦後の国力回復に莫大の資金を要する国々は、ドイツから受け取るべき戦債を引き当てに戦時成金である米国から金を借りたのであるが、千三百二十億マルクという天文学的数字の借金を疲労困憊したドイツが順序よく支払うことは到底不可能である。勢い戦債引き当ての英仏がアメリカに対して借金支払不能状態に陥り、それと共にアメリカの対欧輸出がパタリと止まってしまったから、今度はアメリカ自体のいわゆる「永遠の繁栄」が停止し、**株式の大暴落、財界の大恐慌**を出現せしめ、それが**世界恐慌の発端**をなしたのであった。

我が日本も勿論その渦中から逃れることが出来なかった。昭和四年の暮から五年、六年、七年にかけて**農**

業恐慌を主とし、商工業の活動は止まり、物価の大暴落を来して、生産過剰の日本的恐慌時代が続いた。

そのなかでも農業恐慌が最も甚だしかった。当時の記録によれば全農村の借金は五十億円に及び、各農家一戸当たりの負債は一千円平均となっている。従来農業生産による総収入高は年額三十億から三十五億円くらいであったものが二十五億円に下がり、更に二十億円をめがけている。

昭和四年の初め田中内閣当時は上等な田地一反一千円近くであったのが、恐慌の頂上六年にはその四分の一でも買い手がないという状態に陥り、農民が現金収入の源泉たる繭の値段は一貫目八円から半価の四円以下に暴落した。しかも地租は二倍になっている。かくして農村の不況は惨憺たるものがあり、農業を顧客とする中小商工業者はその商売が停止状態になり、製造工業者は製品の暴落によって生産不能の状態に陥った。従って失業者は鼠算で増えて行った。そこでこれが救済策としては借金棒引論を唱えるものが現れた。そこまでは至らない穏健な論としては借金半減論が澎湃たる与論になった。小泉策太郎氏の「貨幣改鋳論」即ち金貨の純分を半分に切り下げるという議論が新経済論として世の視聴を引いた。

田中政友会内閣はいわゆる張作霖爆死事件のために一九二九（昭和四）年七月二日総辞職して、濱口雄幸民政党内閣が成立した。森は内閣総辞職に先立って一足先に野に下り、政友会の幹事長をしていた。

森の幹事長は二期続いた。即ち田中総裁から、その突然の長逝に会い、犬養総裁を迎え、一九三〇（昭和五）年再び幹事長になって、翌年三月末の改選期まで二代の総裁を助け、二期の任期を重ねたのである。その幹事長時代は専ら濱口内閣、引き続き若槻内閣の打倒運動に専念したといっても差し支えない。

濱口内閣は恐慌に拍車を掛ける役割を勤めた。その閣僚には金解禁の井上準之助氏あり、退嬰《たいえい》外交を以てなる幣原喜重郎男あり、加藤高明内閣当時既に師団の減少を断行し、濱口内閣が再登場しては更に軍制改革

（軍縮）を旗印に揚げた宇垣一成氏あり、更にまた海軍大臣にはロンドン会議の全権となって海軍軍縮の協定に参画し、後に五・一五事件で海軍側傘下の直接原因とも見られるべき財部彪氏があった。

満洲事変はかゝる国内情勢に一大警鐘を与えるべく起こった。更にまた、一九三二（昭和七）年初めには井上準之助、団琢磨両氏の暗殺から、五・一五事件の重大動機となった歴史を顧みる時、幹事長森恪が如何に激動期の日本のその真只中に居たかが判明し、従ってその苦労が察せられる。

濱口・井上の合作財政は先ず組閣の時、**金の輸出解禁**を声明した。そして翌一九三〇（昭和五）年一月十一日、解散総選挙を前にして**金解禁**（付記参照）を断行したのであるが、それと同時に極端なる**緊縮節約政策**を強要し、官吏軍人の俸給一割減を行った。

金の旧平価による解禁と、極端なる緊縮政策の結果が、如何に我が経済界を委縮沈滞せしめたかは歴史がよく証明している。更に世界恐慌の飛沫を受け委縮し切っていた経済界は、濱口・井上財政政策によってこれに拍車が加わる結果となった。これに宇垣政策、財部方針が加重されたのだから、陸海両軍部に与えた刺激は遂に諸種の事件を内蔵しつゝ五・一五事件に発火されたのである。海軍側はロンドン条約に対する不満を内蔵し、陸軍側は軍制改革方針と国防の根底にかかわる農村恐慌に甚大の関心を持つに至った。

森は濱口内閣組閣当初からその消極経済政策が国家を破綻に導くことを指摘し、特に不準備なる金解禁と緊縮政策には絶対反対の意見を持っていた。そして着々と内閣攻撃の準備を進めたのであるが、こゝに困った事には、田中前内閣はその人事行政や、その対支方針や、その張作霖爆死事件や、或はまた勲章疑獄、鉄道疑獄などの不愉快な問題を残して、与論甚だ芳しからざる時であったので、濱口内閣が反動的に好評を以て迎えられたという背景があった。それに金解禁などという事は、一般国民をして理解の範囲を絶していたので宣伝によって与論の歓迎を受け、その準備のため、また不況切り抜けのためと宣伝される消費節約緊縮政策は、後になってこそ大失敗という歴史的事実とはなったけれど、当時に於いては一般国民特に与論を作る知識階級からは歓迎されていた。だから田中総裁を戴く政友会、その森幹事長がいくら純理論を携げて濱口政策を攻撃しようとしても世間は受け入れないのである。森は歯ぎしりをしながらもしかし準備は怠らなかった。

先ず金解禁の危険なることを立証する準備としては、彼が年来の友人であり当時在外務官の仕事半ばにして帰朝中の大蔵省銀行検査官大久保貞次氏（後の大蔵省銀行局長、福井信用金庫理事長）と密かに会見して、その国際的観点からする時期尚早論の根拠を取り入れたし、また当時民間経済ジャーナリストとして金解禁反対四人組といわれた山崎靖純、石橋湛山、高橋亀吉、小汀利得氏らとしばしば会見してその意見を徴した。濱口内閣組閣直後から始められた準備である。当時政友会の状態を見ると、長老の高橋是清翁や三土忠造氏らの専門家は純理論から金解禁を主体とする濱口・井上財政に反対していたが、その他一般は反対するにしても、政党対立感情に出発した倒閣意識に基づくものが多かった。森は純理論を前線に進め、倒閣意識を後詰めとして着々準備を進めて行った。

かゝる中に田中総裁は急逝し、新総裁として犬養毅翁を迎えたのが一九二九（昭和四）年の十月であった。

新総裁を迎えることによって清貧孤高の犬養色が世間に反映して田中時代の悪印象が幾分払われた感があり、こゝに初めて森幹事長は堂々の陣を張って濱口内閣攻略戦を開始したのである。森の金解禁反対論に対しては、貴族院方面に非難が起こった。「世相は危険状態を現出すべき事態にある」という森幹事長の発言は不謹慎だ、というのである。これを以てしても当時の与論、政治的状勢が金解禁を支持し、それによって来す危険を予知しなかったことが判る。

今こゝに政友会の機関雑誌『政友』に掲載された森幹事長の一九二九（昭和四年）十一月十日付の一大論文がある。題して『昭和四年度実行予算の正体、民政党内閣の不信を責む』という。これは、一九三〇（昭和五）年一月十一日の金解禁に先立つこと二ヵ月の見透かしである。その中から金解禁に対する見解を採って紹介する。

『昭和四年度実行予算の正体、民政党内閣の不信を責む』　森　恪

第五　金解禁に対する現内閣の錯覚妄動と政友会の所見、更に厳重に羊頭狗肉《ようとうくに》の民政党内閣を監視せよ

金輸出解禁は、公債整理と共に今回改定せられたる実行予算の基調をなすものである。金の輸出禁止は一時的変態であって、早晩これを解禁すべきは固より論なきところである。されば前政友会内閣に於いても、夙にこゝに鑑みるところあり、これが準備を進めつゝありしは、識者の夙に知悉するところである。現内閣は公債市価の安定を以て、直ちに我が財界の安定なりと誤解したると同様に、金輸出解禁を以てまた直ちに我が財政の建て直し、経済の匡救なりとの根本的錯覚に陥って居るものゝ如くである。少なくともかく装い、又かく宣伝したのは事実である。例えば組閣当初の政綱十ヵ条の声明の中でも、金解禁の断行は「我が財界を安定し、その発展を致す唯一無二の方途なるを信ず」と言っておる。これ我々と所見を異にする第一点である。

我々は、金解禁は畢竟一つの手段であって目的ではないと観念しておる。唯事頗る重大であって、もし不幸にして一歩誤らんか、我が国の財政経済を根本的に破滅に堕ちるの危険あるが故に、その準備は飽くまでも周到に、その手続きはどこまでも慎重にしなければならない。それ我々が現内閣と所見を異にする第二点である。

抑も金解禁の目的は為替相場の安定にある。我が国に於ける金の輸出禁止は過ぐる大正六年からの事であるが、大正十二年関東大震災の前後までは、戦時好況時代の輸出超過により蓄積したる豊富なる在外正貨のため、我が為替相場は些かの動揺をも見なかったのであるが、関東大震災以後在外正貨の減少と共に、為替相場に甚だしき高下を来たし、輸出入貿易業者に不測の損害を与えたるは勿論、貿易品に関係ある事業、引いては経済界一般に波瀾を惹起し、波乱は波乱を生み財界の不安は産業の健全なる発展を妨害し、事業の萎微沈滞を誘導しておる。それ故に為替相場の安定を図ることは、確かに財界安定の一要因である。

金解禁はこの為替相場の安定を目的とするものであって、それ以上の何物でもない。然るに政府は為替相場の回復を以て、直ちに我が対外購買力の増進であると解し、これがために我が国力が増進するかの如く宣伝しておるが、それは寧ろ逆である。為替相場が騰貴するために国力が増すのではない。国力が増進するから為替相場も騰貴するのである。国力の増進が因で、為替相場の騰貴が果である。国力を増すために金解禁をするのでなくして、解禁の直接の目的はどこまでも為替相場の安定にあり、為替相場の安定により輸入貿易の安定を来たし、従って又我が財界に安定を与え、財界の安定は産業の振興を助長し、こゝに国力の増進となるとするのである。

金の解禁により仮令《たとえ》為替相場の安定を来すとも、産業振興の他の条件が具備しないならば、国力の増進は固より望むことが出来ないので、却って輸入増進輸出減退の結果、正貨の流出甚だしきに至らば、兌換制度の基礎を危うくし、非常なる危険の生ずるところがある。それであるから為替相場の回復必ずしも慶すべきではないので、産業が繁昌し国力が増進したために為替相場が騰貴してこそ初めて祝すべきである。為替相場の回復は必ずしも産業の振興、輸出貿易の股賑、国際貸借の改善を意味するものではない。為替相場は他の人為的手段によりて騰貴すること少なくない。正貨の現送、外債の募集、為替投機など皆為替相場回復の有力なる原因である。今回現内閣がなしたるが如く、金解禁、金解禁とお題目でも唱えるように大掛かりの宣伝をすれば、政府の宣伝だけでも為替相場が多少騰貴するのに何の不思議があろうぞ。政府は現内閣成立以来対外為替相場の上がってきたことを自慢しておるようであるが、果たしてその相場が、我が経済の国際上の実勢力を適切に示しておるであろうか。問題はこれである。もしそれが我が経済界の実力相当のものでなくして、空宣伝や投機のためであったとすれば、その反動は恐ろしい。その反動の恐ろしいことは、前の憲政会内閣で金融恐慌を捲起して苦い経験を有する濱口首相以下現内閣閣僚諸公の熟知しておらるゝところである。その金融恐慌の創痍尚未だ癒えざる今日、如何に宣伝上手の現内閣と雖も少しは慎重な態度に出たがよい。

政府は組閣直後いわゆる十大政綱を発表した際、その第八項に於いて、「金輸出の解禁は、国家財政及び民間経済の建て直しをなす上に於いて、絶対必要なる基本的要件なり。しかもこれが実現は甚だしく遅延を要さず…政府はかくの如く諸般の準備を整え、近き将来に於いて金解禁を断行せんことを期す。これ即ち我が財界を安定し、その発展を致す唯一無二の方途なるを信ず」と声明しておる。この声明こそ彼らの宣伝政治の第一歩である。金解禁の如き重大なる事業を成さんとするに当たり、何らの用意もなきに焦燥といわんか、軽率といわんか今にも金解禁を即行するかの如き声明を公にしたのである。しかもこの声明は上奏の手続きまで踏んで如何にも固い決心を持っておるということを中外に広告したのである。ために為替相場は奔騰躍進せんとした。そこで政府は秘かに正金銀行をして、これが抑制に全力を傾倒せしめた。正金銀行が現内閣成立以来僅か二カ月の間に円を売ってドル買いに向かった金額が一億数千万円に達しておることは、その道の人には周知の事実である。又これが何より確かな宣伝相場の証拠である。然るに政府は現内閣の施政方針が中外に徹底し、漸次その効果が貿易の出超や為替相場のジリジリ高に表れてきたなどと誠しやかに吹聴しておるが、そんなことでは今日の国民は欺かれはしない。本年下半期は前年同期に比して入超が著しく減少すべき趨勢にあった。それは昨年の上半期に於いて綿花の買い付けを見送り、下半期に至って買い進んだのに反し、本年は上半期に於いて非常に買い付けが多かったので、自然下半期の輸出期に至れば、他の事情に変化なくとも入超額が激減すべき形勢にあった。ところへ偶然にも露支関係悪化し、支那の日貨排斥運動が急に緩和せられた結果、対支輸出増進という事実も加わり、尚又米国経済界はますます好況を呈し、我が生糸の売れ行き良好にして、価格も存外高価を維持することを得るような事情が進展して来たのである。そこへ政府の金解禁を直ぐにも断行しそうな大がかりな声明が発せられたので、一般に為替の先高見越より輸入取極を手控え輸出取極を急ぐ気運を促進し、出超額の一時的増加を見るに至った次第である。これ又必然的に起こるべき一時的の現象であって、その反動は今より想像するに難くない。

政府はその政策宜しきを得たため、金解禁の準備も順調に進んで、今や実行期に入っておるが、金解禁のためには何よりも先ず金融の緊縮を図り、産業の合理化による生産及び物価の低下を実現し、生産を増加し、輸出を奨励し、以て国際貸借の改善を致すを根本的要件とする。然るに政府のなしたる解禁準備は、一に財政の緊縮と消費の節約という道徳論的宣伝の一本槍である。しかもその緊縮たるや直接産業や貿易の作興に資すべき施設を片っ端から削ってみたり、間接にこれに利導すべき通信交通などの基礎的事業を中止又は繰り延べしたり、真先に削減せらるべき軍事費には一向手を付けず、行政組織を簡易化しその運用を経済化するというような合理的用意もなく、唯徒に焦燥悲観の態度を以て新規施設を阻止し、失業問題を深刻化せしめ、国内産業の委縮も、国民活力の喪失をも更に顧念することなき盲目的消極主義に始終しておることは、国政運用の大局上、誠に遺憾に堪えざるところである。今や彼らの政策は次第にその馬脚を顕わさんとするに至ったため、金解禁という純経済問題さえ政治的に利用せんと企てゝおる。

かくて濱口内閣の掲げたる諸政策は、議会中心主義も財政経済の立て直しも、皆羊頭狗肉の醜態を暴露し、上 聖明を蔽い、下 国民を欺き、不信極まりなからんとす。我らは国民同志と共に更に監視を厳にせんことを期す。

二　犬養総裁を擁立する

田中政友会総裁が狭心症で斃れたのは一九二九（昭和四）年九月二十九日であった。その後任として**木堂犬養毅翁が六代目政友会総裁に決定**したのは十月十二日である。その間約十日、幹事長森の総裁決定に関する奔走はめまぐるしいものがあった。犬養総裁を決定したのは全く森の力であった。

田中男が未だ在任中から犬養翁を擁立せんとする策謀は行われていた。最初の立案者が小泉策太郎氏であったことは古嶋一雄氏の話によって明らかである。

――古嶋一雄氏談――

犬養を総裁にしようという話を自分の所に持ち込んで来たのは小泉である。小川平吉が未だ鉄道疑獄で検挙されぬ前の話だが、小泉の言うのには、「田中では到底駄目だから小川を総裁にしようと思うが、それには時機が早い。そこで暫定的に犬養にやって貰いたい」というのであったが、「自分にはそんな馬鹿げた相談には乗れない」と言って断った。犬養は革新倶楽部を政友会に合同し、やがて自分と一緒に逓信大臣と代議士を辞め、政界引退を声明した、いわば隠居の身である。その後選挙区がきかなくて推薦候補として当選させたのであるが、事実上は政界を引退している。それに田中総裁が厳として存在しているのに、それを引きずり降ろして隠居を担ぎ出すなどという不道徳な話は到底相談には乗れない。小泉の話はそれで途切れた。その次に持ち込んできたのは内田信也で、田中が死ぬ少し前の事であった。内田の話というのはこうだ。中橋徳五郎が西園寺の所へ脈を引きに行った。つまり政権が再び田中政友会総裁に来るかどうか、田中内閣ですっかり味噌をつけた田中が元老から見離されているのではないか、と思ったからであり、西園寺は「人ではなく党ではないか」と言ったというので、中橋は政友会総裁である以上再び田中内閣が成立すると思い込んだ。その話を嗅ぎ付けて内田が今度は西園寺の所へ脈を引きに出かけた。すると西園寺は「中橋がおかしな話を言ってきた」という様な事を洩らしたらしい。内田は例の通りカンが早い。田中では駄目だと思い込んで先物買いをやった訳であろう。そこで鈴木喜三郎に賛成を求めた。床次竹二郎も犬養総裁案に賛成だからと言って自分の所へ来て、犬養を口説いてくれと頼んだ。内田の話にも勿論自分は乗らなかった。内田が総裁の鍵を握っていると振れ回り「鍵々」と嘲笑されたのもこの時の話である云々。

犬養翁は革新倶楽部の世帯が張りきれず、政友会に合同し政界引退の声明を出したのであるが、犬養氏の選挙区では、辞任した犬養氏をその補欠選挙で再び推薦候補として当選させてしまったから相変わらず議席は持っており、政友会に党籍を残し、高橋是清翁と相並んで党の最高顧問、最高長老として残った。古嶋氏だけは代議士を辞めると共に党籍を離脱して完全に政界から足を洗ったが、犬養翁の最高相談相手たる地位には変わりはなかった。

当時田中総裁の後任問題に関する党の事情は頗る複雑を極めていた。床次氏は政友本党と憲政会を合同し、濱口民政党総裁の下に最高顧問として一つの鍋を食っていたが、肌合いの相違から再び脱党して新党クラブを作り、やがて間もなく森幹事長の有名な言葉「御迎えに参りました」に迎えられて田中男の政友会へ復帰したばかりであった。

当時のいわゆる旧政友会と称される岡崎邦輔、水野錬太郎、望月圭介、高橋光威氏らの一党は床次氏を総

資料４８　犬養毅

裁にしようという腹案を持っていたが、鈴木喜三郎氏は床次氏より一足先に政友会に入党しており、鳩山一郎、山本悌二郎、久原房之助、森恪らの実力派に擁立されていたので、力の上では床次氏を圧する勢力を持っていた。鈴木、鳩山、森の三人は非常な密接な関係にあって、一切の政治行動を共にするという申し合わせさえ交わしていた。そのほかにダークホースとしては中橋徳五郎氏があった。木下謙次郎、田邊熊一、吉植庄一郎氏らの支持によって虎視眈々たる野心を蔵していた。

山本条太郎、久原房之助氏らも、押されゝば乗り出す気であった。

それに犬養翁を押す人々には、旧革新倶楽部系や、革新倶楽部と一緒に政友会へ合同した岡田忠彦、若宮貞夫らがあった。また中には、先に総裁業に見切りをつけて田中総裁に跡目を相続させた高橋翁の再出馬を希望する者もいるという調子で、まかり間違えば床次・鈴木の総裁争いとなり、これに中橋氏がダークホースを狙うなどの場面を予想すると、或は再び分裂の危機をさえ思わせるものがあった。それをまとめて犬養毅総裁に統一したのは全く森の力である。

田中総裁の在世中、内田氏の犬養擁立運動に対しては、森は非常に憤慨していた。ある時築地の蜂龍に、森、内田、鳩山の三氏が会合した時、森は内田氏に食って掛かった。「田中さんが辞めるとも言わない先に追い出しの計画をするなどは余りに不道徳な話ではないか。やるならやってみろ。俺は田中さんを死守するから」と言ったのである。田中男が急死した時に、森がその秘書格の山浦氏に「田中さんを殺したのは内田と新聞だよ。実に残酷な話じゃないか。僕は番町へ駆けつけて死に顔を見た時、気の毒と悔しさでつい不覚の涙が抑えきれなかった」と言いながら、そこ（政友会本部の幹事長室）にあった巻紙に一首の和歌を書いて示したことがある。その歌は、故人の死に顔を見て涙が止まらなかったという内容であった。

しかしながら森は、その実田中総裁に満足していた訳では決してなかった。それは田中内閣の外務政務次官在任中、満洲問題の発展及び解決策について田中首相兼外務大臣が森との約束を破った事があり、その統制力についても決して満足していなかった。寧ろ見切りをつけていたとも思われる節があった。しかし本人が辞めるとも言わないのに、しかも政友会員の全部が選挙費やその他で非常な恩になっているその人を、総裁の椅子から引きずり降ろす惨酷不道徳なやり方を彼は憎んだのであった。彼は時の推移を待って鈴木氏を総裁に据えるつもりであった。

小泉策太郎氏や内田信也氏の犬養総裁案は田中男の在世中だったのでものにはならなかったが、さて至急に総裁を決めなければならぬ立場に立った幹事長としての森は、党内の諸情勢を静かに考察した結果、犬養翁を暫定総裁にする他に途がないとの結論の達したので、急速に裏面工作を始めた。

先ず犬養氏の意向を探ることが先決問題である。犬養翁は田中男の葬式を済ませるとうるさい東京を離れ、湯河原の天野屋別館に千代子夫人を伴って出かけて行った。

森は古嶋一雄氏と村田虎之助氏に犬養翁の意向を探ることを頼んだ。古嶋、村田両氏は湯河原へ出かけて行って、森から頼まれた話を打ち明けたらしい。すると犬養翁は村田に対し、例の冗談交じりの調子で「政治道というものは実業界などのことゝは違う。受けるなどということを断じて言ってはならん」と謎のようなことを言った。千代子夫人はこの話を聞いて「これで安心しました」と言った。つまり交渉を受けても拒絶するという意味に取ったのであろう。村田氏のこの話を聞いた古嶋氏は「それは交渉されゝば受けるという意味だよ」と答え、その報告を得て森も確信がついたのである。

森は先ず鈴木氏を口説いて、犬養案に賛成させた。次いで森の車は中橋邸に向かった。中橋氏は腸カタルで病床にあったが、枕元に座った森は「貴下がやるつもりなら、真剣におやりなさい。しかし自分は犬養を担ぐ。貴下が自分で膳立てをするか、又は据え膳に箸を取るか、三日以内にはっきり返答して頂きたい」と伝えた。

それは田中男の葬式の済んだ一九二九（昭和四）年十月三日の事であったが、それから三日過ぎて約束の返事を聞きに行くと、やはり病床にあった中橋氏はたった一言「据え膳だ」と答えた。森は中橋という一城一国の主を味方に引き入れてホッとしたのである。

次に森は岡崎邦輔氏を築地の田川に招待して党内の大勢を説き、床次氏を立てようとすれば党が大分裂となると説いた。岡崎氏は一九二四（大正十三）年の大分裂にこりごりしている。床次氏よりも党が大切である。智者岡崎は即座に犬養案に賛成してしまった。森はこゝでも大物を味方に引き入れたのである。岡崎氏は床次擁立派の巨頭望月圭介氏が旅行から帰るのを待ちかまえて、犬養万全説を吹き込み、望月氏を獲得した。望月氏も又党内の対立抗争を嫌うこと岡崎氏と同じである。

森がそれ以前に高橋翁に吹き込んでいたことは勿論である。森は、あゝ頑固そうに見えても老人を動かす術にかけては並々ならぬ腕前を持っていた。

かくして十月八日の夜、高橋邸の会合でいよいよ総裁を決定すべき席上、犬養総裁説を最初に切り出したのが床次派の巨頭と目される岡崎、望月の両氏であったことは、事情を知らぬ他の幹部をびっくりさせた。ところが床次氏は勿論、三土忠造、水野錬太郎氏らは、この最高幹部会で床次氏に持って行こうという腹案だったのでなかなか賛成しない。かくして夜は更け、腹の探り合いに時を移したので、同席していた元衆議院議長の元田肇氏が「今晩決めなくてはならぬという訳でもないから明日に伸ばしては如何」と切り出した。するとと森から言い含められていた高橋長老は、

「これだけのお歴々が揃って今晩決まならければ、明日になっても明後日になっても、なかなか決まりますまい」

と釘をさした。それに加えて森幹事長は、

「明日に延ばすようなことになれば党が大混乱を来しますよ」

と凄文句を並べた。

「時に中橋君が今晩欠席だが、中橋君の意見を聞かなくてはなるまい」

と言う者があった。甚だ尤もな説である。すると森は中橋氏と会見した内容を話して「中橋さんの意見は犬養総裁説です」と断言した。床次派の顔色はいよいよ悪い。望月氏が床次氏を別室に誘って説いた。その結果、床次氏も大勢を察し、「犬養を呑もう」と悲痛な承諾を与えてしまった。床次氏さえ同意すれば、他は問題ないのである。

　かくしてこの最高幹部会は犬養総裁を決定し、深更に及んで散会した。その翌朝、森幹事長は湯河原の天野屋に犬養翁を訪れて、正面から総裁就任の交渉をして就任の承諾を得た。その時に森はこう言っている。

「何れ正式の出馬懇請には党の長老が来る筈ですが、私には受ける、受けないの内意をお聞かせください」

　すると犬養翁は、

「よし引き受けた。やろう。なァに幹事長たる君が来てくれれば沢山だ。老人たちを改めて寄こすには及ばない」

資料４９　犬養毅を湯ヶ原天野屋に訪れ政友会総裁就任を交渉する森
（昭和４年１０月、４７歳）（出典：山浦貫一篇『森恪』）

と、はっきり答えた。そして就任の条件も何も付けなかった。

いよいよ総裁推戴の式が開かれる十二日の前日、森の秘書格であった山浦氏は、党大会に於ける演説草稿の打ち合わせに関する要件を森から頼まれて、湯河原へ犬養翁を尋ねた。その時山浦氏は、「今度の総裁問題で森幹事長が出過ぎた行為を取ったと言って床次派やその幹部の中では森の悪口をいう者が非常にある」という事情を告げた。すると翁は「働く奴は何時の世でも嫉妬反感を買うのが定石だ」と言って笑った。更に山浦氏は、「先生は何か条件をお付けになると思って居りました」と言った。

するとその答えはこうであった。

「女郎の起誓と政治屋の約束は当てにならん。条件など付けても、我輩自身が嫌われるか、こっちが嫌うかすれば約束は反故になってしまう。野暮は言わぬこった」

と、非常な機嫌であった。

犬養翁が森を信用して条件も何も付けなかった理由は、その時山浦氏に語った左の談片でも推察できる。

「森の親父の作太郎と我輩は大同団結時代からの友人だ。作太郎の倅の森が三井物産の上海支店の一月給取りだった時分、孫文の第一革命で我輩も孫に加勢をしたが、その時に始めて森を知った。あれはあの時分から約束は守るし、要領は得ているし、中々使える男だよ。反感を食って我輩がやりにくかろうと、そんな心配はない。反感を食わない奴に禄な奴はありはしないのだからね云々」

森が訪問した時に、犬養翁が彼に与えた色紙がある。それには左のような文句を書いて大いにやってみせるぞという意気を示している。その淋漓たる墨跡は溌剌たる意気と気鋒の鋭さを示しているのであった。

襪線堪補紱　弩末猶穿縞

正式に第六代目の党首を決定すべき政友会の臨時党大会は、一九二九（昭和四）年十月十二日午後二時から本部に於いて開かれた。左は幹事長森が劈頭に試みた演説である。

「諸君、本部は会則第二条に基づき、総裁を選挙するために本日臨時大会を召集したのであります。公私御多端の際、かく多数御参集を得ました事は、本部の最も欣幸とするところであります。こゝに諸君の労を深く感謝いたします。

逝ける田中総裁が、国家のために、将又我が立憲政友会のために尽くされたる功績は今更これを繰り返す必要を認めませぬ。偉大なりし田中総裁は永遠に我々と別れたのでありますが、その志とせられたるところは永く全党員の精神気迫となって留まっていることを信じて疑わないのであります。我が党はこゝに濱口内閣の成立に対し、寛容なる態度を示し、彼らをして自由に且つ充分にその所信遂行の機会を与えんとしたことは諸君御承知の通りであります。然るに現内閣のなすところを見るに、悉く機宜を失するのみならず、一種の錯覚に陥り、甚だしく常軌を逸するの感があるのであります。その強く主張せる緊縮節約の如き、徒らに事業を萎微せしめ、農村を疲弊せしめて世を挙げて一大不況状態に導かんとする恐れがあるのであります。而も彼らの独断的専制思想は議会に於ける予算審議の大権を蹂躙し、府県市町村に於ける自治団体の権域を侵害せんとしております。特に綱紀粛正の美名の下に、政府並びに組織的宣伝計画を以て行われつゝある政略的疑獄事件の摘発の如き、官権悪用の最も甚だしきものであります。

三年前、若槻内閣の焦慮せる金輸出解禁運動の始末は、渡辺銀行の破産にその端を発し、財界空前の大混乱を起こし、僅かに我が党内閣の出現によって国民をして堵に安ぜせしむることを得たることは、今日尚国民の記憶に新たなるところであります。今や単調にして無責任なる宣伝政治家、濱口総理大臣と井上大蔵大臣は、乱暴にも何らの準備なきにも拘わらず国民の耳目を奪いて殊更に準備完成せりと宣伝し、敢えて金輸出解禁の断行を企て国家を禍せんとしております。

現内閣は国民生活の基礎である産業を萎微せしめて、収入の途を断って、何ら節約の余地を持たざる一般大衆に対し節約緊縮を要求しております。かつてフランスの政治家フーロンが生活の困難を訴え来るパリ市民に対し、「食うものがなければ、芋を食え」と放言し、後に市民より草を口に押し込められて惨死している事実は、歴史が教えておるところであります。

諸君、無責任なる現内閣の宣伝政治によって、国情はために暗澹として恐るべき危機を孕まんとしております。これらの不満と脅威とを払わんとするために、政界の中心勢力たる我が党は奮然として起つべき責任があるのであります。我々は悲痛なりし故総裁の党葬を終了し、直ちに大会を召集して新総裁の推戴をなさんとするのは、蓋しこの責任を果たさんがために他ならないのであります。私は国民のために諸君が善処されんことを期待し御挨拶とするものであります」

三　選挙五奉行時代

犬養翁が総裁に就任して、政友会の苦難時代は改めて始まったといっても良い。何をいうにも田中前総裁の不評の後を受けて立った犬養翁は、孤高清貧の風格を以て政友会の不評を盛り返す役割には適任者であったが、それだけに政党の所帯を張る財政上の苦労は幹事長の森が殆んど一人で引き受けなければならなかった。

第五十七議会は濱口内閣の手によって解散された。解散直前に政府は金輸出解禁を実現した。後に至ってこそ森の指摘した如く、これが殺人的不景気の出発点となったことが証明されたけれど、当時は与論の全幅的な支持を受け、それを当面した総選挙に用いた。その上、長く日銀総裁の地位にあった井上準之助氏が大蔵大臣で、財界との連絡は十分であり、いわゆる選挙の神様安達謙蔵氏が与党選挙陣営の総元締めであった。これに引き換え、政友会の選挙陣営は金に縁のない犬養翁が総裁、幹事長の森が一切の采配を振って、島田俊雄、秦豊助、松野鶴平、熊谷直太の四選挙委員と共に、いわゆる**五奉行政治**を以て総選挙に当たった。

与党の選挙戦術はその選挙費の豊富なると共に整然たるものであった。これに引き換え政友会の方は、いざ解散となっても資金がない。候補者は選挙区に帰ることが出来ない。森が八方飛び廻って選挙費を集めるが、野党の事ではあり、井上、安達の監視の眼が財界方面を睨んでいるので極めて成績が悪い。

一九三〇（昭和五）年一月二十一日解散、二月二十日総選挙という切迫した期間の十日前の二月十日にな

資料５０　五奉行時代（昭和５年）（出典：山浦貫一篇『森恪』）
※向って右より松野鶴平氏、森恪、島田俊雄氏、秦豊助氏、熊谷直太氏

ってようやくまとまったのが金百万円。中橋徳五郎氏の手から森の手に渡されたのであった。この金は森が中橋氏を説いて捻出したもので、犬養内閣成立の際は、中橋氏に優先権を認める了解があったと推測される。事実、犬養内閣には、病身であったに拘わらず鈴木、床次の両候補者を後に優先的に中橋内務大臣が出来たのである。

この百万円でいよいよ本格的な選挙戦に移ったが、なにしろ前回の選挙は田中総裁時代のいわゆるインフレ選挙で、総額一千万円くらいの選挙費を使ったといわれるに比べ、この時は三分の一以下、即ち三百万円以下の金で賄われたといわれている。金が少ない上に世評芳しからず、加えるに安達内相の選挙戦術は政友会候補者の弱い地盤を目がけて集中され、その他には殆んど干渉らしい干渉もせず、世間に非難の余地を与えないという周密な用意を以て臨んだ。事に口やかましい無産党の如きは全く放って置くという新戦術の結果として、民政党は百七十三名から二百七十三名に一挙百名を増し、政友会は二百三十七名から百七十四名、一挙にして六十三名の激減を示して、両党の差は九十九名、こゝに民政党の絶対過半数が成立して盤石の地位を築いたのである。森は最後まで現数を維持すると頑張った。これに反し民政党は、二百四十名は確実であるといった。しかるにこの相違である。喧嘩過ぎての棒千切れ、敗軍の将兵を語らず、森は歯ぎしりして悔しがったけれども、数字の前にはどうする事も出来なかった。しかし彼自身は一回もその選挙区栃木へ帰らず本部で采配を振っていたにも拘わらず、最高点で当選している。神奈川県の失敗に鑑み選挙区の手入れが如何によく行き届いていたかを想わせる。

この選挙に一つのエピソードがある。

何をいうにも金が不足である。一候補者に二千円平均しか渡せないという貧乏選挙である。而して各候補

資料５１　濱口内閣総選挙時の森（幹事長、昭和５年）（出典：山浦貫一篇『森恪』）

者は皆選挙区に帰り、東京に残るのは犬養総裁と五奉行くらいなものである。故に人手が足りない。森が山浦氏に、かねてから案を練って置けと言っていたことがある。それは**宣伝戦術**であった。田中内閣当時は、先にもいう通りいわゆるインフレで、宣伝費なども当時の秦幹事長の手で思う存分、恐らく数十万円使われたと思われるが、森幹事長時代には到底そのような豪勢な真似は出来ない。そこで山浦氏が出した案は、新聞広告によるパンフレット戦術であった。選挙広告は新聞社営業部の最も良き顧客である。定価に近い単価で取り引きされる。これを安く使おうとするには出版広告を利用するに限る。かくすれば単価が半分乃至三分の一になる。そこで、大量の広告を新聞社との間に契約している出版業者を利用するのが好都合と考えた。そこで山浦氏の友人であり森とも親交のあるその道のエキスパート勝田重太郎氏に依頼することにした。勝田氏の選んだ出版業者は盛文堂であった。盛文堂は単価の安い広告を大量に掲載する書店である。一方山浦氏は犬養総裁の大衆的人気を利用するために、犬養毅述『景気か不景気か』というパンフレットを一部十銭の定価で作った。つまりそのパンフレットの広告ということにして実は政友会の宣伝文を東京、大阪始め全国の新聞社に一斉に掲載する戦術を取ったのである。

森がこの案を採用して山浦氏から予算を聞き、それでいゝから直ぐに取り掛かれと言ったのは二月十日、即ち中橋氏から百万円の金が手に入った日であった。以後僅か十日間の間に全国新聞の一頁乃至半頁のスペースを契約する一方、急遽三十万部のパンフレットを印刷してこれを全国の書店、駅の販売店などに配布し、尚又ポスターの製作配布などには機敏迅速を要するので一々協議していたのでは到底間に合わぬことを知っていた森は、一切干渉せず、五奉行会議にもかけず、独断専行に任せた。この宣伝戦には民政党が直ちについて来た。やはり種々のパンフレットを作成し、本屋の名に於いて、新聞のスペースを買占めに廻った。この戦術は宣伝戦に関する限り成功した。

しかし一方、この戦術は広告業者の間に一大センセーションを巻き起こした。選挙広告に単価の安い出版広告を利用されたのではやり切れぬという。かくて次の選挙から、広告業者は同盟してこの戦術を拒否することになったが、それは兎も角として、この戦術施行に際しもう一つの逸話がある。

パンフレットの序文を犬養総裁に頼んだところ、「偽善ノ面皮ヲ剝ゲ、虚喝ノ舌根ヲ抜ケ」と墨痕鮮やかに痛烈な攻撃精神を書き表してくれた。これを森に示すと彼は「これだこれだ、これは良い。お爺さん辛辣だね」と大喜びであった。しかし、総裁秘書犬養健氏を始め当時政友会本部にいた人々は、余りに深刻過ぎて世間に与える印象も悪いから使わぬ方がいゝと意見を述べたが、森は「構うものか、未だ足りぬくらいだ」と肯かなかった。こういう場合には、その気鋒の鋭さに於いて森と犬養翁とはピタリ呼吸が合っていた。

四　ロンドン条約を契機とする革新政治理念

濱口内閣はロンドン軍縮条約で朝野にわたる大紛争を惹起した。森の活躍がその中に表れている。

ロンドン会議は、一九二九（昭和四）年十月十七日招請状を受け取り、翌年一月二十一日ロンドンに於いて会議を開き、四月二十二日協定が成立した。

八寸砲搭載の大巡洋艦、軽巡洋艦、駆逐艦、潜水艦の全般にわたり対米六割七厘五毛、対英六割七分七厘五毛の比率であった。しかし我が方の要求は最初から対米七割の絶対保有にあり、若槻全権の如きも米国を

資料５２　ロンドン軍縮会議出発前の打合会（出典：『新生日本外交百年史』）

経由してロンドンに到着する迄、至る所で七割を主張し続けた。その譲歩から問題が起きたのである。
日本全権は、若槻禮次郎、海軍大臣財部彪、駐英大使松平恒雄氏の三氏であった。この会議の全権には軍人を寄来して貰いたくない、というのが英米の希望であった。その希望に濱口内閣が沿ったのであるかは判明しないが、結果から見れば先方の思うツボに嵌まったことになる。若槻氏は後に、この条約の功により男爵を賜ったが、財部氏はこの条約で海軍内部に波及した悪気流に捲かれて没落した。次官山梨勝之進氏その他いわゆる条約派は去るか左遷されるかして、軍令部長加藤寛治、次長末次信正氏らのいわゆる**艦隊派**が台頭した。

濱口内閣は、二百七十三名の絶対多数を獲得した勢いに乗じ、海軍の言い分も枢密院の攻撃も押し切った。時流が軍縮論と平和熱に浮かされた結果、与論は艦隊派のいう国防の危機に耳を貸そうとしなかった。後年、革新勢力に便乗して軍部支持は勿論、ロンドン条約の非を鳴らした人々の中にも、当時は濱口内閣支持、条約成立賛成論を公表した博士などもあったくらいである。内閣の情勢を見れば、当の海軍大臣財部氏は自分が全権で責任者であり、濱口首相が臨時海軍大臣を兼任し、条約の方は正札付きの幣原外相一任の形であり、陸相宇垣一成氏は森があらゆる努力を傾けたに拘わらず遂に条約支持の態度を変えなかったくらいで、貴族院、政党その他政界財界のあらゆる分野に亘り、本条約を否決すべしとする空気は希薄だった。森が幹事長たる政友会でも、僅かに久原房之助、内田信也その他数氏を数えるのみが反対論者で、一般には民政党と同様な観察を下していた。但し、これを政治攻撃の材料に使い、倒閣して次の政権を、という考えから心にもなき反対論を唱える者はあった。

森がロンドン条約の否決に努力した理由は、単純な倒閣熱からでは勿論なかった。それは何時でも彼の言行の根幹をなすところの大陸政策の危機を防ぐためであった。

即ち彼は、先ず支那大陸から米国の勢力を駆逐するに非ざれば到底日本の指導権を確立することが出来ぬと考えていたし、遠くは日露戦争後、エドワード・ヘンリー・ハリマンが満鉄買収を計画して以来、ワシントン会議の実績に徴しても米国の満蒙に対する野心熾烈なるものあり、これを防ぐには**海軍力の確保**以外には途はないと信じていたからである。

要するに対米七割の海軍力を保有することの政治的意義は、満蒙生命線を保有することになるのである。海軍の責任当局が、対米七割を以て国防上最小限度の兵力量なりと宣明し、米国が、七割なら到底日本海軍を撃破し得ずと認識している以上、七割は絶対必要の兵力量に相違ない。**要は対英的には支那本土、対米的には満蒙生命線の確保にあった**。六割に妥協する事は、我が民族の生存権に関して安全保障が伴わぬことになるのである。しかもワシントン会議では全面的に日本の対支権益を削られると共に、海軍力に於いては五・五・三の大譲歩をしている。これに相次ぐこの譲歩である。海軍と歩調を合わせて、森がその成立阻止に渾身の努力を貸したことは、世の常の人の如く便乗でもなければ単に内政上の倒閣運動でもなかったのである。

濱口内閣は総選挙に大勝した余勢を駆り、条約妥協成立の翌日の四月二十三日に開かれた特別議会で大見得を切り、ロンドン条約の効能を述べて、「七割で不安だとは神経質すぎる。兵力量はこれで十分だ」と言った。これがきっかけで反対論は反動的に昂揚し、その迎撃に遭うを恐れた財部全権は、シベリア線経由で帰途の途にありながら、故意に東京帰還の時期を議会後まで延引させたくらいであった。

海軍軍令部長加藤寛治大将が濱口首相兼臨時海軍大臣から呼ばれて、若槻全権に対する政府回訓案の閣議に係る上程案を見せられたのが、閣議のたった一時間前であり、絶対承服できぬという軍令部長の反対上奏は、内閣と打ち合わせてあった側近の大官が阻止したという様な事件が連続して統帥権干犯、憲法違反の声が昂まり、東郷元帥を筆頭に軍事参議官会議が硬化し、枢密院の空気又悪化して行った。若槻全権詰問のため神戸まで出掛けたものゝ目的を達しなかった草刈英治海軍少佐が、悲憤の余り帰京の列車中で自殺したのもこの事件の生んだ一つの悲劇であった。

青年将校の硬化蹶起が頻りに伝えられたし、後の五・一五事件に海軍側の参加者を出したのは、ロンドン条約の譲歩に端を発した政治に対する不満が大部分の原因であった。濱口首相を刺した佐郷屋留雄も、その理由の一つにロンドン条約を挙げているくらい、悪気流は潜在して行った。

森は、専ら宇垣陸相と軍令部方面に働きかけ、一方国民大会を開いて否決倒閣の方向を辿った。久原房之助氏は伊東巳代治伯を、内田信也氏は金子堅太郎伯を受け持って枢府工作を行った。海軍の長老であり、森の岳父である瓜生大将が森を激励するため千駄ヶ谷を訪れ、玄関で躓き倒れて骨折し長い間森の家に寝ていたのも、この事件の生んだ一挿話である。

ロンドン条約を巡る森の活動は、その一面では日本の国家主義運動発展の基礎となった。

日本の国家主義運動、普通には一概に右翼運動といわれるところの運動は、思想的には欧州戦争後の自由主義、平和思想からマルキシズムの左翼運動に展開して行った潮流に対する反動として、また、外交政策としてはワシントン条約以来の屈辱に対する反抗として、更に、国内的には政党政治の余弊に対する反感として、一九二三（大正十二）年の大震災以来、漸く成長の段階に入っていた。

それが大陸政策の形で現実に政治上に姿を現し始めたのは、田中内閣に於ける森の積極政策であり、国内の政治運動として勢力をもたげ始めたのはロンドン条約の問題からである。

森によって、或は森の政治的活動を機縁にして、政治に現実の足取りを取り始めた日本の大陸政策と国家主義的思想の傾向は、平和主義、自由主義の外交、政治思想と相剋しながら年一年と発展して行った。今日、いわゆる革新外交とか政治の新体制とか言われるところの政治理念は、森恪に発しているといっても敢えて過言ではあるまい。

山浦貫一著『森恪』が書かれたのは一九三九（昭和十四）年頃の事で、そこでは満洲事変以降の日本の大陸政策や日本思想の国家主義化が当然視されていて、それを基礎付け発展させたのが森恪だと言っているのである。そして、その仕上げとなったものが統帥権干犯問題であり、それを政治問題化することで国際協調、平和外交を推し進める民政党からの政権奪還を図ったのが、森恪だとしているのである。

岡田啓介大将の日記によれば、一九三〇（昭和五）年五月から六月にかけて、山本悌二郎、久原房之助、鈴木喜三郎などの政友会の幹部が岡田大将を訪問し、手を変え品を変えて、海軍をして国防不安なりと言わせようと策動しており、また六月十日の加藤軍令部長の帷幄上奏《いあくじょうそう》（註：君主制国家に於いて、帷幄機関である軍部が軍事に関する事項を君主に対して上奏すること）を森が前もって知っていた事実などからみて、軍令部豹変の背後に政友会があったことは間違いないものと思われる。財部海相自身も、後日統帥権問題につ

いての知人の質問に「あれは政友会のやった策動であった」と答えていた。（『太平洋戦争への道』より）
つまり、**統帥権干犯問題**（付記参照）というのは、それを最初に発想したのは北一輝だが、それを議会に持ち込み政治問題化したのは軍ではなくて政治家であったということであり、そして、その首謀者が当時政友会幹事長だった森恪であり、政友会総裁だった犬養も森が構想した党略に乗ることになった訳である。

このことについて、当時の新聞は次のように述べて批判している。

「ロンドン軍縮会議について、政友会が軍令部の帷幄上奏の優越を是認し、責任内閣の国防に関する責任と権能を否定せんとするが如きは、……いやしくも政党政治と責任内閣を主張すべき立場にある政党としては不可解の態度といわなければならぬ。しかもそれが政党政治確立のために軍閥と戦ってきた過去をもつ犬養老と、政友会の将来を指導すべき鳩山君の口より聞くに至っては、その奇怪の念を二重にしなければならないのである」〔一九三〇（昭和五）年四月二十六日東京朝日新聞社説〕

ではなぜ、犬養がこのような「二重に奇怪な」政治行動を執ることになったか、ということであるが、一つは、二大政党がせめぎ合う中での党利党略ということもあったであろうし、もう一つは、犬養が政友会総裁になれたのが森恪の政治力のお蔭だった、ということもあったと思われる。しかし、より本質的には、そうした森の党略の背後にある秘密の「計画」を犬養が見抜けなかった、ということではないかと思われる。
というのは、犬養には海軍軍縮問題についての彼自身の考え方があり、その本音は「日本のような貧乏世帯で以て、いつまでも軍艦競争をやられてはたまらない」ということであり、軍縮会議には賛成していたのである。結果的には、統帥権干犯問題は先述したような森の必死の裏工作の甲斐なく、一九三〇（昭和五）年十月一日には枢密院が次のような統帥権干犯問題についての審査報告を行い、また天皇の批准もなされて、政治問題としては収束した。

「本条約調印の際、内閣の執った回訓決定手続きに関し、海軍部内に紛議、世間に物議を醸したのは遺憾であるが……軍令部長にも異議がなかったとの政府答弁、海軍大臣より海相・軍令部長官の意見一致とのこともあり……いわゆる統帥権問題は討究する必要がなくなった……。これ、本官らのすこぶる欣幸とするところである……」

しかし、それを再び政治問題化したのは、またもや森恪であった。

五　濱口雄幸首相遭難事件

一九三〇（昭和五）年十一月十四日、濱口首相は現在の岡山県浅口市で行われる陸軍の演習の視察と、昭和天皇の行幸への付き添い及び自身の国帰りもかねて、午前九時発の神戸行き特急「燕」に乗車するため東京駅を訪れた。そして午前八時五十八分、「燕」の一号車に向かって第四ホームを移動中、愛国社社員の佐郷屋留雄に至近距離から銃撃された。

銃撃された首相は周囲に大丈夫だと声を掛けるなど気丈で意識ははっきりとしていたが、弾丸は骨盤を砕

資料５３　濱口雄幸首相狙撃（東京駅）（出典：『新生日本外交百年史』）

いていた。自身の回想によれば、銃撃の直後は小さな音と共に腹部に異常を感じたが、激痛というべきものはなく、ステッキくらいの物体を大きな力で下腹部に押し込まれたような感じであったといゝ、同時に「うむ、殺ったな」「殺されるには少し早いな」というような言葉が脳裏に浮かんだという。

駅長室に運び込まれた濱口首相は駆けつけた東京帝国大学外科学主任教授の塩田広重の手によって輸血が施され、容態の安定に伴い、東京帝国大学医学部附属病院に搬送され、同病院にて腸の三〇％を摘出する大きな手術を受けて一命を取り留めた。

原敬暗殺事件以降の当時、駅における首相の乗降時は一般人の立ち入りを制限していたものゝ、首相自身の「人々に迷惑をかけてはならない」との意向により実際には立ち入りが制限されていなかった。また、銃撃発生当時、同ホームではソビエト連邦に向けて赴任する広田弘毅大使が出発しており、見送りに万歳三唱を行っていた幣原喜重郎外相やその他多勢は、当初銃撃に気付かなかったといゝ、広田大使らを乗せた列車もそのまゝ出発している。その後、銃撃に気付いた幣原外相は事件直後に搬送された駅長室に首相を見舞っている。犯人である佐郷屋は「濱口は社会を不安に貶め、陛下の統帥権を犯した。だからやった。何が悪い」と供述したが、「統帥権干犯とは何か」という質問には答えられなかったという。

首相入院中は幣原外相が臨時首相代理を務めた。

濱口首相は翌一九三一（昭和六）年八月二十六日午後三時五分に死去した。濱口の死因に関しては、後日濱口が放射状菌の保有者であり、その細菌が傷口に侵入して化膿した事による症状の悪化であると判明した。

そのため犯人である佐郷屋の裁判では、被告の罪状が殺人罪と殺人未遂罪のどちらが適用されるべきか大いに紛糾した。審理の結果、狙撃と死亡との間に相当の因果関係がないとして、殺人未遂罪が適用されたもの丶、一九三三（昭和八）年の判決の内容は死刑であった。ただその翌年に恩赦で無期懲役に減刑され、一九四〇（昭和十五）年十一月に仮出所している。

さて、この問題と森との直接関係を記述しておこう。

濱口首相狙撃犯の佐郷屋留雄は、愛国社盟主岩田愛之助氏の子分と睨まれた。岩田氏は銃砲火類取締規則違反に問われて起訴された。彼は一九一三（大正二）年、外務省阿部政務局長暗殺事件の本犯岡田満の教唆犯として無期懲役を宣告され、一九二四（大正十三）年減刑の恩典に浴して出獄した支那浪人である。（『濱口雄幸伝』より）

森とはかねてから交際があったので、警視庁ではこの犯罪の背後に政友会幹事長森恪との連絡ありや否を疑い、あらゆる方面から探索したが、遂に森を陥れることは不可能であった。

六　幣原首相代理の失言問題

濱口首相は病気で第五十九議会に出席不能である。外務大臣幣原喜重郎男が臨時首相代理に任じられて政友会の攻撃の矢面に立った。政友会は一九三〇（昭和五）年に総選挙で大敗して以来、倒閣熱に燃えている。

幹事長の森にとっては他の党員の如く通り一遍の政権欲からくる倒閣熱ではなかった。

二期幹事長を勤め、その間、民政党内閣の施政が一つはいわゆる殺人的不景気をもたらす**金解禁による消極政策**であり、一つは退嬰外交の名を以て国権を失墜し続けた**幣原外交**である。**森の考えからすれば、民政党内閣を倒壊する事は単なる内政上の問題や政権移動による猟官運動では勿論なく、国権伸長の端緒を造る国家主義の運動なのである。**かゝる熱意を蔵した森は一挙に倒閣の実を挙げんものと手ぐすね引いて待っていたのである。

幣原首相代理に対しては最初から猛烈な反感が政友会の中に燃えていた。当時は政党内閣全盛時代であり、党人に非ずんば、閣僚たり宰相たることは許されぬという不文律が成り立っていた。然るに幣原男は加藤高明伯と同じく三菱直系の政治家であり、濱口首相とも一八九五（明治二十八）年大学同期の親友であったとしても、民政党に入党していなかった。一個の外務官僚である。その幣原男が首相代理として議会に乗り込んで来たのだから、男個人に対する反感が何時かは爆発すべき情勢にあったのである。

一九三一（昭和六）年二月三日、衆議員の予算総会でその機会が遂にやって来た。質問者は政友会の委員中島知久平氏であった。中島氏は代議士に当選一ヵ年足らずのいわゆる一年生である。中島飛行機製作所の創立者で海軍機関中尉の経歴はあっても、議会の空気や質問戦のこつは飲み込んでいない。それを先ず一外務官僚の幣原首相代理は甘く見て懸ったのであろう。そこに失敗の遠因があった。中島氏質問の題目はロンドン海軍条約である。曰く、

「第五十八議会に於いて濱口首相並びに幣原外相は、ロンドン条約は我が国防を危うくするものでないと言明しているが、先日安保海軍大臣は本委員会に於いて、ロンドン条約を以てしては我が作戦計画の遂行上、兵力量が不足である、と答弁した。その間に矛盾がある。濱口首相並びに幣原首相代理はその責任を如何にするか」

という趣旨であった。これは痛いところである。濱口内閣が海軍の反対を押し切り、枢密院に於いては金子堅太郎伯の反対論を懐柔して御批准を仰いだロンドン海軍条約である。政府側では飽くまで兵力量に於いて不足ないと言わざるを得ないが、責任者たる安保清種海軍大臣が不足なしと言い切ることは到底不可能である。政府は何とか局面を糊塗しなければならぬ苦しい立場にある。こゝに失言問題が惹起されたのである。幣原首相代理の中島代議士に対する答弁速記は左の通りである。

「この前の議会に濱口首相も私も、このロンドン条約を以て日本の国防を危うくするものでないという意味は申しました。現にこの条約は御批准になっております。御批准になっているということを以て、このロンドン条約が国防を危うくするものでないという事は明らかであります」

この時、政友会の森幹事長は委員でないから、委員会の後方に和服姿で傍聴していた。委員会は何しろ既に一週間も続いてきたことであり、質問戦もいわゆる陣笠級に及んだので傍聴議員も少なく、室内の温かさに居眠りをしている者が多いという状況であった。だから、中島氏が質問し幣原男が答えても、とかく注意を引かないのは議会の空気を知る者にとって極めてありがちな事である。しかし森は一言一句質問応答を聞

き逃すまいとしていた。幣原男の答弁が終わるか終わらぬに、彼は首相代理の方を睨めつけ、右手を挙げてこれを指さし、

「幣原！　取り消せ！　取り消せ！」

と絶叫した。その気合いに応じて森幕下の委員川島正次郎氏が悪夢から覚めたように居眠りを覚まし、御大森のやる通りに猛り立って、

「取り消せ！　取り消せ！」

と連呼した。政友会委員席はようやく事の重大性を悟ったの如く総立ちになって、取り消しを要求していきり立った。

この騒ぎから委員会は混乱の極みに陥り、四十五分間議事を開くことが出来なかった。政友会側は委員であると傍聴者であるとを問わず挙げて幣原男めがけて殺到し、

「天皇に責任を帰し奉るとは何事であるか」

「単なる失言ではない」

「総辞職せよ」

と絶叫して島田、若宮、砂田氏らの幹部までが首相代理に迫るというもの凄い光景を呈した。この間大臣席で幣原首相代理、江木鉄相、安達内相、松田拓相、川崎法制局長官らが額を集めて協議する光景は物々しかった。四十五分間揉み合った末、再び議事を開き、政友会の島田俊雄委員は白鬼のような物凄い形相で幣原男に食って掛かった。

「この度のロンドン条約の結果として得られたる兵力量については国防上欠陥はなく、その証拠として御批

准を得ておるではないか、という事は輔弼の責任を忘れ、責を陛下に帰し奉るものと言わなければならない。この責任をどうするか」

と詰め寄った。幣原男は流石に中島氏を一年生と見縊《みくび》った罪の報いが来たものと心中ひそかにおぞを振った。答弁に立ったが、失言を取り消すわけでもなく、

「御批准を得たということにつきましては全く政府の責任であります。その責任を辞するものではありません。しかしながらその御批准を奏請する時には……」

と言い続けようとするが、議場騒然として発言が続けられないし、委員長の武内作平氏は議場を整理しようと焦るけれど到底力が及ばない。遂にこの日の委員会は紛擾裡に流れてしまった。この問題は第五十九議会に於いて重大政治問題化した。そのきっかけを作った者は、かねてから幣原外交の大修正を志し、対支積極政策、満洲問題の解決を計画していた森恪であった。

その夜政友会は幹部会を開いた後、森幹事長の名を以て左の如き声明書を発表した。

民政党総裁濱口雄幸君が、議会中心主義を標榜せし以来、時に触れ、事に接して、不用意の間になすところの言動、やゝもすれば我が国体観念と一致せざる傾向の多分に存在することはかねてより識者の憂とせしところである。幣原外務大臣の外交上に示す真情に於いても又、その軌を一にするものがあって、

世にいわゆる幣原外交なるものが、協調の美名に隠れて、国威国権を損すること頗る大なるものありしことは、国民のすべてが認むるところであった。この幣原外相が濱口首相遭難後のいわゆる首相代理として輔弼の重心に座るに至りしことは、ただに国民の不安を濃厚ならしめしのみならず、首相代理、しかも党外の幣原外相を以て、絶対多数党の勢力の中心として議会に臨ましむることの非違なることは、万人これを否定するの余地なきに拘わらず、敢えてこの許すべからざる陣容を以て、粉飾と偽欺と不当なる力によって議会を押し通さんとするに至ったのである。然るに果然、彼らはその正体を暴露するに至った。即ち三日の予算総会に於いて、問題のロンドン条約が国民負担の軽減に何ら資するところなく国防を危険に陥れるものなる事、数字的に中島代議士によって難詰されるや、遂に窮余責任を陛下に帰し奉り、袞龍の袖を盾としてその責任を回避するの暴言をなすに至った。政党政治と責任内閣制を身上とする現代の議会に於いて、幣原首相代理の如く正面より政党政治と責任内閣制を破壊するが如き非立憲的政治家現わるゝに至ったことは、事極めて重大である。吾人は政治的一切の力を尽くしてこの政党政治、責任内閣制の反逆者を応懲しなくてはならぬ。国民は必ずや、この信念を支持することを信じて疑わぬ次第である。

これに対して民政党は左の如き意見を幹部会の議として発表している。

幣原首相代理は「御批准を得たということにつきましては全然政府の責任であります」と釈明しているところからみても、その真意は明瞭で何ら責任問題など起こるものではない。政友会は何らかの機会に於いて議事の妨害をなさんとする手段に出たもので、尚この上政友会が組織的、計画的に議事妨害をするに於いては、党としても相当の決意を以てこれに当らねばならぬ。

失言問題は衆議院の議事を一切停止してしまった。予算委員会は開会しても議事が開けず、民政党の方は頻りに強硬手段に訴えるとて解散を仄めかし、政府も又最悪の場合は解散も辞せずと放送して政友会を圧迫するけれども、「解散するならすればいゝ、政府の自殺行為だ」とばかり取り合わず、政友会はますます強硬になる一方であった。かくして院内の空気はますます悪化して行った。中二日置いて六日の午後一時半に開かれた衆議院予算総会は流会となった。

幣原首相代理は安達内相と共に多数の護衛に守られて院外に出たが、「恥を知れ！　売国奴！」などという罵声に囲まれて身辺甚だ危険である。この時民政党院外団某々らは、幣原男を逃がすため政友会の注意を集中する手段として請願委員室の中から氏名標木で硝子を叩き破り、その破片が廊下に群集していた政友会院外団の頭上に降ったからたまらない。こゝに於いて民政、政友、両院外団に代議士を交えて廊下の大乱闘を演じ、政友会代議士中島鵬六、民政党代議士木村義雄他、民政、政友の院外団数十名の負傷者を出した。この間隙に乗じて丸山警視総監は守衛と共に幣原男を擁護して第四委員室に至るという修羅場が出現してしまった。

その結果は声明泥合戦となり、民政党は政友会の幹事長他数十名を相手取って、公務執行妨害、暴行脅迫罪として東京地方裁判所検事局に告発するに至った。一方政友会の方は丸山警視総監が多数の警官を院内室内に潜ましめ、或は憲兵を議場に入れてスパイ政治の悪辣さを敢えてなし、自らも秘かに予算会議室の隣室に隠れ、多数の警官と院外団を指揮し遮二無二会議を強行せんとした態度はクーデターに等しいと非難の声を放った。政友会側の意気込みは凄く、いわば決死の勢いとでも形容するのが妥当と思われた。

告発書に列記された民政党側の理由によれば、

(一) 武内委員長が開会を宣告せんとするに当たり議事を妨害した。

(二) 無意味なる大声を発して委員長及び委員の発言を不能ならしめた。

(三) 速記台を乱打、且つ速記者を脅迫して速記を不能ならしめた。

(四) 暴力を以て守衛を排除し、国務大臣席に殺到しこれを脅迫した。

(五) 国務大臣に対し「売国奴」「国体破壊者やっつけろ」などの暴言を連発して、これを威迫した。

(六) 委員長席を包囲して委員長の行動を拘束した。

などが挙げられている。

被告発人の名前は左の通りである。

深澤豊太郎、大野伴睦、大石倫治、藤井達也、名川侃市、一ノ瀬一二、林讓治、寺田市正、三尾邦三、猪野毛利栄、川島正次郎、上野基三、西岡竹次郎、上田孝吉、土倉宗明、津雲国利、胎中楠右衛門、保良浅之助、丹下茂十郎、倉元要一、安東正純、木村清治、小野寺章、島田俊雄、森恪、廣岡宇一郎、西村茂生、兒玉右二、清家吉次郎、清瀬規矩雄、東武、砂田重政、大口喜六、熊谷巌。

告発人は左の通りである。

森田茂、八並武治、原夫次郎、岡本實太郎、杉浦武雄、平野光男、一松定吉。

更にまた、警視庁が政友会を告訴するという珍事件まで持ち上がった。それは警視庁の高等係巡査部長吉

資料５４　森幹事長の議場姿（昭和６年3月１８日・第５９議会）（出典：山浦貫一篇『森恪』）

原茂が五日の夜、予算総会室に居たところが、政友会の西岡竹次郎が「君は警視庁か？」と尋ねた。それをきっかけに吉原が委員室へ警官を潜入せしめたというので、政友会の代議士はこれを殴打し、ポケットの名刺入れを引き出して名刺及び傍聴券、議場入場徽章佩用章を強奪したため、丸山総監以下が協議の結果、吉原巡査部長の名を以て左の九代議士を東京地方裁判所に告訴したものである。

被告訴人、木村清治、安藤正純、原惣兵衛、東條貞、名川侃市、本田義成、寺田市正、宮脇長吉、犬養健。

由来、議会は治外法権が建前となっている。院内の事は院内の警務課で処理するのが原則であるが、事、こゝに至って治外法権は水泡に帰し、多数の検察官が院内に出張して犯跡を調査するという未曽有のいわゆる不祥事を現出してしまったのである。そして民政党は専ら告訴沙汰を以てインテリ流の闘争法を取るに対し、政友会はいわゆる自由党以来の伝統である実力行使で行った。こゝにも両党の伝統が現れていて興味がある。

当時の政友会は闘士を集めていた。先ず幹部では幹事長の森があり、総務の島田俊雄氏がこれと緊密に連携して突撃隊の先鋒を承れば、鳩山一郎、山崎達之輔、秋田清らは理論闘争の部面を受け持ち、その他少壮代議士の中には一騎当千の猛者が揃っていた。森はこのチャンスを逃がさず一挙に倒閣を敢行しようと腹中に智謀を蓄え、外面には専ら実力者の代表として党内の与論を倒閣一方に導くに努めた。

折から昭和七年度予算は審議中である。予算の審議期間は二十一日間と決定されており、二月十一日が期限である。少なくともそれまでは議事の進行を阻止し、延ばして予算を不成立に終わらせて目的を遂行しようとの腹があったから、闘志を掻き立てゝ長期戦に倦怠を覚えさせぬよう絶えず激励の手を打った。そして政府が放送する議会解散は到底なし得ざる業と高をくゝっていた。

しかも森の腹にはもう一つの秘密が蔵されていたと推断すべき理由がある。当時既に陸軍の一角には幣原外交に対する満々たる不満が蔵されており、森と志を同じくして満洲問題解決を急務とする人々はある一種の決意を蔵していた。

議会のこのいわゆる醜態が長く続く時には、院外の諸勢力が議会を包囲するかもしれぬ。而してその勢いを以て幣原退嬰外交を清算すれば、外交の大転換を来たし、政治勢力の一大変革が期待される。森が党内に秘訓を発して宇垣陸相に対する論難攻撃を一切やめさせたことは、何らかの理由なくてはならぬ。宇垣氏は病気のため、濱口首相同様八ヵ月も政務を見ず、阿部信行次官を臨時陸相代理に任じていたし、内閣の十大政綱の中に含まれた陸軍整理には一指も染めていないのだから、攻めて行けば行けるのである。それを止めさせている。

当時はデモクラシーを根幹とする両大政党対立の政党政治で、軍縮論が幅を利かせていた。外交問題の如きは重要問題として真剣に取り扱うという風はなかった。森はその弊風を深く憂え、時流に反して軍備拡張の要を痛感し、政党の大改造を志していたことは明らかである。当時未だ名称的な観念とはなっていなかったが、いわゆる一国一党デモクラシー撲滅などの考え方は早くから森の血の中に流れていたのである。だから政党政治、責任政治を云々する彼の証明書の中にも、議会中心主義を非難し、皇室中心主義を以て進まなければならぬ思想を表明している点が注目に値する。

七日の予算総会も又乱闘に陥った。森を先頭に志賀和多利、島田俊雄、胎中楠右衛門らの勇士が大いに奮闘して、遂に議事を開かせなかった。その結果、民政党の岡本実太郎、政友会の三井徳寶の両氏はまた負傷した。暴力沙汰は日に日に繰り返され、議事は進行せず、院外の空気も又無視すべからず、貴族院でも志水小一郎氏らが幣原首相代理に食って掛かるなど、不穏の空気は内外に満ち溢れて行った。

妥協気分は先ず政府側から発した。院内外の情報を掴むことに於いては有数の人物であった内相の安達謙蔵氏が前線に乗り出してきた。この間に政友会の秋田清氏が動いたことも見逃せぬ事実である。先ず五日の午前、安達内相と政友会の望月圭介氏の会見があり、同時に民政党の長老、山本達雄男と政友会の水野錬太郎氏との会見もあって、この四人が合流して話し合った結果、安達内相から望月氏に対し妥協を申し込んだ。

「貴下らの御尽力で円満に取りまとめ議事を円満に進めたい」

と言うのである。その条件として政府は幣原代理首相をして「私の答弁は私の真意を尽くしたものではなく失当と考えますからその全部を取り消します」と釈明すると言うのだが、政友会はそんな生ぬるいことでは妥協に応ずべきもない。明らかに失言を認めて謝罪してくれれば兎も角、さもない限り取り扱わぬという態度を堅持した。望月氏は安達氏に対し、

「党人ではない幣原首相代理を辞めさせて出直してはどうか」

とまで極言して反省を求めたが、安達氏は黙って答えなかった。そういう状態であるから政友会は納まらぬ。翌朝、望月氏から安達内相に電話で妥協に応じ難い旨を通告した。

それでも妥協の空気は上の方でも動いていった。犬養政友会総裁は、森程深く倒閣の情熱を持っていなかったし、又、総裁本来の主張からいっても議会の神聖を冒すような乱闘沙汰の続演は心中苦しき事と考えて

いる。政府が頭を地に擦り付けて謝罪してくれば許してやって良いという腹があった。そこで安達内相の出した第一案、「失当だから取り消す」云々の案には取り合わず、「全く失言であったから取り消す」と言ってくれば妥協が成立しないものでもないという腹を、秋田、望月の両氏は読み取った。これが安達内相に通じたことは想像に難くない。又その間安達内相は、犬養翁とは議会開設以来の友人であり共に憲政の父と謳われたことのある議会の長老尾崎行雄氏を動かして犬養総裁を動かすなどの手も打ったが、それは失敗に終わった。

しかし、妥協の可能性は漸次上の方に深まって行った。政府の方でも元々党外人の幣原男の面目は二の次である。いさゝかの面目に拘泥して政局を混乱に陥れる事は大きな損である。それを一番知っているのは安達内相であった。そこで「失当」の文字を「失言」に変更するより他に道はないということになった。


その腹を以て安達内相は九日の午前八時四十五分、直接犬養総裁を四谷南町の自邸に訪問し、

「何とかこの場合収拾することは憲政の長老たる貴下及び我々の責任であると思うが如何」

と懇請したのに対し、犬養総裁は、

「君が望月君に提案された取り消し文は承認できぬ。もし政府が更に妥協の意志あらば、我が党で作成した腹案を示そう」

と切り出した。それは、

『中島君に答弁したることは憲政の本義に鑑み、これを失言と認めますから取り消します。この答弁により物議を醸し議事の進行を遅滞したるは遺憾に堪えませぬ』

というものであった。これに対し安達内相は、「その提案には絶対に応じられぬ。が、もし貴下にして時局

収拾の考え有れば、虚心坦懐に最後の腹を出そう」とて左の案を出した。

『過日中島君の質問に対し答えましたる私の答弁は失言であります。全部これを取り消します』というのである。結局失言という文字を入れることによって政友会の主張は貫徹したとなし、犬養総裁がイニシアチブを取って天下り的に妥協を決定してしまったのである。

尚政友会の主張には「憲政の本義に鑑み私の答弁は失言云々」とあり、その点がポイントとなっていたが、これも犬養総裁は削除することに同意して、幹部会の要求する陳謝的な言葉は一切使わなかった。犬養総裁は森幹事長を自宅に招いて妥協案を押した後、新聞記者に左の如く述べている。

「いくら形容詞をつけても失言は失言だからアッサリした方が良い。陳謝的文句がないので政友会にも不平があろう。がしかし、双方に不平のある程度でなければ喧嘩は納められるものではない。大局から見て外国人に日本議会の流血の現状を見せる事は決して褒めたことではない。まあこの程度でまとめる他あるまい」

これで妥協は済んだ。

政友会の院内幹事会では、この天下り妥協に反対する議論が津雲国利氏から起こり、民政党の方では妥協と引き換えに告訴を取り下げる事は反対だという議論が起こったが、結局大勢の赴くところ告訴は取り下げ、幣原男の釈明で大風は過ぎたのであった。

森の立場は甚だ苦しかった。悲壮であった。十日には芝公園で内閣弾劾の国民大会を開く手筈になっており、最後まで妥協を排して突撃する腹を決めていた森としては諦めるに諦めきれなかった。ある人には一言、

「先手を打たれた」

と漏らして悔しがった。

院内の幹事会に於いて妥協を主とする議論を黙って聞いている森の心中は実に悲壮なるものであった。しかしこうなった以上は責任ある幹事長である。総裁と安達内相の取引でその妥協案を押しつけられたとはいえ、その事は一言も言わず、一切を自分の責任とし、左の如く述べて了解を求めた。

「時局重大である。徒らに議事を停頓していることは社会に申し訳がない。故にこのような妥協方針を定め、総裁のお許しを得て民政党の幹事長と妥協案を決定して来たから、どうか枉げて御諒承を願いたい」

実に悲壮な宣言であった。事情を知るものは森の心中を察して涙をのんだ。一座は静まり返った。総務の東武氏がようやく顔を挙げ声を詰まらせながら、

「幹事長の声明はこれを諒とし、妥協案を承認する」

と声明し、これで決定した。津雲国利、志賀和多利らは声を挙げて泣き、森の眼中にも又無念の涙が湧くのであった。

七　濱口首相登院問題と反森運動

濱口首相は病気のため議会への出席が不可能であった。幣原外相を臨時首相代理に任じて、議会の切り抜けを策したのであったが、そもそもこゝに無理があった。

議会を混乱に次ぐ混乱に導いた直接原因であった。首相代理が合法的であるか否かという法理論上の究明は政友会の鳩山一郎、山崎達之輔、貴族院の花井卓蔵、山岡萬之助氏らによって行われたが、結局は法理論の解釈如何で水掛け論に終わらざるを得なかった。しかしゴシップ的には成果が上がった。鳩山一郎が幣原首相代理を**ロボット**と形容し、この言葉が議会の流行となって、濱口首相のいない内閣を**ロボット内閣**と呼ぶようになった。かくして先ず幣原首相代理の失言問題に絡んで衆議院はまる一週間その機能を停止し、次いで起こったのが濱口首相その人の登院問題であった。

濱口首相の容体については、政略的に主治医の発表はいつも楽観的であり、やがて間もなく回復するが如く伝えられた。しかし的確な情報を手にした森は、濱口首相が再び政治の第一線に立つ事は勿論、議会に出席して常時議員の質問に答弁する事も不可能であると断定していたのである。故に政府及び民政党が如何に楽観説を放送しても、民政党の総裁が更迭されねば収拾がつかぬこと勿論、同時に濱口内閣は総辞職するものと断定していた。濱口内閣が総辞職しても第二次若槻内閣、又は安達謙蔵その他の首領を以ていわゆる政権のたらい回しになる事を極度に警戒し、先手を打つべく努力をしたのである。

民政党内部に於いても、濱口首相の病状が到底議会の質疑応答に堪え得るものではないことは判明していた。故に安達謙蔵氏を総裁となし、陣容を立て直すべしとの策謀が中野正剛氏らによって行われ、安達氏を不可とするならば若槻氏を再び総裁に担ぎ出して民政党内閣の継続を図るべしという空気も濃厚になっていった。しかしこれは江木鉄相、山本達雄男、三木武吉氏らの反対が力を得て主張とならず、首相自身もまたいわゆる悲壮な決意から病気を押しても議会に出席すると言って肯かない。

かゝる空気のなかに、幣原失言問題を経て通常予算は漸く成立し、次いで追加予算案が将に成立せんとする前後即ち三月に入ってからは、ひとり反対党の政友会のみならず、貴族院でも又、濱口首相が出席しなければ議事が進行せぬという状態を示してきた。森は「病気の首相を敢えて引っ張り出す如き不人情な真似はしたくないから、民政党が早く新総裁を決めて健全な政情の下に相見ゆべきである」と主張したのであるが、民政党は党内事情及び首相個人の見解から出席すると言って肯かない。

かくて三月九日、濱口首相は病気が全快したというので参内し、幣原首相代理を解任して議会に登院する旨を伏奏したのである。こうなっては一身を顧みず出席しなければならぬ。即ち翌十日、いわゆる悲壮な決心の下に衆議院に登院した。反対党の総裁犬養毅氏は慰労演説を行い、「健康をこの上回復せられんことを祈ります」と結び、これに対し濱口首相は答礼するところあった。これは一応の儀礼である。首相の気力は頗る衰え、首相自身のいう如く、「健康を回復して自ら総理大臣の職務に当たるべくもない」という印象は誰の眼にも明らかであった。

鳩山一郎氏は「あれでは攻撃する勇気は無くなってしまった。立憲政治は政治的感傷を排撃する。首相はむしろ野に下って健康の回復に専念する事が憲政に忠なる所以である」と語り、社民党の片山哲氏は「この行き詰まった局面を個人的同情によって転換しようとするところに現内閣の欺瞞がある。首相はその健康状態に顧みて即時辞職すべきである」と感想を述べ、貴族院側の観測は「あの病気の首相に登院を要求するよりあの病気の首相に頼る政府与党は余りにも残酷である。登院は無理である」と批評した。（東京朝日新聞）

しかし濱口首相は、十三日は貴族院、十四日は衆議院に、登院とは名ばかりの顔出しをして官邸に引き揚げたが、十八日には追加予算案が本会議に上程される日なので、臨時首相を解任したからには出席しない訳には行かぬ。その日、山崎達之輔、鳩山一郎、大口喜六氏らの質問に答えて、議場にあること約二時間四十分、遂に疲労困憊して追加予算の討論にすら入らぬ前に官邸に引き揚げてしまった。夜九時三十分、再び議事を開いたが首相が出席してないので政友会側は議事を進めず、議場は大混乱に陥ったまゝ十時五十五分散会してしまった。

民政党側では「政友会は病気の首相を酷使して疲労困憊せしめ再起不能に落し至らしめんと計画しているのだ」と感傷主義の宣伝をするのに対し、政友会側では「首相は質疑応答に堪え得るものと声明しているのに、その事実は重責に耐え得らざるのものである以上、上下にその責任を明らかにせねばならない。与党は多数を恃んで質疑の打ち切り、動議の封鎖、討論を用いずして追加予算を通過させようとの陰謀的計画を立てたものである」と応じた。

突撃隊の急先鋒であり指揮官でもある森の考えは、「病気の首相を議場に送ることは人道問題である。あの衰弱した有様は正視に堪えぬ。民政党は党利党略のためにこの人道問題を敢えてしているのであるが、実に憤慨に堪えぬ。一時も早く新総裁を立てゝ陣容を一新し、個人的同情戦術などによらぬ正々堂々たる戦いをすべきである」というのが本旨であった。つまり彼の心中には濱口首相個人に対する同情の念と共に、民政党の不人情に対する痛憤で一杯だったのである。

その感情が翌十九日午後の政民両派の交渉会に表現されている。藤沢議長は「二十日の政友会の内閣不信任案上程に際して首相は出席するが、本日は風邪のため登院出来ない」と報告し、与党の森田茂氏からも了解を求めたのに対し、森幹事長は「十九日の本会議で議長から首相が病気のため出席できぬ旨を報告すれば、政友会は質問を撤回してもよろしい」と同情の意を表した。

しかしながら、森の妥協応諾は党内に一大センセーションを巻き起こした。その夜八時から院内で秘密代議士会が開かれたが、交渉会の妥協内容について喧々諤々の反対論が起こった。即ち森、島田の執った妥協案は絶対に賛成できぬと言い、飽くまで濱口首相の出席を促し一挙に結論に到達しようという声の下に、森、島田の両交渉員を非難攻撃の的としたのである。

当時政友会の交渉員は森幹事長、島田、秋田両総務の三人が責任を以て当ることになっていた。赤鬼（森）、白鬼（島田）、青鬼（秋田）の異名を以て党内には頼もしがられ、政府与党には恐れられていたのである。この三人は各々の特徴を出し合い、機略縦横、攻撃力満点であった。然るにこの日、秋田氏は病気の故を以て登院しないのである。ある者は森、島田を窮地に陥れるための病気であると伝え、ある者は幣原事件の時の如く、秋田氏が望月、安達、犬養三氏の間を往来して上の方で停戦協定を結ばせしめるべく今日は登院しないのだと伝える者があった。その真価の何れをこゝで証明するものではない。が、ただこの妥協が森の真意ではなく、犬養総裁の天下りであった事実は争われない。そして島田氏を介添えとし森が絶体絶命の窮地に陥ったのである。

民政党の方は、森の「絶対責任を持つ」という言明を頼りにして、追加予算を通すべく政友会の入場を待っているが、右の通りの状勢で代議士会を開いても容易に議はまとまらない。この間、森は民政党と自党との間に板挟みの苦境に立った。

しかし民政党に対しては、「必ず責任を以てまとめるから会議を暫く待ってもらいたい」と告げてある。遂に森、島田の両人は交渉会の結果、党員の不満を買った点、経過報告の遅れた点などを陳謝した上、「党の面目上、交渉会の結果に服して貰いたい」と懇請したのでようやくその場はまとまったが、大多数の代議士は尚控室に居残って気勢を揚げ、議場に入ったのは森、島田と共にいわゆる五奉行の松野鶴平、秦豊助、熊谷直太氏始め、幹部合わせて三十名くらいの少数でしかなかった。森は振鈴が鳴ると同時に真っ先に議場に入って行った。その顔は青ざめ、目尻はつり、悲愴な面持ちである。先ず民政党の幹部席に行き、桜内幹事長、山道総務その他に対し「自分の不行き届きから議事を遅らせて済まぬ」と詫びたのであった。この男らしい責任を解する態度に対して、正面の政敵である内相安達謙蔵氏は、その後会う人毎に森の人物を賞揚したという事である。

森をしてこの窮地に陥らしめた真因は反幹部熱の底流が敵を前にして表面化したものであった。森、島田、松野、秦、熊谷の五奉行といっても事実は森が党務を一切切り回し、他の者の容喙を許さなかった。その森に対する反感が爆発したのである。恰もよし、平常強気な森に似ず何故か民政党と妥協した。その逆手を取って党内の群集心理を煽り、森を窮地に陥れ、次の幹事長改選に備えたものであった。而してその中心人物は内田信也、望月圭介、秋田清らであったと言われる。

また当時政友会の内情は、犬養総裁の後を狙って鈴木喜三郎氏と復党早々の床次竹二郎氏との対立状態が深度を加えつゝあった。しかし鈴木派は森、鳩山氏を両翼とし、特に森は幹事長二期在任中にその勢力がいやが上にも増大しており、これに加えるに久原房之助氏らの勢力が加わっていた。森が鈴木氏の代表とすれば島田氏は久原氏の代表であった。かくして、反鈴木床次的潮流と、直接的に森を排撃せんとする連合軍の勢力が、議会直後に行われる党幹部改選を前にしてその勢力を加え、森によって代表される勢力を減殺しようとするところから起きた敵本主義の反幹部運動だった訳である。

森は、後ろを振り返る暇もなく、まっしぐらに行動し効果を挙げて来た。しかも最後の土壇場で味方から足を払われたのである。この無念、推して知るべきである。

森、島田弾劾の秘密代議士会の最中、森の旗本ともいうべき院外団の親分大野重治氏は大声を挙げて乗り込み、「党議に服せぬ者は殴ってしまう」と叫び続けた。森がこれを押し止めて、「俺が悪いのだ。殴るなら俺を殴れ」と言ゝつゝ密かに無念の涙を流した光景は、小説的敍述を必要とするであろう。

こうして第五十九議会は波瀾の中に終わった。やっと登院した濱口首相は、元々全然良くなっていたのではないから、二十七日までの無理な出席は忽ち体に障ってしまった。やがて再手術の必要から、四月四日再入院の已む無きに至った。そして十三日に第二回の手術を行うと同時に辞表を提出した。こゝに於いて濱口内閣は総辞職したのである。濱口氏は同一九三一（昭和六）年八月二十六日、遂に薨去した。

大命は若槻禮次郎氏に降って、即日**第二次若槻内閣**は成立した。濱口氏薨去後は若槻氏が民政党総裁になったのは言うまでもない。

尚、第五十九議会の開催中の同年三月二十日、陸軍中佐橋本欣五郎ら桜会の一部将校と大川周明がデモ隊を以て議会を包囲する一方、右翼が政友会、民政党本部、首相官邸を襲撃し、軍が治安維持のため出動し、軍代表が議場に入り内閣に総辞職を強要、元老の西園寺公望に使者を立てゝ宇垣一成陸相の下に大命を降下させ軍部革新政権を樹立するというクーデター計画（未遂）、いわゆる**三月事件**があった。

第二章　満洲事変を巡りて（総務時代）

一　事変直前の満洲旅行

一九三一（昭和六）年九月十八日の柳条湖事件の勃発する直前、森は満洲・朝鮮の視察に出かけた。七月十六日出発して八月十五日帰朝するまで満一ヵ月の旅行であった。政友会からの随員として加わった山崎猛、東條貞の両氏のほか、上野基三氏（栃木県出身衆議院員）も又奉天まで同行した。山浦貫一氏は新聞記者の立場で行を共にした。

この旅行は、対支国策の転換を図るべき森の重大行動であった。旅行の表向きの目的として揚げたのはいわゆる万宝山事件及びそれに起因する朝鮮暴動の調査にあった。

長春（新京）から七里ほど西方に万宝山と称する水田地方があり、朝鮮農民（鮮農）一群が耕作していた。張学良の反日政策に基づいて、支那側の暴民はこの水田に通ずる水路である伊通河の取り入れ口を破壊して水路を断ち、しかも二百余名の鮮農は不法にも支那官憲に捕縛されて吉林に護送され、その地方を護衛していた三十六名の日本警官は危機に瀕した。**（万宝山事件）**

鮮農圧迫は敢えて万宝山に限らず全満洲に於いて猛烈に行われ、特に吉林省、間島省方面は甚だしかった。共匪（共産党匪賊）の名の許に無辜の農民を捕縛し、銃殺する例は枚挙に遑ないくらいであった。

鮮農を圧迫するくらいであるから、日本人に対する排斥行為は想像に難くない。参謀本部の中村震太郎大尉が奥地視察の途次、満洲軍隊のため虐殺**（中村震太郎大尉事件）**されたのを始め、憲兵が殺されるとか、通学児童が襲撃されるとか、頻々として不祥事件は拡大して行った。万宝山事件の如きはほんの一例に過ぎ

資料５５　満鮮視察一行（昭和６年７月名古屋駅にて）（出典：山浦貫一篇『森恪』）
※前列中央・森、その左・山浦貫一、左端・山崎猛）

ない。しかしてこの事件は朝鮮に異常なショックを与えた。報復手段として、在鮮支那人を襲撃して撲殺、銃殺するなどの事件が全朝鮮各地に勃発した。平壌の如きは、わずか数時間の間に百数十名の支那人が惨殺されている。これがいわゆる**朝鮮事件**となって政治問題化した。

時は若槻内閣であり、斉藤實朝鮮総督（第五代）と宇垣一成朝鮮総督（第六代）との退任、着任の往来の最中であった。しかし政友会から特派された森総務は朝鮮事件を政争の具にするつもりは微塵もなかった。専ら行き詰まった満洲問題を如何にして打開するかを胸中に秘して出かけたのである。

出発する前に「万宝山事件は敢えて現地に行かなくとも調査機関があるから事足りる。しかし**俺には別の考えがある**」と漏らした。

出発前には陸軍方面と十分な打ち合わせがなされたことは勿論である。それ故か満洲に入っては各停車場に憲兵が出迎えて案内した。これらのアウトラインによって、森が何のためにどういう方策を抱いてこの旅行に出発したか推察に難くない。

当時関東軍の幹部は本庄繁大将が司令官、参謀長三宅光治、高級参謀板垣征四郎、参謀石原莞爾氏らで、土肥原賢二奉天特務機関長、三浦三郎憲兵隊長があり、かの張作霖爆死事件の責を負って今は浪々の身である河本大作氏も奉天付近に遊弋していた。山崎、東條、山浦らはこういう人々との会談の席上には連ならなかった。だから奉天に於いて森が彼らと如何なる内容を語り、如何なる秘策を練ったか知る由もない。ただ東亜の歴史を百八十度転換させる必要に基づいた話であったろうと想像するのみである。

森一行は一通り朝鮮の視察を終え、鴨緑江を渡って安東県に入ってから、安東、奉天、吉林、長春、哈爾浜、大連、間島など至る所で在留邦人との懇談会を開き、その意見を聞いた。当時は幣原外交の最盛期であり、満洲放棄論がある一部には真面目に取り上げられている様な状態であったので、満洲在留邦人は張学良政府の圧迫によってどん底に近い苦境に立っていたのである。

彼らの陳情を聴いた中では、吉林と間島とが最も悲痛なものであった。吉林では、

「我々は遺外使臣にも中央政府にもこの苦境を訴えて何とかして貰いたいと懇願するけれども、一向に取り挙げてくれない。のみならず、そんなに苦しいのならば内地へ引き揚げて来いという。満洲に来て間もない人々は大分引き揚げた。しかし日露戦争以来二十数年に亘り、ようやく足場を築いた者は去るにも去られない。我々がこゝにこうして居れば必ず支那人に惨殺されるであろう。その血の犠牲によって初めて国論が喚起されるのを待つ」

こんな悲痛な告白まで聞いたくらいである。間島地方もこれと同様である。一行が龍井村の間島旅館に泊まった朝、森は左の一句をものにした。

剣を撫す　間島の夜や　明けやすき

「剣を撫す」という字句に、断を要すという彼の心境が窺われるのである。

この旅行には森は非常に真剣であった。不慮の危険に備えるために腰にはピストルを提げ、手にはステッキ代わりに鉄製のゴルフパットを突いて護身用にしていた。又、保健上の周密な注意から刺身などの生物は決して口にせず、パンの如きさえ一応火を通してからでないと口に入れなかった。しかし一方、非常な冒険を敢えてした。当時は満鉄の沿線ですら匪賊が来襲して危険極まりない。まして支那人経営の鉄道に乗ることは無謀に等しかった。奉天から吉林に通ずる支那鉄道瀋海鉄路は在満要人さえ危険視しており、満鉄、関東軍、外務省などの人々も乗ったことがないという線である。だから森の一行がこの鉄道を利用すると聞いて、いわゆる消息通は挙げて中止を勧告した。もし日本人が乗ったことが判って危害を加えられても、たった四人ではどう抵抗の仕様もないからである。しかし森はその危険な鉄道こそ乗ってみなくてはならぬというのである。魔法瓶に湯を詰め、食料品は全部奉天で仕入れて乗り込んだ。

この旅行で実地に教えられたことがある。支那鉄道は豚小屋の如く汚い。けれども運賃が安い。満鉄の運賃で七円取るならば支那鉄道は三円である。だから満鉄包囲線が完成すれば、支那人は勿論、日本人でさえ満鉄を捨てゝ支那鉄道を利用するようになる。そうなってからでは満鉄経営はいよいよ窮地に陥る。だから政治的解決を以て満鉄の包囲線敷設を絶対に出来ぬようにしなければならぬ。満洲問題の解決はいよいよ急を要する訳であった。

かゝる危険な旅行であり、いつ生命を奪われるか知れなかった。

森が死んだ時、遺書があった。それはヤマトホテルの便箋に万年筆で横に走り書きしたものである（第四篇第四章第六節「森の遺書」参照）。

この遺書は支那鉄道に乗って吉林に行く直前に認めたものと思われるから、森のこの旅行は全く命がけの

資料５６　森の遺書の一部（昭和６年７月、ヤマトホテルにて）（出典：山浦貫一篇『森恪』）

企てで、もし自分が殺されでもしたら必ずや政府を鞭撻し、国論を統一するに役立つであろうと期待して出かけたものと推測せられる。

長春では、その支那時代に稽古した乗馬が役立って、森は万宝山事件の現地を視察に行った。山崎、山浦の両人は乗馬の心得がないのでヤマトホテルに泊まり、北海道選出の代議士で乗馬の心得のある東條氏と、憲兵隊長、守備隊長及び領事館、警察などの五人の案内者と護衛が森に同行したのである。この時も実に危険であった。関東庁の高等課長は万宝山事件を調べに来ても、長春に滞在して万宝山には行かず、田代長春領事は一ヵ月間も経過してから支那馬車に乗って泊りがけで出かけたくらいで、一日の往復にはどうしても乗馬でなければ不可能である。森の馬術は久しぶりに役に立った。がしかし、後で聞いて肝を冷やしたことであったが、一行は将に危うく馬賊に襲撃されるところであった。というのは、一行が出発してから間もなく現地から長春の日本警察へ鳩通信で馬賊出現の情報が入った。驚いた竹並所長は直ちに騎馬巡査を伝令として一行を追い掛けさせ、後から応援の巡査を急派した。ところが幸にして、素人と思われた森、東條両氏の乗馬が玄人の域に達していたため、一行の行程は早く、間に合わなかったのである。而も天佑は森を守った。もし往路を引き返してくれれば馬賊と遭遇して襲撃された筈であるが、別な道を通ったので免れた。森はこの話を後で聞いて「知らぬは仏とはこの事だね」と笑っていた。

大連で内田康哉満鉄総裁の招宴の席上、内田総裁との談話は森の対満政策を窺うに足るものがあった。森曰く、

「内田さん、貴下が重任を帯びて行く所、大事件の起こらぬことはない。北京に行けば義和団事件起こり、

ピータースブルグに行けば共産革命が起こる。貴下が満洲に来られたから、満洲は今や戦の前夜とも申すべき状態である。しかるに整理だ、淘汰だといって満洲事情に通じている多数社員を首にして内地に送り返すとは認識不足も甚だしいではないですか」

これは一ヵ月後の満洲事変を暗示していた。

帰路大連から朝鮮に飛ぶべく旅客機に乗った。これは森が飛行機に乗った最初にして最後の経験である。この時は、山崎氏は大連に寄らず京城に直行していたので、森、東條、山浦の三人が乗った。大連飛行場を離れて約一時間、平壌に向かって飛んでいる中に天候は険悪となり、濃霧のために視界が効かず、飛行機の動揺が猛烈で前進不能に陥った。やむを得ず大連に引き返したのであるが、森は額に汗をかいていた。馬賊を恐れぬ彼も、この乗り物は余程苦手であったと見える。

森の盟友十河信二氏は当時満鉄理事として大連に居た。民政党内閣時代だから、政友会の幹部である森と親しく語り合う事は政党政治時代の常識に照らして穏当でなかった。しかし十河氏は一行頓着なく、滞在中は常に森と共に居り、共に語った。恐らく満洲問題の解決について、総裁内田康哉、副総裁江口貞條、理事五堂卓雄・木村鋭市らの諸氏とは全く異なった考えを語り合ったものであろう。大連には尚十河氏の他に、森の慶応義塾幼稚舎時代からの親友である大連取引所理事長田村羊三氏がいた。森、十河、田村の三人が如何にも打ち解けた楽しげな談笑をしている様が思い浮かばれ、この旅行中で一番和やかな森ではなかったかと思った。

森はこの旅行で結論を得たかの如くであった。幣原外相は万宝山事件を閣議に報告して「万宝山事件は一地方的事件に過ぎない」と言っているが、事実はそんな軽微な性質のものでは絶対になく、満洲を立て直すか、放棄するか、朝鮮統治を危うくするか、完成せしむるかの重大ポイントであったのである。しからば如何にすべきか、こゝに森のいわゆる自然発火による満洲事変は起こるべくして起こったのである。

森一行は東京に帰るや、政友会に報告して党論をまとめると同時に、天下に向かって国論の喚起に努めた。この演説の第一声は事変の直前、一九三一（昭和六）年九月九日名古屋市の公会堂で新愛知新聞主催の下に開かれたが、堂に溢れる八千の聴衆を前に、彼の熱弁は聴衆の全幅的な感銘を呼んだのである。その演説速記は補遺に記述する。

名古屋の他、貴族院研究会昭和倶楽部、選挙区、東京帝国大学の講演、ラジオ放送などで、森の東方会議以来の所論は漸く国論を動かす力となっていった。

二　急迫せる満蒙対策

森恪草稿（昭和六年十月号経済往来所載）

（註：満洲事変勃発直前九月六日に執筆したものである）

満洲に於いて万宝山事件が起こった。朝鮮に於いて鮮支人衝突事件が起こった。万宝山事件で日本が支那に抗議する。鮮支事件で支那が日本に抗議する。そうこうしている中に、中村大尉銃殺事件が発表された。支那側の責任逃避が行われ、日本の与論が湧いてきた。

満蒙の問題は極めて重要性を帯びてきた。これなどの諸問題が刺激材料となり、従来海外発展とか、植民地統治の問題に対して寧ろ極端に無関心な日本の大衆の眼が満蒙の大地に向けられて来た。

満蒙の平和を確保するに非ざれば日本の存立権は冒される。これは常識である。満蒙を確保するためには朝鮮をしっかり統治しなければならぬ。これもまた常識である。この二つが並行しなければ日本国が冒される。日本が冒されることは東洋の平和を乱し、今日排日方針を強行する支那それ自体が危険に陥ることは勿論、朝鮮しかり、その他アジア民族全体が白人種に侵略されるという事である。これも又常識である。

然《しか》るに四季の気候に恵まれ、風光に恵まれ、四面海に保護されている平和な日本人は、ともすればこの常識をさえ忘れがちであった。そこへ降って湧いたのが前記の諸問題である。大雨沛然としていたる形である。後晴れて天地朗らかに転換すれば幸いであると思う。

私と山崎猛君、東條貞君は政友会の党議に基づいて、二問題を中心とする最近の支那排日方針下にある満蒙の視察に出かけた。義勇兵ともいうべきか、ペンを掲げて我らと共に出かけたものに山浦貫一君があった。そして一ヵ月間に亘る真夏の旅を終えて帰京してみると、もっと満洲問題は重大化している。曰く中村大尉銃殺事件、曰く青島に於ける国粋会本部襲撃事件、曰く支那人の邦人虐殺、馬賊の満鉄総裁一行襲撃など、そして中村大尉事件をやまとする日支間の交渉は急迫状態に陥って来た。

雨降って地固まる。彼岸への道程と思えば愉快でない事も無いが、しかしこゝで油断すれば国家国民の存亡にかゝる大問題である。

で私は万宝山事件、鮮支人衝突事件視察の副産物として満蒙を語ってみたいと思う。

国民政府の排日指導方針は、支那本土は勿論、従来日本を親権者の如く考えて、支那本土に対抗して来た満洲族も完全に征服してしまった。在満朝鮮人は約百万人ある。この人々はよく農業を営んでいるが、その業務に対して近来甚だしい妨害を加える。朝鮮人駆逐に関する支那の法律、訓令、密令という様なものが百五、六十件に及んでいるくらいだから、その手心は推して知るべきで、万宝山で鮮農を圧迫し駆逐した事件の如きは、たまたま表に現れた一つの腫れ物に過ぎない。排日排鮮の膿は全身に回っているのである。

甚だしきは鮮農を共産党匪賊として扱う。即ち軍警の手で捕えて牢にぶち込む、銃殺する。銃殺する前に財産を捲き上げる。牛でも豚でも鶏でも鮮人の持ち物は全部取り上げる。居たゝまれないようにして追い出す。間島だけでも本年に入って一万人以上の鮮農が駆逐され朝鮮に帰った。

間島地方に「鶏鳴暁を告げず」という新熟語が生まれたが、これは暁を告げるべき鶏を皆巻き上げられた風刺である。何故罪もない鮮農を苛めるか。由来朝鮮人は、沼地を耕作して水田を作り、山を焼いて火田を作る事にかけては、恐らく世界一の技術を持っている。在満鮮農はそういう技術を資本に荒蕪地を開墾して無から有を生産しているが、満洲人乃至山東方面から移入する支那人はそのような技術を持っていないのである。であるから、鮮農の生産に対しては感謝してこそしかれ、経済的事情からこれを排斥し追放する理由は少しもない訳である。ところが彼らの排日は先ず鮮人に向けられる。『懲治盗買国弁法』なる法律を制定して、鮮人に土地を売り、又貸すことを禁ずる。違反者は銃殺される。何故鮮人を排斥するか、理由は簡単である。曰く「鮮人は日本帝国主義の先駆である」――そして日本人を追い払うのが目的なのである。

旅順、大連などの租借地を返せ。治外法権撤廃。南満洲鉄道を回収せよ。朝鮮、台湾、琉球を取り戻せ。税権商租権を蹂躙せよ。条約を無視して満鉄包囲線を敷け。鉄道敷設条約を破棄すべし。二十一ヵ条の不履行を期せ。……などという排日宣伝は、今や民間の一手販売ではない。官憲が公然音頭を取っている。

南京政府は表面に於いては、そういう事は国民党部のやることで政府の関知した事ではないという口の下から、九月四日の新聞によれば、立法院は排日十一項を作成して政府に建議し、蒋介石はこれを採用して全支那に宣布するという。その内容を見ると実に大がかりである。「一切の条約を破棄すべし。不平等条約による特殊権益を取り消すべし。日本の満蒙侵略政策に対し（中略）特に国内移墾に注意すべし」など支那流に激越な文章で数千言を費やしているが、日本は果たして帝国主義者であるか、又鮮農は果たして日本帝国主義の先駆者であるか否かを検討してみる必要がある。

帝国主義という意味は、支那の作った教科書中の排日教育条項説明によると侵略主義の別名という事になっている。

人は自分が生きんがためには非常な努力をする。国家もまた、その存立を守るためには絶えず努力している。日本国民が亡国の民とならないためには、食って住む所だけは保有しなくてはならない。而してその土地を他人に冒されてはならぬ。先ず朝鮮がそれだ。而して朝鮮を維持するためには満蒙は緩衝地帯として置かねばならぬ。特殊地域というのがこれである。

万一朝鮮を冒され、更に満蒙を、例えば労農ロシアの手に収められた場合を考えたならば、日本の本土のどこに日本人の安住し得る土地があるか。国亡びて山河あり、徒に風光明媚であるが、これを楽しむ余裕を失い、安じて住居する事の自由をすら奪われてしまう。共産主義を実践するつもりならばそれも良かろうが、民族が民族の立場を維持する必要上から見れば到底堪えられぬところである。この立場から日露戦争は起こった。遡って日清戦争が起こった。日清戦争は支那が朝鮮を冒したからである。日露戦争は帝政ロシアが満洲朝鮮をその鷲の猛爪に掴み更に日本を冒さんとしたからである。

侵略主義という言葉を用いるには余りにも防衛的立場に立つ日本であった。

日露戦争前の満洲の状態はどうであったか？　ロシアは不凍港を求める武力的南下政策に従って軍用鉄道であるシベリア線を満蒙に引き入れ、満洲里から斉斉哈爾、更に哈爾浜を通して長春、奉天、大連、旅順にまで延長して来たのである。駅名は勿論、地名までロシア語にして、支那人ですら自由に汽車に乗れなくなってしまった。三国干渉で日本から支那に返還せしめた旅順に要塞を、大連に要港を建設し、飽くまで傍若無人の振る舞いをして日本の面目を泥まみれにするは愚か、沿海州を領有して日本海にのしかゝり、朝鮮を窺って帝国を鷲掴みにかゝったのである。日本は二十億の国費を費やし、十万同胞の血を以て、漸くロシアの勢力を日本の生命線であり満洲人の棲家である満洲から払いのけ、武力的封鎖政策に代わるに平和的開発政策を執り、加えるに経済施設を満洲の地に行った。これが南満洲鉄道株式会社であった。その結果満洲は全く平和な土地となった。満鉄沿線は支那人にとって特に安住地である。支那本土は年中兵乱に襲われて安住し得ないに拘わらず、満洲は我が満鉄警備隊の力によって戦乱が少しも起こらぬ。支那軍隊は満鉄を横断し得ない規定になっているので、満鉄の付属地たる左右一マイルの地内は安全この上ない楽天地と化したのである。

その証拠は人口の増加率で判明する。即ち日露戦争前、清朝の末期には六百万人にしかなかった満洲の人口が、今日は五倍の三千万人になっており、尚年々支那本土、山東方面から百万人くらいの移民が移入されている。しかも鉄道付属地の人口は他の支那領に比して著しい増加率を示している。水は低きに流れ、人は安全な地に流入する。

支那本土から逃げて来た要人を初めとして、満洲の鉄道付属地以外で軍警に迫害される支那人が、日本の租借地又は鉄道地内に難を避ける実例は数えるに遑がない程ある。帝政ロシアが満洲を領有した時代にこんな例があったという話は幸か不幸か聞いていないのである。

日本はその生命線を守ると同時に、支那人の生活に対して大なる貢献をして共存共栄の実を挙げた。自分が得をすれば他人は見殺しにしても構わぬという様なケチな根性を発揮していなかったのである。

こゝで私は更に**満洲の本態を考察する**必要に迫られる。というのは徒に他人の領分に食い込んだ、という誤解を解くためである。成程、地図の上では満洲は支那である。青天白日旗を掲げている。

満洲族である愛新覚羅は北鮮の長白山（白頭山）から起こったという伝説が伝わっている。それが即ち清朝の元祖である。清朝は間島を経略し、奉天に上って都を定めた。漢民族の支那本土を征服して都を奉天から北京に遷したが由来、支那本土十八省と満洲は全くの「外国」同士であった。言葉も習慣風俗も異なっていた。「支那」は長江黄河の流域を中心とする十八省であり、山海関を起点とする万里の長城はいわゆる関外夷狄が支那に入り込むのを防ぐために築かれた。支那人から見れば満洲は野蛮未開の恐ろしい土地であった。日露戦争後の数年の間ですら官吏は満洲へ赴任するのを嫌ったのである。一方満洲族は「支那人」たる漢民族の侵入を極力防止するため、いわゆる満洲八旗という壮丁を以て国境その他の警備に当らしめたのである。

而も先ず朝鮮人が入り込んだ。ロシア人が入り込んだ。而して次に漢民族が入り込んだ。そしてやがて満洲は漢民族の領有に帰したのである。この歴史を見ても満洲は緩衝地帯特殊地域であることがその本質である。

満洲は「支那」ではない。今日でも支那通といわれる人たちや満洲民は、支那という観念と満洲という観念を区別している。言葉も自然に支那と満洲を区別している。

その満洲に起って大元帥にまでなった張作霖が、日本の保護と、その満洲政策の擁護によって大をなし、東北四省を手に納めたことは、外国人さえも公然とこれを認め、故に満洲は日本の特殊地域であることを承認している。即ち日本が管理することによって安全であり、支那人は勿論、外国人にとっても初めて存住の地たり得ると言っている。

日本がそこに幾多の特殊権益を、支那との条約の下に保有していることは決して不当ではないのであるが、その権益を冒され、安住地を奪われても平然と引っ込んでいることは却って東洋の平和、満洲の安全のために害あって益なきところである。日本が支那人の経済生活に如何なる寄与をしたかは、その満蒙に於ける輸出入総額が二十年前の約二十万両から今日七億五千万両に増加している事の一事によって判明するであろう。

日本の力によって経済力を異常に発達させ得た支那人は、その力を逆用して日本人駆逐を計画する。今日（九月六日）の新聞によれば、鞍山製鉄所の鉄鉱供給機関である日支合弁の鞍山鉄鋼振興公司を支那に回収すべく計画されているが、本問題の解決如何では満蒙に於ける日支合弁事業の将来に大影響及ぼすものとして成り行き極めて重大視されている云々とある。

我々は至る所で利権回収の暴圧的実例を見て来たが、支那の経済的圧迫方法は、すべて満蒙に於ける主なる事業を政府が直営するか、又は半官半民の合弁として日本人の手も足も出ぬようにする。その資金を作るためには、正貨準備もないのに五千万円もの多額な紙幣を発行する。軍隊の手で農民から農作物を殆んど只に等しい値段で徴発し、これを外国人にダンピングして、その金を事業に投資する。満蒙包囲線建設の資金は大概こうして作られている。

哈爾浜で、日本側の北満電気を圧迫するために支那会社が作られた。この資金も又こうして作られたものである。あらゆる無理をしても日本人を経済的に圧迫駆逐せんとする。日本人の事業に雇われている支那人を間接射撃する手も使われる。その一例、奉天の南満製糖会社が原料に使う甜菜、それを耕作する支那人を圧迫する。耕作の出来ぬように虐める。すると会社は原料仕入れが困難になって砂糖が作れなくなる。こういう状態はますます甚だしくなっていく。在留邦人は文字通り食えなくなる。大満鉄でさえ食えなくされつゝある。

支那の政治家、軍閥、即ち職業的権力階級の政治術策はもともと赤露の模倣である。ロシアはかつてボロジンやガロンの如き文武の俊才を陣頭に起てゝ千名に近き指導員を支那に送り、日本の官憲が暢気にも傍観的嗜眠状態を続けている間隙に乗じ、国際運動にまで関与した。その赤露教育が三民政策とごっちゃになり、これに支那特権階級の私利私欲が織り交ぜられて、排日精神を生み出したのである。

孫文の残した支那の対外政策は左記の通り。

第一、中国主権を侵害する一切の政治的権力は直ちにこれを排斥すべし。

第二、中国の利権を多少なりとも害する条約、協約、約束は直ちにこれを破壊すべし。

第三、外債の中、政治的経済的に如何なる方面よりも中国に損出なしと認めらるゝもの以外、一切の償還に応ずべからず。従って事の如何を問わず、北京政府の名に於いてならせたる外債はこれを償還せず。

第四、対外的に現在の条約、権益、債務の破棄を実行するために一方的宣言をなすべし。など

右の方針の下に日本との間に存する一切の条約、約束、信義を無視し、満洲という子供は日本のお蔭で一人前になったが、一人前になった以上は親を追い払ってしまうというやり方である。国際信義も隣邦親善も何も眼中には最早存在していない現状である。

こういう暴力団を相手に協調外交、譲歩外交、妥協外交、フロックコートを着て馬賊に対するような国際正義外交を日本が一方的にやってみたところで、何の効果もない。いわゆる外交では今や全く絶望状態なの

である。この事実を前に交渉懸案三百余件は高閣に束ねられて何時解決するとも見えないのみか、ますます増加する一方である。

満洲は世界的に如何なる地位を占めているか。即ち欧亜大陸の東の関門である。西半面に爛熟せる欧亜の文化は東半面の新たなる力によって刷新復興さるべき運命を担っている。この新興勢力の通過する道が満蒙である。かゝるが故に満蒙の将来は極めて複雑多岐である。

そこでもし日本が消極的態度を以て現状のまゝに推移せしむる時は、言うまでもなく東西白色有色入り乱れて禍乱の地と化し、東洋のバルカン化するのであろうことは眼に見えている。又消極的態度を持し断乎としてこれに臨めば、世界平和の発祥地となり、世界文化増進の関門となるべき運命を有している。満蒙に於ける事端はその何を捉えても日本の生存権と密着し、離すべからざる因果関係を有しておるのである。古往今来、何れの国を問わず自己生存権のためにする努力は絶対的なものであって、外来の圧迫、環境の如何、条約の拘束もこれを左右する事は不可能である。死ぬか生きるかの境に立った者の叫びは真実であり、絶対である。

この事を判然と認識しなければならない。これを解せぬ腰も弱いハイカラ一点張りの軟弱外交は、日本の存立権を自ら冒すものであって、危険千万と言わねばならぬ。

さて結論に於いて、私は先日政友会に報告した通り、**支那の排日指導方針の下に悪化せる満蒙支那の解決のためには、国力発動以外に途がないと断ぜざるを得ないのである。**

国民個々の統一なく連絡なき努力では如何とも効果の奏しようがないからである。ただ国力の発動とは具体的に何を指すか。私個人としては勿論案を有しているが、今日はまだ公表し実行し得る時期に到達していないから、諸君の解釈に一任しておくより仕方がないのである。

最後に鮮支人衝突事件について一部の誤解を解いておきたい。私らの一行は該事件を主として調査する使命を以て出掛けたのであるが我々が把握した該事件の真相を発表することが出来ない。何故折角調べてきた材料を行李の中に寝かせておくのかと問われる。出せば倒閣材料として絶好のものではないかとも言われる。成程今度の事件は調べれば調べる程、現内閣の失敗を如実に物語っている。そして支那には絶好の排日口実を与えている。しかし該事件は帝国と支那との間に未解決のまま交渉継続中である。満蒙に於ける諸問題とひっからんでデリケートな行き掛かりになっている。この際、現内閣攻撃のために材料を公表する事は考えものである。

かつて張作霖爆死事件について、民政党は議会で如何なる態度をとったか。政府の調査したる結果を発表する事が国家のために利益であるとの理由で公表を迫った。我々はそれを拒絶した。当時の野党は今日政権を握っている。内容も皆分かっている。我々の同志が議会で「国家のために発表して御覧なさい」と要求したところ、それは国家のために発表できぬと拒絶した。彼らの「国家のため」は野党時代と在朝時代とで異なるものと見えるが、私はそういう軽薄な政争本位な立場から「国家のため」を乱用したくない。

国家のために不利益であることは政争の具に供すべきでないと考える故に遺憾ながら発表しないのである。

三　満洲事変

森が満洲旅行から帰って一ヵ月、一九三一（昭和六）年九月十八日午後十時二十分頃、奉天郊外の柳条湖付近の南満洲鉄道線路上で爆発が起きた。これがいわゆる**柳条湖事件**である。その後この火は全満に燃え広がって**満洲事変**となった。森のいわゆる自然発火である。

さて、柳条湖事件の現場は、三年前の張作霖爆殺事件の現場から、わずか数キロの地点であった。爆発自体は小規模で、爆破直後に現場を急行列車が何事もなく通過している。

本事件は、関東軍高級参謀板垣征四郎大佐と関東軍作戦参謀石原莞爾中佐が首謀し、奉天特務機関補佐官花谷正少佐、張学良軍事顧問補佐官今田新太郎大尉らが爆破工作を指揮し、関東軍の虎石台独立守備隊の河本末守中尉指揮の一小隊が爆破を実行した軍事行動の口火とするため自ら行った陰謀であった。関東軍は、これを張学良の東北軍による破壊工作と発表し、直ちに軍事行動に移った。

事件現場の柳条湖近くには、国民革命軍の兵営である「北大営」がある。関東軍は、爆音に驚いて出てきた中国兵を射殺し、北大営を占拠した。関東軍は翌日までに、奉天、長春、営口の各都市も占領した。

奉天占領後すぐに奉天特務機関長土肥原賢二大佐が臨時市長となった。土肥原の下で民間特務機関である甘粕機関を運営していた甘粕正彦元大尉は、哈爾浜出兵の口実作りのため奉天市内数ヵ所に爆弾を投げ込む工作を行った。九月二十二日、関東軍は居留民保護のため哈爾浜出兵の意向を示したが、陸軍中央は認めず、断念した。

九月十九日午前七時、陸軍省・参謀本部合同の省部首脳会議が開かれ、小磯国昭軍務局長が「関東軍今回の行動は全部至当の事なり」と発言し、一同異議なく、閣議に兵力増派を提議することを決めた。出席者は杉山元陸軍次官、小磯国昭軍務局長、二宮治重参謀次長、梅津美治郎総務部長、今村均作戦課長（建川美次第一部長の代理）、橋本虎之助第二部長、及び局長・部長以上の会議に於いて特別に出席が許され、実質的に局長待遇であった永田鉄山軍事課長であった。

省部首脳会議の決定を受け、作戦課は朝鮮軍の応急派兵、第十師団（姫路）の動員派遣の検討に入り、軍事課は閣議提出案の準備にかかった。同日午前十時の閣議で南次郎陸軍大臣は関東軍増援を提議できず、事態不拡大の方針が決定された。

同日午前、杉山陸軍次官、二宮参謀次長、荒木貞夫教育総監部本部長によって、満蒙問題解決の動機となすという方針が合意され、条約上の既得権益の完全な確保を意味し、全満州の軍事的占領に及ぶものではないとされた。

同日午後、作戦課は、関東軍の旧態復帰は断じて不可で、内閣が承認しないなら陸相が辞任して政府の瓦解も辞さないという「満洲における時局善後策」を作成し、参謀本部内の首脳会議の承認を得た。作戦課は関東軍の現状維持と満蒙問題の全面解決が認められなければ、陸軍によるクーデターを断行する決意であった。

南陸相は、事態不拡大の政府方針に留意して行動するよう本庄繁関東軍司令官に訓電した。

二十日午前十時、杉山次官、二宮次長、荒木本部長は、関東軍の旧態復帰拒否と、政府が軍部案に同意しない場合は政府の崩壊も気に留めないことを確認した。

軍事課は、事態不拡大という閣議決定には反対しないが、関東軍は任務達成のために機宜の措置をとるべきであり、中央から関東軍の行動を拘束しないという「時局対策」を策定し、南陸相、金谷範三参謀総長、武藤信義教育総監（陸軍三長官）の承認を得た。

九月十九日午前八時三十分、林銑十郎朝鮮軍司令官より、飛行隊二個中隊を早朝に派遣し、混成旅団の出動を準備中との報告が入り、また午前十時十五分には混成旅団が午前十時頃より逐次出発との報告が入ったが、参謀本部は部隊の行動開始を奉勅命令下達まで見合わせるよう指示した。二十日午後の陸軍三長官会議では、「関東軍への兵力増派は閣議で決定されてから行うが、情勢が変化し状況暇なき場合には閣議に諮らずして適宜善処することを、明日首相に了解させる」と議決した。

張学良が指揮する東北辺防軍の総兵力約四十五万に対して関東軍の兵力は約一万であったゝめ、兵力増援がどうしても必要であった。そこで関東軍は二十日、特務機関の謀略によって吉林に不穏状態をつくり、二十一日、居留民保護を名目に第二師団主力を吉林に派兵し、朝鮮軍の導入を画策した。二十一日午前十時の閣議で朝鮮軍の満洲派遣問題が討議されたが、南次郎陸相の必要論に同意する者は若槻禮次郎首相のみであった。

二十一日、林朝鮮軍司令官は独断で混成第三十九旅団に越境を命じ、午後一時二十分、部隊は国境を越え関東軍の指揮下に入った。午後六時、南陸相に内示のうえ、金谷範三参謀総長は単独帷幄上奏によって天皇から直接朝鮮軍派遣の許可を得ようと参内したが、永田鉄山軍事課長らの強い反対があり、独断越境の事実の報告と陳謝に留まった。夜、杉山元陸軍次官が若槻首相を訪れ、朝鮮軍の独断越境を明日の閣議で承認することを天皇に今晩中に奏上して欲しいと依頼したが、若槻首相は断った。林朝鮮軍司令官の独断越境命令は翌二十二日の閣議で大権干犯とされる可能性が強くなったゝめ、陸軍内では、陸相・参謀総長の辞職が検討され、陸相が辞任した場合、現役将官から後任は出さず、予備役・後備役からの陸相任命も徹底妨害するつもりであった。増派問題は陸相辞任から内閣総辞職に至る可能性があった。

二十二日の閣議開催前に、小磯国昭軍務局長が若槻首相に朝鮮軍の行動の了解を求めると、「すでに出動した以上はしかたがない」と容認し、午前中の閣議では、出兵に異論を唱える閣僚はなく、朝鮮軍の満洲出兵に関する経費の支出が決定。天皇に奏上され、朝鮮軍の独断出兵は事後承認によって正式の派兵となった。

日本政府は、事件の翌十九日に緊急閣議を開いた。南次郎陸軍大臣はこれを関東軍の自衛行為と強調したが、幣原喜重郎外務大臣は関東軍の謀略との疑惑を表明、外交活動による解決を図ろうとした。しかし、二十一日に林中将の朝鮮軍が独断で越境し満洲に侵攻したゝめ、現地における小爆破事件であった柳条湖事件が国際的な事変に拡大した。二十一日の閣議では「**事変とみなす**」ことに決し、二十四日の閣議では「**この上事変を拡大せしめざることに極力努むるの方針**」を決した。林銑十郎は大命を待たずに行動したことから、独断越境司令官などと呼ばれた。

関東軍参謀は、軍司令官本庄繁を押し切り、政府の不拡大方針や陸軍中央の局地解決方針を無視して、自衛のためと称して戦線を拡大する。独断越境した朝鮮軍の増援を得て管轄外の北部満洲に進出し、翌一九三二（昭和七）年二月の哈爾浜占領によって関東軍は中国東北部を制圧した。

若槻内閣の幣原外交は勿論この事件の拡大を防止しようと努めた。しかし陸軍方面では、事こゝに至っては止むを得ず、徹底的に支那政府及び張学良政権の反省を促すため積極的行動に出るべしという態度であった。

小磯軍務局長、永田軍事課長、鈴木高級課員はもとより、参謀本部方面に於いても積極論が絶対的多数を占め、内閣の現状維持的弱腰に鞭を当てつゝ勇猛果敢に進軍して、吉林、哈爾浜にまで占領の手が伸びたのである。当時我が在満兵力は南満洲鉄道守備隊、僅八千五百の多門師団だけである。しかも敏速果敢に戦果を納めたのである。

当時関東軍司令官は本庄繁、参謀長三宅光治、参謀副長板垣征四郎、参謀石原莞爾らの他に、かつて一九二九（昭和四）年、関東軍参謀であり張作霖爆死事件の責めを負って退職した河本大作氏が遊弋しており、森と関東軍板垣、石原らとの連絡に当たっていた。又満鉄には十河信二氏がいた。十河氏と森の関係は今更言うまでもない。万事を打ち合わせた間柄である。森の満洲旅行の際、これらの人々の間には完全なチームワークが取れていたのである。

当時内地の与論は勿論、現地に於いても関東軍の行動を牽制せんとする空気は甚だ濃厚であった。故に関東軍は寧ろ無援孤立、政府及び国民の援助に頼らず独自の力で事を解決せねばならず、しかも行動の迅速を欠いておればソ連の干渉進出が懸念される状態にあった。

満鉄総裁内田康哉氏は好人物であり、どうにでも意見を変え得る人であるが、副総裁の江口定條氏は三菱と関係深く民政党系の人物であることは隠れもない。従って幣原外交と歩調を合わせ、理事木村鋭市氏は外務省の出身、同じく理事伍堂卓雄氏は後年革新政治家の正札を掲げたが、当時は満鉄の幹部と同様、現状維持不拡大方針を建前としていた。ただ一人森と関係の深い十河理事だけが、関東軍と歩調を合わせ事変の徹底的解決に寄与した。

事件が勃発した時、十河氏は大連に居た。第一報が大連に到着するや、直ちに満鉄全線の配置に取り掛かった。軍の行動を迅速果敢するものは満鉄の協力、就中輸送力だったからである。当時満洲事変の善後策について若槻内閣と関東軍の間には実に大きな溝があった。内田、江口正副総裁、伍堂、木村理事らは共に東京と呼吸を合わせ、内田総裁を中央へ呼び出し、関東軍を抑えて事件の不拡大を策した。

内田、江口両氏の旅程は、大連から船で東京へ直行するように決まっていた。それを十河氏が内田総裁と協議の結果変更した。江口副総裁は予定通り船により、内田総裁は奉天経由、陸路東上ということにしたのである。

奉天では本庄、内田の会見が行われ、関東軍参謀らは総がかりで内田伯に強硬意見を吹き込んだ。好人物の内田伯は、忽ちその方向に邁進するようになった。更にその決意を決定せしめたのは内田総裁の満鉄社員に対する訓辞であった。

内田総裁は奉天事務所に理事、重役らを集めて事変後初めての訓辞を行った。その要領は、満鉄は関東軍を絶対支持して事変終局の目的を達するまで飽くまで戦わなければならぬ、というものであった。即ち総裁の方針は幣原イズムから森イズムへと百八十度転換をしている。他の理事たちがびっくりしたのも無理はない。東上に際しては朝鮮総督宇垣一成、朝鮮軍司令官林銑十郎氏らとが、要所要所に内田伯を待って激励した。

内田、江口の正副総裁は下関で落ち合い、同道して上京する打ち合わせになっていた。しかるに海が荒れて江口氏の乗船は遅れ、内田伯は先を急ぐのでこれを待たず、先ず京都に西園寺公を訪ね、次いで東京へ行って政府に同じような報告と意見とを述べた。即ち内田、江口両氏が大連で打ち合わせておいたのとはまるっきり内容が異なっていたのである。

十河信二氏が満鉄の理事になったのは一九三〇（昭和五）年、仙石貢総裁の懇請によるものであった。森は最初「君は東京に居らなくてはいかん」と止めたので十河氏も満鉄入りを中止していたが、再三の懇請で満鉄入りをしなければならなくなった。折しも満洲の方は、森が東方会議以来目標としていた気運が熟して来るし、**十河氏の満鉄入りは関東軍との関係連絡その他森の志を遂行するに都合の良い理由もあったので、相談の結果満鉄の理事になって行った。**それ以来関東軍の満鉄に関する相談は主として十河氏を相手にしていたので、他の理事は十河氏を敬遠したものである。

十河氏と森との関係は、一九一七（大正六）年くらいから、太田圓三氏（註：明治・大正期の土木技術者、鉄道技師）の紹介によって始まり、大陸政策に関する意見が一致した結果、親密の度を加えたものである。

江口定條氏（註：実業家、政治家、社団法人如水会初代理事長、三菱合資会社総理事、南満洲鉄道副総裁、貴族院議員）は犬養翁とも親しい間柄であったが、犬養内閣成るや間もなく森の意見に従って職を退き、その後任にはやはり森と因縁の深い八田嘉明氏（註：鉄道技術者、官僚、実業家、政治家）の就任が実現したのである。河本大作氏が満鉄の理事になったのは斉藤内閣になってからであるが、これも又森の斡旋であった。森自身も又満洲事変の功によって破格の恩典に浴して、死後、論功行賞の際勲二等に叙せられ、旭日重光章を賜った。

柳条湖に事件の起こった翌日、支那側は行政院副長宋子文が重光葵駐華公使に会見を求め、日支双方より少数の委員を選定し、事変の調査及び処理に当たらしめんと提議した。即ち日支直接交渉によって事を解決しようというのである。然るに数日後、自らその提議を葬っている。即ち九月二十一日には国際連盟理事会に提訴し、早くも第三国の勢力を借りて日本を抑圧せんとするに至った。連盟は日本を侵略行為なりと難じ、芳澤謙吉駐仏大使は重囲の中に孤軍奮闘したのであった。森はその時既に国際連盟脱退の決意を準備しつゝあったのである。

犬養内閣となり森書記官長は陸軍の鈴木貞一（軍事課高級課員）、外務省の白鳥敏夫情報部長らと緊密な連絡を取り、殆んど毎日打ち合わせをしていた。鈴木氏は陸軍、白鳥氏は外務省、森は内閣をリードする方向に進んで行った。列国の圧迫干渉をものともせず、一挙に錦州一帯を陥れたのは、犬養内閣成立直後の一九三二（昭和七）年一月二日の事であった。

四　久原房之助・富田幸次郎の政党連立運動

第二次若槻内閣の末期現象の現れとして、協力内閣運動が相当根強く行われていた。これを解析することなくして犬養内閣を論ずるのは、画龍点睛を欠くの恐れがある。

濱口首相の病気によって第二次若槻内閣は一九三一（昭和六）年の四月十四日成立しているが、濱口政策をそっくりそのまゝ受け継いで、井上財政と幣原外交とが依然政策の根幹をなしていた。これを修正しなかったところに誤りがあった。不景気がますます深刻なるにつれて、軍部の中には微妙な動きが起こり、**兵農一致論**に示唆されるような民間右翼の動きが眼に立ってきた。兵は過半数農村出身であり、民間の右翼も又農村出が多く、農村恐慌を甘受する神経は極度に緊張の度を昂めて行った。その風当たりが井上財政を根幹とする若槻内閣に及んだことは勿論である。

又幣原外交の退嬰主義と宇垣陸相の軍縮傾向にバツを合せる如く支那の排日侮日が増長し、満洲に於いては万宝山事件や中村大尉虐殺事件などが相次いで起こり、少壮軍人の政治的関心を昂めた。この関心が又若槻内閣に対する憤懣となる。九月十八日には満洲事変が勃発した。かくの如くして世相は悪化して行く一方であった。

民政党の方でかゝる情勢を最も敏感にキャッチした者は内務大臣安達謙蔵氏であり、政友会の方では、軍部の中心勢力や右翼方面と深い交渉のあった総務森及び情報網を張ることにかけては天下に有名な幹事長の久原房之助氏であった。その他の政党人は当面の政権維持と倒閣心理に捉われて時局の核心を衝いたり、その推移に対して関心を払う余裕さえも持っていなかった。

安達内相が糸を引いて、民政党の幹事長富田幸次郎氏を表面に立て、政友会の久原幹事長と「次の政権は両党連合の協力内閣たるべし」という**協力内閣**の話し合いが行われたのは、十月から十一月、十二月の初にかけてからであった。安達側からすれば「経済政策と外交との行き詰まりによって内閣の運命はやまが見えたし、目前に迫った議会乗り切りの自信を失っている。何れは近く反対党政友会の内閣が出来るに違いない。それに割り込もうという腹もあるし、又、真正面から考えてもこの危険な社会情勢に対処して政治するには、一党一派の内閣では力が足りず、政争を続けることはますます人心を刺激し悪結果を来す。故に両党が協力して政争を中止し、挙国一致の建前を取ることが最上の分別である」と考えられた。甚だ尤もらしい考えである。

久原氏はまた久原氏で、本来の建前は単独内閣論者であるが、やはり社会の情勢を考察したり、或はまた、西園寺公の意向を打診した結果、協力内閣が唯一の道と思い込むに至った。西園寺公の意中を探ることにかけては、安達氏も又、決してぬかりはなかった。彼らの観察によれば老公は政争を中止し、議会の解散を避け得る点からいっても、政民連合内閣を希望していたというのである。

さて安達氏は、若槻首相に協力内閣を持ち込んで一旦は賛成を得た。それが若槻氏の性格の弱さからひっくり返った。安達内相が九州で行われた陸軍演習に出張して帰ってみると、留守中に江木鉄相や井上蔵相の強力な反対に押された若槻氏の心境はガラリと変わっておった。安達氏が憤慨したのも尤もである。

十二月九日の夜、富田、久原両幹事長は芝公園の南州庵に会して、連立内閣に関する覚書を作り、これを世間に発表した。

「時局に鑑み、速やかに政争を中止し、首班の何れたるを問わず、両党で閣僚を折半し協力内閣を作る」

というものである。

安達、富田、頼母木桂吉氏らは、全力を挙げて若槻氏を始め有力閣僚を説き回った。若槻首相は全く狼狽して緊急閣議を開き、協力内閣運動の中止を決めようとしたが、安達内相はそのような閣議には出席できぬと頑張り、何辺呼び出しが来ても閣議へ出席しない。かくして内閣は全く不統一に陥り、若槻内閣はこゝに総辞職したのである。これが十二月十一日の事であった。そして犬養氏に大命が降りたのが十二日、犬養内閣が成立したのが十三日である。

久原氏と取引した安達、富田の両氏が若槻総裁に協力内閣を持ち込んで賛成を得ていたことは前述の通りである。その約束を反古にしたからこそ、若槻内閣は自爆したのである。

一方政友会の方は、久原幹事長が犬養総裁の諒解を得て協力運動に乗り出したと言っているが、どの程度の諒解があったか死人に口なし今は知る由もない。しかし完全な諒解があったものとすれば、それを反古にして単独内閣を組織したことは、久原氏のいう通り、安達、富田両氏に対して義理の済まぬ訳である。

しかし、山浦氏の調査によれば、完全な諒解と約束とを与えていたという結論は出て来ない。山浦氏が久原氏から聴いたところによると、「犬養氏は諒解を与えていたが、組閣に対してこれを裏切ったのは専ら森と鳩山の力が作用したからだ」という。その当否の検討は後回しとして、仮に犬養氏が若槻氏を対手としての両党協力内閣に諒解を与えていたとしても、両党が現実に協力する以前、既に民政党内部では若槻氏と安達氏との間に正面衝突を来してしまった。たとえ協力内閣を組織するにしても民政党全部を相手ではなく、安達氏とその一党だけを相手とする事になるのであるから、協力内閣の意味をなさない。そしてまかり間違えば両大政党対立の政党主義に反し、安達氏一派の中間第三党が出現して政界を撹乱する恐れがある。これは犬養氏の望むところではない。

安達氏は山道襄一、中野正剛ら三十余名を引き連れて、犬養内閣組閣の日（十二月十三日）に民政党を脱してしまった。

さて、久原氏に諒解を与えたというその程度の問題であるが、久原氏が協力運動の諒解を求めに行った時、犬養氏は例の調子で「安達が八十人も引き連れて参加すれば解散がなくて済むね」と冗談交りに言った程度だと思われる。然るに早くも民政党が内部分裂してしまったということは既に協力内閣の原因が消滅したものであるから、先に協力内閣を望んだという西園寺公も、もしそれが真実であっても既にこの考えを捨てゝいた筈である。その証拠には、大命降下に先立って神田駿河台の西園寺邸に犬養総裁が招致され、自邸に帰った時、村田虎之助氏が「どうでした」と聞くと、

「何でもないよ。簡単明瞭さ、西園寺から、『お前が組閣するとしたら連立で行くか単独で行くかどうか』と聞かれたから、『連立は大隈内閣以来しばしば試みて失敗しているからこりごりだ。もし自分に大命が降下したなら勿論単独でやる』と返事した。『単独出来なかったら』と重ねて訊くから、そこで俺は『わしは単独が生命だ』と答えてやった」と語った。

村田氏が重ねて「もし西園寺公が連立内閣を希望しているとしたら、政権は素通りする訳だがそうしたら

どうする」と訊くと、「辞めるよ」と言う。「何をですか」と訊くと、「総裁を、そして党員に謝罪するよ」と答弁している。しかし、犬養氏がかくの如き確信ある答弁をしているのには一つの根拠があった。若槻内閣が総辞職した後で、興津─東京間の電話は犬養内閣を予報し、単独で差し支えなしということになっていた。その事実は森と犬養健氏が知っていた筈である。

─村田虎之助氏談─

久原の所へ行ってみると、「俺は辞める」と言うのだ。前々から内務大臣は無理だから逓信をという事に内談がまとまっていたのである。そこで私は「役不足かと」聞くと「そうじゃない。安達から交渉が来た。連立で行こうと言うのだ。連立で、安達一人でも入れるならよし。そうでなく単独なら俺は辞める」と言う。その時久原氏は安達に対する義理や責任は自分限りで犬養には何らの責任もないということをはっきり言った。だから自分が入閣さえしなければ、誰にも責任はないと言った。久原が犬養の組閣本部に二時間座り込んで安達の入閣を交渉したけれども、犬養の容れるところとならず、幹事長辞職の声明書まで発表してしまった理由は、こういうところに潜んでいたのである。

こゝで森の立場を述べておく。

森は社会情勢の危険性を誰よりもよく掴んでいた。これを未然に防ぐためには政治の大改革をやらねばならぬと考えていた。それは書記官長になった即日、全面的な政治の改革案の立案にかゝったという事実がこれを証明する。（志賀和多利氏談）

そして眼前の政治方法としては、幣原外交と井上財政によって国家を毒した民政党を破滅せしめ、政友会による**一国一党的強力政治を目論んでいた**のである。であるから若槻内閣倒潰のためには久原氏と同じ傾向を辿って、民政党内部に手を入れていた事実はあるが、濱口、若槻と続いた民政党内閣に対しては恨み骨髄に徹していた森が、久原氏は勿論、その他の協力運動者を白眼視し、ただそれが倒閣の助けになるのを待っていただけであることは論を待たない。

第四篇　内閣書記官長時代

―犬養内閣―

第一章　書記官長時代

一　犬養内閣成立の経過

犬養内閣は左の閣僚を揃えて成立した。

総理大臣（兼外務大臣）　犬養　毅
（外相は後に芳澤謙吉）
内務大臣　中橋徳五郎
大蔵大臣　高橋是清
陸軍大臣　荒木貞夫
海軍大臣　大角岑生
司法大臣　鈴木善三郎
文部大臣　鳩山一郎
農林大臣　山本悌二郎
商工大臣　前田米蔵
逓信大臣　三土忠造
鉄道大臣　床次竹二郎
拓務大臣　秦　豊助
内閣書記官長　森　恪

法制局長　島田　俊雄
警視総監　長　延連

犬養内閣の組閣本部は四谷南町の犬養邸であった。一旦は政界を引退した不遇の犬養翁に優曇華の花が咲いたのである。だから流石老練の翁も悦に入ったに違いない。夜の八時に大命を拝して、その足で高橋是清翁に大蔵大臣の交渉をして九時過ぎに帰って来た翁は、靴のまゝで玄関に上がったほど隠しきれぬ嬉しさを胸に含んでいた。

階上には古嶋一雄氏が組閣参謀長として待っていた。その古嶋氏に対し「おい、虫の食わぬ材木で造ろうぜ」と言った。久原幹事長が民政党との協力内閣を要求してきて約二時間犬養翁と対峙してねばったが功を奏せず、漸くあきらめて帰ったのは十二時近くであった。古嶋氏の談によれば組閣は十二時から電話一本で開始された。

令息犬養健氏が相手を電話口に呼び出すと、犬養翁が自ら電話口に出て交渉し、即時承諾を求めるというやり方であった。本来ならば組閣参謀長は新たに内閣書記官長たるべき人を呼んでこれに当たらせるのが当然であるけれども、森が犬養邸に呼ばれたのは十三日の午前三時頃であった。それまでは古嶋氏が犬養邸にあり、森は千駄ヶ谷の自邸にあり電話で連絡を取っていた。当時鈴木ブロックの勢力強く、その支持者たる森、鳩山、特に強力政治哲学の所有者森は各方面から反感を持たれていたので、鈴木派の組閣といわれるのを恐れた結果であった。

犬養氏に大命降下の気配があったのは余程前からであるから、森、鳩山のいわゆる鈴木ブロックの意向が強く準備され、反映されたというのは事実であった。

望月圭介、秋田清、山崎達之輔、内田信也という大臣候補者が問題の人にならなかったのはそのためであった。山本条太郎氏はシーメンス事件が考慮に入れられ、何れ後に無任所大臣のような役を与えるつもり（古嶋氏談）だったが実現しなかった。だから森が午前三時に到る迄呼ばれなかったとしても、事前の工作は出来ており、又絶えず電話で連絡していたのだから差し支えないといえばいえるのである。しかしこゝには、陸軍大臣に荒木貞夫中将を据えたのと、副総裁格たる内務大臣に中橋徳五郎氏を据えたのは森だ、という事実を述べよう。

先ず内務大臣を誰にするかという事が、大蔵大臣高橋是清氏を決定した後の重大ポイントであった。鈴木喜三郎氏は田中内閣の内務大臣を党の犠牲になって辞職している関係から、再び内務大臣の椅子に座って名誉回復をしたい。床次竹二郎氏はこれ又当然熱心な希望者である。久原氏の内相希望は既に清算されているが、中橋徳五郎氏が熱心に内務大臣を望んでいる。それには理由がある。一九三〇（昭和五）年の二月に行われた濱口内閣の総選挙に際して清貧犬養総裁を戴いた政友会は、恰も経済界の恐慌時代に直面して選挙費の工面に非常な困難を来した。森幹事長は一人でその工面をしなければならなかった。森は中橋氏を説いて百万円の金を出して貰った。その時、犬養内閣が出来た暁には中橋氏を内務大臣にするという諒解が与えられており、犬養総裁も暗黙の了解を与えていたという事実がある。この事は犬養、森、中橋の他、誰も知らなかった。こういう次第で中橋内務大臣は既に早くから了解事項になっていたのである。

犬養総裁の組閣振りは鮮やかであった。高橋蔵相を先ず決めて財界の人心安定を予約した一方、電話組閣に際しては相手の遅疑逡巡を許さなかった。鈴木氏に対しては「御気の毒だが司法大臣をやって貰いたい」と交渉した。鈴木氏は不満であった。「考えるから暫く待って頂きたい」と伝え、森と鳩山氏に電話をかけて相談した。電話を受けた森は寧ろ親父に意見するような態度で「貴下は黙って司法大臣をおやりなさい。内務は中橋にやらせるのが妥当です」と言った。鳩山も又「我慢をしなさい」と勧めたので渋々ながら司法大臣を承諾したのである。後に内閣の改造では閣内党内の反対を押し切って鈴木氏の登場を見たのである。これも森の斡旋であったことは勿論で、鈴木氏に義理を立てたのである。

中橋氏は病身であった。事実上の内務大臣は森であった。内務省首脳の陣容を見ると政務次官に松野鶴平、事務次官に河原田稼吉、警保局長に森岡二朗、警視総監に長延連の諸氏を据えているが、松野氏は森と関係の深い鳩山氏との合作であり、河原田、森岡の両氏は森と密接な関係のある人物で、組閣と同時に森の指令によりこの両人が先ず決定していた。長氏は鳩山氏と大学の同期であり、合わせて森とは田中内閣時代から親交があった。中橋氏は病身であるから実務を見ない。総選挙などに関しては森の指令に従って河原田、森岡の両氏が実務を執り、松野氏が党と連絡して内務陣営が活動したのである。森が事実上の内務大臣と言われたのもこういう事実によっている。

組閣に際して陸軍大臣の椅子は当時それほど重要視されていなかった。陸軍大臣を先ず決めなければ組閣不能という訳ではなかった。犬養氏が陸海軍大臣を一番後回しにした事実から見てもそれが判る。しかしながら、陸軍内部の情勢、即ち前にも述べた通り、少壮軍人の発言力が増大してきた現状に照らして、陸軍大臣の人選は余程慎重に取り扱わなければならぬ。それを政治家として一番よく感受していたのは森恪であった。

当時陸軍内部の情勢としては南次郎陸軍大臣自身に留任したい内意があり、阿部信行中将が序列的に陸相たるべしという説があり、少壮派は荒木貞夫中将を登場せしめたいと熱心に切望した。森は荒木氏とは田中内閣以来親交があったが、又一面上層部で荒木中将を森に推薦した者に平沼騏一郎男があった。荒木中将は佐官時代から平沼氏の門に出入りしており、その人物を十分に知っていたし、森が平沼男の所へ行って、もし犬養内閣が出来たら誰を陸相に良かろうと聞いた時、男は荒木がよかろうと語った。荒木中将は当時少壮軍人の崇敬の的であったから、彼らを指導するには適当と思われた。しかし組閣本部は荒木氏の人物に対して危険を感じていた節があり、南陸相留任の運動が行われていた。かゝる情勢の故に荒木陸相の実現については、人知れぬ苦心を重ねたのである。

小磯国昭大将と森との関係往来も又、森と軍部の関係を語るについて逸すべからざる資料である。犬養内閣成立早々のことであった。時の小磯軍務局長と森が飯を食った時の事である。二人は掴み合わんばかりの大激論を闘わしている。森は議会を解散して絶対多数を取り、民政党を叩き伏せるような話を頻りにするので、小磯氏は内心甚だ不満であった。当時の軍部には政党排撃の声が澎湃として起こっており、小磯氏の如きはその急先鋒であった。森との間柄は親密で、若槻内閣当時から幣原外交清算、軍縮論、平和論の撲滅、革新政治の確立などを話し合ってきた仲なので、今森が犬養内閣の枢機に座ったからといって、選挙に勝つ話ばかりしているのは、人が変わりでもしたように思えたのである。その席には他の人もいたので、多くを語らず小磯氏は先に帰るべく玄関に出た。森が送って来た。そこで小磯氏の癇癪玉が爆発したのである。

「オイ！　森！　貴様は政友会と選挙だけあって他に仕事がないと思っているのか。とんでもない奴だ！」

というと森は、

「何だ！　もう一辺言って見ろ、失敬な！」

というのがきっかけで激論が玄関先で始まった。結局森は、

「貴様は判っていると思っていたのに情けない奴だ。物には順序と手段がある。先ず政友会が選挙に勝って国論を統一しなければならぬ。その上は政友会も民政党もない。国の目的は一つだ」と言った。小磯氏は、

「それで判った」

と言いながら手を堅く握って別れたのである。このエピソードは森と小磯氏の間に前々からどんな話が進められていたかを推測する資料となる。小磯氏は当時、陸軍部内の少壮部ではホープとしての存在であったからである。

《森の政治機構改革案》

——中島清一郎氏談——

犬養氏に組閣の大命が降った晩、森から私に電話があって、私は千駄ヶ谷の森邸に駆けつけた。森は犬養や政友会幹部と組閣について各大臣の人選をしている忙しい最中なのであったが、寝室の寝台に二人で腰を掛けて夜遅く迄話し合った。森は、この機会にかねての持論でありまた理想であった**政治機構の改革**にいよい

よ乗り出そうという考えを持っていた。私も又従来のそれには甚だしい不満を持っていたところから、その晩私は森からそれの具体案についていろいろ意見を叩かれ、また二人でそれについていろいろ議論を戦わした。森は具体案を作ってみたいというので、私は自分の私案を彼の参考として提出した。

それは今ではもう忘れてしまったが、大体、左記の通りであった。

内閣組織の改造

省が多すぎるから省の廃合

議員制度の改革

くだらぬ議員が多いので、**選挙法の改正**

産業統制

当時は高橋是清蔵相のいわゆる高橋財政で金輸出禁止をやった。要するに高橋は財界の動きを見て引きずって行くという方針だった。尚当時は熱河討伐の問題（満洲事変）あり。日本が経済封鎖に遭う場合如何にして日本の経済を持ち堪えるかが問題とされていた時で、森は高橋財政の方針を生ぬるい、もっとテキパキとやらないといけないという意見で、それには産業統制を図り国内の産業強化を図れば、ある程度まで日本の所帯が持てるとの主張を持っていた。

森は以上の改革意見を持っていて、政治機構をもっと簡単に明快にしようとの考えから（それは多分にファッショ的傾向であった）自党の犬養内閣成立を機とし、この内閣の期間中にある程度までにその基礎を作ろうとした。

そのために犬養内閣組閣と同時に直ちに具体案を立てゝ準備しようとした。

私は経済が専門で、議会や政治については素人であった。「自分は素人だから役に立つまい」と言うと、「素人の意見の方が寧ろ参考になるのだ」と森は言った。
産業統制については私もかねて研究していたし意見も持っていたので、それだけはいくらか森の参考に供することが出来ると思った。

○

森氏の意見に従うと、要するに「日本の政治と組織というものは余りに複雑で陰鬱であるが、それは統一されない雑然たる組織がありすぎるからだ。それは一体どこから発生して来たかというに日本が立憲政体となって以来、即ち明治以来六十年という久しきに亘った間に自然と腐蝕し瀰漫し派生し、次第に複雑化したものである。然るに、これは何分にも六十年という久しい歴史を経ているだけに、瀰漫した因習を除去するのは容易なことではない。正に政治家の奮起しなければならない秋であり、一大英断を要する改革事業である。しかしながら今にしてこの複雑なる政治機構を単純化し、是非とも直裁簡明にしなければ収拾がつかなくなるだろう」ということで、これが森の抱懐する**政治機構改革論**の要旨であった。

―岡本一巳氏談―

森の政治方針、そして処世哲学は、「敵は徹底的に撃つべし。その代り味方はあくまで血盟し、強力を結集して以て所信を断行すること」にあった。

こゝに一つのエピソードがある。

二　大毎の座談会逸話

犬養首相は鳩山文相を同道して暮れも押し迫った一九三一（昭和六）年十二月二十七日、東京を出発し親任報告のため、伊勢橿原神宮に参拝することになった。令息犬養秘書官らの手で旅行日程が組まれた。それによれば大阪に宿泊する予定はなく、京都に二泊ということになっていた。

折しも大阪毎日、東京日日から、首相を迎えて大阪で大座談会を開きたいと言ってきた。申込者は城戸元亮氏であり、取り次いだのは山浦氏であった。山浦氏は先ずこれを森に伝えた。森は即座にそれを受託しようと答えた。森は犬養健秘書官にそれを伝えて、旅程の編成換えを求めたのである。犬養首相は好老爺振りを発揮し、側近の者が組む旅程について何ら異議を差し挟まなかった。

しかし秘書官の健氏は、大毎独占の大座談会を開くことはジャーナリズム特有の心理から大阪朝日に反感を抱かせ、船出したばかりの犬養内閣の前途に悪影響を及ぼす事を考慮に入れなければならぬ当然の立場にあった。だから森に対し、大阪朝日の方へ前もって知らせ、もし先方で何か計画があるなら、その方へも義理を立てねばなるまいと言った。すると森は即座に、「それはいかん」ときっぱり答えた。「両方によろしくやることは、やがて両方を失うことになる。そういうやり方は良くない。大阪毎日が特許権を持って居るのだから、飽くまで大毎に花を持たせなければならぬ」と極めてはっきりした態度を示した。それで犬養健秘書官は森の意見に従うことになった。

しかしこの裏には森の感情が含まれていた。彼によれば朝日の態度は常に反政友であり、悉く民政党的論調を取っている。二年間の在野党幹事長時代には恨骨髄に徹する場合がしばしばあると言った。井上財政、幣原外交、それを最も支持するものは朝日であり、従って政友会の言う事には一々ケチをつけると感じたからである。

それともう一つ、一九一八（大正七）年寺内内閣当時、大阪朝日が鳥井素川氏の執筆した社説で不敬事件を惹起し、将に廃刊の運命に瀕したことがある。それを救って続刊させたのは当時の検事総長鈴木喜三郎氏であった。だから朝日は鈴木氏の方へ足を向けて寝られぬ義理があるのに、事毎に鈴木氏の悪口を書く。こういう新聞は強圧的手段に出て天譴《てんけん》を加えなければならぬ。それは、彼が時に触れ山浦氏に漏らした感慨であった。それに城戸元亮氏とは山浦氏の紹介で数回会食をしており、共に提携するに足りる人物と見ていたから、以上のような大阪毎日重点方針を強行したのである。

大阪毎日の犬養、鳩山両相歓迎座談会は、十二月二十九日の夜大阪クラブで開かれた。出席者には、犬養、鳩山両相を始め、太田大蔵参与官、犬養健・林譲治両秘書官、山浦内閣嘱託、斉藤知事、関市長、弘世助太郎、小倉正恒、八代則彦、星野行則、河田大阪商大学長、楠本阪大医学部長、喜多又蔵、栗本勇之助、中山太一、田島繁二、森平兵衛、高柳松一郎氏らの大阪一流の人物が集まり、大阪毎日側からは社長本山彦一、主幹城戸元亮、編集総務奥村信太郎の諸氏が会合して非常な盛会であった。この座談会は犬養翁が過去、現在、未来に亘り、経験と抱負を十二分に述べたもので、一九三二（昭和七）年一月一日から大阪毎日に連載され、非常な反響を呼び起こした。そして奇しくも、座談の雄としての犬養翁が民間の人々を前に得意の雄弁を振った最後のものとなった、いわば歴史的座談会であり、政党政治最後の燈ともなった。この座談会の成功の裏に**森の政治方針と処世哲学**が潜んでいたのである。

三　桜田門事件

犬養内閣が最初にぶつかった暗礁はいわゆる**桜田門事件**であった。

一九三二（昭和七）年一月八日、代々木練兵場に於いて遂行された陸軍観兵式に行幸あそばされた天皇陛下が、その還御の御途次の午前十一時四十四分頃、鹵薄《ろぼ》（註：儀仗を備えた行幸・行啓の行列）が麹町区桜田門外に差し掛からせたる瞬間、奉拝者の中に突然鹵薄の第二両目に当たる宮内大臣乗用の馬車（御料車前方約十八間）に手榴弾を投じた者があった。しかし車体の底裏部に拇指頭大の損傷二、三を与えただけで、御料車その他には何らの御異常なく無事宮中に還御あらせられた。犯人は京城生まれ、朝山昌一こと土工李奉昌（三十二歳）という朝鮮人であった。

この事件は犬養内閣に大きなショックを与えた。直ちに緊急閣議を開き、首相は午後五時宮中に参内、闕《けっ》下《か》（天子の御前）に辞表を奉呈した。

天皇陛下は鈴木侍従長を興津に差し遣わされ、西園寺元老に御下問あらせられた結果、翌九日午前「時局重大の際なるが故に留任せよ」との有り難き優諚を拝した。犬養首相は恐縮感激して各閣僚との協議の上、改めて奏上申し上げることに御許しを得て御前を退下した後、直ちに閣議を開いて、有り難き御諚を拝した以上は留任して一層奮励努力することこそ臣子の本分であるという意見に一致し、犬養首相は重ねて参内、閣議の結果を奏上し、御礼を言上して退下した。その結果、御警衛の直接責任者である警視総監長延連氏が引責辞職して長谷川久一氏が後任した。

しかしながら政治問題としては紛争した。

かつて第二次山本権兵衛内閣は同じような事件で総辞職を決行した。即ち虎ノ門事件〔一九二三（大正十二）年十二月二十七日、皇太子・摂政宮裕仁親王が社会主義者の難波大助により狙撃を受けた事件〕である。その内閣に犬養氏は逓信大臣として入閣していた。そしてやはり総辞職を決行した時、その議に及ばずとの優諚を賜ったが、しかし優諚に甘え奉っては相すまぬというので、遂に総辞職を決行した前例がある。

だからこの前例を取って反対者は犬養内閣に迫った。政友会党内でも入閣に洩れた人々はやはり総辞職を希望した。というのは、例えば犬養首相以下総辞職しても、大命は高橋是清翁に降下し、依然と政友会内閣が継続されると見たからである。果たして然《しか》らば、内閣改造に当っては、鈴木、鳩山、森らの勢力を駆逐し、久原房之助、山本条太郎、望月圭介、水野錬太郎、秋田清、山崎達之輔氏らが新内閣の中堅となり得る。だから留任に決定した裏面には専ら森書記官長の暗躍があったものとして、非難攻撃は犬養首相よりも森に集中された。

久原房之助氏は後日、当時の犬養氏の心境について、「翁はどうしても総辞職を決行するつもりでいたが、森が専らこれを阻止して、却って犬養翁を窮地に陥れた」と語った。

客観的政治情勢によれば、前例による山本権兵衛内閣総辞職は、実をいうと閣内の不統一と政策の行き詰まりが重大な原因で、寧ろ虎ノ門事件をいゝ潮時に選んだ傾向があった。しかし犬養内閣は組閣以来僅か四週間、政策的に何ら行き詰まりがない。満洲事変と金輸出再禁止の善後処理など山積する懸案をこれからやっていこうという首途であるから、政治的事情は全く異なっている。

桜田門事件当日、山本権兵衛伯は午後一時過ぎ、永田町の首相官邸に乗り込んだ。虎ノ門事件当面の人物が、桜田門事件当面の人物に会見を申し込んだのである。一般の人々は必ずや臣節を全うするために断然総辞職を決行しろと勧告に行ったものだと思った。が事実はそれと反対に山本伯は、「あの時とは訳が違う。時局重大の際自重したまえ」と激励して帰ったのであった。この一事に徴しても這般の事情は諒解できる。しかしこの問題は議会では内閣攻撃の重要な攻道具になった。しかし犬養首相は「修練による心境の変化」という名文句を吐いて切り抜けた。

森恪、素より臣節を解せぬ男では勿論ない。反対者の観測した如く、犬養内閣留任の原動力を造るために先ず閣内をまとめ、原田熊雄男を通じて西園寺公との間に工作を試みた。それが私利私欲によって聖明を蔽い奉ったという非難は当たらない。当時憲政常道論未だ衰えず、これが政機転換の鍵となっていた時代だから、犬養政友会内閣総辞職の後、高橋蔵相に大命が降下するものとは素より決まっていない。寧ろ辞めて四週間の民政党総裁若槻禮次郎氏に大命が降下して、再び井上財政と幣原外交が登場しないとの保証はつけられぬのである。万一、そのような事態に立ち至ったならば、国家は混乱のどん底に陥れられ、全く収拾のつかぬ状態に立ち至るものと思わなければならぬ。高橋翁に大命が降下して、いわゆる鈴木ブロックの総退却を計画する人々の浅見は大局から見て嘲うべき悲しむべき心理というに憚らぬ。

第一次上海事件はこの桜田門大逆事件を契機として起こったことは注意すべき事柄である。

満洲事変勃発以後支那の排日運動は一層猛烈となり、特に上海では、抗日会の**排日・排日貨運動**は執拗を極め、学生の排日運動も日を追って激烈となる一方であった。上海に於ける日支人の小衝突は頻発し、空気は非常に陰険となっていた。たまたま一月八日、桜田門事件が勃発するや、国民党上海市党部機関誌の民国日報は翌九日の紙面に不敬記事を掲載したので、在留邦人の激昂は極点に達した。これが直接原因で同十八日には日蓮宗僧徒の殺傷事件が突発し、全面的上海事件に拡大されたのである。

四　上海事件

柳条湖事件から錦州占領などの結果として支那の排日運動は俄然猛烈となった。邦貨、邦船に圧迫を加えるは勿論、支那商人に対して日本品を取り扱う者は奸商として制裁を加え、更に進んで対日金融関係の断絶、各地日本租界の回収計画、日本人に対する暴行事件、虐殺事件すら惹起せらるゝに至った。

かくの如き情勢の中に一九三二（昭和七）年一月十八日、**上海事件**が勃発したのである。

その動機は、一月十八日上海共同租界東部に於いて日本の僧侶五人が支那人のために殴打され、その中三人が死亡したことに発する。日本側はこの事件について支那当局者の陳謝、加害者の処罰、及び被害者に対する弔慰金の支払い、更にこれが原因たる抗日会の解散などの要求を提出し、速やかにこれが実行を求めた。その間、日本人の支那人に対する報復行為が行われたが、民国日報は捏造記事を掲げて、日本陸戦隊擁護の下に行われたと報じた。こゝに於いて我が陸戦隊は侮辱も甚だしいのみならず、帝国軍人の威信に拘わる問題として直接将校を同社に派し、「一、主筆が陸戦隊へ出頭して陳謝すべし。二、紙上に陳謝文を掲載すべし。三、将来この種の事件を発生せしめざること。四、直接責任者の処分をなすべし」との要求を提出したが、支那側はこれに応じなかった。

たまたまこの際、日本公使官邸の放火事件、総領事館に対する投弾事件などがあり、一方僧侶事件の処分は一向に進捗しなかったため、二十七日に至って、翌二十八日午後六時を限り僧侶被害事件に関する満足なる承諾を求めた。我が方の決意に恐れをなした支那側は二十八日午後三時、要求の全部を容るゝ旨回答して来た。

しかしながら、これより先き支那側は南京蘇州方面より上海周囲に三万の大軍を配備し保安隊六千名これに参加して我が陸戦隊に圧迫の姿勢を示すに至ったので、工部局は二十八日戒厳令を布き、各国警備兵は各々所定の警備区域に就く事になった。その際、我が陸戦隊がその警備区域たる北四川路の配置に就かんとするや、支那正規軍の射撃を受けた。止むを得ず我が方これに応戦し、遂に交戦状態に入った。その間幾度か英米総領事の斡旋などによって停戦の実行をみたが、その都毎に支那側の違約により遂に事件は重大化し、二月四日には陸戦隊の派遣を見るに至り猛烈なる上海戦が開始されたのである。

我が軍は陸海協力の基に大体支那軍を上海付近から駆逐し、三月三日、白川司令官より戦闘行為中止の声明を発し、同月十九日には停戦予備協定成立、五月五日調印を見た。白川義則軍司令官、野村吉三郎司令長官、重光葵公使、村井倉松総領事らが排日テロの爆弾で負傷したのは四月二十九日天長節祝典の際であったが、停戦協定はこれがために停止する事は無かった。

右協定は日支両国の他、国際連盟総会の協議に従い、英、米、仏、伊の代表も参加調印した。その内容は、

一、日支両軍の敵対行為を中止すること。
二、停戦に関し疑を生ずる時は参加国の代表者によって確かめるべきこと。
三、支那軍隊は追って取り決めあるまでその協定に示す一定地点以内に入らざること。
四、日本軍は共同租界及び虹口方面拡張道路から撤収すること。
五、相互の撤収を認識するため参加国代表を含む共同委員会を設置すること。

などを協定したものである。

以上が上海事件の大体の経路であるが、当時、犬養内閣全体の空気としては、陸軍二個師団派遣などを喜ばず、局地解決によって極めて小範囲に止めんとした。

陸軍又上海に兵力を割きたくなかった。しかしながら事態は陸軍の派遣を余儀なくされ、軍事費の支出またこれに伴った。書記官長の森が海軍の要請に応じ、陸軍との間に立って斡旋にこれ努め、また一方高橋蔵相との間を折衝して軍事費の臨時支出に心胆を砕いたことは、事件の急速なる解決に寄与すること甚だ大であった。

当時、我が財政は濱口内閣の財政政策の結果として、甚だ窮乏を極めていた。ある日、真崎参謀次長が犬

養首相に招致され、財政の内容、金の保有高を示され、なるべく小範囲に事件を食い止めるよう懇請されたことがあった。真崎次長はその帰りに書記官長室へ森を訪ね、首相との会談内容を話した。すると森は「蛇の生殺しは後腐れがある。構わぬから徹底的にやっつけろ」という意味の激励を与えている。また当時、海軍軍司令部作戦主務参謀であった石川信吾中佐の懇請を受け、三千万円の予算を高橋蔵相に承認させたのも森の力である。

—石川信吾氏談—

森さんと知り合いになったのはロンドン条約締結直後、森さんが岡野俊吉大佐に、誰か海軍で話せる男はいないかと相談し、岡野氏から自分が紹介された訳である。そこで初めて森さんと会った時に「これから一緒にやろうじゃないか」と言う。私は「一緒にやるんなら政党を抜けて来なくちゃだめだ」と言った。ところが森さん曰く「政党の駄目なことは俺も知っている。しかし政治上の権力を握らなくちゃ仕事は出来ぬ」と答えた。

犬養内閣になって直ぐ上海事件が起こった。海軍は濱口内閣当時、予算を天引きされて兵力量が足りない。かねて大蔵省に三千万円の金を要求しているけれど、なかなか話がまとまらない。そこへ上海事件である。私は森さんに談判するのが一番いゝと思った。当時私は軍令部で作戦の方の**主務参謀**であった。ある朝（二月二十七日）森さんに談判に行こうとする折しも、新聞には**アメリカ国務長官スティムソン**から上院議員ボラーに与えた回答が載っている。その趣旨は、**アメリカは如何なる国と雖も武力で築いた勢力はこれを認めぬ**、というのである。即ち、**それは満洲事変による満洲国の成立を承認しないという事である。**この回答はそれ以前、我が外務省から九ヵ国条約破棄の止むを得ざる事情を述べた強い声明書（P411参照、森と白鳥合作になる抗議声明）が発表されているので、ボラーに応える形式で日本に反対の意志表示を示しているのである。その新聞を持って私は森さんの所へ行った。新聞を示して、外務省の声明は九ヵ国条約への意識的挑戦であるかと問えば、「そうだ。九ヵ国条約に爆弾を叩きつけたのだ」と言う。「然らば政略的にアメリカに対して宣戦を布告したことになるが、海軍の軍備に対して自信が持てるか」と反問した。森さんは「そのための海軍じゃないか。海軍は充分の筈だ。ロンドン条約の結果はまだ現れていない。東方会議の時、満洲問題とアメリカが問題になった時、時の岡田海軍大臣は対米軍備を引き受けたと言っている。だから大丈夫の筈だ」と言う。私は重ねて、「その時は岡田さんがそう言っても濱口内閣で予算を天引きされているから引き受けられん」と言うと、森さんは即座に「よしわかった。幾らいる」と言う。「差し当たり三千万円」と答える。「引き受けた」と森さんが言う。「騙すんじゃなかろうなー」と念を押すと、「俺は森だよ」と言った。森さんの約束の固いことは自分も充分知っている。が何しろ政治家だし、大蔵大臣でもないのだからそう言ったのだ。森さんは重ねて「石川信吾と俺の話し合いだけじゃ駄目だから、大臣に交渉を持ち込むようにし給え」と注意した。早速その手筈をつけたが、第六十一臨時議会では三千万円の要求が承認された。海軍経理局の努力もさることながら、森さんの斡旋が与って力あるものと思っている。

森さんが死ぬ四十日ばかり前、海浜ホテルへ訪ねた。奥さんが出て来られて、「貴下の来られるのを大変待っていました」と言われる。医者に聞くと五分以内の面会なら許すと言う。会って見ると森さんは「君の来るのを待っていた」といきなり言って涙を流していた。

咳は出るし、如何にも苦しそうだったが、捉えて離したがらない。五分の約束がとうとう二十分になったので私は帰るというと、未だいゝと言って離さない。しかし森さんは約束の固いことを知っているので私は一計を案じ「約束だ、五分の約束だ。又来る」というと「約束なら仕方ない」とあきらめるように言った。この時が私の最期の面会であった。その時の話は今でもはっきり覚えている。「第一に、俺は政党という下らんものに足を突っ込んで一生を誤った」と言った。かつて私が「政党を抜けて来い」と言ったことに対する回答だったと思う。「第二は、満洲問題の解決には米国に対して自信ある軍備を持つことだ。貴公がかつて言ったことは正しい。海軍の対米準備は充分か」と聞いた。「貴公が海軍軍備を受け持て」とも言った。満洲事変の解決のため、陸軍で荒木、小畑、鈴木らの連合軍が森さんを抱き込んで対ソ積極政策をやろうとしているのを知り、私は「とんでもないことだ、今ロシアと戦う時ではない。対米軍備を充実すべき時だ」という論を以て森さんや荒木、小畑、鈴木諸氏を説いたことがある。それに対する回答を与えてくれたものであったと信ずる。

五　国際連盟脱退の前奏曲

国際連盟の日本に対する悪気流はいよいよ激しくなって行った。**リットン卿一行の調査団**はやって来るし、一方アメリカのヘンリー・スティムソン国務長官は極端に神経質になって日本のいわゆる侵略行為を否定し、これに対し外務省の白鳥敏夫情報部長は連続的に**スティムソン・ドクトリン撃破の声明を発する**という状態であった。当時既に森、白鳥、鈴木貞一氏らの間には九ヵ国条約の破棄、国際連盟脱退の計画が成っていたのである。

左に掲げる帝国政府の声明は、朝日新聞のいう如く「…恐らく日露戦争後、霞ヶ関より発せられた外交文書中最も強硬なものであろう」。

而して**本声明は、森書記官長と白鳥外務省情報部長の合作**になったものである。

国際連盟に対する帝国の抗議声明

昭和七年二月二十三日（朝日新聞所蔵）

十六日付連盟十二理事国より日本に提起されたアピール（申入れ通牒）に対する帝国政府の反駁的回答並びにこれに関する声明書は外務省に於いて文案を起草し芳澤外相より二十三日の定例閣議に付議し、承認を求めたる上、午後五時芳澤外相は宮中に参内して上奏御裁可を仰ぎ退下後、同六時在ジュネーブ佐藤尚武代表に訓電を発した。

よって佐藤代表は訓電接受後直ちに理事会議長ボンクール氏に手交し、同氏を通じて十二理事国に通達せしめる筈である。回答文並びに声明書は二十三日午後七時半外務省に於いて次の如く発表された。

声明は我が従来のいわゆる外交文書の型を破って思い切った単刀直入の表現で、日本の対支政策の真骨頂と連盟に対する態度を、歯に衣着せず堂々と列国の前に開示したもので、この点に於いて**今回の声明は記録的な特異性を帯びており、恐らく日露戦争後、霞ヶ関より発せられた外交文書中最も強硬なもの**であろう。

回答の全文

我方に於いては今次十二理事国の申し入れに対し即時慎重なる考慮を加えたるが、十二理事国が現下上海方面の事態の重大性を痛感し、これが救治策を探求するため、如何なる労をも惜しまざらんとしつゝある心事は多とするところなり。さりながら本申し入れは必要なき方向に向かってなされたる嫌いあり。蓋し現下の武力的抗争を中止するとは一に支那側指導者の手中にある次第にして、日本は抗争の開始を欲せざりしは固より、現在に於いても尤もこれを嫌忌しつゝあり。尚我方に於いては最近理事会全体の討議に代え、部分的構成を有する委員会の討議を以てせんとする慣行の生まれたることを遺憾とするものにして、右慣行は連盟規約の精神及び文字に反するものなり。我方に於いては今次関係理事の行動が、その動機に於いて極めて善良なるものあり、又その事業には多大の困難を伴えることを認むるにやぶさかならざるも、右の如き異例が頻繁に行わるゝことは、声明の手続きに合致せざるものとして、これを承認し難く、一般世上に於いてかゝる討議を理事会の行動と混同せんことを恐れる。いずれにするも我方は十二理事国の希望に酬ゆるを礼と認め、別添声明を貴下より伝達せられんことを希望するものなるが、これら理事国の人道と平和とのためにする努力はこれを感謝を以て了承すると共に、日本としては現下の抗争終息を偏に希望するものなることを断言す。

声明書の全文

一、十二理事国が日本に対し申し入れをなしたるは、恰も日本が隠忍さえすれば上海の危急なる事態を直ちに終息せしめ得べしとなすが如き寓意を含むものにして、帝国政府の了解し得ざるところなり。攻撃をなしつゝあるは支那側なるを以てこれに対して申し入れをなしてこそ有効なるべし。少なくとも日本に対してのみかゝる処置に出ずるはいわれなきことなり。日本水兵が攻撃を受けこれに抵抗したることを以て非とせる趣旨に非ざる限り、何故我方に付かって抵抗を止めようとなすや。

二、十二理事国の申し入れにして、例えば上海付近に安全地帯を設定し、日支両国の離隔を図るとか、又は衝突を防ぐに足るの保証を提議するとか、何ら積極的提議を含むものならんには、その意のあるところを諒解し得べけんも、そのことなくして単に日本軍に対して武器を捨つるか或は引き揚げんことを期待するは、必然的に共同租界を支那兵の占領に委せんとするものにして、支那側に於いてかゝる暴挙に出づることなかるべしというものあらんも、過去に於いて既に二回までも支那側はこれを敢えてしたる事実あり。しかも支那政府は上海の奪取を以て無責任なる軍兵の所為なりとの遁辞を弄するなるべし。

三、申し入れ中、支那は始終紛争を平和的に解決するの用意あるに拘わらず、日本はしからずとなせるは最も不当なる点なり。支那は平和的方法以外には訴えずと宣言すべけんも、事実は言葉よりも雄弁なり。支那側の攻撃的処置は平和的声明あるの故を以てこれを許し、日本の防衛的処置は戦闘的なりとてこれを排斥するが如きは毫も理由なきことなり。日本が支那軍の攻撃により、日々生命財産の損失を受けつゝある時に当たり支那は平和的方法にて一切の紛争を解決するの用意ありというが如きは洵に驚き入るの他なし。十二理事国は日本が国際連盟規約に規定する平和的解決方法を無条件に採用する事を肯んぜざりし云々の一節は、帝国政府の諒解し得ざるところにして、日本は右の如き紛争解決方法に無条件に参加し来れるに非ずや。これら解決方法はその間、自衛処置を取ることを妨げざるは勿論にして、連盟の如何なる決議もこれを禁ずるものに非ず。日本は平和的解決方法によるがため、単に理事会多数の決定に基づき規約条項にも規定しおらざる異例を受託するの義務なし。平和的解決に関する如何なる条約も正当なる自衛の権利を毫も防ぐるものに非ざる事は一般に認められたる公理なり。十二理事国が内実遺憾とする点は、日本が無条件に問題の解決を彼らの手中に委ねざりしというにあるもの〻如きところ、右は日本に於いて拒絶するの法律上、並びに道義上の権利あり。日本は問題の解決を彼らの手中に委ねることをかつて約束したることもなく、また十二理事国の判断、好意には満腔の信頼を置くものなるが、日本は自国が遠隔の何れの国よりも当然且つ必要に遥かに良く事実を諒解し得る地位にあるを信ずるを以てなり。

四、今回の申し入れは連盟規約第十条を引用しおれるところ、日本の処置は厳に防衛的なるを以て何ら同条規定に触る〻ものに非ず、この点は五年前列国が上海防衛のため強大なる増援軍を派遣したる時に於いても、英米軍が南京を砲撃したる時に於いても、その他幾多類似の場合に於いても、何れの国よりも、本規約条項につき問題が提起せられたることなきに徴しても明らかなり。同条は極めて妥当なる規定なるも、国家自衛権を排除するものに非ず。又この規定あるがために支那に対し他国を攻撃するの自由を有するも、他国はその攻撃を排除し得ずというが如き特権を付与するものに非ざるこというまでもなし。

五、各国の対支出兵に於けるが如く、日本の出兵に際しても、日本は連盟の一員たる支那の領土保全、又は独立を侵害せんとするものに非ざることは勿論なり。従って十二ヵ国申し入れの中に於いて規約第十条に反し、なされたるところは、これを有効と認むるを得ずと言い居れども、帝国政府はその何を意味するや全然解するを得ず、しかれどもこの機会に於いて再び帝国政府は支那に於いて何ら領土的又は政治的意図を有せざることを強調せんとするものなり。

六、帝国政府は支那に対し正義寛容を示す義務が九ヵ国条約当然の結果として生ずるとの論を容るゝを得ず。一切の国に対して正義寛容を示すべき義務あることは条約を待つまでもなき事にして、日本が欣然この義務を受諾するも、同時に他国も又日本に正義寛容を示さるゝれば欣幸なり。日本は固より九ヵ国条約上の一切の義務を尊奉する用意あるも、同条約調印国以外の国をも交えて、又調印国のあるものを含まずして、その規定につき論議するのは不便且つ不適当なりと思考す。

七、最後に帝国政府は支那を以て連盟規約にいわゆる「組織ある国家」と思考せず、又思考し得ざることを強調せんとするものなり。過去に於いて支那は各国の約束により恰も組織ある国家なるものゝ如き取り扱いを受け来れるは事実なり。しかしながらおよそ擬制は永続するものに非ず。又擬制を認むるがため、実際上重大なる危険が醸さるゝ場合には最早これを許容することを得ず。今や必然的に擬制を捨てゝ現実に直面すべき時期到来したり。従来一般に支那の幸福繁栄統一を欲するの余り、世界は現実に反して支那を遇するに統一国家を以てしたり。しかれどもその人民は部分的には結合あるも全体として組織されておらず、もし日本にして支那に何ら利害関係なきものとせば、同地が「組織ある国民」により占拠せられおるものとする擬制を尊重し行くことも得べけんも、日本は同地に巨多の利害関係を有するを以て、この上支那に於ける混沌たる状態を以て秩序ある状態なりとして取り扱う事は不可能なり。

支那各地に存在する権力は、その地方々々に於いて実際上の力を行使しおるの事実のみにその基礎を有するものにして、同地域を越えて支配を行うの資格なし。この不正規なる事態は、支那問題に対し連盟規約を適用するに当たり、尤も深く考慮せざるべからず。支那に於いては単一なる統一国家の代わりに諸種の粗雑なる組織体存す。日本政府は固よりこの現実の事態を直観することにより生ずる各般の推論、及び結果を整理調和する事の極めて困難なるを認む。右は困難なるも必要事なり。吾人は真実に直面せざるべからず。しかして支那に何ら統制ある政府なく、又全支に対し完全なる支配を主張し得る権力なき事が根本的事実なり。

八、以上帝国政府は十二理事国の人道に基づく高潔なる申し入れに対し簡単にその所見を述べたる次第にして、これを要約再言すれば、十二ヵ国が日本に訴えたるは、恰も既に開かれたる扉をこじ開けんとするに等しく、当申し入れは寧ろ攻撃を加えつゝある支那軍に対しなさるべきものなる事、かゝる申し入れが真に有益又実際的ならんがためには安全地帯設置というが如き具体的提案を包含せざるべからざる事、日本は支那と異なり平和的方法により問題解決の意志なしとする点の誤りなる事、しかして最後に支那の問題は事実及び現実の基礎に於いてのみ考察せらるべきものなる事。しかして事実支那は統一ある国家を構成し居らざる事などを述べたる心算なり、更に帝国政府は関係国をしてこの異常なる処置に出でしめたる崇高なる目的と人道的努力とを深く諒とするものなることを繰り返さんとす。帝国政府はこれら関係諸国が更に考慮を費やすに於いては鈘上帝国政府の述べたるところと所見を一致するに至らんことを信ずるものにして、帝国政府は関係諸国に於いて支那側をして過去五ヵ月間の戦闘行為を惹起せるが如き挑発的行為を止めしむるがため、その極度の努力を息めざらんことを深く希望す。一部世上に於いては日本に対し戦闘を奨励し、且つこれを希望せるものなるかの如き悪評を負わさんとするものあるも、日本はこれを強く斥くるものにして日本国民は戦争及びこれに伴う避け難き惨禍を厭うことに於いて、何国にも劣らざるものなり。もし十二国の努力により支那側をして平和的態度を執らしむるに至らば何国よりも先ず最もこれを喜ぶは日本国民ならん。以上

森は内閣の中心人物であるが故に直接その意見を発表する事がなかった。しかし上海事件も終わった一九

三二（昭和七）年五月八日、即ち五・一五事件より一週間以前に開かれた横浜の政友会関東大会に於ける演説では、連盟脱退の暗示を与えている。

「我々は世界列強と協力して、世界の平和に協力する方針には何ら変わりはない。しかし認識不足に基づく不当なる圧迫行動に対しては断乎これを排撃しなければならぬ。我々の考えるところでは**国際連盟や不戦条約の如き一辺の空文によって世界の平和は確保されるものではないと信ずる**。何となれば地球上、至る所戦争の原因となるものが含まれているが、これらの原因を除去せずして徒に平和を高唱するも何ら得るところがないであろう」

というもので、**言外に九ヵ国条約の破棄と連盟脱退の意見を含ませている**。

森の生涯に於ける最後の獅子吼は、同年九月十八日夜、東京日比谷公会堂に於いて開催された「**満洲事変一周年記念講演会**」に於いてである。三十八度以上の熱を押して登壇し、それを最後として再び起たなかった。主催者『国民新聞』は左の如く報じている。この時は最早、在野の革新政治家として率直に国際連盟脱退論を高調している。

亜細亜に還れ！　（昭和七年九月十八日夜・国民新聞）

最後に代議士森恪は「亜細亜に還れ」と題して登壇。この日氏は数日来の風邪のため病床にあり。この時も三十八度の熱があるにも拘わらず特に病を押して出席した旨を司会者より聴衆に述べれば聴衆は盛なる拍手を以てこれに答える。

「今日は我が国力の発動によって満洲事変を解決した記念すべき日である。しかしこれが将来喜ぶべき記念日となるか悲しむべき記念日となるかは、我が国民今後の覚悟にある。単なるお祭り騒ぎはもっての他である」

と、氏は鉄腕を揮って大声叱呼、先ず国民の奮起を促す。

「不戦条約、九ヵ国条約は我が大和民族を細長く山高き島国に閉じ込めたのだ。今日我々の第一の務めはそのカセを取り除くことである。過去に於いて我が国の外交の失敗は諸君既に御承知の通りであるが、昨年の満洲事変はこの外交の失敗の跡を国力の発動よって解決したのである」

と、事変前に於ける支那の暴虐振り並びに国際連盟の態度につき詳論して、

「国際連盟はかくの如き無意義極めるものである。私が**亜細亜に還れ**と主張する所以はこゝにある。意

味なき連盟を捨てゝ亜細亜に還り東洋の平和を確立する事こそ、我らの重大なる使命である。満洲国の承認は我が国が従来の屈辱外交を捨て、自主独往の外交を持つことを宣明したことである。だがこの重大なる宣明をなすに当たっては、我らは国内に充分なる国力を用意しなければならない。米国のスティムソンは我が国を評して侵略国と言った。彼の意志はもって知るべし。或はそれ我々の杞憂に過ぎないかもしれないが、用意だけは充分しておく要がある。新聞の伝えるところによればアメリカは目下頻りに軍備を急ぎつゝあるという。彼らがもし条約を理由に世界の平和を主張するならば、先ず太平洋より全艦隊を引き揚げるべきである。またロシアは国境に約十万の兵を集めている。この事実を見るならば我らの頭上には如何なる迫害が加えられるかも知らない。私は水鳥の音に驚く平家の武士ではない。だが用意は万全を期さなければならない。国民は一大決心を以てこの国難に当るべきである」

と、舌端火を吐く熱弁を以て呼びかけ、完全に満場の聴衆を引きつけて、破れんばかりの拍手の中に記念すべき大講演を終わる。かくて意義ある本社主催大講演会は同日深夜三時二十五分非常なる盛会の中に幕を閉じた。

—白鳥敏夫氏談—

森は連盟脱退の中心人物

森と鈴木（貞一氏）と自分の三人は連盟脱退の急先鋒であった。当時国内には表面では兎も角、腹の中で連盟脱退を望んでいた者は殆んどいない。斉藤首相しかり、内田外相しかり、連盟脱退の英雄視された全権松岡洋右氏も又しかりで、内田も松岡も、西園寺公のところに行って「連盟は脱退せず」という方針を申し述べている。これが後に内田が広田に代わった原因となる。

松岡氏を全権に選んだのは、当時のアジア局長谷正之と情報部長の自分である。その理由は第一に言葉を自由に喋れなくては全権の醜態を招く。どうせ本省の訓令で動くのだから、人物の如何など大した問題ではない。森はこれについて「松岡では心もとない」と言った。けれども前のような説明で納得させたのである。

連盟会議の事情は佐藤尚武氏でさえ脱退止むを得ずとするところまで進んでも、未だ松岡全権は脱退せずに済まそうと努力した。

連盟脱退には色々の経緯がある。脱退を衷心嫌っていた人の言動が却って英国辺をして観測を誤らしめ、連盟総会があんな強硬な決議を通過するのを黙過し、その結果、いやでも日本は脱退を決意するの他なきに至ったのである。日本人中でも軟弱と思われる幣原、石井などいう外務の先輩は最後の段階に於いては案外思い切りよく、事こゝに至っては脱退するより他はないと言っていたが、最後まで脱退の決意が出来ず、何とか辻褄を合わせて帰ろうとした者がある。しかも国民はこういう内部の事情を知らぬので、今日でも連盟脱退の英雄としてこういう人を挙げているが、**何といっても森恪は連盟脱退外交の中心人物である**。彼が死の直前に近親に遺した言葉に、「**自分は世界を二つに分ける事に努力をし、多少の成功をした事を快とする**」と言ったのは、この辺の意味を含むのである。

森、白鳥、鈴木の三氏によって、政党、外務省、陸軍が三位一体の脱退基礎工作は順次に出来て行った。松岡全権はジュネーブに於いて孤軍奮闘した。しかしその甲斐もなく、**一九三三（昭和八）年三月二十七日、帝国は国際連盟を脱退した**のである。後にドイツ、イタリアなど相次いで帝国に追随したのであるが、

資料５７　白鳥敏夫

あらゆる危険を覚悟しあらゆる反対を押し切ってこの挙に出た原動力は、白鳥氏の言う如く森恪がその中心人物であったからである。

六　解散回避より解散へ

犬養内閣が第六十議会を解散して、三百四名という議会開設以来の議員数を獲得するに至るまでには多少の紆余曲折があった。

組閣当時の数を比較すると、民政党の二百四十六名に対し政友会は百七十一名で、七十五名の開きがあったのである。如何に政府党とはいえ、この数を逆転せしむることは余程の困難が予想された。故に党内にさえ議会の解散回避運動が潜行した。準備の整った次の議会で解散しても遅くはあるまいとの声があった。一方民政党の方を見れば、解散を受ければ大敗するに決まっている。今や既に脱党した安達謙蔵、富田幸次郎、中野正剛の諸氏が協力内閣運動を試みたのも、実をいうと政友会単独内閣による解散を回避しようという下心が主因をなしていた。もし朝野両党にして真に解散を回避と定め話し合えば、野党は少数党の施政に反対せず、或はまた安達一派が民政党を切り崩して純与党を作り、少数の差ではあっても政府の案を通すという手も残されていた。しかし犬養首相も森書記官長も性格的に非常に強気であり、民政党とは倶に天を戴かざるの感情があるので、着々解散の準備を進めて行った。かくて再開あけの一九三二（昭和七）年一月二十一日、予定の通り解散を断行した。森書記官長の解散技術は水際立っていた。

午後の衆議院では慣例によって首相、外相、蔵相の施政方針演説があった。最後の高橋大蔵大臣の演説が終わりかけた。かねて印刷配布されてある草稿が最後の二行目まで行った瞬間、森書記官長は先ず階上の新聞記者席を見上げた上ツカツカと議長席に迫り、紫の袱紗包みを中村議長に渡した。この瞬間既に事は決したのである。新聞記者とはかねて打合せがしてあった。解散の詔書を伝達する瞬間には、記者席を見上げて合図することになっていた。この間、森の態度は大事を決行する者に見る武者震いもなければ、自らのなさんとする所業に昂奮する風も無く、淡々として尋常すぎる程尋常な態度であった。解散毎に見る詔書伝達の歴代書記官長、或は法制局長のそわそわした昂奮は絶対に森には発見できなかった。

こゝで余談ではあるが、森書記官長と首相官邸詰め新聞記者との交際を紹介しておこう。

森は努めて秘密主義を避けた。話せる範囲の事は成可く語り、書いていけない事は書いてくれるなと断り、どうしても言えぬことは、はっきり言えぬと断った。その間、曖昧な態度は微塵も無かった。内閣書記官長は新聞材料の主要な出所になっているので、新聞記者が夜遅くその私邸、又は官舎を訪問する慣例になっていた。森はそれを破った。今夜の会見は十時なら十時と協定すれば、どこにどんな用事があっても必ず十時には自分から官邸の記者クラブへ出張して会見した。会見を終えて再び用事に出掛けて行くという風であった。高ぶることなく卑下することなく、全く対等の友人として交際したから、記者諸君との間は円満に行った。歴代の書記官長はともすれば記者クラブとの間に摩擦紛争を起こし易いが、森にはそれがなかった。はっきりした態度に表現される人間力が好感を呼んだからである。

七　未曽有の三百四名獲得

一九三二（昭和七）年二月二十日、総選挙の結果は政友会三百四名、民政党百四十七名という大きな開きを以て終わった。議会政治始まって以来の大勝を博したのである。森は二百八十名以上を確信していたが、専門家の内務当局は二百八十名を得れば大成功と予想していた。森にとっても予想以上の数字が現れたのである。森が極めて強気であった理由は、二年半に亘る井上不景気財政と幣原退嬰外交の清算にあった。民政党は例によって、時の反対党の使う口吻で、与党が金権と官権を以てした圧迫干渉の結果であるといゝ、新聞の論調なども真正面から、その大勝を理論的に肯定しようとしなかった。

こゝに、徳富蘇峰氏の東京日日新聞所蔵「日々だより」は公平な批判を下していると思われるので摘録する。

我が国に於いては総選挙は何時も政府党の勝利に帰するのが慣例であるから、今回とても政友会の勝利は誰しも疑う者がなかった。ただ疑問はその程度だ。然るに今やその総勘定を聞かざるまでも、その大番狂わせであることは分明だ。

政友会は単に勝ったばかりではなく、殆んど全勝を博した。普選第二回の濱口内閣時代に於ける総選挙に於いて、民政党が二百七十余名の大多数を博したるを以て奇勝と称したが、今回に於いては政友会の多数は全く三百名を突破した。その大勝は政友会の幹部、彼ら自身でさえも恐らく意外であろう。

我らは今更これを以て単に当局者の干渉に帰したくない。固よりこれは民政党内閣でも政友会内閣でも五分五分であろう。ただ我らは今回特に注意すべき二つの事情を看過すべきでない。

第一、即今我が帝国は、海外に向かって陸海の軍隊、艦隊を派出し、国家将に多難に際す。かゝる場合に内閣の更迭は、我が国民の最も好まざるところ。同時に幣原外交の失敗には苦き経験を舐めつゝあれば、今更それに復帰するを好まざる事。

第二は、井上前蔵相の財政政策には我が国民の大多数は全く閉口した。我が国民の多数は高橋現蔵相の財政政策を信頼している。而していわゆる民政不景気、政友景気のスローガンは、それが事実にせよ、事実ならざるにせよ、我が国民に多大の印象を与えたに相違ない。

以上の事情は朝野両党の勝敗を定まるに、尤も有力なる動機となったに相違あるまい。而して更に一言すべきは、政友会は田中内閣の普選第一回の総選挙に懲りて、その統制を整斉したるに引き換え、民政党は安達選挙の神の脱党以来、不幸にして井上選挙長が不慮の横死に会い、全党殆ど闘志を失墜したるに由るものと言わねばならぬ。

我らは井上君の横死が、全国に向かって多少の同情を発揮せしめたであろうと猜定した。しかしその実際を見れば、その効果はただ井上君が横死の原因を作りたる東京市中の一候補者の投票の上にのみ及んで、その他には殆ど何らの影響を認むる事を得なかった。

元来政友会は農民党にして、民政党は商工党として存在した。而して今や民政党の地盤たる都市が、殆んど地滑りの状態を現出した。これをただ政府の干渉一点張りにて片付け去らんとするは、余りに世相の表裏を無視するの甚だしきものと言わねばならぬ。

犬養首相の語を借りて言えば、これにて政界は安定した。従って我らは犬養内閣の責任が実に重大なるを指一摘し、その中外に向かって当面の難局を開済せんことを要望してやまない。

しかしこれを内輪から観れば不思議な大勝であった。第一、政府側の森書記官長と党の留守師団長久原幹事長とが意思の疎通を欠き、感情は齟齬し、従って連絡統一が円満に行かなかった。森は自ら内務陣営を指揮して選挙に当たった。中橋内相は病身で直折衝に当たらず、政務次官の松野、事務次官の河原田、警保局長の森岡、この三氏が森の指揮に従って全国選挙網を統一した。岡田忠彦氏が政友会本部の選挙委員長となって松野氏と連絡を取り、僅かに政府と党本部の不統一を緩和する役目を勤めた。而して森が他の一般予想に反して二百八十名以上を当然とする理由は秘中の秘であった。

というのは、かねてから全選挙区に亘る与党候補者の弱点を研究しており、もう一息で当選圏内に入ると目される候補者に対しては、選挙前に機敏迅速数千円ずつの選挙費の補給をつけたことである。だから当落の境目にあった数十人の候補者は一挙に勢力を盛り返して当選圏内に浮かび上がった。森が一九三〇（昭和五）年に幹事長として選挙長を勤めた時の苦い経験から編み出した戦術と思われる。

この他に民政党側の敗因としては不景気財政の祟ったこと勿論であるが、従来、選挙の神様として選挙毎に采配を振って来た安達謙蔵氏が脱退しており、新たに選挙長となった井上準之助氏が総選挙中の二月九日凶刃に斃れたので（血盟団事件のこと）、中心を失って動揺し戦意なく、合わせて井上氏による選挙費の円滑を欠いた点にもあった。いずれにしても三百四名の獲得は政友会を有頂天にした。犬養首相は次の如き声明を発して国民に感謝した。本文は森書記官長の命によって山浦氏が執筆し、犬養首相自ら加筆添削したものである。

「総選挙の結果、国民の総意は圧倒的に現内閣を支持する事を証明したことは自分の感激に堪えぬところである。第六十議会の解散を奏請した所以は、少数党を基礎とする政府を以てしては政局の安定期し難く、従って政策の遂行上に支障を来すのみならず、経済界産業界が不安定の間は決してすべての新計画に着手する事を得ず、選挙によって一切の安定を求めたる所以である。今や過去二ヵ年有半にわたる政治方針が根本的に否定せられ、現内閣の政綱政策が国民の絶対的信任を得て、こゝに初めて政局の安定を見、政策遂行の基礎を確立し、従って人心に安定を与えたことは、国家のために洵に慶賀に堪えぬところである。現内閣はこの圧倒的信任を基礎とし、内は財政の根本的建て直し、外は対支問題の根本的解決を始めとし既に党議に於いて決定しある産業立国の大方針に従って国策を具体化するため、力強く使命を実行して、国民の信任に酬いんとするものである。こゝに現内閣支持の意志を表明せられたる国民に対し、一言所懐を述べるは自分の甚だ欣幸とするところである」

森は書記官長の激職にある。前回の選挙戦に幹事長であった時と同じく、選挙区に帰る余裕はなかった。そこで機器を利用した。鳩山文相と表裏両面に吹き込んだレコードを栃木の彼の選挙区及び全国候補者の応援用に使った。森の肉声は、今日でもこのレコードに残っている。吹き込みに際しては、先ず森の意見を山浦氏が文章に書き、これに彼が丹念に加筆添削、それを更に三分間にあてはまるよう整理したものである。日比谷市政会館のコロムビアレコード吹込所では、三度ほどやり直しされた。その内容は左の通りであった。

日本外交はどこへ行く

私は森恪であります。

諸君、欧州大戦の結果九ヵ国条約、不戦条約又は国際連盟規約によって我が日本は手枷足枷をはめられ、亜細亜に於ける自由な活動を封ぜられたのであります。我が国は国際的進出の機会なりとして、進んで世界大戦に参加して、却って世界の獅子となったという馬鹿な結果を見たのであります。こゝに於いてか帝国外交の重点は如何にしてこの手枷足枷を除くべきか、如何にして帝国本来の独自性を取り戻すかにあったのであります。これ即ち田中内閣当時「亜細亜に還れ」という精神を目標とした東方会議が開かれた所以であります。

我が立憲政友会の外交方針は積極的であります。民政党幣原外交は世界協調国際正義の美名の下に列国に引きずられ、支那に舐められ、徹底的に軟弱退嬰ぶりを発揮したのであります。満洲事変勃発以来、列国の干渉に対しては自ら求めて被告の位置に立ち、弁明を以て能事となし、帝国の威信を傷つけ、遂には米国の意向を恐れて軍の行為を牽制し、錦州攻略をやらなかったゝめに、帝国の対満政策は一時窮地に陥りました。我が犬養内閣は躊躇なく軍を進めて錦州を攻撃し、対満政策の癌たる張学良の軍を撤退せしめました。その結果満洲問題は初めて解決の曙光を見るに至ったのであります。これだけの行動に対し現に何れの外国も幣原君の恐れたような抗議もせず、我が行動の正常なりし事を認識して居ります。幣原外交では正当なる条約の下に結ばれたる帝国生命線満蒙の権益すら維持すること能わず、国際連盟や米国に干渉されて、遂に退却したのであります。

諸君、満洲問題がようやく解決に向かって進みかけました時に、上海騒動が勃発しました。**日本の使命はこれより遂に支那本土に及ばんとしております**。これを解決し得る者は一人我々立憲政友会内閣の積極的外交政策にあるのであります。国際関係の神経過敏なる今日、外交を度外視する産業政策、経済政策、将又外交を眼中に置かざる教育政策、社会政策は一切無意義であります。**少なくとも日本はその本**

来の使命に帰り、満蒙と支那本土を経済的に開放して、東洋平和の根源たらしむるために充分の努力を致すべき時に際会致したのであります。

今回の総選挙はこの意味に於いて国家的勢揃いであります。諸君の投票は宜しく我が立憲政友会の候補者に投ぜられ、積極的に現内閣を支持せられん事を私は切望して已まないのであります。

八　内閣改造問題

内務大臣の中橋徳五郎は役所の事務を見ないどころか、総選挙の後に来るべき特別議会にも到底登院出来ぬほどの病状であった。時局はますます深刻で、警察権を握る内務大臣がその事務を下僚任せにしておくのは曠職の議を免れない。一九三二（昭和七）年三月十八日に召集される特別議会を前に、貴族院方面には早くも病身の内相を指して、犬養内閣誹謗の反対的空気が濃厚になってきた。何んとか処置をつけねばならない。

桜田門事件の起こった時、閣僚として直接の責任者である中橋氏は、「自分だけはどうしても職に止まることが出来ぬ」と断然単独辞職を主張した。犬養首相は「死なば諸共、一連托生は政党内閣本来の面目である。君が辞めるなら総辞職の他ない」と言って思い留まらせた経緯がある。だから今日に至って、貴族院の空気が険悪だから辞めてもらいたいと切り出せぬ義理である。幹事長の久原氏も、平常懇意な鳩山氏も何となく後釜を狙うようで病気見舞いにも行きにくい。森以外中橋氏を説く人はいないのである。

中橋氏を内務大臣にしたのは森である。中橋氏はその夫人と共に森のファンである。特に夫人が森の気性を買っていた。だから森は中橋家へは息子が金をせびりにでも行くように大手を振って選挙費や党費を引き出しに行っていた。そういう仲だから、森だけが中橋氏に対してあけすけにものが言えるのである。

森は三月十五日午後零時半、中橋氏を麹町中六番町の病床に訪ね、貴族院の空気を話して、率直に辞めてもらいたいと切り出した。中橋氏も他の人に対してなら俺の後釜を覗っているとか、今更辞めろと言えた義理ではあるまいとか、その一流の鼻っ張しからウンとは言わぬところであるが、森に対しては恰も自分の子供から御家の大事を説かれた時の様に率直に言った。

「それが政府のためになるならば俺は辞めよう」

私情からいえば、森は中橋氏に内相の地位に留まったまゝ行く先が短い生涯を終わらせたかった。だからこの返事を聞くとつい感傷的になって目頭が熱くなるのであった。しかし政治的には小の虫を殺して大の虫を生かさねばならなかったのである。

森の作った素地に従って犬養首相はその直後、午後二時半、中橋氏を病床に見舞った。正面からやめてくれとは勿論言わない。どうしたらいゝかと相談を持ちかけた。中橋氏もそれで気を良くして自分が辞めると断言した。難関とされた中橋氏の問題はこれで終わりを告げ、何時でも内閣改造が出来る段取りになった。その夜の中に改造の原案は作られた。

森と鳩山氏の腹案は、司法大臣の鈴木喜三郎氏を内務大臣に、貴族院議員川村竹治氏を司法大臣にすることであった。鈴木氏に対しては森も鳩山氏も義理がある。

田中内閣が議会の鈴木内務大臣弾劾から危機に瀕し、再解散か総辞職かの土壇場まで追い詰められた時、鈴木氏を説いて辞職させたのは鳩山氏と森であった。中橋氏の場合と同じく、人一倍強気な鈴木氏である。田中総理は勿論他の誰が説いても「然らば辞めよう」と言う筈がなかった。しかし森、鳩山は彼の両翼である。心底から自分の将来を考えてくれると信じていた。だから案外スラスラと辞職して、田中政友会内閣は危機を切り抜けたのである。こういう経緯があるから、鈴木氏本人は勿論再び内務の椅子に就きたかったし、森と鳩山氏も田中内閣救済の義理を果たさなければならなかった。犬養内閣成立の際は中橋氏にその椅子を与えなければならぬ義理があったが、今はもうそれも決裁している。ただ、党内事情から床次鉄道大臣と久原幹事長が熱心な内務大臣希望者であったので、秘密の裡に運ばなければならなかった。

森は将来鈴木氏を総裁にしようという腹があったので、一人でも多く味方が欲しかった。川村氏は政友会の東北団体をまとめる適当な人物であったから、その力を取り入れようとの下心もあって司法大臣に入閣させる手筈を決めた。

村田虎之助氏、当時の事情について語る。

「森が組閣の時に商工大臣として一度考えられたことがあるので、この際、商工の前田米蔵を司法に廻し、森をその後に昇格させるように尽力したいと思い、それを森に話した。しかし森は受け付けなかった。俺が運命を賭けるのはこの次だと言った」

川村法相問題が改造の癌になった時も、川村氏の代わりに森の入閣を以て局面を収拾しようと計る者があったけれども、森は、「一旦川村氏と決定した以上そんな真似は出来ない」と言って撥ねつけている。当時既に森の政治的方向は次の時代まで飛躍しかけていたのである。

内閣改造は極秘の裡に計画が成り、十六日には電光石火に親任式を奏請する手はずになっていた。然るに流石情報網の発達した久原幹事長である。十五日の夜になってこれを知り、えらい剣幕で永田町首相官邸の日本間に乗り込んできた。八時にはもう就寝した犬養首相を十二時に叩き起こしたのである。そして、幹事長たる自分に一言の挨拶もなく政党内閣の重要人事たる内閣改造を断行するとは怪しからぬと詰問し、根本からやり直すべしと強要した。

「鈴木内相、川村法相の実現は党内に一大動揺を来す恐れがある。故に中橋氏の辞職は已むを得ないとして首相兼任で議会後まで持ち越し、改めて白紙に還って詮衡し直すべきである」と言うのであった。組閣当夜の久原氏は退け得たが、今夜は流石の犬養氏も弱り考慮を約して別れた。

翌十六日午前九時、久原氏は再び犬養首相を訪問して、前夜通りの主張を強硬にとって譲らず、三時間に亘って粘った。犬養首相は弱気になっていた。健康も優れなかったのである。午後一時、鈴木法相を呼んで因果を含め、結局内相は首相が兼務して当面を糊塗することに妥協した。

犬養首相の妥協は反鈴木派に対しては一縷の光明を与え、入閣希望者である人を喜ばせたが、しかし森は「もうお爺さんは駄目だ」と書記官長を辞める決心をつけた。犬養氏の懐刀といわれ、また森とは古い友人であった古嶋一雄氏に対し、

「俺は爺さんの守りが出来ない。お前が書記官長をやれ」

と言ったくらいである。犬養首相に対し正式に辞意を漏らしたのは二十一日である。二十二日には閣議の前、

首相は鈴木氏を招いて森の慰留方を懇請した。鈴木氏は森に対し、短気を起こすなとなだめた。

九　森の辞意

一九三二（昭和七）年三月二十一日、春季皇霊祭の日のことであった。午前中に宮中の御儀が済まされてから、森は横溝内閣書記官に電話で書記官長の辞表を書くことを命じた。前にも書記官長の辞意を漏らしたことがあるが、いよいよ具体的に書式に適った辞表を認めたのは初めてである。

横溝氏は命じられた辞表を書き、書記官長官舎へ行って二階の一番奥の森の部屋で会った。そこには作太郎翁から受け継いだ森家の家宝不動明王の掛け軸が掛かっていた。森はそれを指さして、「この精神だ」と言った。『確立不動大精神、不容為他所搖撼』と書かれてあった。森は更に語を継いで「自分は総理と意見が合わぬ。けれども総理に反対する訳に行かぬ。だから身を引くのだ」と言った。

この時は、内閣改造が久原氏の横槍で挫折し、犬養首相が中橋内相の後を兼任、川村法相は実現せず、折柄臨時議会は進行中であった。森は犬養首相の弱さに不満を蔵し、こんなことでは内閣を持続する事も不能だし、三百四名の一国一党的威力を発揮し得なければ、やがて不祥事が起こりかねない。加えて、**犬養、芳澤の父子外交が悉く森の意見と相反した**ので、いよいよ急角度に政治方向を転換する必要に迫られたのである。

それから間もなく、森の身の周りを取り仕切って承る塩津という老ボーイから萬平ホテルに止泊中の山浦氏に電話があり、「来て呉れ」という。当時山浦氏は新聞記者であると共に森側近の一人としてその仕事の手伝いをしていたので、便宜上首相官邸に近い萬平ホテルに定宿していた。ホテルにはやはり森が隠れ部屋を持っていた。

書記官長官舎の玄関を入ろうとすると総理大臣秘書官犬養健氏がシルクハットにフロックコートの姿で靴履きのまゝ奥の方から出て来た。森がそれを送って玄関に現れた。何事だろうといぶかしく思ったが、後で考え合わせると森が犬養氏を呼んで辞表を手交したものである。森はその時背広を着ていた。そして官邸の裏庭に造ってあったゴルフの練習場に下りて行くべく山浦氏を「おい、一緒に出よう」と誘った。裏庭伝いに春の陽光を浴びながら森はこう言った。「**俺は書記官長を辞める。方向転換だ**」。そして後は黙った。

一時間くらい無念無想の姿で球を打っていたが、やがて森は「おいこれから親父の墓参りに行く。一緒に行こう。方向転換の報告に行くのだ」と言った。森家の墓地は鶴見の総持寺にある。しかし官舎に帰ってみるとまた訪問客があり、夜は会合があるので時間に追われて墓参りは中止になった。がその時、新聞製作に関する意見を述べてその方の事を考えておけ、と言ったことゝ、もう一つ、この近くに家を至急探さねばならぬ、と言ったことから思い合せて、彼の決意は断平たるものであったと推測するに難くない。

さて、森があの決意を翻して踏み留まるに至った経過には、犬養首相の慰撫と、鈴木、鳩山両相の斡旋が大きく作用していたものと推測される。即ち二十五日に至って内閣改造は森の原案通り、鈴木内務、川村法相の両大臣を決定した。しかし殆んど同時に**平沼内閣擁立運動を開始した**ところを以てみれば、依然として首相との間のギャップは埋められ得べくもなかったことが推測されるし、職には留まっても魂は既に犬養内閣を離れていたのは事実である。

　この間の事情に関して犬養健氏は語る。

「森の辞意の根本理由は改造問題ではないと思う。**親父と意見を異にして軍と政党の抱き合いによる革新政治の方向を決したので、これ以上親父と一緒には行けない立場と進退を判然させておきたい、**という正直な考えからであったろう。辞表は僕を通じて出したが、さて親父の顔を見ると気が弱くなって強いて辞めることも出来なくなったのだ。イデオロギーは兎も角、人間同士としてこの両人は昔からの仲なのである」

　さて森の辞表はどうなっていたか、同じく犬養健氏の談によれば、犬養首相が受け取って引き出しにしまいこんだまゝにしておいたのを、五・一五事件の後、森が健氏から受け取って焼却したという事である。

　この前後の事であった。ある日森は突然山浦氏に対し、「フィヒテの愛国論を読みたいから、どこかで見付けて呉れ」と注文した。

　フィヒテは十八世紀から十九世紀にかけてのプロシア勃興期の愛国哲学者である。『国民に与ふる書』を発表してドイツの民族国家主義を高潮した哲学者である。この依頼を内閣嘱託であった前田蓮山氏に移牒した結果、氏は神田の古本屋を漁ってフィヒテの『知識論』と戸張竹風訳の『ニイチェ研究』を手に入れた。それに丹念にアンダーラインを引いて、森に渡してくれた。誰に勧められたのか、どこからヒントを得たのかは不明であるが、フィヒテを読んでみたいと言い出した心境の底を割って見れば、急転換の分岐点に立っていたことが暗示されていたのである。
（註：J・フィヒテは、ドイツの哲学者。カント哲学から出発して物自体の考えを否定し、自我の実践性を理論的認識にまで広げて基礎づけ、倫理的色彩の濃い思想体系を樹立した。ナポレオン占領下のベルリンでの講演「ドイツ国民に告ぐ」は有名。著『全知識学の基礎』など）

久原幹事長の内閣改造阻止の爆弾は犬養首相を逡巡させ、党内には一時は賛成者が出た。犬養人事に対して不満を言う者は多かった。しかし、一旦決まった原案を動かすことになれば内閣の威信が地に堕ちる、という議論が中立派の中から起こって、久原氏の立場はやゝ分が悪くなった。そして、今となっては総裁一任ということに落ち着けなければならぬ、という空気が漸次濃厚になった。

久原氏は眼先が見える。こゝは一番鈴木氏と妥協をつけなければならぬと考えた。そこで三月二十三日夜八時半、柳橋の柳光亭に人眼を避けて会見し、百八十度の転回を試み、鈴木内務大臣を是認することになった。尚川村氏の入閣については久原氏にもその他にも大分異論があったけれども、森の意志は断じて動かすことが出来ない。それを押し切れば、森の辞意を止める事が出来ず、引いては内閣に破綻を生ずる。かくして川村氏の入閣も森の強硬意見の結果、強引に実現されたのであった。

書記官長としての森は閣僚よりも重きをなしていた。極端な批評をする者は森内閣とさえ言ったくらいである。往年の伊藤博文内閣の書記官長伊東巳代治を凌ぐ実勢力を持っていた。卑近な例を挙げれば、床次、鈴木らの長老閣僚を始め荒木陸相その他は、何か書記官長に用事のある時は自分から書記官長室へ出かけて行って相談するという風であったし、森が「さん」づけにして呼んだ閣僚は、高橋、中橋、床次、鈴木の四氏、その他は犬養首相を「総理、総理」と呼ぶ他、全部「何々君」と呼んでいた。用事があると電話をかけて、それらの閣僚を自分の部屋へ呼んで話した。それくらいな森であったが、扱いにくいのは犬養首相と高橋蔵相であった。何をいうにも年齢と経歴貫禄がものをいう。先方は子供扱いにする。例えば犬養氏の如きは、森の事を語る時は決まって父親の作太郎翁の事を持ち出すという風であった。また、高橋氏はその性格が単純率直で、自分がこうと思ったら中々他人の言うことを聞かぬ人である。他の閣僚と異なって犬養、高橋の両翁だけには、さすがの森も一目も二目も置いていた。従ってこの両翁にだけは自分の室に来てくれとは言わなかった。しかし、犬養首相も最初のうちは大概なことを森に任せていたが、内閣改造で失敗して以後、久原氏と両方の意見のバランスをとるようになった。かくして森はいよいよ犬養氏を離れた。

高橋翁は最後まで森の言う事をよく聞いた。重要な政治問題、特に折から継続中の上海事件で陸軍の要求する経費、海軍の要求する陸軍援兵の派遣などに関しては、閣議の席上で問題になる以前に高橋蔵相を訪ね、予め篤と諒解を得て措く方針を執った。この方針は高橋翁のみならず、他の重要閣僚にも用いられた。だから大概な問題は閣議に持ち出される前に既に大体決定しており、閣議の席上で論議の戦わされるという様な事は無かった。

内に対しては右の通り、外に対しては陸軍は勿論、海軍、右翼方面その他あらゆる方面に森の触手は伸びていた。かくの如くにして森の地位は一個の内閣書記官長を遥かに飛躍して、寧ろ副総理としての実質を具えていたのである。だから森が内閣の中心から抜ける事は犬養内閣に大きな穴が開くことを意味する。だから彼の強引も肯かざるを得ない事になる。

内閣改造の一時中止は、しかし森の政治方向を決定的に転換させる動機となった。「一旦決定した案を他の横槍で躊躇逡巡するような事では到底大事は決行出来ぬ。この先もしばしば起こるであろう。そうすれば三百四名は藁人形に過ぎない。かくてはこの重大時局に処して行くべく余りに心細い」と考えたのである。また久原氏との関係は実をいうと近来特に好くなかった。それが正面に噴出して決算をつけたのである。この問題が勃発してある日、森は久原氏を訪ねた。首相の決定を邪魔することはよくないと説いた。しかし久原氏は耳を貸さなかった。それで森は久原氏に絶交を通告して帰った。三月二十六日の夜、日本橋の那可井に森の旗本である人々を集め久原討伐の旗揚げをし、連判状を作った。その時森は悲壮な顔をして一場の演説を試みた。

「久原が我輩と力を合わせてやれば相当な仕事が出来るが、一々邪魔立てをする。かくなる上は已むを得ず久原を叩き伏せて進むよりは仕方がない。諸君、我輩に力を合わせて目的貫徹に進んでもらいたい」

一同は森のために水火も辞せぬ人々であったから、何の理屈もなしに彼の目指す方向に糾合された。かくして三月末、幹部改選に際しては、山口義一氏を幹事長に仕立て上げ、久原、床次その他、反森（鈴木、鳩山）の推薦する山崎達之輔を打倒し、久原系と目される人物は一切幹部から抹殺してしまった。

那可井に集まった面々は左の三十六名である。

志賀和多利、岡本一巳、川島正次郎、梅村大、佐藤洋之助、森昇三郎、坪山徳彌、田村實、上野基三、瀬川嘉助、宮崎一、勝又春一、松岡俊三、川手甫雄、深澤豊太郎、高橋泰雄、門田新松、益谷秀次、土倉宗明、野方次郎、小野寺章、助川啓四郎、牧野賤男、藤生安太郎、山本荘一郎、大石倫治、河上哲太、小林錡、高橋熊次郎、久山知之（以下後に署名）、田邊七六、片野重脩、小山田義孝、村田虎之助、中島守利、窪井義道。

十　山口幹事長を造る

犬養内閣が出来て、与党政友会の幹部改選の議は十二月の中に持ち出された。何しろ久原幹事長は入閣もしないし幹事長辞任の発表までしてしまったのだから辞めぬ訳にはいかない。しかしされ ばといって組閣早々であり人事関係が紛糾している際なので、暮れの押し詰まるまでそのまゝ留任した。しかし内実、鈴木系の森、鳩山、松野その他が政府の中枢に入ったので、久原氏は党の方を自分の手にまとめて揩く必要を痛感していたから、辞意を覆そうという腹は充分にあった。後任幹事長の候補は反鈴木系の山崎達之輔氏と鈴木系の山口義一氏とが対立して収拾がつかぬまでに紛糾を極め、その結果、久原氏の留任以外に方法がなく、そのまゝ三月二十七日の幹部改選まで持ち越されたのであった。

内閣改造問題に絡んで森と久原氏との対立はいよいよ深刻になり、従って幹部改選は森と久原氏の決戦を意味した。森は前にも述べた通り打倒久原氏を決定し、着々と戦備を進めていった。幹事長候補は依然として山崎達之輔、山口義一氏の対立である。犬養総裁は前に幹事長の晒し者にした山崎氏に義理を立て、今度こそ起用しようと発表の前夜までその心算でいた。それを森がひっくり返して、山口氏を幹事長にしたのである。

犬養総裁は首相官邸の日本間に住んでいた。幹部改選を巡って久原氏は勿論、各派各様の人が思い思いの腹から総裁口説き落としに出かけて行った。森も勿論その一人であった。二十六日の夜も、二十七日の朝も、久原氏と入れ替わりに総裁を叩いた。いわば森は山口幹事長をねじ取った形である。

この間に村田虎之助氏の働きが見えない所で大きく作用していた。村田氏は犬養総裁の住居である官邸の日本間に泊まり込んでいた。森の意を受けたのである。幹部問題の情報を森に知らせると同時に、総裁を口説いて森の案を呑ませるよう努力した。村田氏の泊まり込み戦術は組閣当夜も行われたが、効果百%であったという。何しろ氏は古くからの犬養門下であり、久原、森とも又親しい間柄であったので、総裁に対するその発言は有効適切に作用するのであった。

二十七日、総改選の結果は森の思惑通りに運んでいた。山口幹事長の実現は勿論、総務、幹事の中から久原色を一掃してしまった。ただ久原氏が筆頭総務として残ったのは、前幹事長は総務たるべしという慣例の実現に過ぎない。又特に筆頭総務と名をつけたのは犬養総裁がバランスを取ったまでの事であり、事実上新幹部は完全に森によって奪われたのである。

総務　久原房之助△田邊七六△青木精一△熊谷巌△岡田伊太郎△田邊熊一△濱田国松△清水銀蔵△河上哲

太△土井權大△東郷實△村田虎之助

幹事長　山口義一

幹事　川島正次郎△坂本一角△一瀬一二△上野基三△大石倫治△林路一△片野重脩△土倉宗明△益谷秀次△小林騎△大野伴睦△岩本武助△上田孝吉△沖島鎌三△小林絹治△田村實△小谷節夫△崎山武夫△竹下文隆△藤生安太郎△綾部健太郎△武藤七郎

政務調査会長　山崎達之輔

右の色分けを見れば、森、鳩山、松野らの系統に中立を加え反久原派が殆んど全部を占めており、山崎氏は政務調査会長という実権のない地位に祭り込まれてしまったのである。

十一　優秀官吏を同志に（森の人事）

森はいわゆる官僚気質を極端に嫌っていた。しかし優秀な官吏軍人らを同志にする努力は怠らなかった。又反対党の代議士と雖も知らぬ間に深い交渉を持つような例は稀ではなかった。政友会と真正面に対立した当時の民政党で、三木武吉、鷲澤與四二、風見章の諸氏がこれであり、田中内閣当時、無産党の代議士で森外務政務次官に質問の矢を放って食い下がった事のある浅原健三氏は、実は代議士に出る前から森との間に深い関係があった。森の人事は縦断的であった。

森とその人物とは結び付きがあっても、その横にいる人に知られていない場合が多い。例を挙げると、尊敬すべき地質学者門倉三能氏は北支満蒙の地質調査に関し森と深い関係のあった人物であったが、森恪事務所の人にも中日実業の人々にも紹介されていなかった。

だから、どこにどういう人物と深い交渉を持っているか、森自身より他に知るものがないのである。特に右翼方面に於ける多数人物の如き然りであった。

各省の中に数名ずつの優秀な人材を腹心に持っている事も事実である。大蔵省の大久保貞次、青木一男氏ら、商工省の吉野信次、小金義照、陸軍省の鈴木貞一、参謀本部の小畑敏四郎、外務省の白鳥敏夫、内閣の横溝光暉、海軍の石川信吾氏いずれも森の直系であった。その他意外なところに意外な人物が森と深い関係を持っていた。

ある者は大学時代から学資の補助を受け、ある者は結婚の世話になった。ある者は抜擢して貰った。これは森が朝にあると野にあると問わず継続された準備であったから、一般の政治家の如く一旦在野党になると木から落ちた猿の様に手も足も出ないという惨めな状態は無かった。

官吏のみではない。実業界、言論界、その他あらゆる分野に森の手は伸びていた。台湾銀行香港支店長工藤耕一氏の如きはその好例で、一九一五、一九一六（大正四、五）年くらいから森直系の学生であった。探し求めれば恐らく現在の指導階級の中には森の恩顧を蒙った者が相当いる筈である。

——工藤耕一氏談——

森さんが三井の修業生として支那へ渡る前、商工中学の時代に、麹町富士見町の私の母の家に宿泊したことがあった因縁で、私は大学卒業前から森さんの世話になった。大正六年頃大学を出て台湾銀行に入ったが、どうも面白くないので、森さんに使って貰いたいと頼んだところ、「俺は一芸一能を持つものでなければ使わない。君は俺の台湾銀行留学生だ。も少し修業して来い。早くハンコをつくようにならなければ駄目だ」と訓戒されたものである。台銀に入る前、お前は官吏になれと言われた。「俺のような男でも、事業をする時には小官僚に頭を下げなければならないのは悔しい。官吏になれ」と言われ高文の受験料を貰ったが、落第して森さんの不機嫌な裡に銀行に入ったのだが、森さんの意中では自分の配下を官界に入れておこうという腹があったものと思う。

○

森から工藤氏宛の手紙

過日御書面被下候處、難事に追われ返事遅れ申訳無御座候。御質問の儀は人によりてその所説を異に致し候。愚見にては独立とい〻不独立というもその形を取るに非ず、要は精神に於いて人に頼らず自己の努力に対する報酬にて生活を支え有るを独立と致したしと存候。普通の意味の独立が肝要ならず事を挽きても独立生活は出来る訳也。かくの如きは吾人の欲するところに非ず。複雑なる今日の世にては簡単なる意味の独立は殆んどその要なし。既に国際的争奪の世の中となりては有為の人物はどうしても大組織の機関を運転する人間となる必要あるべし。貴君が大銀行に奉職せるは天が貴君に修養の機会を与えつ〻あるものと信じ候。この機会を善用するとせざるとは一に来君の御工夫と努力にあるべし。森村翁の所見の如きは平凡者流に向かっての繰言のみ。敢えて参考にするに足申間敷候。　匆々

大正八年八月二十六日

東京丸の内帝国ホテル

恪

麹町永楽町台湾銀行

工　藤　君

○

―商工省鉄鉱局長　小金義照氏談―

私が大学を出て、商工省の官吏になる時、森さんから与えられた訓戒は左の三つであった。

一、給仕、小者に至る迄懇切丁寧に取り扱う事

一・電話は丁寧にかける事

一、紙屑は必ず破いて紙屑籠に捨てる事

尚仕事は人の嫌がることを進んで引き受けてやれ、というのであった。もっと大がかりな訓戒を期待していたのに実は意外であった。しかし今日になって初めて森さんの訓戒がひしひしと身に応える。防諜のやかましい支那事変下に於いて、役所の紙屑は不注意の間にスパイの手に渡らぬとも限らない。机の上や、その近辺に落として置くことは実に危険である。任官当時から森さんの訓戒通り紙屑は一枚一枚裂いて紙屑籠に入れていたが、今日では紙屑を裂く度に森さんの顔を思い出す。電話の掛け方にしても交換手をして相手を呼び出させることはよくない。私は自分で直接相手を呼び出す習慣になっている。給仕らに対しても森さんの

遺訓通り、懇切丁寧を守っているつもりである。

人の嫌がることを進んでやれと言われたが、私は商工省でも余り映えない特許局に入れられたので、余り面白くはなかったが、こゝが森さんの訓戒を守る時だと思って一生懸命勤めた。かくの如く忠実に教えを守ったが、たった一つ森さんと論争したことがある。

家内を貰う件に関してであった。私の学生時分から森さんは、女房は邪魔になるものだから貰うな、と言っていた。邪魔になるかならぬかは持っていないから判らなかった。自分でも貰うつもりはなく、方々から口のかゝるのを断って来た。然るに大正十一年、森さんが女房を世話するから貰え、と言う。それは約束が違う、と言って即座に相手の如何なるものかも聞かず拒絶した。これには流石の森さんも困ったらしい。結局、ものには例外がある。俺が勧めるものなら貰っても良いと妙な理屈をつけてきた。遂々森さんの熱心に負けて貰ったのが今の家内である。つまり森さんの腹では自分が良いのを見付けて世話するから、それまで貰ってはいけないとの意であったろうと思う。

（註：小金夫人勝子さんは、故山下芳太郎氏長女で、森栄枝夫人の姪に当たり、瓜生外吉男の令孫である）


—中嶋隽吉氏談—

○

日本特殊鉱業社長中嶋隽吉氏は、業界に於ける風雲児として当時メキメキ売り出した人である。中嶋氏も又森との間に深い関係がある。この関係は従来、知っている者が殆んどなかった。

大正十一年、私は満蒙探検をやった。その結果、北京と熱河を連絡する京熱鉄道の敷設権を獲得した。それにはこういう経緯がある。当時大総統であった黎元洪の娘の病気を私が気合術で治したのである。すると大総統は、余程嬉かったと見えて十万円の礼を呉れるという。私は謝礼を拒絶し、その代わりに京熱鉄道の敷設権を貰ったのである。日本へ帰って一千万円の資金を得ようとしたが、誰も賛成しない。当時の外相内田康哉伯に話すと、主旨は洵に結構だが、さて政府が肌を脱いでやる訳にはゆかぬと言う。ドイツ人が権利を五十万円で買いたがっていたが、これを外国人に渡すのは国家の立場上よろしくないので権利は売らなかった。私自身が名もなき一青年で、大風呂敷を広げると見られたせいもあって、政治家も財界人も相手にしなかった。中でたった一人森さんが賛成してくれ「是非やれ」と激励してくれた。しかし当時の森さんは満鉄事件が祟ってニッチもサッチも行かなくなっていた時代なので、どうにもならず、京熱鉄道はお流れになってしまった。しかしたった一人、無名の一青年の計画に賛成してくれた森さんに対しては多大の敬意を払い、それ以後、自分では森さんの弟子の一人として働いてきた。

その後しばらくして森さんから五万円の融通を頼まれた。私自身も貧乏のどん底であったが、友人に吉野境平という青年貿易商があって、これも森さんのファンの一人だったので、九十日の手形で五万円調達して森さんに渡した。期限十日前に森さんは私を呼んで七万円渡した。元金の五万円に加えて二万円を吉野にやるという訳なのである。下手に利息の勘定などせずに大づかみに二万円の礼をしようというところが、如何にも森さんらしい。先方へその通り話したところが、先方では取る訳にはゆかぬと言う。元々森さんを助けるつもりで用立てた金だから利息はいらぬ、となかなか強硬である。しかしとうとう一万円だけ礼に渡し、あと一万円は私に呉れると言ったが、私は森さんに反した。

犬養内閣の選挙の時、私は仕事が行き詰まって、方向転換のため代議士になろうとした。森さんに相談に行くと一言の下に叱りつけられた。お前は事業をやる男だ。政治をやっちゃいかんと言うのである。森さんは私の立候補しようという動機をちゃんと見抜いて、逆に激励したものと思う。叱られたことが今日になって有り難く感じられるのである。

十二　森と江木翼・古嶋一雄の勅選・大野警視総監

犬養内閣は在任六ヵ月の間に警視総監を三人更迭させている。

第一の長延連氏は桜田門事件で懲戒免官となり、その次に長谷川久一氏が任命されたが、これがまた一ヵ月も経たぬ間に免官されている。長谷川氏は解散直後政府党の選挙を有利に導こうという考えから、あらぬ忠義立てをして、民政党の最高首脳江木翼氏の私行を暴いた。女に関する事件であるが、非常識にもそれを警視庁内でプリントにし、総監自らが記者団に発表するという手段を取った。江木氏はその事実を否定するし、民政党は選挙対策に資するためだとカンカンになって憤慨するし、一大政治問題と化した。森書記官長は政府部内で第一に長谷川総監の非常識に憤慨した。政争のためにはかなり深刻な手段も用いかねぬ森であったが、個人の私行を暴くやり方は彼が最も嫌うところであった。森はかつて冗談に言ったことがある。

「俺はお国のためなら秘書官でも何でもやるが文部大臣だけは御免蒙る」

その意味は、自分は聖人君子でもなければ木石でもない。勿論支那時代から晩年にかけて相当遊んだものである。森はまた彼の周囲の若い者によく言って訊かせた。

「遊んでもいゝが女に惚れちゃだめだよ云々」

さて森は、長谷川警視総監の免職を先ず断行した。そういう考え方の人間には帝都治安の鍵は預けておけぬと言うのである。

江木翼氏と森とは、真正面の敵であった。江木氏は憲政会総裁加藤高明の懐刀で、第一次加藤内閣には書記官長、第二次加藤内閣から若槻内閣にかけては司法大臣を勤めたし、濱口内閣から第二次若槻内閣にかけてはやはり引き続いて鉄道大臣を勤め、憲政会から民政党と党名は変わったけれど、その中心的存在であったから、勢い、反対党政友会の最前線の闘士森恪とは正面から敵同士として遭遇戦をする運命にあった。

田中内閣当時、森は外務政務次官であった。当時の外務省が悩まされた問題の一つであり、やがて田中内閣倒壊の一因をなしたものに「**イン・ザ・ネーム・オブ・ピープルス**」**事件**があった。不戦条約の調印に当たって、民主国家の全権はそれで良いが、君主国たる我が全権が、「**人民の名に於いて**」に調印したのは不都合であるという攻撃が、民政党中村啓次郎氏によって火蓋を切られたが、この事件を取り上げ、枢密院の怪星伊東巳代治伯と連絡を取ったのが江木翼氏であることを、森の情報網が見逃す筈はなかった。

また、江木法相を苦しめたものに、松嶋遊郭疑獄（憲政会の長老箕浦勝人氏連座）、越後鉄道事件（民政党の小橋一太氏連座）の他に、朴烈事件などがあった。何れも大きな政治問題と化して内閣の運命に関するものであったが、これらを江木氏は森の陰謀と睨んだ。従って、何時か時機あらばと森を狙っていたのである。

その一つの犠牲に供せられたのが、森の親友十河信二氏であった。十河氏は一九二六（大正十五）年一月

資料５８　江木翼

二十六日、司法権の発動によって収容された。世にいわゆる**復興局疑獄**である。当時氏は、復興局から古巣の鉄道局に戻り、経理局長として重要な地位を占め、政府委員として議会に出席中の事であったから、大きなセンセーションを巻き起こした。十河氏は毎日のように森と会って、支那問題を中心に種々の問題を討究し合う仲であった。政府の高官が反対党の中心人物と往来することは、政党内閣時代に於いて頗る危険である。しかも、彼ら会見の情報は江木氏の方へ詳細に知られていた。だから森は十河氏に注意して、「お前は俺のところに来ると今にどんな災難が降りかゝるか知れない。あまり来ない方がいゝぞ」と言った。しかし十河氏は笑って聞き流した。その森の予言が不幸にも的中したというのは、江木、森の政敵的関係の派生事実であった。

十河氏の一友人は左の様に語っている。

「江木と森とは政敵であった。十河が復興局疑獄でやられたのは彼が森と頻繁に往来していた時である。時の鉄道大臣は仙谷貢、司法大臣は江木翼であった。仙谷氏は十河を縛るという事には極力反対し、『十河には必ず暗い所がないことを保証するから縛るのは止めろ』と忠告したけれども、江木氏は聞かなかった。『部下が縛ると言って陣立てを整備したのを上から止めさせるには行かない』と理屈をつけたそうである。仙谷氏があくまで反対するので江木氏は『もし万一十河に犯罪事実がなかったら自分が責任を持つ』と言明したそうである。果たして十河には犯罪事実がなく、青天白日の身になってから、江木氏はよく十河の所へ遣いをやったりして何かと好意を寄せていた。十河が仙谷総裁の下に満鉄の理事をしていた時などは、仙谷氏を通さず直接十河の所へ話を持ち込むという有様であった。かくして次第に江木の森に対する考え方も修正されて行ったらしい。

江木氏が病気して命旦夕に迫った時、彼は十河を呼んで森に伝言を頼んだ。『森君とは長い政敵であったが敵ながら天晴れな男である。今日以後の日本の政治を担当する者は森以外にない。だから大いに自重して貰いたい』という内容であった。十河は直ぐに森の所へ行ってその話をすると、森は一言『それが江木の真骨頂だ』と言った。そして直ちに江木氏の病床を見舞い、手を握り合って長年の政敵関係を清算したのであった」

かゝる事実は世に殆んど知られていない。思うに森書記官長が長谷川総監の行為に痛憤し、直ちに免官の手を打ったあたりの遣り方に江木氏は先ず森を見直し、それからの森の政治的行動、社会情勢の変化を見極めると同時に、森ならではの感を深くしたものと思われる。江木氏は永病の後、一九三二（昭和七）年九月十八日、満洲事変の記念日に死に、森はこの日、国民新聞主催の演説会に病を押して出演し、「亜細亜に還れ」の熱弁を振ったのを最後に再び起きなかった。

長谷川警視総監の後任には大野緑一郎氏が決定した。森の腹心である河原田事務次官と森岡警保局長の推薦による。大野氏はこう語った。

「森書記官長に呼ばれて決心を問われた。というのは民政党の井上準之助が殺され、やがて三井の団琢磨が暗殺されるというような社会情勢であり、しかもまた五・一五事件前の山雨至らんとして風楼に満つるの危険な風潮が漲っている当時だから、帝都治安の維持は余程の腹と覚悟がなければやれぬのである。森氏はつまり私の人物試験をやった訳である。『いざという場合には兵隊と衝突しなければならぬような時が来るかもしれぬ。君にそれがやれるか？』という風なことまで言った。私はやる決心があると語り、それじゃ、やってくれ、というので警視総監になったような次第で、森氏とはその時が初対面であった」

大野氏は警察畑の経験に乏しく、専ら社会局系統の仕事をやって来た政党色のない純官僚である。当時の政党事情では当然政友会色の人物を据えるのが常識であった。長延連、長谷川久一両氏とも鳩山一郎氏と大学同期であり且つ政友会色を帯びていた。鳩山氏の推薦で警視総監に就任したのである。大野氏の場合は、常識的で腹の据わった人物ということが唯一の条件にされたものである。五・一五事件の突発に際しても大野警視総監の取った処置は断乎たるものであり、天晴れ森の眼鏡に適うものであった。内閣総辞職して退官後も大野氏と森の交渉は密度を加え、大野氏は完全に森幕下の重要メンバーとなった。大野氏の談によれば、森は、「金は俺が作るから支那を一回りして来い。これからは支那問題だ。支那を見ておかねば駄目だ」という申し出をしたが、大野氏はそのチャンスを逸したと未だに残念がっている。

森人事の逸話を述べておこう。

一九三二（昭和七）年三月十五日勅選議員五名の発表があった。栃内會次郎、古嶋一雄、堀啓次郎、岸清一、門野幾之進の五氏である。

犬養首相は五名の補充をする時、森書記官長に対して、「たった一人だけ自分に呉れ、後は君に任せる」と言った。そのたった一人というのが意外にも古嶋氏ではなく門野幾之進氏であった。門野氏は犬養氏と古い友人であり慶応義塾を盛り立てた教育界の功労者であった。何時かはその功に報いたいとかねがね考えていたのであった。古嶋一雄氏は、犬養首相との関係に於いて当然その推薦によるものと世間は考えた。新聞などもそのように報じた。しかし実は、森が推薦したものであった。古嶋氏と森との交遊も支那革命以来で

資料５９　昭和６年１２月開院式記念写真（出典：山浦貫一篇『森恪』）
※前列向って右より鈴木、床次、犬養、大角、中橋、鳩山、山本の諸相
後列向って右より三土、前田、森、荒木、秦の諸相

あり、古嶋氏が憲政に尽くした功労も良く知っていたが、現在の境遇は余りにも不遇であり、犬養内閣が出来たとはいっても何ら報いられるところがないのを気の毒に思っていた。犬養首相は古嶋氏を勅選にしたい気持ちは充分にありながら、しかし氏一流の負けん気から余りに身近な古嶋氏を切り出しかねていたのである。現に古嶋氏の述懐によっても「事前に犬養氏からは何らの話もなかった。発表されて驚いたくらいであった」と。そして発表されてからも森は自分が推薦したのだという事を一度も言わず、古嶋氏も言わない。山浦氏は事前に森から古嶋氏を勅選にしたいと思うがどうだろうとの相談を受けたことがあり、それは名案だと答えた記憶があるので、その間の事情を知っている訳である。森は自分の周囲の人々に対していつかは報いるべく、常にそのところを考えていた。古嶋氏の場合はその一つの現れである。

十三　五省会議と日満議定書

犬養内閣時代、森が残した事績の中で不滅の光を放っているものに**五省会議**がある。陸海軍、外務、大蔵、拓務の五省の次官や局長が委員となり、森書記官長が委員長で、幹事長は時の外務省亜細亜局長谷正之、幹事は内閣の総務課長と五省の主務課長であった。

委員と幹事は左記の通りである。

委員

外務省　白鳥敏夫情報部長
大蔵省　黒田英雄次官、富田勇太郎理財局長
陸軍省　小磯國昭次官、山岡重厚軍務局長
海軍省　左近司政三次官
拓務省　堀切善次郎次官、北島謙次郎殖産局長

幹事
内閣　横溝光暉（総務課長）
大蔵省　青木一男（国庫課長）
陸軍省　永田鉄山（軍事課長）
　　　　鈴木貞一（高級課員）幹事代理
　　　　秋永月三（同　　　）
海軍省　原　清（軍務局第二課長）
拓務省　稲垣征矢（交通課長）

五省会議の幹事会は外務省の亜細亜局長室で頻々と開かれた。

目標は専ら満洲事変の善後処理にあった。

政治、外交、経済など、あらゆる部門に亘って**満洲経営の実行方策を研究する**にあった。しかしこの会議は一種の秘密会議で、犬養首相の諒解の下に成立し、従って官報にも載っていなければ辞令も出てはいない。

それで会議の内容が新聞などに洩れる事は一度もなく、森の統理の下に仕事は着々と実績を挙げて行った。斉藤内閣時代になってから**日満議定書**が交換されたが、これは実に犬養内閣時代、森の指導の下の五省会議が骨組みを整備していたものを骨子として仕上げたものである。いわば森の製作に関わるものであった。**満洲事変の勃発から収拾、満洲国建国に至る迄、森の内面指導は微に入り細を穿っていた**ことはこの一例に徴してもよく解る。

五省会議のやり方は、幹事会が森の提出した問題を中心に専門的立場から検討決定すると、それを委員会にかけるというものだった。こゝでも勿論直ちに決定する。その決定案を閣議にかけるのだが、既に十分議は練れているし、委員、幹事たる事務官と大臣との間もよく連絡が取れていたので殆んど論議もなく決定事項になるのが常例であった。

尤も閣議で論議を引き起こしそうな問題だと思うと、事前に森が関係閣僚に説明懇談して諒解を求めて来るから、閣議になっても、初めて議論を戦わす必要はなくなっていたのである。だから満洲問題に関しては森の思う通りに閣議がどしどし運んでいった。この五省会議を掲げて、森は閣議を左右したといってよいのである。

また森の周密な注意は集まる局課長を腐らせないように熱心に仕事を運ばせるところにあった。陸軍が非常な勢いで台頭して来た当時なので、自然のまゝに放置していれば、軍が会議のイニシアチブをとる様な感じを文官側に与える。腐らせて消極的にさせる恐れがある。森の考えは軍と相通じるものがあったにせよ、又その方向に会議をリードしたにせよ、文官側を腐らせることはその専門的意見を全部利用し尽くせない恐れがある。それを彼は恐れた。そして実によく文官側の専門的意見を用いるに努めた。外務省の亜細亜局長室を会議室に当て、外務省にイニシアチブを取らせるという考え方も彼の周到な用意から出発していた。

ある時、関東軍から出て来た元気のいゝ軍人がこの会議に出席した。強硬に自分の主張を述べ、終わりには立ち上がって文官を圧迫するような光景が見えた。森委員長は大音響で怒鳴りつけた。「黙って拓務省の意見を先ず聞き給え」。その軍人は森の気迫に圧され、立ち上がった腰を下ろして文官側の意見を傾聴したという逸話さえ伝えられている。横溝光暉氏は左の様に語る。

「我々文官側も森氏指導の下に張り切って仕事をした。決して気を腐らせるようなことはなかった。森氏の偉いところは部下をして常に仕事に張り合いを持たして使いこなした点であると思う」

横溝氏の場合を取って見ても、森は書記官長になると同時に横溝氏を総務課長に据え事務を一切任せた。横溝氏は森の知遇に感激して働いたので政友系、森の子分と折り紙をつけられ、斉藤内閣時代には危うく転任させられかけたくらいであった。

横溝氏は尚語る。

「森氏は事務の方は一切私に任せていた。急用が出来た時、書記官長官舎へ駆けつける。森氏は風呂に入っている。こんな時はドシドシ浴室の戸を開けて裸の森と話したし、ある時按摩に揉ませて休んでいる時、寝室へ飛び込んで行って話をつけた。だから話は実に早く進み、事務はどんどん片付いて停滞するという事はなかった。これも又部下に張り合いを持たせて働かせた一つの例である」

五省会議を基礎として作成された**日満議定書**は左記の如きものである。

日本は一九三二（昭和七）年九月十五日満洲国首都新京に於いて、帝国特命全権武藤信義大将と満洲国国務総理鄭孝胥氏との間に議定書を作成せしめ、これに調印した。即ちいわゆる満洲国の承認はこの形式によって具現された。

議定書の主点は、互いに領土権を尊重すること（**満洲国の承認**）、従来の日支間の条約・協定その他により有する権利・利益を確認尊重すること（**既得権益の維持**）、日本軍隊の満洲国内に於ける駐屯を認めること（**関東軍駐屯の了承**）の三点である。

議定書

日本国ハ満洲国ガ其ノ住民ノ意思ニ基キテ自由ニ成立シ独立ノ一国家ヲ為スニ至リタル事実ヲ確認シタルニ因リ、満洲国ハ中華民国ノ有スル国際協定ハ満洲国ニ適用シ得ベキ限リ之ヲ尊重スベキコトヲ宣言セルニ因リ、日本国政府及満洲国政府ハ日満両国間ノ善隣ノ関係ヲ永遠ニ鞏固ニシ互ニ其ノ領土権ヲ尊重シ東洋ノ平和ヲ確保センガ為左ノ如ク協定セリ。

一、満洲国ハ将来日満両国間ニ別段ノ約定ヲ締結セザル限リ満洲国領域内ニ於テ日本国又ハ日本国臣民ガ従来ノ日支間ノ条約協定其ノ他ノ取極及公私ノ契約ニ依リ有スル一切ノ権利利益ヲ確認尊重スベシ。

二、日本国及満洲国ハ締約国ノ一方ノ領土及治安ニ対スル一切ノ脅威ハ同時ニ締約国ノ他方ノ安寧及存立ニ対スル脅威タルノ事実ヲ確認シ両国共同シテ国家ノ防衛ニ当ルベキコトヲ約ス。之ガ為所要ノ日本国軍ハ満洲国内ニ駐屯スルモノトス。

本議定書ハ署名ノ日ヨリ効力ヲ生スベシ。本議定書ハ日本文及漢文ヲ以テ各二通ヲ作成ス日本文本文ト漢文本文トノ間ニ解釈ヲ異ニスル時ハ日本文本文ニ據ルモノトス。

右証據トシテ下名ハ各本国政府ヨリ正当ノ委任ヲ受ケ本議定書ニ署名調印セリ。

昭和七年九月十五日即チ大同元年九月十五日新京ニ於テ之ヲ作成ス。

日本帝国特命全権大使　武藤　信義

満洲国国務総理　鄭　孝　胥

森の満州政策の要旨

―鈴木貞一氏談―

森の大陸計画の頭をいうと、森はどうしても先ず対露関係を解決しなければ東洋問題の解決は出来ないとした。イギリスとかアメリカというものは戦争までして極東に自分の権益を持つような迫力はない。然るに何故ギャアギャア言うかと言うに、ロシアの実力である。それだからどうしてもこの実力を潰さなければ小姑や何かの、ものを言う奴を防ぐことは出来ぬ。こういうのが森の考えであった。

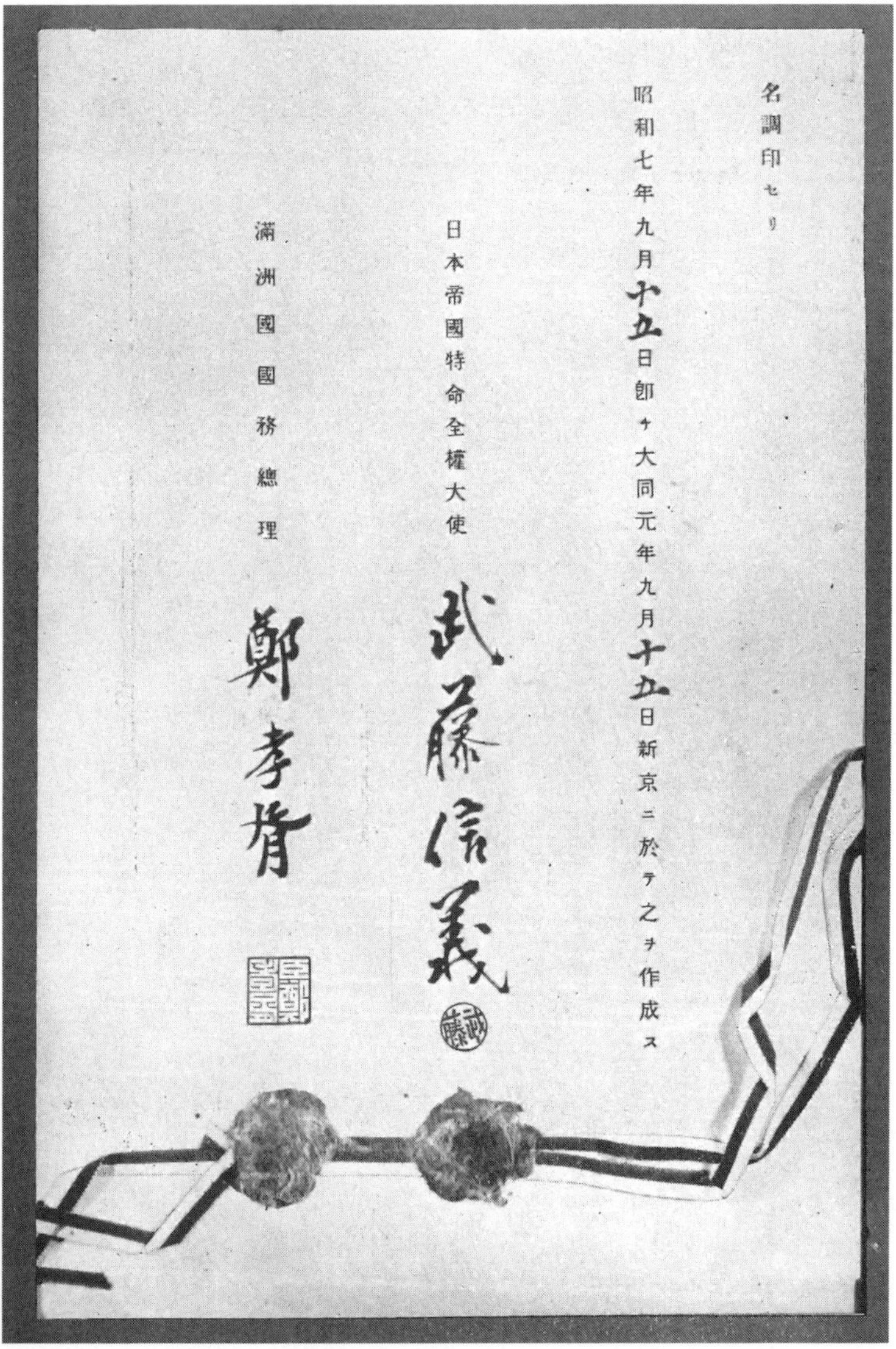

資料６０　日満議定書（出典：『新生日本外交百年史』）

さて満洲問題をどうして解決するかというと、結論は要するに、時機来らば日本の実力発動を辞せない、という朝議を確立するにある。「自分らが今度政権を取ったら必ずやる。だから早く民政党の内閣を倒して政友会の内閣にするようにしなくちゃいかぬ」というのが森のその当時の主張だ。そうしてまた「民政党には大陸経営は出来ない。民政党の成り立ちからして積極的に大陸政策なんかというものは出来ない。幣原が入っておって内閣を作っている限り、断じて出来ぬ。だからどうしても陸軍が大陸政策をやるには政友会と合体してやらなくちゃ行かぬ」というのが彼の根強い主張であった。

そうしている中に、その年昭和四年、一ヵ月ばかり僕は東京に居って五年には直ぐまた北京に行った。その時は他の用で北京に行ったのだが、そうすると今度は彼が、どうしても帰れ帰れといって仕方がない。そうしてまあ話してみると、「至急に満洲問題を解決しなければいかぬ。又ロンドン会議もあゝいうじだらくな状態に於いて出来てしまった。それでもロシアの政策はちっとも変化はない。だからどうしても早く満洲問題を解決しなくては行かぬ」ということで、もうそこら中説いて廻って居った。

それから「それはそれでいゝが、廟議を決めなくちゃいかぬ内閣の問題になって来た。それで内閣も民政党の内閣では出来ないから、どうしても自分らの内閣にしなくちゃいかぬ」と言ってそこら中動いて居ったようだ。

そうこうしている間に中村震太郎事件が起こった。それで森は、「直ぐ兵を動かせ」という意見であったけれども、「待て待て兎に角、中を固めなければいかぬ」ということで、その時はとうとう兵を動かす大命を仰がずにそのまゝ済んでしまった。しかし満洲問題になると森の意見は非常に徹底しているから、その時は「どうしてもどんな犠牲を払ってもこの際満洲問題を解決してしまわねばいかぬ」というのが彼の固い信念だった。

それで党の中にもいろいろ弱音を吹いたりする者もあるけれども、兎も角民政党が弱気で来ているから、対抗上、政友会は全力を挙げて軍のやっていることを支持する。それで森のいう通り政友会は動いた。そうしている間に例の○○（伏せ字）事件という奴が起こった。そこで元老重臣の方面もあたふたして来た。この内閣をこのまゝ置いていたならば、何が起こって来るか分からぬ。こういうことになったので政変が来た。それで元老の空気を見るに敏なる者は安達謙蔵氏だ。安達氏は挙国一致、内閣は政友会と一緒になってやろうではないか、と言い出した。それで以てすったもんだで潰れた。そして政友会内閣になった。

犬養内閣のやる事というものは、森の思う通りに動いて、これはもう完全に軍と一緒になって居った。それはまあ高橋さんのような人は多少財政とかいうような方面で軍のやることに好ましくない空気を持って居ったけれども、内閣全体の動きというものは、「完全に軍のやることゝ合致して満洲問題の解決をやろう」という風に動いておった。そうして各省の事務官と、満洲問題の解決のために陸軍なり、外務なり、或は商工省なり、農林省なりと色々の問題が起って来る。それを皆政治化して、そうして閣議を通して、滞りなく事を進め得たという事は全く森の力である。随分軍の方では沢山色々なものが出て行って、ちょっと見ただけでは食い切らぬというようなものが多かったけれども、これを皆政治化して、つまり政治家が呑み込めるようにして、逐次実行して行ったということは、森を中心とするあそこに出来た**五省会議**、陸軍、海軍、外務、大蔵、拓務、それだけの会議が斉藤内閣の時まで続いたということである。それは森が中心で、陸軍は主に我らが案を作った。その案に各省の者を集めて、そうして各省の意見をそれへ加味して、森が一手に采配を振った。陸軍と森との正式の交渉相手になって居った者は小磯次官である。

例えば兵隊を出す時でも森はちゃんとお膳立てをして、それから大蔵大臣に話す。当時の高橋大蔵大臣には威力があったから、承知すればその通りになる。その高橋さんを納得させて閣議に案が出て来る。宜しい、という事で定まる。そのお膳立ては皆森がやった。

尚、一九三八（昭和十三）年六月十日の閣議で、五省会議は正式な国策協議機関となった。

第二章　革新政治推進時代

一　三木武吉・伊澤多喜男との秘密会合

森が平沼騏一郎男を擁立して革新体制の強力内閣を作ろうと計画したのは紛れもない事実である。

森の政治哲学が従来の民主主義的な限界から、非常時に対処するための独裁的傾向を帯びて来たのは一九三一（昭和六）年二、三月頃からである。第五十九議会では幣原外相（首相代理）を追撃戦によって陥落させんとした。これは単に政党政治の常習たる政権争奪のためではなく、満洲問題を早急に解決するためには外交方針を百八十度変えねばならぬという底意からであった。一九三一（昭和六）年という年は三月に三月事件（陸軍中佐橋本欣五郎ら桜会の一部の将校と大川周明らが、クーデターによる宇垣内閣樹立を計画、失敗）あり、満洲事変あり、十月には十月事件（陸軍中佐橋本欣五郎らが、軍部内閣樹立のクーデターを計画、未然に発覚し拘禁される）あり、歴史的に重要事項続出の年であるが、これらの中心に厳として森が存在したことは争うまでもない。

近衛文麿公はこの年の五月、駒沢のゴルフ場で森に会った。久し振りの会見であり、久しぶりに共にコースを歩いた。近衛公の回顧談は左の通りである。

―近衛文麿公談―

森君は時代に先行する人であった。そして感化力の旺盛な政治家であった。久しぶりでゴルフ場で会うと、彼はこう言った。「世の中は大変なことになりつゝある。時代の底流は非常に強い。政党だの貴族院だのと小さいことを考えている時ではない。お互いに時代と共に進まなければとんだことになる」。それまでの森君は思想上は兎も角として、ありようは政党主義を基準とする政治家であったので、いわゆるファッショ的傾向への急展開に驚いたくらいである。当時私は非常に呑気で、議会を包囲する計画のあった事件などは余程後になって有馬頼寧君から聞いたくらいである。しかし森君からヒント得て以来、時代の潮流に深い関心を持ち出した。一時は貴族院対政友会の問題などで往来が途切れがちになっていたが、それ以来又しばしば逢うようになった。森君に軍人では誰がいゝかと聞くと、小畑敏四郎君がいゝと言って紹介してくれたし、それから鈴木貞一、白鳥敏夫君らも連れて来てくれた。その当時から私は軍人の人々とも逢うようになった。そうこうしていると満洲問題の切迫、軍人勢力の台頭、社会不安など、成程世の潮流が甚だ急であることが判ってきた。その夏八月、麻布の住友の別荘を借りて、軍部から小磯国昭、建川美次、鈴木貞一、外務省から白鳥敏夫、谷正之、新聞社側から緒方竹虎、高石眞五郎の諸君の他に松岡洋右、岩永祐吉の諸君に集まって貰い、**満洲問題について懇談**して貰ったことがある。森君は来なかった（註：森は満洲旅行中）。その時軍人は強硬意見で、白鳥情報部長はまだ国際連盟を気にしておった。即ち軍人の強硬論に対しては国際連盟がやかましいからという懸念を持っていた。寧ろ松岡洋右君の方がラジカルであった様に記憶する。白鳥君が満洲事変直後から森君と全く同じ方向を歩んで、連盟脱退の急先鋒になったのは、森君の感化力が与って力あるものと思う。

森は早くから軍部の人々と共に国事を談じ、荒木、小磯、小幡、鈴木氏らと絶えず交渉を保っていた。当時は未だ政治の形式をいわゆる平沼的ファッショの方向へ推進しようとは勿論考えず、民政党内閣を倒し犬養内閣を建て犬養翁と共に満洲問題を解決しようと軍部の人々とも話し合いがあったと推測される。しかしいざ目前の国内政治様式を待望の犬養内閣に表現し直し、三百四名の殆んど一国一党に近い大政党を築き上げては見たものゝ、**犬養首相と森との間には大陸政策に於いて深いギャップがあった。森が犬養翁に失望し離れて行ったのはそのためである。**世の中では森内閣と評判し、伊東巳代治以来の大書記官長と噂されるような実力を持っていたに拘わらず、何分にも犬養翁とはその交際の歴史に於いて、また犬養総裁擁立の経過に於いて、まして年齢に於いて親子のような私情がある。しかも翁は高齢とはいえ永年の苦節に鍛え上げた気迫の点では往年の意気尚衰えざるものがあり、翁独自の見解をしっかり持っていた。だから総理と書記官長との官職上の距離はどうにも埋め様がないのであった。

一方、森とのトリオである鈴木内相、鳩山文相は大陸政策というよりも国内政治の方により大きな関心を持ち、なるべく事を穏便にしようという傾向を辿っている最中とて、その力を合わせて犬養首相を思う通りに動かすという訳にはいかなかった。選挙後の特別議会前後から、議会後の幹部改選から久原氏の勢力を掃討する前後にかけて、**森は軍部と犬養内閣との間に立って板挟みの苦境に陥ったのである。**当時森はその近親者に対して、「下手をすると俺は殺されるかもしれぬ」と述懐している。その意味は、社会情勢は次第に切迫し、軍部方面の潮流もいよいよ強くなってきたということであったが、犬養首相はそういう潮流に対して深い測定を下していなかった。森がそれを報告すると決まって「君は軍人を恐れている。そんな馬鹿なことはない」とたしなめるくらいであった。

森は「時の潮流に逆行することなく、これをリードして軍部と政治家と共に手を携え、満洲事変の後始末をせねばならぬ」との信念を持っていたので、首相との間には超ゆるべからざる思想上の溝が出来てしまった。旧来の政党主義の建前のまゝ内政外政を続けて行く時は、首相の身辺にも危険な事が起こるかもしれぬ。

どうかしてそれを止めたい。しかしそうした消極策を講ずることは軍部の人々に対して悪い影響を与えるから、或は自分の身辺に変事が起こるような羽目に落ちるかもしれぬという意味であった。

かゝる情勢に関してはこういう秘話がある。

森は反対党員である三木武吉氏に対して言った。「満洲事変の解決のためには到底一党一派の力では及ばない。故に民政党とも協力して挙国一致の政治力を発揮し、以て事に当らねばならぬ。それには平沼内閣を作って、鈴木喜三郎氏をその副総理とし、これに民政党からも加わって強い力を発揮したい」と相談を持ち掛けている。その月日は不明であるが、犬養内閣継続中の事と想像される。三木氏の記憶によれば森の考えは鈴木氏を蹴り落とすというのではない。ただ犬養内閣や鈴木内閣では到底軍部方面との連絡諒解、一致の力を発揮する事が不能であるという意味であった。鈴木氏と三木氏は師弟関係にある。三木氏曰く「もし森が鈴木さんを蹴落そうという考えから出発していたものなら、第一僕に相談に来る訳はない。僕も森も鈴木さんを立てようという腹で、鈴木さんにもこの計画を話したことがある。しかし乗って来なかった」

伊澤多喜男氏は民政党に党籍は有していないが、党内に絶対的な指導力を有していた。森は伊澤氏に会って三木氏同様の話をしている。

当時森幕下の一人で、埼玉県内務部長をしていた横尾惣三郎氏は伊澤氏と別懇な間柄であった。森は横尾氏に伊澤氏との会見の斡旋を依頼した。横尾氏の記憶によれば三月の末か四月の初めの日曜日である。森、伊澤、横尾の三人は秘密を保つため特に東京の中央部を避けて渋谷鶯谷にある横尾氏邸で会談した。

森が伊澤氏に言うには、

「日本は今、激動期にある。拱手傍観しておればどんな不祥事が起こるとも限らない。それを防衛するには挙国一致的政治勢力による政権を打ち建てなければならぬ。そこで政民両党は提携したい」

余りに突飛な提案に伊澤氏は度肝を抜かれた形であったが、「それは君の独断か、それとも拠り所があるのか」と反問した。「否な独断ではない。拠り所がある。このまゝ放って置けばお互いの上にきっと何か不祥事が起こる。どうしてもこれを未然に防ぐために協力したい」というのである。

しかし伊澤氏は議会主義者である。民政党の指導者でアンチ政友の根深い感情を持っている。森の話には乗って来なかった。「まあ一晩考えてみよう」という事で別れている。

この話はお互いに絶対秘密を申し合わせたのであるが、その後伊澤氏の方から漏れた。森はしくじった、と考えたようである。成程森は大失策をしている。五・一五事件後の斉藤内閣成立に関しては、伊澤氏は有力な黒幕であった。森との話によって、森及び森と相通ずる方面で平沼内閣を計画しているとのヒントを得た。だからその当時から逆手を打って、牧野内府を動かし、西園寺元老の考えを誘導したものと思われる。しかしその後、伊澤氏が横尾氏に漏らして、政友会では森以外に人物はない、と言った。これは江木翼氏が晩年、政敵の森を評した言葉と通じている。

二　ラジオ放送と犬養と森

犬養首相が軍部右翼方面の考え方に無頓着であり、森がこれと反対に寧ろ神経質に近いまでにその動向に関して注意を払っていた事実を語る一つのエピソードがある。

犬養翁は護憲三派内閣の逓信大臣として社団法人日本放送協会を許可した人で、ラジオの生みの親ともいうべき政治家であった。その犬養翁はラジオの講演が嫌いで、いくら頼まれても決して承諾しなかった。その人が一九三二（昭和七）年五月一日、即ち兇変の半月前、ラジオ聴衆者百万突破の祝賀放送に当たり、最初にして最後の講演を行っている。その由来については当時の放送部長矢部謙次郎氏の追憶談が『犬養毅木堂伝』に載っている。

私が外遊中、犬養さんは総理大臣になられた。そこで若槻、田中、濱口三首相の先例に慣って是非放送をと頼んだところ、初め大分難色があったが、森書記官長らの慫慂大いに功を奏して遂に承諾されたそうである。然るに今度は放送局側に都合（註：総選挙の直前だったので、放送局は宣伝放送として反対党民政党から抗議が出るのを恐れたのである）があって実現するに至らなかった。私はそんな経過のあった事などを知らず帰朝し、聴衆者百万突破のプログラムの中へ首相の放送を入れることを独り決めしていたのである。四月二十日頃であったと思う。私は時事新報時代からの友人であった山浦貫一君が森書記官長の秘書格であるを幸い、官邸に押しかけて首相放送の事を頼んだ。山浦君は前の中止事情を数え立てゝ、それは困ると言ったが、私のたっての熱望に、それでは尽力してみようということになった。その翌日山浦君から電話で首相を納得さ

せたとの知らせがあったので、直ぐ官邸に行き、放送は愛宕山に来て頂くより官邸の総理大臣室でやって貰いたいと申し出た。

犬養首相放送の決定は森書記官長、犬養健両氏の力添えを得て首相を落城させたものである。で、その放送の原稿は翁の話を聞いて山浦氏が作成した。先ず第一回の原稿を森に見せた。「内憂外患の対策」ともいうべき内容であったが、議会主義を高潮し、選挙法の改正によって現在の政党を改善する事を述べ、「極端なる右翼と極端なる左翼とは一見反対の如く見えるが、実はその間隔は毫髪を入れぬ。共に革命的進路を取るもので危険千万である」という風に当時の右翼的傾向を真っ向から非議する箇所が随所にあった。

これに対し森は「お爺さんは刺激ばかりして困る」と嘆じ、「こういう事を放送すると危険だから訂正するように」と山浦氏に命じた。三回ほど首相の加筆添削を経たが、依然として犬養翁本来の考え方は消すべくもなかった。その後、犬養翁が兇変にあって、山浦氏は腋下冷汗を生ずるの思いがあった。山浦氏は国民党以来犬養翁門下生の末席にいたので、犬養、森両者の間に板挟みの苦痛を嘗めたことはしばしばであった。

三　五・一五事件

満洲事変は日本の外交政策を百八十度転換させる分岐点となった。次いで五・一五事件は日本の内政を大

転換せしめる分岐点となった。

一九三二（昭和七）年五月十五日は日曜日であった。犬養内閣組閣以来、憂うべき事件が次々と起こり、最近には内閣改造問題、臨時議会、森書記官長の辞表提出事件が相次いで、政府の人々は半年の間にゆっくり休養を取る時間さえなかった。

十五日は初夏の晴れた良い日曜日であった。森は久しぶりに埼玉県霞ヶ関のゴルフ場に出かけて、鳩山文相らと屈託のない一日を過ごした。

犬養首相は官邸の日本間でやはり久しぶりにのんびりとした日を送り、夫人も秘書官も護衛の警官もそれぞれ外出して、訪れる人といえば耳鼻科の大野主治医、その他二、三の近親者だけであった。閣僚たちも各々久しぶりに一日の休養を取って、いわば組閣以来初めてののんびりした日を迎えた。いわゆる嵐の前の静けさというものであったろう。即ち、その夕刻五時三十分には天下を震駭させた**五・一五事件**が突発し、「話せば分かる」と「問答無用」の二つの思想が激突してしまったのである。この事件の全貌は翌年五月十七日、司法陸海三省の連名を以て司法省から発表された公文と、事件当夜五月十六日午前三時、森書記官長から発表された書記官長談の形式による事実によって知るを便とする。

《五・一五事件の全貌》

朝野を震駭させた所のいわゆる五・一五事件は、その法廷に於いて審理を尽くされて真相も明らかにされ、関係者はそれぞれ裁きを受けたが、事件の翌年、当局の発表した全文は左の通りである。

尚この公表文は一九三三（昭和八）年五月十七日午後五時、司法、陸、海三省の連名を以て司法省から公表されたもので、右三省の当局者が最初司法省に於いて作成せる原案に基づき、数回に亘り交渉講究を重ねた末決定を見、十六日の閣議に於いて小山法相からその概要を報告して承認を経たる上、右三省主務大臣は同日午後天皇陛下に拝謁を仰せ付けられ、各自所管の範囲に於いて委曲奏上《いきょくそうじょう》した後、初めて発表されたものである。

《当局公表の全文》

被告人

（海軍関係者）海軍中尉三上卓◇海軍中尉山岸宏◇海軍中尉中村義雄◇海軍中尉古賀清志◇海軍少尉村上格之◇予備役海軍少尉黒岩勇◇海軍大尉塚野道雄◇海軍中尉林正義◇海軍中尉伊東亀城◇海軍少尉大庭春雄

（陸軍関係者）元士官候補生後藤映範◇元士官候補生中島忠秋◇元士官候補生篠原市之助◇元士官候補生八木春雄◇元士官候補生石関栄◇元士官候補生金清豊◇元士官候補生野村三郎◇元士官候補生西川武敏◇元士官候補生菅勤◇元士官候補生吉原正巳◇元士官候補生坂元兼一

（常人関係者）橘孝三郎◇後藤圀彦◇林正三◇矢吹正吾◇横須賀喜久雄◇塙五百枝◇大貫明幹◇小室力也◇春田信義◇奥田秀矢◇池松武志◇高根沢與一◇杉浦孝◇堀川秀雄◇照沼操◇黒澤金吾◇川崎長光◇温水秀則（結核性脳膜炎症により昭和七年十二月一日死亡）◇大川周明◇頭山秀三◇本間憲一郎

第一　犯罪の動機及び目的

本件犯罪の動機及び目的は各本人らの主張するところによれば、近時我が国の情勢は、政治、外交、経済、教育、思想及び軍事などあらゆる方面に行き詰まりを生じ、国民精神又頽廃を来したるを以て、現状を打破するに非ざれば帝国を滅亡に導くの恐れあり。而してこの行き詰まりの根元は政党、財閥及び特権階級互に結託し、只私利私欲にのみ没頭し、国防を軽視し、国利民福を思わず腐敗墜落したるによるものなりとなし、その根元を剪除して以て国家の革新を遂げ真の日本を建設せざるべからずというにあり。

然れども彼らの建設せんとする真の日本なるものは、各自の抱懐する思想の相違によりて多岐に亘れるものゝ如し。

第二　事件の経路及び計画

大川周明、井上昭、橘孝三郎及び西田税の各派はかねて国家革新運動をなし、軍部青年将校らと相連絡し来りしが、昭和六年末頃より諸般の状況の変化に伴い、西田税と関係ある軍部同志と行動を共にするの困難なる事情に立ち至りたるため、翌七年一月九日井上昭を中心とする民間同志は、二月十一日紀元節を期し、一挙に政界財界並びに特権階級の巨頭暗殺を決行して国家革新運動の烽火を挙げんことを企画し、海軍同志及び出来得べくんば一部陸軍同志の参加を希望し、これを誘いたるも諸般の事情によりて、共に事を挙ぐるを得ざりしため、遂に同年一月末、井上昭らは先の計画を変更し、一先ず軍部同志と分離し、その一派の民間同志のみを以て一人一殺の方法により、政界並びに財界に於ける多数要人の暗殺を決意し、その実行として井上準之助及び団琢磨を殺害したるも、その一味は相前後して検挙せられたるを以てその目的を達するに至らざりき。

これより先従来海軍部内に於ける運動の指導的立場にありたる海軍大尉藤井斉は上海に出征し、同年二月五日戦死し、その中心を喪うことゝなりたるも、当時霞ヶ浦海軍航空隊に勤務し居りたる古賀清志、中村義雄は謀議の末、井上昭らの後継者として蹶起せんことを企て、尚先きに決行したる井上昭らのいわゆる一人一殺主義は彼らの目的に対し、その効果薄しとなし、寧ろ一斉集団的に直接行動を実行し、これにより帝都の治安を紊し、一時恐怖事態に陥らしめ戒厳令の布告せらるゝに至るべき惹起せしめんことを企画し、同年三月二十一日、かねて陸軍側一部少壮将校の統帥権問題その他時勢に対する憤激と国家改造に関する文献などに刺激せられ居たる池松武志、後藤映範、篠原市之助、八木春雄、石関栄、野村三郎、菅勤、西川武敏、金清豊、吉原正巳、坂元兼一らと会見しその企画を告げたるに、同人らは直ちにこれに賛同し行動を共にすることを約し、又当日右会合に列せざりし中島忠秋もその後参加することゝなりたり。

橘孝三郎は同年一月二十二日、茨城県土浦町に於いて古賀清志、中村義雄らに対し講演をなして農村の窮状を説き、国家革新の要あるを論じ、青年士官の奮起を奨励したることありて肝胆相照らすに至り、同年三月二十日以降古賀清志、中村義雄としばしば謀議の結果、別働隊としてその配下たる後藤圀彦及び塾生らを率いて行動の第一線に立たんことを約したり。

大川周明は、かつて同人らの経営し居りたる社会教育を目的とする大学寮に於いて薫陶をなしたる関係ある古賀清志より上記の企画を聞き、これに賛意を表し、同年四月上旬より同年五月十三日前の間に於いて古賀清志らに対し同志共用の武器並びに準備資金として拳銃五挺、実弾百数十発及び数回に亘り合計金六千円を供与したり。

頭山秀三及び本間憲一郎は従来右翼社会運動に従事し居りたる者にして、同年三月中旬以降、しばしば古賀清志、中村義雄らと会合し、その計画実行を容易ならしめんがため、同志共同の武器として拳銃六挺及び実弾若干発を供与したり。

かくて古賀清志、橘孝三郎はしばしば協議を重ねたる上軍部同志を以て本隊とし、橘孝三郎及びその配下を別働隊とし、別働隊は帝都を暗黒ならしめ、よってこれを混乱に陥るゝ目的を以て、東京市及びその付近の変電所数個所を襲撃し、爆弾を用いてその要部破壊の計画を立て、同年五月十三日、古賀清志、中村義雄、池松武志、奥田秀夫及び後藤圀彦は茨城県土浦町料亭山水閣に集合協議の結果、

一、本体の決行は五月十五日午後五時三十分とすること。

二、別働隊の変電所襲撃は本隊の決行後大体日没時たる午後七時頃とすること。

三、本隊はこれを四隊に分かち、第一段に於いては第一組は首相官邸、第二組は内府官邸、第三組は政友会本部、第四組は三菱銀行を襲撃し、第二段に於いては第一組乃至第三組は、第一段の決行後警視庁を襲撃したる後、憲兵隊に自首し、第四組は第一段決行後直ちに憲兵隊に自首すること。

その他行動に関する細密行動をも決定し、別に古賀清志、橘孝三郎、後藤圀彦ら協議の結果、西田税は従来同志として同人らの提携し来るにも拘わらず、今次の行動を妨害するものなれば、この際これを殺害の必要ありとし、同志川崎長光をしてその任に当たらしむることゝなしたり。

第三　行動の概要

第一組は五月十五日午後五時頃、靖国神社に集合し自動車二台に分乗して首相官邸に向かい、三上卓、黒岩勇、後藤映範、石関栄、八木春雄の五名一隊となり、午後五時二十八分頃、爆弾三個、拳銃三挺、短刀二口を携えて麹町区永田町内閣総理大臣官邸表門より侵入し、山岸宏、村山格之、篠原市之助、野村三郎の四名また一隊となり表門組よりやゝ遅れて爆弾三個、拳銃三挺、短刀一口を携えて同邸裏門より侵入し、相共に犬養首相の所在を求めて邸内を捜索し、日本館客室に於いて首相と問答中、黒岩勇は首相に向かってピストルを発射し、その左顎骨角の直上より頭蓋腔内に入る盲管銃創を、三上卓は引き続き拳銃を発射して右顳顬部耳殻前方より右眼外眥の上方に貫通する銃創を負わしめ、尚その前後に於いて、三上卓は巡査田中五郎に、黒岩勇は同平山八十松に対し、それぞれ拳銃を発射し、田中五郎に対しては右胸部より左側腹部に至る貫通銃創を負わしめ、平山八十松に対しては右大腿貫通銃創及び左前膊貫通銃創を負わしめたり。而して前額負傷のためか首相は翌十六日午前二時三十五分官邸内に於いて死亡し、田中五郎は同月二十六日前田病院に於いて死亡したり。かくて第一段の襲撃を終わりたる第一組は首相官邸を引き揚げ二台の自動車に分乗し、三上卓、山岸宏、後藤映範、石関栄及び篠原市之助は一隊となり第二段の行動に移らんがため警視庁に至るも、襲撃を中止してそのまゝ東京憲兵隊に自首したり。次いで黒岩勇、村山格之、八木春雄及び野村三郎も又一隊となりて警視庁に赴き、正面玄関より内部に侵入し、硝子戸を蹴破る程度の暴行をなして一同共に引き揚げ、直ちに東京憲兵隊に到り、隊内を窺いたるに他の同志未だ自首したる形勢見えざりしを以て予定外の場所を襲撃せんことを謀り、日本銀行に到りて爆弾を投擲炸裂せしめ、玄関付近を損壊し、そのまゝ東京憲兵隊に自首したり。

第二組は午後四時三十分頃、高輪泉岳寺境内に集合し、古賀清志、池松武志、坂元兼一、菅勤及び西川武敏の五名は爆弾四個、拳銃三丁、短刀二口を携えて自動車に同乗し、午後五時二十七分頃芝区三田台町内大臣官邸に至り、古賀清志及び池松武は門内に向け爆弾各々二個を投擲し、内一個は炸裂して同邸玄関付近を損壊し、次で古賀清志は同邸立番巡査橋井亀一に向かい拳銃を発射し、同人の左肩部に背後より前方に通ずる貫通銃創を負わしめ、更に自動車にて檄文を沿道に撒布しつゝ警視庁に至り、坂元兼一及び菅勤は爆弾各一個を投擲したるも不発に終わり、次いで古賀清志、西川武敏及び池松武志は玄関付近に於いて拳銃を発射し、同所に居合わせたる同庁書記長坂弘一をして下顎部に貫通銃創を、右膝部に盲管銃創を負わしめ、読売新聞記者高橋魏をして右下腿貫通銃創を負わしめたる上、同所を引き揚げ、午後六時頃一同東京憲兵隊に自首したり。

第三組は午後四時三十分頃、新橋駅に集合し、中村義雄、中島忠秋、金清豊及び吉原正巳の四名は爆弾三個、拳銃三丁、短刀二口を携えて自動車に同乗し、午後五時三十分頃麹町区内山下町立憲政友会本部に至り、中村義雄及び中島忠秋は同本部正面に対し爆弾各々一個を投擲、内一個は炸裂して正面露天台付近を損壊し、次いで警視庁に赴き、金清豊は爆弾一個を投擲したるに付近電柱に当たりて炸裂し、電線その他を破壊せしめたる後、一同自動車に乗り、檄文を散布しつゝ東京憲兵隊に自首したり。

第四組奥田秀夫は同日午後七時三十分頃爆弾二個を携え麹町区丸の内三菱銀行に至り、同銀行裏庭に向かい一個を投擲して同銀行裏門付近の道路上に炸裂せしめ、同行外壁同道場を損壊したり。

別働隊は本隊の決行と呼応して同日午後七時頃より行動を開始し、大貫明幹及び高根沢與一は東京府北豊島郡尾久町鬼怒川水力電気株式会社東京変電所に至り爆弾を投擲したるも不発に終わりたり。

横須賀喜久雄は埼玉県北足立郡鳩ヶ谷町東京電燈株式会社鳩ヶ谷変電所に到り、爆弾を変圧器に投擲しこれを炸裂せしめ、塙五百枝は爆弾を携え東京府北豊島郡尾久町東京電燈株式会社田端変電所に到りたるもこれを投擲するに至らず。

亡温水秀則は東京府豊多摩郡淀橋町東京電燈株式会社淀橋変電所に到り爆弾を投擲して炸裂せしめ、矢吹正吾は東京府南葛飾郡小松川町東京電燈株式会社亀戸変電所に到り爆弾を投擲したるも不発に終わりたり。小室力也は爆弾一個を携え東京府豊多摩郡戸塚町東京電燈株式会社目白変電所に到りたるも、これを投擲するに至らず。

而して右爆弾による襲撃のため生じたる損壊箇所に対しては何れも直ちに応急処置を施されたるため、電流を停止して点燈不能に至らしむの目的を遂げざりしものなり。

以上の他西田税暗殺に当たりたる川崎長光は、同日午後七時頃拳銃一丁弾丸六発を携えて東京市外代々幡町西田税方に到り、同家二階六畳の客室に於いて雑談中、同七時三十分頃、突然同人に対し拳銃を発射し、同人の胸及び腹部その他に重傷を与えたるも遂に殺害の目的を遂げざりしものなり。

尚、塚野道雄、林正義、伊藤亀城及び大庭春雄は、前記古賀清志、中村義雄らの犯罪実行の準備の段階に於いて関与したるも実行には参加するに至らざりしものなり。

又、春田信義は前記古賀清志、橘孝三郎らの襲撃計画に参加して、その目標箇所の調査その他同志間の連絡を取り、杉浦孝は橘孝三郎らの命により、同志に対し右襲撃計画に関する通知などをなし、堀川秀雄、照沼操及び黒澤金吾は同襲撃計画の協議に参加するの他、西田税の暗殺に関し、橘孝三郎らと川崎長光との間に介在してその連絡を執りたるものなり。

第四　事件の処分

事件は前にも述ぶるが如く、陸海軍関係者の共同動作に出でたる牽連事件なるを以て、海軍関係者は海軍々法会議、陸軍関係者は陸軍々法会議、常人関係者は通常裁判所の各予審に於いて取り調べをなしたり。

《森書記官長談》

「十五日午後五時三十分、犬養首相は鼻の治療を終わり、日本間の奥の部屋に居られた。そこへ女中のあさが駈け込んで『旦那様早くお逃げください』と大声で叫んだ。首相は『逃げることはない。その男たちをこゝへ連れて来い。話を聞くから』と答えたが、その言葉の終わらぬうちに裏口から闖入して来た人々と、表玄関から飛び込んで来た者とが首相の居間の裏にて合した。これらの人々に対し首相は客間に行こうと言って共に客間に赴いた。客間の中で闖入して来た人々の『撃つぞ！』という声、首相の『撃て！』という言葉が響くか響かぬ中にパンパンとピストルの音が響いたので、女中頭のてるが駆けつけてみると、首相の鼻の穴からダラダラと血が流れていた。しかも首相は『てる、煙草を一本つけてくれ。それから今撃った男を連れて来い。よく話して聞かせるから』と命じた。丁度この時まだ帰らずにいた耳鼻科の大野医師が書生部屋から駆け付けると、首相は頭を押さえ、『こゝでコチンという音がしたがどうかなって居りはせぬか』と質問した。そこへ出先から駆け付けた令息の健君に向かって首相は一間程先の畳を指しながら、『あすこの辺りから撃ったのだ』と説明された。その場で直ちに応急手当てを開始し、首相の希望により平常好んでいたところの書斎に移した。首相は、この部屋を一番安慰な心持ちでいたようだ。九時半頃までは意識言語共に全く明瞭だったが、十時頃に至り、多量の血を吐いた。この時看護の人々の驚くのを見て首相は『胃に貯まった血が出たのだよ。心配するな』と一同を安心させることに努め、更に『便器を持って来い』と命ずるやら『水を持って来い。だが医者に聞いて』という風に平常の細心さを現していた程確かだったけれども、多量の吐血後著しく衰弱され、遂に痙攣を起こされたのを最後に昏睡状態に陥られ、十一時二十分には危篤になられ、遂に十六日午前二時三十五分他界されたのである」

（註：犬養首相逝去の時間は十五日夜十一時二十六分であったが、右発表には十六日午前二時三十五分となっている。これは山浦氏が命を受けて起草した右文章を森書記官長は一時握って発表せず、その間に軍部内務省との折衝に時を移したために発表が午前三時となり、その都合上時間を訂正したものである）

森が首相兇変の電話を受け取ったのは霞ヶ関ゴルフ場に於いてであった。彼は直ちにフルスピードで引き返した。六時半頃官邸に帰った。森が倒れた総理を見舞いに行くと、そこには犬養家一門の人々が悲痛な面持ちで枕元で看病していた。或る者の眼は森を恨むが如くに輝いた。当時軍部と森との深い関係が知られており、首相と書記官長のギャップがますます深まって行くのを犬養周辺の人々は知っていた。若い軍人を使嗾して総理を殺したのは森だ、と思い込んでいる人もあったくらいである。森はそれについて弁明らしいことは一言も言わなかった。

首相を見舞うと直ちに引き返して、廊下続きの書記官長室に陣取った。その部屋に続いた密室には内務省の臨時出張所が置かれ、松野政務次官、河原田内務次官、森岡警保局長、大野警視総監らが詰めかけ、治安の維持に没頭していた。森書記官長は秘密指令を発したり、外部の各要所要所と電話をしたり、又特別な人物と会見する際には、官邸の書記官長室から書記官長官舎に行ってその寝室を使った。

その夜の首相官邸は実に目まぐるしかった。臨時閣議は直ちに召集され、閣議室は不安に戦《おのの》く閣僚を収容

資料６１　犬養邸に駆けつける芳澤家の人々（提供：毎日新聞社）
※左より四女和子さん（当時１３才）、三女元子さん（当時２２才）、
四男宗雄さん（当時９才）とお手伝いさん

していたし、大広間には与党政友会の代議士が続々と集まって来て、口々に軍部非難の憤慨の声を挙げるし、陸軍次官小磯中将、軍務局長山岡中将、憲兵司令官秦中将、その他軍部の要人が頻繁に出入りするので、従って官邸の警戒は警官と憲兵を以て埋められ、そこにはまた軍部側と代議士、警官らの間に一種不安の空気が醸造され、小さい衝突も起きるという有様であった。森は軍部要人と衝突し、内務省側と密議し、閣議室に行き、代議士の控室に走り、或は新聞記者と接し、身体が幾つあっても足りぬくらい忙しかった。

その夜の大きな題目は先ず軍部と内務省の意見の相違であった。小磯次官は先ず帝都に戒厳令を布き、事件の新聞報道を禁止すべしとの要求を森書記官長の許へ提起した。内務省は戒厳令を布くことに絶対反対した。「もしそうなったら却って事件が拡大し、出動した軍隊によってどんな不幸な事件が起こるか保証が出来ない。また新聞の報道を禁止すれば社会不安を助長し、そこに事件被告らの企画した目的を却って貫徹させる機会を招くかも知れない」というのである。軍部の中でも真崎参謀次官や山岡軍務局長、小幡参謀本部作戦課長らはやはり戒厳令に絶対反対の態度を取った。

全く異なった二つの要求を受け取って森書記官長は困惑した。一時は戒厳令と新聞報道禁止に傾いた。山浦氏が執筆した書記官長談の形式で発表すべき文章を午前三時に到る迄発表せず、新聞記者団から頻りに催促を受けるので、その締め切り時間などの関係を森に注意したところ、森は、「発表しても載せられなくなる」と山浦氏に答えた。報道規制の暗示である。

だが結局戒厳令は小磯次官も強くは主張せず、内務省の主張が通った。が、新聞報道の方は強硬に主張した。

荒木陸相は書記官長室の別室に設けられた臨時内務省出張所へやって来るし、鈴木内相でさえ禁止要求に来るという有様であったが、河原田内務次官、森岡警保局長は頑として応じなかった。「既に号外も出ており、全国的に報道は行き渡っている。然る場合に翌朝刊に全然掲載せぬとなればその悪影響は却って大きくそして非常な逆作用を起こす」という理由であった。この頑張りによって遂に報道禁止案を闇から闇に葬ったのは深更に至ってからである。

もう一つの大問題は、将に生命を断たんとしている犬養総裁の後任を至急に決めなければならぬことであった。更に当夜の状勢からすれば、政党の軍部に対する反発から、青年将校らとの間に不測な災悪が勃発し、引いては軍民離間の憂うべき禍根を残さぬとも限らぬのであった。この事に付いては真崎甚三郎大将（当時中将で参謀次長）が語る。

「森という男は実に偉かった。自分はたった三度しか会ったことがない。しかも極めて短い時間だった。しかし自分は森の人物と力を信用して未だに惜しい奴を殺したと思っている。その告別式に行った時にはおざなりの礼拝ではなく心底から頭を下げたくらいである。当夜は陸軍大臣官舎に森書記官長の来邸を求めた。そして『俺が陸軍を抑える。お前は政友会を引き受けてくれ』と言ったところ、森は即座に『よろしい引き受けた』と答えて帰って行った」

この話は森が死んで数年後に知られたのであるが、思い返してみれば、あの当夜森は興奮する代議士たちを鎮静さすべく懸命の努力を払ったし、真崎参謀次長は陸相官邸に陣取って乗り込んでくる青年将校や右翼の豪傑を引き受けて、懇々と血気にはやる無謀を戒めていたのである。

《五・一五事件顛末異説》

こゝで、この五・一五事件について異なる見解があることを紹介するのが適切であるか否かには異論があろうが、他に章を設けるよりも臨場感があろうと思われる。

しかもその陳述者たるや犬養にも森にも余りにも近い植原悦二郎氏だからである。

改めて植原悦二郎氏を紹介しておく。氏は、幼少期から青年期にかけて数奇な生涯を辿り、一九一七（大正六）年犬養毅の要請に応えて第十三回総選挙に立憲国民党公認で旧長野全県区から立候補し当選した。以後当選十三回を数える。普選実現に尽力しながら、犬養に従って革新倶楽部、立憲政友会と移籍する。一九二四（大正十三）年加藤高明内閣で逓信参与官、一九二七（昭和二）年田中義一内閣で外務参与官に就任している。一九三二（昭和七）年から衆議院副議長を務めていた。その時に起ったのが五・一五事件である。

さて、その五・一五事件顛末異説は高坂邦彦著の筐底拾遺『戦前日本の外交評論と憲法解釈』に於いて、大正期から戦前・戦中の昭和期にかけて時代の波をまともに被って活躍した植原悦二郎と清澤洌の生涯を取り上げて紹介している中に観てとれる。

高坂氏は、「彼（植原）は事件の様子を次のように書いている」とし、紹介している。

「夕方五時頃あわただしく官邸の表玄関に自動車を乗りつけた海軍中尉三上卓ら五名は、直ちに屋内に闖入、たちまち犬養首相を発見し、…犬養は泰然自若としてこれを制し、『話せば分かるじゃろう』と言いながら

資料６２　植原悦二郎（昭和７年衆議院副議長の頃）

三上らを誘って玄関先の居間に移った。この時既に裏門から闖入した山岸海軍中尉ら四名も表の組と合し、テーブルの前に端座した小柄な犬養と向かい合っていた。犬養はこの間、三、四回程、『そんなに乱暴しなくとも、よく話せば分かる』と繰り返し、一同を見廻しながら、『靴ぐらい脱いだらどうじゃ』と言って説いた。

三上中尉は、『我々が何のために来たか分かるだろう。何か言うことがあれば言え』と言ったので、犬養は何か言い出そうとして身体を前に乗り出した。その時、山岸中尉が『問答無用、撃て』と鋭く叫び、同時に黒岩・三上の拳銃が首相の頭部に向かって発射された」（植原悦二郎『日本民権発達史　第弐巻』P408）

有名な「問答無用」という言葉は、犬養に対してではなく、裏口から踏み込んだ山岸中尉が三上中尉に向かって叫んだ指図だったのである。松本清張の『昭和史発掘』では軍事裁判の公判記録を基にこの場面を詳細に再現しているが、ほぼ同様な様子が描かれている。（松本清張『昭和史発掘4』文春文庫P249〜250）

なお、一緒に官邸を襲った陸軍の士官候補生八木春雄によれば、犬養と問答を始めてしまった三上に対して、山岸が慌てゝ「問答は要らん、撃て撃て」…問答なんかしてないで早く撃てという意味と催促した言葉が「問答無用」と言ったことにされてしまった。その方が、将校の冷酷さを思わせる効果があるからだという。（五味幸男『五・一五事件の謎』鳥影社P98）

植原悦二郎氏は続けてその後の状況を次のように書いている。

「著者（植原）は、…官邸から犬養首相が狙撃されたとの報告に接して愕然としてその真偽を疑った。……私は即刻自動車を命じて官邸へ飛び帰った。私が着いた時には首相は撃たれたまま、まだうつ伏していたので、私は守衛と共に首相を抱き起こして奥の寝所に連れ行きそこに寝かして直様《すぐさま》、青山博士（東大医学部教授）に電話して急を告げ往診を願った。私と守衛とが首相を抱き起こした時、首相は蒼白な顔で私を見上げ何か物言いたげであったが、すでに何も言えなかった」（植原・前掲書Ｐ408〜Ｐ409）

高坂氏は更に、

「それにつけても五・一五事件は謎の多い不可解な事件である。犬養は『話せば分かる』と言って何を話すつもりだったのか。闖入した将校たちが持っていた官邸内の間取り図は誰から手に入れたのか。なぜ海軍将校だけで、陸軍は将校が参加しなかったのか。そもそも犬養毅を何故殺さねばならなかったのか。

これらの謎を解く鍵は書記官長（今の官房長官）森恪の不可解な挙動にある」

としている。

現場にいた植原氏は森の不可解な挙動について次のように詳しく記録している。

「…総理狙撃事件について、私がどうしても腑に落ちなかったことは、内閣書記官長森恪の挙動である。森はほとんど四、五分おきに私を電話口に呼び出し総理の容態を尋ねた。私はなぜそう頻々と総理の病状を尋ねるのか、異様にさえ感じたほどであった。然るに森は一度も総理の病床を見舞ったことはなかった。書記官長は総理大臣の女房役である。いかなる場合も総理の側近にいなければならない。しかるに森は総理の狙撃されたことを承知しつゝその病室を見舞いもせず、何度も私を電話口に呼び出し、首相の容態を聞くのみであった。私がその生命が多分絶望だろうと言っても、なお馳せ参じて首相を見舞うことはしなかった。書記官長の部屋と官邸の総理の居間とは廊下伝いに通ずるところであったにもかかわらず、森は最後まで総理の病室を見舞ったことはなかった。当時においても、私はこの森の行動についてはどう考えても理解できなかったのである。これは私にとって今なお不可解なことゝして残っている」（植原悦二郎『八十路の憶出』P118）

右の記録は、植原氏が八十歳を過ぎてからの自伝（昭和三十八年発行）に書いたものであるが、彼はそれ以前の著書『日本民権発達史』にもこのことを書いている。（植原悦二郎『日本民権発達史　第弐巻』P409）

ことは、森が内乱罪ないしその予備、陰謀、幇助罪のいずれかに相当することをやっているか否か、という重大な問題だから、さすがの植原氏も立場を考えてか慎重に**不可解**という言葉で婉曲に表現してはいるものゝ、彼が言いたいことは明らかである。森はこの事件の謀略に拘わっていた。反乱者と通じていたということなのである。狙撃されて口はきけなくとも犬養の意識はあったから、下手に馳せ参じて犬養に指でもさされようものなら森は窮地に陥る。犬養が何も語らぬまま死んでくれなければ困る……。狙撃されて流血している犬養を植原氏が駆けつけるまで放置しておいた上に、廊下伝いにすぐ行ける距離なのに顔を出さずに四、五分おきに電話で容態を確かめていたのはそのせいであると考えれば辻褄が合う。外部の誰かと連絡をとっていたのかもしれない…と推測しているのである。

また、植原氏がこのことを書いた六年後の一九六六（昭和四十一）年に公開された『木戸幸一日記』には、内閣書記官長森恪が邪心をもって大川周明その他の国家主義者や軍高官の間で暗躍した詳細な記録があり、森が不可解な挙動をとったことの意味が明白である。松本清張の『昭和史発掘4』P305～P307にはこの『木戸日記』の関係部分が列記掲載されている。

同書にはさらに次のような記録もある。

「犬養がよく行っていた料亭・松本亭の女将松本フミの話がある。

—わたしは犬養先生をこのような姿にした責任は書記官長の森恪さんにあると、かねてから思っておりました。現に警備で内閣の実情秘密を次々暴露していると、旧知の方々から聞かされたからです。その夜官邸でお通夜が行われましたが、かねてからのうっぷんがとうとう爆発してしまいました。荒木大臣や森恪さんに向かって、『首相をこのような姿にしたのは誰なのです。この仇討ちはわたしがきっとする』と絶叫したのです—」（雑誌『人物往来』昭和四十一年二月号、松本清張『昭和史発掘4』P304）

その時は犬養贔屓の女将の通夜の席での感情的とも受けとられたであろう絶叫だったが、後日になって順次に明らかになった資料に照らしてみれば、見事に的を得ていたことになる。

なお、犯人たちが普通には入手困難な官邸内の間取り図を持っていたこと、犯人たちは犬養が確実に在宅していることを承知していたことなどは、森が大川周明を介して犯人たちに知らせたのだと言われている。森は通夜の席で、犬養の女婿芳澤謙吉外務大臣に「総理が間違っているよ」と言って周りを驚かせた。（猪木正道『軍国日本の興亡』P201）

また、この件に関して木村時夫氏は著書『北一輝と二・二六事件の謎』P215で犬養が暗殺された理由を次のように説明している。

「犬養は満州国の建国宣言後もこれを認めることなく、なおも中国との平和的交渉によって、満洲事変そのもの丶根本的解決を考えていた。その旨を記した蒋介石宛ての親書を密使に持たせたが、密使萱野長知は出国間際に憲兵隊に逮捕されてしまった。その一部始終が書記官長森から陸相荒木に伝えられ、激怒した荒木が犬養を除去せねばならぬと考えた。

犬養の親書の件が事実とすれば、蒋介石の国民軍の満洲進撃を防ぐ目的で張作霖や張学良を利用しようとしていた陸軍にとって、犬養は文字どおり『総理が間違っている』ことになる」

もともと、犬養が内閣編成の際、政軍協調派の南陸相の留任を希望したが、軍はこれを拒否して荒木貞夫を指定した。森は強硬な皇道派の荒木中将しか陸軍大臣に出来ないように画策し、犬養の軍抑制策がとれないようにと図ったのである。

戦前は陸軍大臣と海軍大臣を誰にするかということは軍部が決めることで、首相が指名することは出来なかった。この制度を軍部大臣現役武官制とい丶、軍部が政治を思うま丶に操る手段として使われた。植原悦二郎はこの制度が憲法違反であることを指摘している。

こういう経緯で成立した犬養内閣が陸軍急進派を抑制することは不可能であった。荒木陸相は従来の政軍協調派の将官を、皇道派の将官に続々と置き換えた。そのせいで、陸軍中央の抑制も聞かずに関東軍は暴走することが出来たのである。

つまり、犬養内閣は成立する時から既に森と結託した軍の支配下にあった訳で、政党政治の命脈は犬養が倒れた五・一五の時にではなく、それ以前の首相になった時点で既に尽きていたということになる。（坂野潤治『日本政治史』p181～182、酒五哲哉『大正デモクラシー体制の崩壊―内政と外交』P19）

そもそも、政友会のトップを誰にするかという内部抗争を避けるのが目的で、関係のない犬養に暫定的に首相をやらせたまでゝある。前内閣による財政破綻を修復するというリスクの多い仕事を犬養毅と高橋是清にやらせた上に、選挙では、両者の人気を利用して政友会は空前の得票数を得た。やらせるだけのことはやらせた。これ以上は犬養は不要である。軍と結託している森にとって、軍を抑制しようとしたり、対中国穏健政策をとろうとする犬養はもはや邪魔ですらある……。

森は犬養の死後、軍の推す国家主義者、平沼騏一郎の擁立めざして暗躍したが、彼らを嫌っていた元老西園寺公望に退けられた。

このように、政友会は軍と結託して政権を維持しようという魂胆であったが、政界人たちはこうした政治的謀略の果てに、やがて政党政治を軍部に蹂躙されるという墓穴を掘ったのである。

犬養毅は、こうした政治的謀略に翻弄されたうえに非業の最期をとげた。「話せば分かる」その話とは、政治政策の問題ではなく、当時噂されていた犬養の汚職問題についてであるという。これが事実とすれば被告に有利に働くはずなのに、その後の法廷では何の取りざたもされていないということは、事実無根の噂にすぎなかったのであろう。ならば、誰がそういう情報操作をしたのか？

犬養に止めの一発を撃った被告三上は、軍事裁判の法廷で犬養のことを「実に立派な態度を目撃し哀惜の念を禁じ得ない」と述べ、西川被告は、「腐敗堕落した政党の総裁として犬養を狙撃しただけで、個人としても政治家としても尊敬に値する人物であると思っている」と陳述している。

検事は、「被告たちが疲弊する農村経済の破綻、政党政治の混迷、財閥の堕落などの国内事情について、一部は認めるが他の大部分については被告らの認識不足である。しかも、立憲政治下の社会では合法的手段以外には許せない」と論告をした。今からみればごく当たり前の論告内容であるが、右翼からは血も涙もない論告だと非難された。世論は被告たちに同情的で助命嘆願書が殺到した。まるで被告たちは愛国の志士で、虐殺された犬養の方が悪人であるかのような世論が支配し、被害者犬養の家族の方が白眼視されたと孫の犬養道子は語っている。判決は論告より後退して被告らの動機に同情したものだった。このことは軍部急進派の独善に油をそそぎ、二・二六事件などへの道を開けた。京大教授、防衛大校長を歴任した政治学者猪木正道は、「今日冷静な頭で考えれば、一九三三年の日本人はすでに発狂していた」と言っている。（猪木正道『軍国日本の興亡』P202）

植原悦二郎氏は、これらの経過をどう見ていたのであろうか。彼の出身地三郷村の神谷博（後の三郷村村長）は次のように書いている。

「…昭和七年七月、たまたま私は所用のため上京した。東京はお盆であった。『神谷君、今日は木堂先生（犬養の雅号）の新盆霊前に額《ぬか》づきたい。君も一緒にどうか』と私を促して下さった。本来ならば遠慮すべきであったけれども、折角一緒にと言って下さったので甘えてお供をしたのであった。

途中で先生は供物などを用意されて、犬養邸を訪れ未亡人である奥様に、『この者は僕の同志で、木堂先生を慕い続けてきた信州の学校の先生である』と紹介して下さった。そして霊前に私を従えて進んで焼香し、私も続いてこれに倣って後ろに退いた。

しかし先生は合掌したまゝなかなか霊前より去らない。五、六分間ハンカチを取り出す他に微動だにせず、沈黙が続いた。先生は泣いているのであった。香煙縷々寂然たる裡に端座された先生の姿は今でも私の眼底

にある」（神谷博「初出陣のころ」『植原悦二郎と日本国憲法』P336）

霊前での五、六分間、植原氏は何を想ったであろうか。若い日に家出をして単身で渡米し、アメリカやイギリスでの苦学も何ら苦労と思わず、帰国してからは誰に何はばかることもなく直言してきた剛直な植原の涙が、単に犬養の死を悼むという感情だけのものだけではないことは察しがつく。日本が狂信者たちの専横に支配され始めた時代の政界で、想像を絶する陰謀詐術に直面し、それからの植原は、誰をも頼みとせず、媚びも売らず、徒党も組まず、文字どおりの孤軍奮闘を始めるのである。

一九三九（昭和十四）年の政友会分裂に際しては鳩山一郎、久原房之助らとともに正統派（久原派）に属した。大政翼賛会には批判的な立場を取り、一九四一（昭和十六）年十一月十日には鳩山、尾崎行雄らと反翼賛会の「同交会」を結成。一九四二（昭和十七）年の翼賛選挙には落選した。

戦後は鳩山、芦田均、安藤正純らと日本自由党の結成に参画。一九四六（昭和二十一）年第一次吉田内閣の国務大臣として入閣する。改造後は内務大臣を勤めた。

剛直なリベラリストとして知られたが、戦時中の予算委員会で東郷茂徳外務大臣の「戦争を早期に終結して和平に導くのが外務大臣の職務」の答弁に対して「敵を撃滅するのが戦争の目的なのに講和の準備をするとは何事か」とこれを糾弾した。また新憲法の第九条については「独立国でありながら軍隊が持てないのはおかしい」という明快な見解で、同じく国務大臣の斉藤隆夫と共に閣内で強く反対した。

四　鈴木総裁擁立

犬養総裁の兇変によって、政友会では即刻後任総裁を決めなければならない。党員の頭には後任総裁、即ち後継内閣総理大臣という考えが一致しているから、鈴木が床次か、何れかが後継内閣組織の大命を拝するものと決め、犬養総裁の死去が公表せられる前後から夜更けにかけ、急速な勢いで総裁運動が展開された。森は後継内閣が必ずしも後継総裁と一致するものではないと知っていたけれども、兎も角も鈴木喜三郎氏を総裁に仕上げて党内に於ける勢力を襲断せねばならぬというのは、犬養総裁在世中からの考えであった。今はその機会である。

その当夜、森は鳩山文相に対して「俺が鈴木さんを総裁にするから君は黙って見ていてくれ」と諒解を求めた。鳩山氏が「森が何をやるか知らないくらい、一切を森に任せていた。森が主流になって鈴木総裁を作り上げたのである」と言っている事実に見て明らかである。

一方森は時を移さず、先に久原氏の勢力を一掃するため日本橋の那可井に糾合した三十六名の旗本代議士に命令を下した。

それは、鈴木、鳩山、森、秦らの直系が一致結束して中立の立場にある代議士を味方に引き入れること、総裁は公選とし暫定総裁排撃の建前を以て進むこと、がこれであった。志賀和多利、土倉宗明、川島正次郎、その他の森幕下は直ちに赤坂の山王ホテルに布陣し、徹夜の猛運動を開始した。

当時党内に於ける勢力の分布をみると鈴木、鳩山、森の直系を合すれば約六十名の代議士は動かない。これに対し反対派の床次系が二十名、久原系が十数名、その他岡崎、望月、三土、山本、前田系のいわゆる旧政友会の勢力が散在しているけれど、三者の間が床次推戴にまとまっている訳でもなく、旧政友会そのものが一つにまとまっているという訳でもなかった。がしかし、これが一つにまとまれば、実は鈴木派は惨敗する危機にあった。

当夜、首相官邸の一室に、岡崎邦輔、小川平吉、久原房之助の三氏が集まって密議した結果、鈴木派が党則による公選論を盾に取っているが、この際は非常時なるを以て公選を避け、蔵相高橋是清氏を暫定総裁に推戴することゝし、もし高橋氏が承諾しなければ、その指名によって決する事を申し合わせた。森の作戦は図に当たった。自派の勢力を圧倒的に見せて敵に旗をまかせたのである。

当夜の情況は、閣僚たちは閣議室に集まって犬養総裁の容態とその後の推移を見ている。やがて高橋蔵相が臨時総理大臣に任じられるなどの関係があって書記官長の森は政府関係、対軍部関係の事務政務を処理する一方、総裁問題を急速に解決せねばならぬので甚だ多忙であった。

兇変の夜は明けて十六日午後三時半から、首相官邸に於いて後任総裁推薦に関する元閣僚、前閣僚、本部総務幹事長との間に連絡協議会が開かれた。政府側からは、高橋、鈴木、床次、山本、三土、鳩山、前田、秦、川村の諸閣僚と書記官長、島田法制局長。前閣僚側からは岡崎、望月、小川、藤田。与党側から久原、濱田、河上、田邊（熊）、田邊（七）、熊谷（厳）、清水、村田、青木。それに各総務及び山口幹事長が出席し、先ず森書記官長より開会の挨拶を述べた後、山口幹事長から当日の議員総会及び幹事会、その他総裁選定に関する申し合わせを報告した。

その要旨は、次の通りである。（東京朝日新聞）

一、後任総裁を至急決定すべきこと。

一、その決定の方法は議員総会に於いてこれを公選すること。

一、重大なる時局に鑑み暫定総裁を置くことはこれを排撃すること。

これによって見るも、この時は既に森の手が各方面に伸び、公選と暫定総裁排撃との党の与論を作ってしまったことが判る。即ち十六日午前の議員総会では、党顧問岡崎忠彦氏が、後継総裁公選論を唱え、青木雷三郎、門田新松氏らが間髪を入れず賛成している。戦いは既に前哨戦に於いて決定しているのである。

しかし尚形を整える必要があるので、小委員会を作って「議員総会で投票に於いて決するは最後の場合であるから、成るべく与党一致推薦の者を求むべく、お互いに十六日夜中に努力を尽くし、その結果に基づき、小委員会は十七日午前中、首相官邸に再開すること」を申し合わせた。

その小委員は左の七名であった。

与党側、山口幹事長、久原、濱田両総務

閣僚側、前田、秦両相

前閣僚側、岡崎、望月両氏

而してこの申し合わせは既に鈴木氏を無投票で当選推戴する伏線となっている。何分にも党の枢軸を握る幹事長の山口義一氏は、森が久原氏の勢力を党幹部の中から一掃するために立てられた人であるだけに、勿論鈴木陣営の闘士である。政党人が幹事長の地位を閣僚以上に重要視する所以はこゝにある。党の機関が殆ど森の手によって固められている以上、反鈴木派は如何にすることも出来ないのである。かくの如くして森の計算はスムーズに運んだ。

岡崎邦輔、望月圭介両長老は党の平和を第一に考える。現実の問題が鈴木絶対優勢と判り、暫定総裁排撃の与論が決定している以上、高橋翁を立てることは既に不可能である。床次氏を立てれば更に悲惨な現実を生み出す。党は再び分裂するかも知れぬ。そこで両長老は調停役に立った。

調停というものゝ、床次氏に因果を含めて候補者を辞退さすことである。その内意は既に床次氏に通ぜられ氏も又現実の前には如何ともすべからず、床次氏は両長老の訪問を受けて即座に、

「自分は党の平和と統一を熱望する意味から鈴木君に後継総裁をやって貰いたい。ついてはこの意味を鈴木君にお伝え願いたい」

と筋書き通り述べた。両長老は直ちに鈴木氏を訪れて経過を報告すれば、鈴木氏は直ちに後継総裁をお受けする、と承諾してしまった。

かくして十七日午前十時から首相官邸に於いて開催された小委員会では満場一致鈴木氏が総裁候補者たることに賛成し、その後党の諸機関をして投票を持ちうることなく満場一致、鈴木総裁が決定して、森の書いた筋書きはいささかの無駄もなく幕を閉じたのである。

当時、政友会の人々が総裁即総理と決めていた事情は鈴木、床次両氏、岡崎、望月両長老が新聞に語った談話の中に如実に表現されている。

床次氏は譲歩するに当たり「もし鈴木君が自分に何か地位を呉れるといっても、自分は受けない。閣外にいて充分協力してやって行くからその点は安心して呉れと言っておいた」と述べ、鈴木氏は「床次君の入閣辞退は決してひねくれた心持ちから言っているのではないことが明白になったので云々」と語り、岡崎、望月両長老も同様な意味を述べている。

第三章　斉藤實内閣時代

一　斉藤實内閣成立経緯

五・一五旋風による政変に際し、後継内閣の問題は十六日から急激に動き出した。鈴木内相は未だ後継総裁にはなってないが当然自分に政権が来るものと考え、鈴木氏の総裁就任を阻止せんとする党内の反鈴木派も又政友会内閣の延長を確信していた。問題の軍部といえば、海軍側は政党内閣に不満を蔵しながらも不祥事件に連座した海軍軍人のあることから謹慎の意を表して積極的な意志の表明を控えた。陸軍方面では平沼男擁立の底意を有し、政友会内閣延長の場合は陸軍大臣の得られぬ恐れがあった。

当時の陸軍首脳部は教育総監武藤信義、陸相荒木貞夫、参謀次長真崎甚三郎の三将軍であったが、荒木将軍は事件の責任上、後継内閣の如何に関わらず留任を欲せず、武藤将軍は士官学校の生徒中から被告を出したことについて痛切な責任感を有し留任すべくもなかった。真崎将軍は陸軍の中堅を統率し、その発言が千金の重さを加える状態であった。而して陸軍全体の空気は政党内閣を排撃し、超然挙国一致内閣出現の場合には荒木陸相の留任が実現するだろうという空気を伝えた。

民政党では議会政治と政党主義の擁護を旗頭にしてはいるものゝ、具体的に後継内閣を論ずる場合は、既に政友会内閣は事件を未然に防ぎ得なかった責任上退き、政党政治の建前からいって、反対党たる民政党を基礎とする挙国一致内閣の成立を望む態度に出た。かゝる下心から伊澤多喜男氏らは斉藤内閣を目標として準備を進めていた。

森はこの間に処して平沼内閣の出現を計画し、その筋書きに従って次々と手を打って行った。平沼内閣の時は鈴木氏を副総理とし、党外からも人材を入れて待望の強力内閣を実現する。森及び軍部、国本社（P513参照）系統の人々が如何に積極的な意志表示をしたからとて、事は大権事項である。西園寺公が御下問に奉答するのである。故に先ず西園寺公を動かすより他に途はない。そのために森は西園寺公秘書原田熊雄男、近衛公、荒木陸相らに対し働きかけている。

かゝる情勢の下に、軍と政党との妥協がつかなければ政局は一歩も前進し得ない状態に陥った。十八日の午後、既に政友会総裁に内定した鈴木内相と、陸軍を代表する荒木陸相との会見が首相官邸に於いて行われた。

その談話の模様は次の通りである。（東京朝日）

荒木陸相：自分個人としては政党内閣否認とか、憲法の一時中止という様な考えは毛頭持っていない。しかし軍の若い者の中には政党内閣の過去の業績に対し、尽忠報国の一念の余り否認的な考えを持っておる者がいる。これが制御には日夜苦心している。

鈴木内相：陸相の苦衷は深くお察しする。

荒木陸相：憲法政治のある限り、政党の存在は当然であり、政党が内閣を組織するのを不当とは考えぬが、今日までの業績を見ると遺憾な点がある。軍部でとやかくいうのは越権かもしれぬが、若い者は軍部の使命と政治を区別していないようだから、彼らを納得させるため今日の如き政界の空気を一新して挙国一致の連立内閣を作っては如何。
鈴木内相：異なる政党の協力または連立は持論として絶対反対である。過去に於いても失敗している。只今日は非常時であるから、反対党の連立でなく広く人材を抱擁するに吝かではない。

この会見の後、内相、陸相共各々新聞記者に語っているが、陸相は「世上伝えらるゝ如き軍部と政党とが対立しているなどの事はない」と言い、内相は「荒木氏も自分のいう事を諒解してくれた」と語っている。

鈴木氏はこの会見で、軍部との諒解が成立した以上大命は必ず自分に降下するものと信じて疑わず、世間も又原内閣の次の高橋内閣、加藤内閣の次の若槻内閣など、総理大臣の死亡による政変は当然その党派の延長内閣ということに早合点していた。既に鈴木氏側に於いて閣僚の折衝に着手し、蔵相勝田主計、法相和仁貞吉、内相鳩山一郎、外相吉田茂、海相末次信正、拓相森恪、文相近衛文麿、商相結城豊太郎らの顔を並べ、高橋、三土、床次、大角、芳澤の五閣僚は辞職確実と報じられた。

この陸相、内相の会見に於いて、新聞には出ていないが、真崎参謀次長から山浦氏が聞いたところによれば、荒木陸相は鈴木氏に「大命が降下したならば鈴木氏は党籍を脱して協力内閣を組織すべし」という注文をつけ、鈴木内相はこれに反対の意志表示をしていたという事である。また当時の小磯陸軍次官は森に対し、「鈴木単独内閣などとはいわず他派とも提携して挙国一致内閣にすべし。単独政党内閣ではだめだ」と注意している。即ち鈴木内閣でもいゝから政党単独ではいけないという意味である。

鈴木、荒木両氏とも正直な好人物として定評がある故に会見の内容なども隠すことなく発表したのであるが、軍と政党との間に妥協が成立するという印象は軍部の中堅層を著しく刺激した。

そこで差し出がましいとは思ったが、山浦氏は森に注意して、「既に帰邸後の鈴木氏に対し、会見の内容や閣僚の顔ぶれ、その他明日にでも大命の降下するような話はしないように注意されるがよかろう。それには大臣に非ざる某大官を直ぐに鈴木邸へ差し向けるがいゝと思う」と言った。すると森は顔をしかめて、「鈴木さんは人が良すぎて困る。アレ（某大官）はいかん。君が行って来い」と言う。山浦氏は鈴木氏と別懇な間柄でもなく、そういう重大な遣いをする立場でもないので断った。すると森は重ねて「俺の代理として行け」と言ゝながら名刺にその趣を認め、鈴木邸へ電話をかけて予告した。止むを得ず右の名刺を持って鈴木氏を訪ねると、彼は非常な上機嫌であった。失礼も顧みず、「書記官長からかくかくの遣いに参りました。お伝え申します」と言うと「大丈夫、大丈夫。安心するように言ってくれ」と答えた。未だに解けぬ謎は何故某大官に遣いをさせなかったかである。恐らく某大官は鈴木内相と同意見、即ち政友会単独論者であったからかとも思われる。

案の定、荒木、鈴木会見内容の発表は俄然陸軍の中堅層を刺激し、反動的に政党排撃の声が高くなっていった。陸相は政党と軍部との間に板挟みの気の毒な立場に置かれたが、鈴木氏は依然として単独内閣論を続け、もし軍部が単独内閣排撃、連立という建前を強硬に取ってくれれば護憲運動を起こすという身構えさえ示した。その結果として軍部はますます硬化していく一方であった。

かゝる空気の中へ、十九日に至って元老西園寺公は興津から上京した。秦憲兵司令官は国府津まで出迎えて軍内部の情勢を報告すると共に、政党内閣絶対反対の意向を伝えた。一説によれば西園寺元老が原田秘書をして車中の面談を拒絶したところ、秦司令官はサーベルをガチャンと鳴らし「この国家非常時に何事であるか」と威圧して面会に成功したと伝えられる。しかしその真偽は明瞭ではない。ただ常時一般に解されたところによれば、西園寺公は鈴木新政友会総裁を後継内閣の首班に奏請するつもりで興津を出発したが、秦司令官との会見の結果、その方針が動揺したというのである。近衛公爵の諒解する範囲に於いては、老公が果たして鈴木氏を奏請するつもりで上京したか、またいつ斉藤實子を奏請することに決意したかは明らかではない。が、種々の情報を総合すると、鈴木氏を奏請する意志を抱いて興津を出たのが真相のように推論される。

近衛公は老公に建言して、政友会内閣か又は五・一五事件の責任をとるための軍部内閣か、二つに一つを選ぶべきで中間内閣は害あって益なしと言ゝ、そして老公から「それは理想論というものでしょう」と反撃された事実がある。

時間が経過するにつれて鈴木単独内閣の可能性は漸次薄らいで行った。森はその情勢を誰よりも早くキャッチしている。平沼内閣の要望はかくしてますます森の胸に強まっていった。と同時にあくまで単独内閣説を持して動かぬ鈴木内相、鳩山文相との間に生ずる意見の相違が外観にまで表れてきた。

五月二十一日の東京朝日はこう報じている。

一政友会の組閣方針については鈴木総裁があくまで既定方針の単独組閣に邁進せんとするに対し、森書記官長は意見を異にし、現下の情勢に適応するため適当の善後策を講ずべしとし、特に二十一日開催せらるべき与党の有志代議士会は時節柄見合わせたがよいとの論を主張するに至ったが、党内の憲政擁護論は抑え得べくもあらず、かくて従来党内の鈴木系と目されていた森氏は、鈴木総裁とも遠ざかり、従って政友会とも遊離した状態である。

二十日には鈴木総裁推戴の党大会が開かれ、山口幹事長の演説を中心に、ファショ排撃の気勢は大いに揚がった。翌二十一日には更に有志代議士会を開いて護憲の気勢を挙げることになっていた。森はこれを百害あって一益なしと断じ、強硬にその中止方を提言したので鈴木総裁も遂に折れて中止方を命令するに至ったが、森が政友会と離反していったことは事実である。当時志賀和多利氏に対し、森はこう言っている。
「平沼内閣が出来れば自分は入閣する。その結果、一時党を離れるかもしれぬ。しかし一時の事だから党は君らでしっかり与かっておれ云々」

この頃になると山本権兵衛、斉藤實、平沼騏一郎らの顔が新聞面に現れると共に、鈴木単独内閣がいよいよ怪しくなってくる。

西園寺公は駿河台の邸に倉富枢相、牧野内府らを始め山本権兵衛、清浦奎吾、若槻禮次郎、高橋臨時首相、礼遇の人々、或は海軍の東郷、陸軍の上原両元帥を招いて意見を徴したが、高橋氏さえ単独内閣反対の進言をしているくらいである。事こゝに至っては超然内閣の可能性が強まって、鈴木氏及び政友会の立場は頗る不利になって来る。不利になればなるほど、気勢を示してファショ排撃、超然内閣反対の放送をする。放送すればするほど、鈴木内閣は遠退いて行く。一面、森は軍部の傀儡で政党の裏切り者であるという宣伝が頻りに行われ出した。

この頃、森は近衛公に対し平沼内閣を働きかけている。政変中のある日、近衛公が興津の坐漁荘を訪ね、西園寺公の書斎で対談しているところへ原田熊雄男から電話がかゝって来た。近衛公はそこの卓上電話を取って話した。

原田男は「今、森とウナギを食っているが、森が君を電話に呼び出して話をしてくれというのだが平沼（定かでない）にやらせるように老公へ話をつけて貰いたいという訳だ」と言う。電話を切ってその趣を西園寺公に話すと西園寺公は頗る機嫌が悪く「原田に顔を洗って出直して来いと言ってくれ」という意味のことを言った。西園寺公がそういう事を言う候補者であったから平沼男のことであったろう。が、近衛公の記憶にはそれが誰であったか、固有名詞が残ってないそうである。

森はまた荒木陸相にも働きかけて近衛公に賛成を求める電話を依頼した。即ち、近衛公から興津へ通じて貰うためである。

更に、荒木陸相が西園寺公を訪ねる時、森は懇々と平沼内閣論を注入し、その進言をするように注文を付けている。しかし陸相は平沼男の名前を言ゝ出さずに帰って来て、森の失望を買った事実がある。

この間、森の旗本というべき二六会の人々と鳩山氏の幕下ともいうべき人々との間にあらぬ誤解が深まっていった。二六会側は森を鈴木内閣の副総理として内務大臣とすべく運動を起こし、鳩山氏を外務大臣にという交渉を鈴木総裁にしている。これは森には無断で行われた運動で、森は非常に迷惑を感じていた。政治

資料６３　斉藤實

意見は対立しても鳩山氏を蹴落とすが如き行為は森の快しとせざるところであり、鈴木氏の考え方について多くの不満を蔵しながらも「一度は鈴木さんに義理を立てねばならぬ」と漏らしていたくらいである。

政局の動向はますます政友会に不利となり二十日頃からは漸く斉藤説が高まった。事こゝに至っては単独内閣論を固執する訳には行かぬので、政友会は俄かに、鈴木総裁を首班とするならば挙国一致内閣は又可成りと放送し出したが、時すでに遅く、**二十二日には斉藤實子に後継内閣組織の大命が降下**し、森の計算は書餅に帰した。

もし最初から森の計算通り、平沼・鈴木の間に水も漏らさぬ協定が出来ていたら平沼内閣が成立したであろう、との観測は今日でも行われている。果たして然りと言えるか否かは疑問としても、森の計画通りに行かなかったために政治はますます喪失状態を深めて行ったのは事実である。

二　平沼騏一郎男爵の人物

森は如何なる理由から平沼騏一郎男擁立を志したか、一応の解説を要する。

平沼男は鈴木喜三郎氏と並んで司法部内に於ける主流を歩み、兄弟のような関係にあった。鈴木氏が次官の時には平沼男は検事総長を勤め、平沼男が山本内閣の司法大臣になると鈴木氏がその後に続いて清浦内閣の司法大臣に就任するという様に、同じ道を歩んで来た。鈴木氏は平沼男を立て、長い間に培った平沼・鈴木閥といわれる勢力が後年に到る迄、司法部内に存在したのであった。

平沼男は大臣を辞めて暫くすると枢密院に入り副議長になった。鈴木氏は政友会に入党した。この辺りから両人の政治的方向は分かれている。

平沼内閣が現実に成立したのは一九三九（昭和十四）年の正月である。支那事変の処理を中心とする内外の調整を目的とし、近衛内閣の後を受けて登場したのである。その間、日独伊軍事同盟を締結せよと主張する論者と、英米仏のデモクラシー国家を重しとするいわゆる親英論との間に挟まって苦慮八ヵ月、その結果ともいうべきはドイツとソビエトとの不可侵条約である。こゝに於いてか平沼男は「複雑怪奇」という新熟語を置き土産に去って、阿部内閣と交代した。平沼内閣の事績を見ると、いわゆるファショではなく、さりとていわゆる重臣的性格を露出しているものでもなかった。

森が擁立せんとした当時の男と比較すれば弱々しい政治家であった。「鉄は熱いうちに打て」という。平沼男の出幕は数年遅れ、鉄は既に冷めていたともいう事が解る。

五・一五事件前後の平沼擁立運動は主として軍部右翼方面に起こり、森はその渦中の一人であった。当時の男はいわゆる非重臣的存在であった。それだけに革新的情熱と理念とを湛えており、その表現が国本社であった。

資料６４　平沼騏一郎

平沼男を盟主とする**国本社**は精神団体で、軍部、財界、政界、学界など各方面の人物を網羅していた。荒木大将を始め、軍部の諸星、池田成彬、結城豊太郎その他の財界人、鈴木喜三郎、勝田主計その他の政治家を集めて国家主義的傾向を辿り、第三者はこれを**ファッショ政治団体**と目した。

講演会やパンフレットを以て盛んに在郷軍人、青年団らに呼びかけた。当時の荒木陸相は国本社大阪支部大会で熱弁を振ったことさえある。この運動は元老、重臣、西園寺、牧野らの歓迎せざるところであり、加えるに枢密院の内閣倒壊業者といわれた故伊東巳代治伯の法制的知恵袋的存在は、男に対しては敬遠主義を取った。

後に「国本社はファッショ団体に非ず」との声明を出し、一九三六（昭和十一）年の二・二六事件の後に解散してから漸くして枢密院議長の椅子が報いられるという不遇な地位に置かれていた。故に平沼内閣成立当時の男は既に冷却した鉄であり、その条件が重臣方面の平沼男奏請に表現された。

しかし満洲事変から五・一五事件前後にかけての平沼男は革新陣営のホープであった。非重臣的であればある程、現状打開の熱意を有するものとみられた。

森は政友会幹事長時代以来、書記官長になってからも数回興津の西園寺公を叩き意見を交換しているが、かつて山浦氏に漏らして曰く「公卿は利口だが無責任だ」と言っている。その反語として、「だから非重臣的な平沼男を立てねばならぬ」という結論が彼の脳裏に存在していたようである。かといって平沼、森の交際が深い訳ではなかった。平沼、森の会談は三十分以内に終わるのが例となっていた。その間平沼内閣の話をした事はなく、いわゆる以心伝心でお互いに諒解し合っていたのである。平沼男の如き憲法の番人が大権私議に亘る言動を避けたのは当然である。ただ抽象的に森は言っている。「大陸政策の遂行には強力な政権が必要である。内閣の寿命は十年くらい続かなければ一貫した政策は行えぬ」。この意見には平沼男も全幅的な賛意を評していた。

当時軍の大勢、平沼、森らの共通した大陸政策は、「先ず満洲問題を解決すること。満洲を基礎としてソ連の勢力を東亜の大陸から駆逐すること。ソ連をバックとする支那本土はソ連の退場によって日本と平和裡に協力することが不可能ではない。そこに基礎を確立して初めて世界政策に乗り出す」という段階を辿っていたのである。「満洲事変の結果として支那との戦争が起こってはならぬ、起こさぬようにしなければならぬ」というのが森らの理想であった。**そのために政変を起こさぬ永続性のある強力政権を必要とするのであった。いわゆる一国一党の必要はこゝから生まれてくる。**

森は今日までの政敵民政党とも手を握り、一国一党の方向に進む計画であったし、平沼男の考えは、もし平沼内閣が成立すれば直接政党へは呼びかけず、個人個人を目標として呼びかけ、有用な人材をピックアップし、人を基礎にして新しい政党を作る方針のようであった。

森の政党観は、既成政党による対立状態では国策の遂行には寄与し得ないが、さりとて政党を否認する独裁政治かというに非ず、しっかりした人物によってしっかりした政策を築き挙げ、その総裁が党を基礎にして強力な政治をするというもので、いわばドイツのヒトラー、イタリアのムッソリーニの流れを汲もうというものゝ如くであった。

三　森の満洲国承認演説

一九三二（昭和七）年五月二十六日斉藤内閣は成立した。首相兼外相斉藤實、蔵相高橋是清、内相山本達雄、陸相荒木貞夫、海相岡田啓介、文相鳩山一郎、法相小山松吉、農相後藤文夫、商相中島久萬吉、逓相南弘、鉄相三土忠造、拓相永井柳太郎、（外相は後に内田康哉伯）。

この骨組みを見ると、挙国一致的民政党内閣兼政友会出張所という観がある。

三百余名の大政党が、半数に満たぬ民政党のために、してやられた感じである。高橋蔵相は党籍こそ政友会にあるが、精神は政友会員ではない。斉藤子直接の指名で入閣したものである。だから政友会にとって却って厄介な存在である。即ち高橋蔵相が政友会だから内相は民政党で、というので山本内相が副総理になった。鳩山文相の居残りは鈴木総裁の身代わりとも見られ、いわば人質に取られたようなものである。三土鉄相は高橋翁の背負い込みであり、南逓相は政友会系ではあるが党員ではなく、必ずしも鈴木系ではない。この四名が三百余の代表をしているのに、少数党の民政党からは副総理山本、拓相永井、それにまぎれもなく斉藤内閣の黒幕伊澤氏の身代わりともいうべき後藤農林大臣が入っている。かくして森が憂えていた通りの結果は早くも来た。

民政党及びその系統の官僚がイニシアチブを取ってしまったのである。森が内閣成立早々から早くも倒閣の秘策を繞らしたのは当然である。六月の臨時議会を済ませ、八月末から九月初めにかけて第六十三臨時議会が開かれた。**この議会は森にとって最後の議会であり、そして二つの歴史的事績を残した議会である。**一

つは内田外相との間に行われた外交論戦であり、他の一つは岡田海相との間に取り引きされた政権譲り渡しの一幕であった。

第六十三臨時議会は六月の臨時議会の公約によって開かれたものである。当時は世界恐慌の末期で未曽有の農業恐慌が襲来し、又一面中小商工業者がどん底に落ちるという経済的苦難時代であった。滞貨生糸はますます生糸の値下がりを来して七、八百円台に落ち、米は十七、八円という惨憺たる状態を呈していた。この不況は一九二九（昭和四）年に始まった世界恐慌の飛沫を受け、国内的には緊縮節約、金輸出解禁など、民政党内閣の失敗によるものであった。犬養内閣は前任者の失政を修正すべく努力を続けたけれども業半ばにして倒れた。その犬養内閣当時召集してあった第六十二臨時議会は斉藤内閣の下に開かれたが、専ら時局匡救問題を論議した結果、政友会の提案により全会一致の決議を以て、「政府は更に臨時議会を召集し、左の事項を決定すべし」という公約が出来ていたのである。

一、通貨の円満流通を計るべし。
一、農村並びに中小商工業者の負担を軽減すべし。
一、土木その他、公共事業を徹底的に実施すべし。

而して内閣は、追加予算一億七千六百万円と地方費に負担を及ぼす高八千七百万円を加えた合計二億六千三百万円の匡救事業費の協賛を仰ぐべく召集されたが、会期僅かに八日、実質は六日の短期間であったので、最初から政府の不誠実を叫ぶ声高く、超然内閣の与党民政党は従順そのものであったが、政友会の急進派及び安達謙蔵氏の国民同盟は最初から会期の延長を要求したくらいである。

当時政友会内には政府に対する態度として自重、強硬の二潮流が流れていた。自重派というのは次の政権を目標とする鈴木総裁、常に穏健着実を旨とする旧政友会床次氏一派及び高橋超然居士を巡る閣僚党員らであり、急進派といえば森恪及びその一党、久原、山口らを巡る人々であった。これらは斉藤内閣を倒壊して積極的に次期政権を三百余名の政友会に持って来ようとする人々である。但し、森は些か考えを異にして平沼内閣を胸中に蔵することに依然として変わりない。

議会直前、森の旗本二六会筆頭会員ともいうべき志賀和多利氏は、突如として逓信政務次官を辞し、反政府の立場を表明したことから波紋は拡大して、政友会員たる高橋蔵相が少しも党の意向を取り入れず匡救予算を編成したことから、反高橋の空気が党内に起こり、その除名論まで飛び出す始末であった。しかしそれは自重論を取る鈴木総裁の慰撫によって事なく済みはしたが、強硬派の反政府運動は強さを増す一方であった。幹事長の山口義一氏は議会に臨む議員総会に於いて政府弾劾に近い挨拶を述べ、宮崎、深澤、篠原の諸代議士は匡救予算の編成変えを要求し、「我が党の態度がやゝもすれば政府に尾を垂れて望まんとするは遺憾千万である」と気勢を挙げた。自重派はこれに対し苦々しく顔をしかめたのである。

党内がかくの如く混乱して無統制になっては困るというので、鈴木総裁は左の七名を統制委員に指名し、議会中の事は一切これに任せるということになった。委員は左の通りである。

久原、濱田、森、秦、島田、山口、山崎（達）。

かくして二十五日、いよいよ議会は本舞台となり、政府の施政方針演説に対し、政友会の森恪は質問の第一陣を賜って内田外相との間に質問応答の論戦が行われた。この演説は諸外国にも影響するところを多く、内田外相の**焦土外交**という別名がこの時に出発している。

演説速記は左の通りであるが、森は最初から外交問題を政争の具に供する意志は勿論ない。満洲問題の処理に関しては政府を鞭撻督励し、国論の一致した状態を諸外国に示すために起こったのである。森と白鳥敏夫氏と鈴木貞一中佐の合作で、東京クラブで白鳥氏が筆を執ったものである。勿論内田外相には内容を通じているし、政友会の方にも打ち合わせが済んでおり、更に満洲問題とは切っても切れぬ因縁を有する陸軍の方面とも打ち合わせ済みのものであった。当時は国際連盟がやかましく、リットン卿の調査団一行が満洲視察旅行の最中であったから、これに対する牽制策も盛んに盛られていたのである。一内閣、一外務大臣を対手としてなされた演説ではないから、勿論倒閣の意味を含んでいない。**寧ろ国際連盟を倒壊すべき、或は脱退すべき準備を内外に示した大演説と見るべき**である。

《第六十三議会（臨時）》

一九三二（昭和七）年八月二十五日、本会議（国務大臣の演説に対する質疑）にて。

○森恪君の質疑

資料６５　昭和７年８月臨時議会での最後の議場姿（満州国承認演説）
（出典：山浦貫一篇『森恪』）

外交に関する首相並びに外相の御演説を拝聴いたしまして私の得た印象は、

（第一）政府は満洲国承認の問題を単なる一個の外交手続きと見て居られるのではないかということでありま す。貴見を要約して考えると、満洲国を承認致すという事は何ら連盟規約にも、不戦条約にも、将又九ヵ国条約にも抵触違反致すところはないのである。然らば承認を断行するについて、何の憚るところがあるかというところに帰着して居るのでありまして、政府は専ら法律的に外交技術的にこれを扱っておられる風がある。

（第二）満洲国を承認致すについて必要なるところのあらゆる要件は着々進められつゝあるのである、と我々に御報告になって居るが、その御演説の内容によりますと、全権大使を任命せられたという事を報告されたのみで、長い演説の何れの部分にも私共は準備が行われたというその片鱗をさえ、これを見出すことが出来ない。今日の場合、満洲国を承認するという事は蓋し日本が執るべき唯一の途であるということに対しまして、私共は政府とその所見を全く一にする。現に我々は院議を以てこの承認を必要と致したのである。この場合に承認を致す事に対し異議を挟む者は一人もいない。しかし満洲国を承認するという事それ自体が、政治的に如何なる重要なる意味を含むものであるか、又これが我が国家の運命の消長に如何に重大なる因果関係を持つものであるかという事について、時の政府が如何なる態度を執ろうと、誠意があろうとなかろうと、我々国民としては真剣なる態度を以てこれを研究せねばならぬ。即ち吾人はこの見地に於いて政府の所信に疑いを抱かざるを得ない。

満洲国承認の問題を単なる法律論条約論を以て断定し、軽々しくこれを取り扱い、理由なく楽観論により自己陶酔に陥ることは、政治家の行動は兎も角と致し、国家国民にとっては危険千万至極であると言わなくてはならぬ。今日の状勢に於いて日本が満洲国を承認する場合に、私共は一応こういう点にまでも考慮を費やさなくてはならぬ。即ち少なくとも世界の与論の上には、我が国のこの断乎たる行動は少なからざるところの衝動を与えるに相違ないのである。また国際連盟の方面と我が国との間には、或は正面衝突をも余儀なく觬らるゝ様な事態が展開するかも知れぬ。勢の趨くところ、我々は連盟を脱退せざるを得ないような場合に逢着致すかも知れぬ。この如き趨勢に於いて、隣邦には他力本願を以て外交の要旨と考えておりますところの支那国の官民がある。これらの形勢に刺激せられて、彼らが再び抗日排日の気勢を激発し、そうして不幸なる上海事件というが如きことが再び繰り返されるような可能性は、又将来十分に我々はこれを覚悟せねばならぬ。米国と我が日本の国交関係に於いて、我々は今日以上にその関係が改善せらるべしとは、これを今日に於いては期待する事が出来ぬ。否寧ろ私共は、米国との関係は悪化するに非ずやという点を迄恐れておる。昨年以来連盟の空気、世界の要論の大勢に徴し、今日満洲国の承認を行おうという時には、少なくとも極端なる場合をも予想致し、予め国内的には国民の心理的、物質的に十分なる決心と用意に取り掛かる必要がある。即ち単なる外交上の関係影響のみを考えても、かくの如き数点を我々は数え挙げる事が出来る。

満洲国承認という問題は実にこの如き重大なる意義を存しておる。即ち第二臨時議会に於いて我々が院議を以て速やかに満洲国を承認すべしと決定致したのを言わなかったのも、また当時この院議に対して、政府が準備なり次第に承認すべしとお答えになりました。その御答弁を我々が諒と致しましたのも、要するに、満洲国承認という問題がこの如き重要性を持っておるということを、我々が認めた結果に他ならぬ。然るにその後政府は、この院議に対してこの如き答弁を致しておきながら、一体何をなしたのであるか。徒に時日を空過致して、国内的にも、国外的にも、満洲国承認に必然伴わねばならぬところの重要なる対策というものを講じたるとするところの形跡を我々は発見する事が出来ないのである。

日本と満洲国との間に締結すべき条約案の起草をなすとか、或は条約交渉の衝に当るところの全権を任命するというが如きは抑々末であります。我々が満洲国承認に必要なる準備と諒解致しておるところのものとの間には、大なる懸隔を見出すのである。例えば満洲国承認の結果と致しまして生ずることあるべき、日本と支那との間、或は日本と列国との間に、国交関係の変化に対応するために如何なる処置を執り、又執らんとせられたのであるか、外交上諸外国に対する各般の措置は勿論のこと、国内におきましては国民思想の誘導、陸海軍備の充実、財政経営の立て直し、確立、かような種々なる点に於いて、満洲国承認と付帯的要件ともいうべきこれらの問題は、実に一日も忽せにすることが出来ないのに拘わらず、政府はこれらの諸点に対して果たして何をなしたりと国民に報告する勇気を持って居るか。政府がこの重大なる満洲国の承認という問題を、挙げて、問題の真の意義を把握せずに、専ら技術的に、法律的見地から事物を処理せんとする傾のある外務当局にのみこれを挙げて一任致しておるというが如き現状は、少なくとも国民の不安に堪えざる状態であると言わねばならぬ。

満洲国の承認と申しますことは、単なる法律上契約上の問題では断じてありません。既存条約に抵触しておるとか、或は既存条約に抵触しておらぬというが如き問題は、今日多くの国民の知らんと欲するところではない。満洲国の承認をなすとか、既存条約に抵触しておらないというが如きことは、今日少しく政治問題に興味を持つ者は悉くこれを認める。現に院議がこれを認めておる。しかも政府のあの長い演説の大部分を占めておるものは、この既存条約の関係を縷《る》々御説明に相成ったに過ぎない。元来法理上の議論は事の利害が異なる場合に、いわゆる堅白異同、如何様にも議論の立て様がある。即ち現政府の如く国運の消長にかかるような重大な問題を法理の上に根拠を求めようとするかの如き態度は、私は満洲国承認という重大問題の性質上、根本から錯覚に陥っておるものであると断定する。又今日日本と満洲国とが条約を締結する、国交を開始するという事は我々をして率直大胆に言わしめてみましたらば、要するにこれは形式一片の事柄である。

事実に於いては、実質に於いては、我が日本は早く既に満洲国を承認しておる。事実上承認せるこの満洲国に対して、今改めて正式に承認を与えんとするところの真の理由は何であるか。これは政府が指示しておりますような法律上の実行を収めるという事がこれ正式承認の目的では断じてない。満洲国承認の真の意義、真の目的は、満洲国承認をいうことによって、満洲を中心とせる亜細亜のすべての問題に対して我が帝国の臣民が如何にこれを見、如何にこれに対応せんとするか、ということを世界列国に向かって声明すると共に、我が国民自らに対して決心と覚悟を促す目的であると言わなくてはならぬ。従って実際上の承認の相手方は満洲国ではない。目標は、内は日本国民であり外は支那及び列国であります。従来追従を惟れ生命と致すような我が国の外交が、こゝに敢然と立って新満洲国に単独承認を与えんと致しますところの行為は、私共をして言わしむれば、これは我が国の外交が自主独立に相成ったという事を世界に向かって宣告するが如きものである。換言すれば、今跳梁跋扈致しておる―目的の真相を捉え得ざるところの今の国際協調主義者や或は国際間に不当なるところの現状維持を主張として唱えておる今の国際平和論者に対しては、満洲国承認という動機を籍りて、我が帝国が外交的に宣戦を布告したるが如きものである。私は満洲国の単独承認はこの如き重大なる意義を含むものと諒解する。而してこの如き意味の諒解は、私共が田中内閣のいわゆる東方会議以来常に国民に愬えて参りましたところと合致致すのである。私共は爾来国民に向かって、「亜細亜に還れ」という事を絶叫致しておる。「亜細亜に還れ」という事の意味は何であるかというと、六十年間盲目的に模倣し来った西洋の物質文明と袂を別って伝統的日本精神に立ち帰り、東洋本来の文明と理想とに基づいて我が亜細亜を守るという事が、我々が亜細亜に還れという事の真意である。今日物質本位の西洋文明が既に没落の期に達しておるという事は、欧州諸国に於けるところの世相そのものが如何にこれを物語っておる。我が日本の眼前の実相も、考えようによっては、その原因は主として無条件に西洋の文物を輸入した結果なりと断定し得る。日本がこの際卒然として本来の面目に立ち帰り、東洋固有のこの精神に則り、内外の懸案となっておる大小すべての問題を解決して東洋永遠の平和の確立に成功するようになれば、これは啻《つと》に亜細亜に於けるところの諸民族の福祉となるのみならず、延いては紛然、雑然として趨捨に迷っておる今の欧米各国民に対し自覚覚醒の曙光を投げ与えるものであると申しても差し支えない。我々はこの見地に立って、天の与えられたる帝国のこの新使命に力強く第一歩を踏み出す。その意味に於いて満洲国の承認を断行せねばならぬ。今日の政府がなすが如くに、この意味に於けるところの認識がなく、不幸にして国民の間にこの意味に於けるところの自覚なく、漫然この重大なる問題に手を付けるようなことがあっては、これは我が国国民が歴史の上に貢献するところの新意識を全く滅却致すところとなる。私は以上の如き見解を以て、この満洲国承認問題に処せんと致しておるのでありまして、今日この場合に兎にも角にも政府が満洲国承認に直ちに手を染めんとするその事自体に対しては諸手を挙げて賛成を致すのでありますが、満洲国の承認と、必然的にこれに伴いまするところのすべての用意を怠ったという、時の政府の責任とは、自らこゝに別個の問題であるという事を思わなくてはならぬ。即ちかような立場に於いて私は現政府に次の四点に対しまして明快なるところの答弁を煩わしたいのであります。

第一、政府は満洲国承認に対し各種の準備を必要とせり。その種類及びその程度如何。

第二、満洲国に対する公法上の承認を断行する場合、国際情勢に如何の変化を招来するものと断定しありや、又この変化に対する事前事後の対策如何。

第三、右承認に伴い国際経済界に於ける帝国の地位に何らかの変化ありと判断しありや。

第四、満洲国承認の結果、日支両国間その他列国との間に生ずる事あるべき国交上の重大化に応ずる政府の準備果たして如何。

私は政府の率直大胆なるところの答弁を要求致すものであります。

○内田外相の答弁

只今の森君の御質問に答弁致しますが、森君の御話はその大部分は御意見の開陳に費やされたと思います。この御意見に対しましては謹んで拝聴いたしておきます。そこでこゝに御残置になりましたこの条項書きによりまして一応御答弁致したいと存じます。

第一、

これは勿論政府に於いて必要なる準備を致したのであります。又今日に於いても致しつゝあるのであります。私の演説に申しました通りに、その準備の終わり次第速やかに承認を致すつもりであります。けれどもこゝにその準備の種類及び程度を開陳いたしますことは御断りを致したいと存じます。

第二、

固より昨年九月十八日に勃発いたしました満洲事変というものは、我が国に取りましても洵に重大なる問題たることは申すまでもありませぬが、世界を衝動致した問題であります。丁度当時連盟総会も開けておりまして、殊更にこの問題を目立ちせしめたものであります。かゝる重大な問題で、又世界に大関係を生じた問題でありますから、これに対します処置は前々政府以来、出来得るだけの方法を講じられてきたと思うのであります。しかし私共はこういう信念の下に立ってこの事件に直面したのであります。即ち満蒙の事件というものは、我が帝国に取ってはいわゆる自衛権の発動に基づくものであります。それ故に「天下に対して何ら恥づるところはない、我が行動は洵に公明正大なものである」という自信を持っておるのであります。世

資料６６　内田康哉

界列強も又この日本の立場を必ずや私は諒として来ると思う。昨年来「ジュネーブ」に於けるいわゆる孤軍奮闘の我が国の立場を顧みましても、その望のあるということを看取し得ると思います。私は、今日は余程我が立場を世界が諒解し来ておると信じ居るのであります。また今後に於きましても、必ずや私は諒解すると思う。無論承認の暁には、多少の論議はありましょう。即ちこれらに対して今日の演説の中にも、私は日本の立場を闡明しておいた次第であります。けれども我が行動の公正にして適法であるということは、それは何人も争わないところであろうと思う。況や我が国民は只今森君の言われました通りに、この問題のためにはいわゆる挙国一致、**国を焦土にしても**、この主張を撤することに於いては一歩も譲らないという決心を持っておる、と言わねばならぬ。この国民の決心の下に、我公明正大なる態度を主張し、その主張を維持するという事に於いて、私は何も憚れるところはないと思う。この信念におきましては、勿論世界をして諒解をせしむるだけの事は致します。けれども宣伝ということが能く言われますけれども、この決心の下にこれ我が公明正大なる主張から顧みまする時には、宣伝の如きはそう多く顧みるに足らないと思う。世界は必ず我が態度を是認するに至ると私は確信しておる。又是認せしめなければならないのである。かく申すれば、この第二、第三、第四も、私は只今の私の言明によって十分に質問の趣旨に答え得たと思います。

○**森君の再質疑**

私の残しましたるこの四個の質問は、外務大臣その人のみによって答弁せらるべき性質のものではないのであります。外務大臣が只今こゝで申されたる満洲問題の解決は、国を焦土と致しましても、その目的を貫徹せずにおかないということを言われましたのでありますが、これが国民の口によって叫ばれる声であれば、我々は将又何をいわんやであるが焦土にする様な決心を持つにあるに非ざれば、その目的を達する事が出来ないという様な左様な事態を惹起させない様に、事前に於いて国民の目的のするところの手を講ずるところに外交上の妙用があるのであります。我々が敢えてこゝに大声して政府の所信を質するというのは、国家がこの目的に向かっているに拘わらず、その局にありますところの外務当局は、口に準備を整えておると言いながら、何らその準備を整えておる実を国民に諒解せしめないからであります。現に今日の外務大臣の長々しい演説の中に、果たして如何なる準備をしたという片鱗を我々は見出すことが出来るか、何ら我々はこれを捉える事が出来ないのである。一方に於いて従来の外交方針の型を破って、自主独往の外交をするが如き口吻を内田外相は申しておられ、しかも当面我々の目の前にある問題に対しては、国を焦土としてもやらなければならないという様な重要性を持っておると言うならば、何故事の真相をすべて国民に愬えて、そうして国民をして十分諒解せしめて、然る後この問題に直面するだけの態度を執らないのであるか、従来の外交当局、特に官僚政治についてはかような点に於いて欠くるところがあるが故に、私は敢えてこの質問をしたのであります。私はこれ以上現内閣の答弁は求めませぬが、しかしながらこゝに残しました質問によって、従来以後我々の執りますところの態度が、「国民が現政府の態度に満足致しておらない。否不満に満ちておる」ということを立証する機会あるという事である旨を申し上げて降壇する次第であります。

森の満洲国承認演説が済んで後、一九三二（昭和七）年九月に入って日満議定書が決定されている。即ち**森の抱懐する満洲問題の解決は一九三一（昭和六）年七、八月の満洲旅行から犬養内閣に於ける五省会議を経て、この演説となりそれが満洲国承認即ち満洲国独立、日満議定書の交換となって実を結んだのであった。**

四　卒勢米価を巡る議会の紛糾

政府の提案した匡救予算及び諸法案に対して、三百余名の政友会は自重派を圧して強硬派がこれを引きずった。予算の編成替えを要求し、応じなければ内閣不信任案を提出すべしとの空気が強かった。政府といえば「未だ根本的な研究は出来ぬ。何れ通常議会には根本案を提出する」という腹で、専ら鈴木総裁に話しかけ、円満なる議事の進行を求める諒解運動の手を打っていった。だがやがて**卒勢米価問題**にぶつかって、政府、政友会は完全な対立状態に陥った。

これを東京朝日の記事に見よう。

政友会から議会に提出した負債整理組合中央金庫法案並びに米穀法中改正法律案、政府提出の農村負債整理組合法案並びに米穀応急施設法案を巡って、政府と政友会の正面衝突を招来せんとするに至った。即ち米穀政策に於いて政府と政友会の意見は根本的に対立せるものであって、政友会が卒勢米価の削除を主眼とする米穀法改正案を押し通そうとすれば、政府の米穀応急施設法案は衆議院通過は困難であり、又政府原案に政友会の主張を加味するとしても、卒勢米価削除の条説を除いた他の点、例えば台鮮米買い上げ、政府所有米の原物貸付などは、米穀応急施設法案中に規定しているので結局、卒勢米価削除を承認せざれ、政友会の主張を加味したことにはならぬ。しかしその削除は政府の到底応じ難いところである。かくてもしこの形勢を進めて行けば、衆議院では政府原案が否決され政友会案が通過するであろうが、しかし政友会案では到底貴族院通過は望まれぬ。政治的解決策を見出さねば政府と政友会は卒勢米価を巡ってのっぴきならぬ危機に逢着する形勢が濃厚となってきた。

卒勢米価とは現行米穀法中にその運用基準としている熟語で、その意味は米価率の形勢から割り出した米価、即ち米価変動の大勢から見てかくあるべしと推断した米価という事である。――卒勢米価の調整方法は政友会の唱える如く、今日までの成績から見ると効果甚だ薄いものであった。何分その算出方法が前年度の米価と物価を基準にしているものだから、大豊作年の米価によって大凶作年の米価を決定するような矛盾に陥る欠点がある。現に昨六年十二月発表された七年度卒勢米価は六年の収穫が稀有の大凶作であったに拘わらず五年の大豊作相場を基本にして算出しているため、最低十六円三十一銭という如き適用の余地なき安価が出来上がったのである。政友会内閣になってから、物価高を理由として七年三月訂正して現在の十七円九十一銭に引き上げたけれど、これさえ実際に適応するには現在の正米相場二十円六十銭が二円七十銭以上暴落しなければならぬ。これでは農家は折角の豊作も却って悲観の種である。(東京朝日)

米価問題は素人に判りかねる難しい題目である。当時と雖も政治問題になった卒勢米価について的確な認識と判断とを持っている者は余りなかったくらいである。但しこの問題を挟んで議事は一向に進捗せず、会期は迫っても一つの法案も通過せず遂に三日延長、貴族院に移ってからは一日づつ二回、更に三度会期を延長しなければならなかったのである。

二十八日午後、森総務は院内に於いて鳩山文相と会見した。鳩山文相は「後藤農相の態度は案外強硬で閣内の意がどこに落ち着くか全然予想できぬ」と述べたに対し、森総務は「米穀法改正と負債整理組合中央金庫法案はあくまで固執することに党の意見は極まり。一切の妥協を排するものであるからこの点を十分考慮に入れて善処せられたい」と強硬意見を伝えている。

政友会側の高橋、鳩山、三土、南の四閣僚は妥協案に傾いているが、主管大臣たる後藤農相は絶対に譲らぬ形勢を示し、民政党出身の閣僚はこれを支持して閣内は全く両論に分かれ、まかり間違えば閣内不統一で政変を起こす恐れさえあった。それは政友会の強硬派の望むところであった。かくして斉藤首相も止むを得ず後藤農相を支持し、事態は全く行き詰まってしまった。

その間困難な経過があり、結局前述の如く会期を三度延長して両院協議会にかけて妥協が成立した。

その趣旨は、新根本法の実施まで卒勢米価の発動を停止して生産費によることであった。即ち卒勢米価は存置することによって政府の面目を立て、その代わり一九三三（昭和八）年十二月末日迄はこれが適用を中止し、米穀生産費を基準として米価を算定することによって政友会の主張を容れて妥協成立し、台風一過第六十三議会は過ぎた。

五　岡田海相と森の秘密画策

政府と政友会の妥協は、その裏に岡田海相と森との間に極秘な取引があり、それに基づいて総務であり両院協議会委員であった森が党の大勢を誘導した結果である。岡田海相は森の岳父瓜生外吉大将の司令官時代副官を勤めた事があり、そういう関係から森が信用できる口の堅い人物であることを知っていた。そして政友会をまとめる者は森をおいて他にいないことを承知していた。森の幕下川島正次郎氏は岡田海相の下に海軍参与官を勤めていた。そこで岡田氏は川島氏を通じて、森に妥協の相談を持ちかけたのである。森は、議会後に斉藤内閣を投げ出すならば臨時議会の関門を通しても良い、という意図を通じた。その結果、岡田、森の会談が極秘裡に行われた。

第一回は芝公園の南洲庵であった。その会談の内容を的確に知ることは不可能であるが、元々斉藤首相は五・一五事件直後の政局を一時預かっただけで政権に恋々たるものではない。臨時議会が済めば城を明け渡しても差し支えない、というのが岡田海相の言い分であった。斉藤、岡田の仲は海軍の先輩後輩であり、後に斉藤子はいよいよ行き詰まってから岡田大将に政権を譲渡すべく努力奔走したほどの親密な間柄なので打ち明けた話が出来る。それを森は信用した。「高橋蔵相は森が辞めさすから、斉藤は岡田が引き受ける。そうすれば議会を無事に済ませて総辞職する」という相談が出来たようであった。

森は以前から高橋氏を動かすことに自信を持っていたし、翁もまた大臣の地位に恋々たるものではないので、森が生きていさえすれば岡田大将との合作でその約束通り実行出来たかもしれないが、肝心の森は議会直後満洲事変記念日の一九三二（昭和七）年九月十八日、高熱を押して国民新聞の演説会に出たのを最後病の床に就き、やがて世を去ったのである。岡田海相は森の病気には余程困ったと見えて、川島氏に対し「弱った、弱った」と言っていたそうである。

やがて間もなく、岡田海相は単独辞職した。表面の理由は兎も角、内実は斉藤内閣を総辞職させ得なかったことに対する森への責任からだと解釈される。森が死んでから翌年の通常議会になって、鈴木総裁、鳩山文相と斉藤、高橋両氏の間に城開け渡しの談合が行われたが、既に森は去り、岡田去り、話の魂は抜けた後であり、人と人の関係がピタリ行かぬ点に斉藤子一流の粘りとお上手が応用され、遂に成功しなかった。

第四章　終焉

一　偉大なる闘病精神（発病より死まで）

森は随分身体に無理を重ねている。結婚当時上海の生活では幾晩も続けて徹夜し、寝る時でも多くて四時間を出ないような生活をした。生まれながらにして虚弱であったことを思えば、五十歳まで生きたのが不思議なくらいであった。上海の修業生時代にも病んだことがあり、喘息は当時からの持病であった。一九一七（大正六）年頃からの主治医で、桃冲鉄山まで森について行った佐野伴三氏は最後まで森の身体を預かった人であるが、支那時代に森が喘息で苦しんだと話している。犬養内閣の書記官長時代にも喘息の発作を起こし倒れた事があり、斉藤内閣時代に入ってからは、他人にはそれと告げないけれど、衰弱を意識して房総方面に家を求めた事実がある。

一九三二（昭和七）年七月頃から微熱があった。八月の臨時議会で内田外相との間に歴史的な大演説を試みた当時も既に顔の色は悪く、演説にも生気を欠いている様に思われた。衰弱が来ていたのである。九月に入ると衰弱は増した。十一日鳩山氏と朝霞のゴルフ場でプレーし、雨に濡れて帰ってから本格的に悪化した。いよいよ寝込んだのは九月十八日の夜からであった。

当夜は森にとって感慨深き満洲事変一周年の記念日である。国民新聞主催の記念大演説会が日比谷公会堂で開かれ、森は当夜の真打として出演する約束があった。三十八度くらいの熱があったに拘わらず約束だからといって強引に出席した。しかも一時間四十分に亘る大熱弁を振ったのである。この演説は病人と思えぬくらい、熱と迫力に満ち、堂に溢るゝ聴衆の心を渾然一体となして、森イズムたるアジア・モンロー主義に集約したのであった。しかし悲しい哉、これが最後の大演説であると共に、彼の最期の外出となった。

その演説会を済ませて千駄ヶ谷の自宅に帰った森は、栄枝夫人が未だかつて経験したことのないほどの苦しみ方をしたという。以後再び病床を離れることが出来なかった。家族、友人その他彼の死を惜しむ者は一様に、「当夜の演説会に出席さえしなかったら」と言い、「主催者側が遠慮して呉れたら」と愚痴をこぼす。森の長男新大尉は、その戦死した時、鉄兜を被っていなかった。もし被っていたら戦死せずに済んだのではあるまいか、という愚痴と同じである。しかし何れも宿命であり約束である。天意の前には人間の力は余りにも小さいのである。

自邸に寝込んだ森の症状は急激に悪化して行った。鳩山一郎氏が見舞いと言って差し向けた東京帝大の稲田博士が診察した時は、既に「時間の問題」と診断されたのである。

森は病床にあって悶々の情に堪えない如く、鎌倉行きを主張した。鎌倉の海浜ホテルは昔からの行きつけであり、行けば必ず喘息がよく治るという自信があった。何時でも行けるように部屋が契約してあった。しかし何をいうにも肺炎と喘息の併発であり、高熱の病人である。自動車に揺られて二時間も三時間も旅行する事は、医者の眼からは甚だ冒険であり当然阻止されるのであった。森夫人は佐野主治医に向かって、「貴下の言うことなら肯くから鎌倉行きを断念させてください」と頼んだ。しかし佐野氏は「森さんは言い出したら肯かないから、森さんの意見に従うより致し方がありますまい」と答えるより他、仕方がなかった。佐野氏の見解でも稲田博士の場合と同じく既に時間の問題であるから、本人の意見に従うのが却って医者の採るべき道と信ぜられた。佐野医師が付き添って三時間の自動車旅行を強行した上、海浜ホテルの一室に落ち着いたのは九月の末であった。

病人が寝付いて死ぬまでのことを、診療簿を参考としてくだくだ述べる必要はないが、森の病床生活には多分の教訓と示唆がある。それを逸するのは残念と思うので以下に記そう。

森の病気は、絶対安静を要する肺炎と絶対安静を妨害する激しい喘息との併発であったから、殆んど治療の手がなかった。肺炎を治すためには横臥していなければならぬ。横臥していれば激しい咳が止まらない。喘息を緩和するためには半分起きた姿勢でいなければならぬ。森は寝台の上に半分起きて後ろへ寄りかゝったまゝ死ぬまで一度も横臥したことなく、約三ヵ月間の闘病の苦行を積んだのである。

高熱は続き、咳嗽は激しく、傍の見る眼にもその苦痛は十二分に察せられた。けれども彼は始終一貫ただの一度も苦しいと訴えたことがなく、また、ただの一度も自分の病状について、脈はどうか、熱はどうか、などと医者や看護婦に尋ねたことも無かった。いよいよ死期が近づく一週間程前から高熱のために自我を失い、夢遊病者の如くなってしばしば譫言を言ったが、その譫言の中にも、自分個人の問題や、家庭その他の私的な事を述べたことは無かった。満洲国の現状、打倒斉藤内閣、平沼内閣擁立、アメリカと日本との海軍力の問題その他、すべて政治、軍事、外交の事のみであった。

病床では栄枝夫人、佐野医師、看護婦数名が交代で看護し、当時満鉄の理事だった十河信二氏にあっては、満鉄及び世間の非難をよそにして大連に帰らず、殆んど海浜ホテルに付き添っており、旧部下日笠正治郎氏は事務万端を引き受けて同じく海浜ホテルに詰め切っていた。

森の政界における地位は重く影響面は広かった。平沼内閣の擁立を持続し、そのためには軍部方面との連絡もあった。又一方政友会の党内に於ける森の地位は、党の大勢をリードする程重きをなしていた。そういう訳で森の病状は政治的影響が甚だ大きかった。故に政友会の幹事長山口義一氏は主治医に対し容態の政治的発表を依頼してあったので、世間一般は絶望状態にあるとは思わなかったにしろ、それぞれの関係筋では非常に病態を憂慮し、見舞客はいわゆる天下の名士を網羅していた。しかし大部分は面会して談話する事を主治医から許されず、僅かに病人の眠っている時、屏風の蔭から一寸顔を出して覗いて帰るという風な周到な用意が施された。鳩山一郎、小畑敏四郎、鈴木貞一、白鳥敏夫、石川信吾氏らが僅かに数分の許可を主治医から貰って会談したくらいなものであった。病人は流石に気が弱り、人懐っこくなっていた。これらの人に会った時は、平常如何なる場合にも涙を見せたことがない男が、潸然として泣き、その手を堅く握って離さないのであった。

森が主治医を絶対信用する事は有名で、この点は真鍋嘉一郎教授も感嘆している。佐野主治医は支那時代から森の健康を熟知しており、又一方部下として絶対の信頼を得ていた。又、栄枝夫人の信頼する塩谷信雄博士は森の晩年からの病状に詳しい人であった。佐野、塩谷両氏が森の健康を預かっていた。真鍋教授は最後に森の信頼を得、そして森を信頼した。

真鍋教授が森の診療に当たった経緯については一場のエピソードがある。

森の親友十河信二氏と真鍋教授は愛媛県の同郷関係から親友の間柄であり、また一方森の親友である整形外科の片山国幸博士が真鍋教授と親しい間柄であった。十河氏は森の病状の容易ならぬを憂慮し、片山博士とも相談の上、真鍋教授の診察を依頼したいと思ったが、先に鳩山一郎氏から推薦された稲田博士が一度の診察で森に嫌われているので、慎重に運ぶ必要がある。特に真鍋氏は濱口総理の主治医であった関係もあるので、十河氏は先ず鳩山一郎氏を文相官邸に訪問してその了解を求め、次に森に真鍋氏に診察して貰ってはと勧めたところ、主治医さえ承知ならという事であったから早速主治医の承諾を得て、同博士より直接真鍋氏に依頼状を出すと共に十河氏より真鍋教授に依頼した。教授は直ちに鎌倉に森の病床を見舞い、専心森の診察に従事することになった。

真鍋教授は一九三三（昭和八）年三月号の中央公論に『医師の見た濱口雄幸・森恪』の一篇を寄稿している。その中、森に関する部分を抜粋する。

医師の見た森恪氏

——真鍋嘉一郎氏述——

森恪氏に対しましては、自分は濱口氏程の相識ではなかったが、只一回の面会は十年の知己を得た如き感動を得た。森氏とは汽車の乗り合い、又は斎場に於いて時々顔見合いをするくらいの極あっさりした知り合いであった。が、森氏の無二の親友十河氏の関係によって、森恪氏に接見する機会を得た。相識となる日尚浅きにより同氏の全貌を徹底的に理解したとは言えないけれども、病人としての氏、医師としての立場から見れば自分は敬服せざるを得なかったのである。多くの人々が知るが如く森氏の遺書「人生五十志は君国に在り」というこの言葉に於いて、森氏の全行動を理解し得るのではあるまいか。この言葉は十河氏に聞くところによれば、深く満蒙に入られんとする時の大決心を顕わしたものと聞いている。多くの人は森氏のことを目して人言を容れざる強硬漢として皆畏敬しているために、治療上に非常に困難を感ずることのように想像されていた。**しかし何事も「至誠人を動かす」的に接すれば左程難しいものに非ずと自分は感じている。**一、二人の人は森恪氏が真鍋の言う事をよく聞いたという事について、しばしば自分に怪しみ尋ねられる。その際自分は「**医師たる者は病人と情死するつもりでかゝって行けば大概は病人がいう事を聞いて呉れるという堅い信念を持っている。それが私の唯一の信条だ**」**と答える。**只通り一遍の尽くし振りでは決して医師の言う事を聞くものではないと思う。折から森氏は自分が見舞う前に、佐野、塩谷両医師に身命を託して、断じて動かざるの態度を持って居られた。即ち、一旦信ずれば動かず迷わずという固い意志の信念振りを現している。

この事既に自分をして感慨せしめたのである。また両医師もその信頼とその知遇に感じて一生懸命に涙ぐましいほどまで看護治療せられていた。**病人の幸福は独り有名の医師に手を握って貰うという事のみが幸福ではない。その病人に対して献身的に至誠を捧げて奉仕する医師を側に有するという事が、大きな幸福であらねばならぬ。**森恪氏病篤しと雖も、この至誠ある両氏を有せしという事が一つは森恪氏自身の人格の光であり、非常に幸せであったと信ずる。

自分は森氏に接するや、森氏の心境を質した。「貴下は政界に於ける非凡の活動家である。然るに今、病を得て政界の活動を外にして未練なくこれを度外視し、一に医命に従いて浮世離れした養生をなし得らうるや如何」と尋ねし時、氏は答えて曰く、

「自分は人一倍の活動家であった。勢いによってその活動を持続している。しかし自分としても休養の機会を求めている。幸か不幸かこの際病を得て心残りなく公然と休養する機会を得た。これ正に天が休養を与えてくれた機会と深く信じて一意専心養生三昧に入るのである。外界、政界の活動より遠ざかる事に何ら未練な

し」と答えられた。

尚、「病の経過について如何なる感慨を持ち居るや」と問えば、森氏曰く、「自分は一種の宿命観を持っている。なすべきをなし、尽くすべきを尽くし、その結果に於いては宿命と思い敢えて自ら迷わず。自分は入禅の心をもって静かに外界より絶縁して、専心病の治療に精進す可し云々……」と言われた。こゝに於いて自分は「実に病人として頼もしく、その心境は頼もしきものなり。かゝる頼もしき心境なれば、真鍋風情ごときが貴下と意気投合するならば、自分は本格的に貴下の治療に対して責任を持つべし。只貴下としても尊き命を通り一遍の面識者に依託するのも心なかるべし。今日は君の親友十河氏の親友として、貴下の病状を見舞しのみ。もし貴下が真鍋を信頼する事が出来、自分が貴下と意気投合し得たらば喜んで見舞うべし」と初診の言葉を交わした。尚両医師に対しては、「生死は大命ならんも何とかして国士的人格者なる森氏を救う事について、努力せずんばあるべからず」と激励依頼してその日は辞したのである。爾後日ならずして、森氏は真鍋の来ることを楽しみに待ちつゝあるとの情報に接し、それより時間の許す限り同氏のために尽くしたのである。

森氏の場合に於いては　病気の事に関して一言半句も苦痛を訴えるところなく、又自身より病症の善悪経過に対しても寸毫も質問せしことなし、これ一般人の及ばざるところである。

この事については滅多に遭遇することのない人格者である。しかし森氏の医師観に対しては、「医師たる者は患者の言われざるもその病症の存在、苦痛ありかを徹底的に推察、発見し以て患者を救うことこそ、これ真剣味ある医者の義務なり」と理解したのである。もし医者より本人の苦痛を訪ねる場合には、「それは医師自ら、これを見て知るところに非ずや、云々…」と却って医師をして辱めるが如き言句を吐いた場合があった。森氏がかゝる性格の人たるを承知し居らんには真に同氏の診察を負担すること能わざるべし。自分はかゝる性格者に接することは、森氏が初めてではなくして、先に歿せられた澤柳政太郎博士の如き、全く森氏とこの点に於いて一致していると思われる。幸いにして自分がかゝる偉大なる優越なる性格者に接して、事を誤らなかったというものは、以前に澤柳博士の感化を深く受けておった賜物であると自分は考えて、澤柳博士並びに森氏に感謝するものである。

真鍋、佐野、塩谷三国手を始め、栄枝夫人その他の寝食を忘れた手当と看護にも拘わらず、森の病状は悪化の一途を辿った。普通の病人ならばとうに過去の人となっているべき症状というのが専門家の一致する観測であったに拘わらず、致死的症状を克服して尚一ヵ月余も生存したのは全くその気力、生きねばならぬという努力によるものであった。

十二月初旬からいよいよ最後の段階に到達しかけていた。高熱と衰弱のため常態を逸し、夢遊病者の状態に陥ってしばしば譫言を繰り返した。こんな状態になっても尚平常の潔癖性から大小便を便器で摂ることを承知しなかった。そこで止むを得ず、椅子に穴を掘って下に受けるものを置き、それにまたがって用を足したのであるが、寝台から下りることが既に容易ならぬ業であった。

同月十日の朝七時頃、ポッカリ眼を開いた森は、枕元にいた十河氏の手を取って握り締めた。熱の高い森の手は十河氏の手を冷たく感じたのであろう。「君の手は冷たいな」と言った。十河氏は悲しみの中にも一道の曙光を認めた。「そりゃあ俺の手はアイアン・ハンド（鉄の手）だからネ」と諧謔の中に病人を元気づけようとした。すると森は眼を見開いて「アイアンなんて言わないでスチール（鋼鉄）になってくれ」と言った。ホロリとした十河氏はしかし涙を見せまいと頑張りながら「君の身体こそ本当にスチールだよ。真鍋さんもこんなに抵抗力のある頑丈な身体は見たことがないと言っていた」と告げると、森は「そうだろう」と一言肯いたまゝ、又昏々と眠りに落ちて行った。

同じく十日、岳父瓜生外吉男が殆んど意識不明になった森の病床を訪ねた。かねて森が満洲問題の善後処理について非常に心配していたことを瓜生男は知っていたので、

「満洲問題は君の思う通りになってきたからもう安心してよかろう」と、一言それとなく決別の言葉を述べた。すると森の眼が急に元気よく輝き出した。言葉は発しないが、瓜生男の手を固く握り絞めて離そうとしない。栄枝夫人が心配して無理に別室に退いて貰う涙ぐましいシーンもあった。瓜生男の言う如く、満洲問題の善後処理は犬養内閣当時、彼が委員長となって開いた五省会議のプラン通りに着々と進行し、今は既に日本と満洲国との間に日満議定書が交換され、日本を兄貴分とする満洲国独立は着々と生育の武歩を進めつゝあったのである。

同じ十日の夕方であった。森は突然起き上がって、

「大命が下ったから大礼服を持って来い」

と言う。佐野主治医、栄枝夫人、看護婦らが呆気にとられていると、部屋の隅にある洗面所の方へ歩いて行き、鏡に向かって最敬礼をした。多分最高の場面を夢中に描いていたのだろう。それが済むと「車を持って来い」と言う。自動車で参内する意識の閃きがあったのであろう。看護婦が気を利かせて、「はい、車が参りました」と車の付いた椅子を持って来てそれに腰かけさせ、漸く寝台の上へ寝かせた。それからまた昏々と眠りに落ちた。

時は既に最後の日、十一日の午前二時頃とおぼしき頃、佐野医師が森の脈を握っていた。呼吸は百八十〜九十、脈拍は百二十〜三十という激しい病勢であった。

「何か言い残すことはありませんか？」と問う佐野氏に応えて、

「今の地盤に星が居った。次に横田が来た。次は僕だ。僕は残念だが横田君ほどの働きをしなかったが、一**生のうちで世界を二分することについて貢献し得たのは本懐だ**」

と言った。何かしら感慨深いものがあった。森の理想としたアジア・モンロー主義を指したものである。森はまた「死ぬのは残念だ」と呟いた。この断末魔にまで来て、しかも高熱のため朦朧たる意識の中にもしっかりした意志が働いており、その世界政策や内面問題に対する理想を忘れていないのである。政治家としてなすべきことは限りなく残されている。単に生命が惜しくて死ぬのは残念だという意味ではない事は、前後の事情を通じて明らかである。

現世に発した森の言葉は「死ぬのは残念だ」に終わり、再び深い眠りに陥っていった。栄枝夫人、令息新、卓、令嬢禎子、令弟潤三郎、令妹範多みどり夫人、令弟三田直吉氏、義弟瓜生剛氏夫婦、十河氏夫妻、鳩山氏夫妻らの近親盟友に枕元を守られ、真鍋、佐野、塩谷三国手の手当ても既に尽きて、十一日午前七時十五分、終に永遠に帰ることなき旅に立って行った。享年五十歳、彼のセシル・ローズも又クライブも四十九歳で現世の大志を捨てた。西洋流に数えると東洋のセシル・ローズ森恪も又四十九歳を一期としての他界である。計らざる偶然であり、又天意による必然であったかも知れぬ。

森の法号は近角常観師によって「妙法顕照院英皎日恪大居士」と命名され、十一月十四日青山斎場に於いて葬儀施行、厳父作太郎翁の眠る鶴見総持寺の墓地に埋葬されたが、やがて青山墓地に移された。参拝の便利のため、後日一一会（森の死後、二六会より改称）の人々の希望によったものである。左に、新聞所報による諸式の次第を掲げる。

二　納棺式と通夜（時事新報）

熱血と機略、現在の非常時日本に燦然とその名を謳われた故森恪氏の遺骸は十一日午前、千駄ヶ谷自邸の玄関脇大広間に安置され「妙法顕照院英皎日恪大居士」の戒名も寂しく、昨夜は栄枝夫人、令息新（一八）、卓（一五）、令嬢禎子（一三）、令弟森潤三郎氏、三田直吉氏、令妹範多みどりさん、義兄瓜生剛夫妻、それに老躯を杖に凭れて歩を運んだ岳父瓜生大将、鈴木政友会総裁、鳩山文相ら近親関係者に護られ、芝二本榎日蓮宗上行寺村松憲師の読経の声もしめやかに縷々たる香煙の裡、涙新たに午後十時故人に対する最後の決別を終わり、未亡人、令息、令嬢などの手で遺骸は木の香も新しき寝棺に移され、故人が遺愛の品々鼈甲老眼鏡、印籠それにゴルフ道具一式、葉巻などが共に納められて納棺式を終わり、通夜の第一夜を送った。流石生前政界の名士だけに深更に至る迄故人の知己、親友、党員その他各方面の弔問客踵を接し、煌々と輝く明りの蔭にも一抹の寂寥を漂わせてその遺徳を偲ばせるものがあった。

尚今後告別式までの日程は、▲十二日親戚、関係者、党員通夜、▲十三日親戚、関係者、関東代議士及び党幹部通夜、▲十四日午前七時二十分自宅出棺、青山斎場に於いて午前八時より九時迄葬儀、同九時より十時迄仏式（日蓮宗）により告別式、葬儀委員長鈴木総裁・副委員長島田俊雄氏・事務長十河信二氏▲遺骸は十四日荼毘に付した後、不日鶴見総持寺に埋葬される。

三　葬儀（時事新報）

熱情の政治家として政界に特異の地歩を占めていた故森恪氏の葬儀は、十四日青山斎場に執行された。この日午前六時二十分より千駄ヶ谷の自宅では最後の決別が行われ、霊柩は午前七時二十分自宅を出棺、午前七時五十分斎場に到着、八時より告別式が営まれた。祭壇の「衆議院議員森恪之霊」と書かれた白布の前には故人の写真位牌などが安置され、祭壇の左右には近衛文麿公始め貴顕名士より送られた花輪に埋まる。式は芝上行寺住職の読経に始まり、先ず政友会代表山口幹事長の焼香、続く秋田衆議院議長、政友会栃木支部長の焼香に次いで喪主幼年学校在学の新君、未亡人栄枝さん、次男卓君、長女禎子さんが新たなる涙の裡に焼香する。

葬儀委員長鈴木政友会総裁、同副委員長島田俊雄氏は遺族に続いて焼香、この頃から一木宮相、牧野内相、田中光顕伯、鈴木壮六大将、奈良侍従武官長、永井拓相、小山民政党幹事長、南逓相ら大官名士続々会葬、午前九時より一般告別式に移ったが、焼香参列者は青山電車通りより列をなして続き、全国よりの弔電引きも切らず、遠くジュネーブより松岡代表の心を込めた弔電に葬儀委員も泣かされた。更に青年将校諸氏が三々五々焼香する様は過去の政治家に余り例を見ぬ告別式であった。

資料６７　昭和７年１２月１０日告別式（出典：山浦貫一篇『森恪』）
※向って左より長男新君、栄枝未亡人、次男卓君、長女禎子嬢

十時告別式終了後、霊柩は桐ヶ谷火葬場で荼毘に付し、午後三時鶴見総持寺に埋葬された。

四　反響

森恪君を悼む　（東京日日新聞「日日だより」）　蘇峰生

日本に何が第一に必須といえば人材だ。現代に何が第一欠乏かといえば人材だ。その中に於いて森恪君の如きは多望なる未来の持ち主の一人だ。仮令第一人者でなかったとはいえ、それを今俄かに喪うたのは単に政友会ばかりの損失ではない。記者は実に天下のために嘆惜せねばならぬ。

森恪君は決して中行の士ではなかった。もし醇乎として醇なる君子を求めれば他にその人あろう。世間では森君を以て政友会の闘将と称した。我らも決してそれを否定しない。されど我らが森君に取るところはそればかりではなかった。否それではなかった。

森君は党人中には珍しき国士の風格を具えていた。否党人は彼の仮身にして、国士は彼の真身であった。君は党にありて党を裏切る如き小人ではなかった。同時に党にありて党に全生命を没却するほどの党臭味の陶酔者ではなかった。君は自ら語りたる如く、その志は君国に存した。苟も君国のためならばその一身を犠牲とする漢ではなかった。

況や政党をやだ。好男児森恪の真面目実にこゝに存した。

君は何時も政党を超越して、大局を考察するだけの余裕を持っていた。而も苟も時節到来すれば—不幸にしてその時節は未だ到来しなかったが—政党を超越して活動する事が出来たであろうと思わしむるだけの襟度を持っていた。君はこの意味に於いて政党的でなく国家的であり、国内的でなく世界的であった。恐らく我が大日本帝国を世界の盟主たらしむることが森君畢生の祈願であったろうと記者は信ずる。愛国、憂国の士は皆君の同志だ。記者はこの意味に於いて最も哀悼に堪えない。

森君の過去は恐らくは清浄潔白の過去ではあるまい。その目的は君国に存したるも、その手段は倒行逆施の形跡が皆無と申されまい。されど森君としての政治的生涯はこれからであった。これまではいわば政治家としての訓練時代だ。人生五十とは昔の事、今日では人生の働き盛りは五十以後である。然るにその劈頭にして逝いたのは当人の無念は勿論のこと、我らに取りても如何ばかりの遺憾か今更これを言明する言葉を見出されない。

惟うに森君にして国士の風格あらしめたるは、尊考作太郎翁の庭訓に負うところ多大であったと信ずる。君は屈強にして不覊、容易に人に向かって叩頭しない。しかも単りその父に対しては心から敬愛していた。この父にしてこの子ありとはこの事であろう。嗚呼《ああ》悲矣《かなしいかな》。

○

然諾を重んじた

—国同　山道襄一氏談—

森君は敵に対しては馬鹿に強い頑張りの利く人だった。しかし然諾を重んじ信義を重んずるという点、即ち一度約束をしたら如何なる利害関係でも捨てゝ必ず約束を果たすという勇敢な人だった。森君の亡くなられたことは政友会というよりも我が政界のために一大損失といってよかろう。

○

全く惜しい人物

―鈴木総裁談―

病気になってからどうも気になって仕方がなかった。二度夢で彼と話したことがあったが、その翌日行ってみると必ず悪かった。しかしこんなに早く逝くとは思わなかった。自分と森君の交渉はおよそ十年前からであったが、意志が強くて千万人と雖も我往かんの気概をもっていた一面、情にも極めて脆い方だった。田中内閣時代の幹事長から犬養内閣の書記官長まで、日夜奔走して寝ない日が二、三日続いても平気であったという様な事が健康を害した原因であろう。最後まで国家の事を思って、昨日（十日）瓜生大将が国際連盟の形勢を話したところ彼は非常に喜んだ。如何にも惜しい人物に死なれたもので本人もさぞ無念であったろう。自分も唖然として何を言ってよいか分からぬ。

○

新日本建設の闘士

―永井拓相談―

森君は激烈なる信念に生きた政治家であって、国家のためとあればあらゆる情実を排除して目的を貫徹するに躊躇しなかった。しかも信念に生きるとはいえ他人の忠言を容れるだけの雅量もあった。吾輩はかつて森君らと共に護憲運動に奔走したことがあるが、当時に於ける言動を通じてみても、真に新日本建設の闘士であることを痛感する。
所属政党を異にしていたが、政党政派を超越し、新日本の力強き同志として信頼もし尊敬もしてきた。我が国は今、維新当時にも比すべき日本再建の非常時である際、この森君を失うことは一つの光明を失うにも等しく遺憾この上もない。

○

この難局時に至要の人

―荒木陸相談―

僕と森氏が親しく接したのは犬養内閣に僕が入閣して氏がその書記官長としてであって、政党人としての森氏がどういう人であったかという事は知らぬが、内閣書記官長としての働きぶりを見て、僕はこの人は政府になくてはならぬ偉い人だと思った。森氏はものを放って置かない人だ。問題が起これば何でもテキパキと片づけていく。如何なる大事にぶつかっても些かも動ぜず、堂々と快刀乱魔手腕を振うという剛直な風格を備えている。そういう点で現在最も優れた政治家であった。この時局に際し生きていたならば非常に国家の役に立った人であったろうに今急逝されたのは真に惜しい。

○

涙で語る親友森

―鳩山文相談―

自分と森とは森が代議士になる前からの親友だった。彼の最も良い点は公私の別を実に截然と区別した点であった。公の意見が異なっていても私的生活に於いては始終変わらなかった。彼は刻苦、力そのものゝ男だった。病気になってからも一寸よくなると「病気に克とう克とう」と常に努力していた。六十余日の病中只一回も病気に関しては語らず、口を衝いて出る言葉は常に政治上の問題で、それ以外の事は一言も語らなかった点は実に見る目もいじらしいほどであった。昨日（十日）益田孝男が見えられた時に「やりますぞ必ず」と力強く言ったので、男爵は真鍋さんに「この分ならきっと治りますぞ」と言われたのに、遂に起たず惜しい男を亡くしてしまった。

○

縦横無尽の面影

―小山民政党幹事長談―

森君が初めて代議士になって議会に出た時、政友会幹事としての議場に於ける働きぶりは際立って見えた。丁度往年横田千之助君が幹事長として議場で縦横無尽に切り回した面影をそのまゝ見るようであった。それ以来政治的将来には眼をつけていた。特に田中内閣を経て、犬養氏を総裁に向かえて以来、いよいよ第一線に乗り出し、特に東方政策での同君の活躍は一段現れた感があった。前途尚多大の活躍を期待され、これからという時俄かに逝去せられたことは国家のため又政友会のため惜しんでも余りある。こゝに謹んで同君のため哀悼の意を表する。

○

大胆にして細心

――小笠原長幹伯談――

森君が病臥二ヵ月、遂に起つ能わずその長逝を見るに至った事は痛惜に耐えない。由来森君は俊敏にして現今政党界きっての闘士であった。猪武者の様に批評する人もあったが、しかし大胆な半面には極めて細心なところもあり、有志代議士会などで非常な混乱を見る場合には森君はよくこれを鎮圧する手腕と信望とがあった。世間では森君の長逝によって政府対政友会との関係が有利に好転するように見ている向きもあるがそれは当たらない。

五　森なき政友会

森氏を失い政友の闘士削減　（時事新報）

森恪氏の逝去は、ひとり政友会の大損失のみでなく、今日の如き非常時に於いては、日本の政界にとってもその中心勢力の一つを失ったものとして哀惜されているが、特に苦しい立場におかれるのは、政友会内に於ける森系統の今後である。森系とみられている代議士は三十五、六名に達しているが、これらの諸氏がその統率者を失って果たしてどこへ行くか。

只、この一派は最初から対政府強硬論を以て進んでいるので、当分は党内の強硬組として結束を続けていくであろうが、結局はそれぞれ党内の各種の勢力の中に分解して行くのではないかと見られる。即ちその大部分は鈴木派の直系としてまとまっていくであろうし、その他には鳩山文相を始めとして、松野鶴平、中島守

資料６８　森恪墓（著者撮影）

利、富田光雄、中島知久平の諸氏の系統に参加する者もあるであろう。いずれにしても大体に於いて鈴木総裁を中心とする系統の方に大部分は収まっていくものと思われるから、森氏の死は党内の勢力には大した変化を生じないであろう。ただ政友会全体としては、森氏の如き外部に対して威圧を持った戦闘力の旺盛な政治家を失ったことは、同党今後の動向にかなり大きな影響を与えるものと思われ、押し迫った議会を前にして政府に対する迫力に一種の凄みを失った感のあることは否定する事が出来ない。

○

政友の強硬派・一一会と改名　（都新聞）

政友会強硬派の集まりである二六会は二十六日午後六時より赤坂中川に会合。河上哲太、高橋熊次郎、牧野賤男、中島守利氏ら四十一名出席。先ず二六会は森恪氏中心にやって来たのであるが、森氏亡き今日、この会を如何にすべきかに関し協議した結果、

一、森恪氏の意思を継いで継続する事。
一、今後は森氏の命日十一日を取って一一会と命名する事。
一、統制を図るため世話人幹事を置き、世話人は門田新松、中島守利、田邊七六、河上哲太、村田虎之助とする事。

その他の事項を決定した。

六　森の遺書

森が海浜ホテルで永遠の眠りについた後、例の黒鞄の中から遺書が四通現れた。それはいずれも一九三一（昭和六）年夏の満鮮旅行の際、奉天のヤマトホテルで認められたもので、青い角封筒に黄色の便箋、共にホテルのものである。満洲事変の直前、関東軍の本拠となった奉天に於いて軍の幹部と審議を重ねた森が、何を霊感したか知る由もないが、旅行先で死に対する準備を整えたことは四通の遺書がこれを証明している。しかも長逝する翌年十二月まで、その内容を書き改めることがなかった。一九三二（昭和七）年五月に起きた五・一五事件の直後、澁谷権之助氏が重病を患っている所へ見舞いに行った森は、冗談のように「今お前に死なれては困るんだがなー、お前宛に遺書が書いてあるんだ」と言った事実から推しても四通の遺書は絶対なものであったと推測される。

第一は澁谷権之助、永原正雄、藤井元一、十河信二の四氏に宛てたものである。

舌代
澁谷、永原、藤井、十河四君

○余の志は君国に在り。他に何らの望みあるなし。死後は葬式、告別式、建墓、広告、通知など一切の必要なし。

○相州電気その他のものを処分して栄枝に交付されたし。

○範多の会社に貸金あり、これも栄枝に交付されたし。　以上　恪

第二のものは中公司の藤井元一、林正次両氏に宛てたものである。

中公司　藤井君、林君

○Canada sunの保険金を以て組合同志の者、中公司の社員、寺田未亡人、澁谷、和田、小田、松山らに与える資金とされたし。　以上　恪

万一、霍守華君にして困る様なれば同氏もそれに加名されたし。

(註：寺田未亡人とは元中公司支配人寺田春二氏未亡人のこと。和田とは和田正世氏。小田とは小田文博氏。霍守華氏とは桃冲鉄山の持ち主で、森とは極めて深い交渉のあった人で、支那人中でも稀にみる人格者であった。両人はお互いに深く信じ合い、国籍の別あるを知らなかった。森は霍氏の生活を心配しているのに対し、霍氏は又逆に森の遺族の生活を心配し、もし困っているようなことがあれば及ばずながら何とか方法を講じたいという意味の申し入れをしている。正に涙ぐましき美談と言うべきであろう)

右二通のほか、他の二通は、一つは麹町平河町の叔父森貞範氏に宛てたものであり、一つは澁谷権之助、松山小三郎両氏の連名になっており遺族に関してのものであったが、葬式万端済んだ後、平河町の森邸に関係者相集まって遺書の趣旨を協議実行した後、ストーブにくべられてしまった。

森はその幼児の頃から叔父貞範氏に親しみ、尊敬し信頼していた。森は常に現金を森貞範氏の金庫の中に

預けており、夜中でも必要があれば出しに来たという。如何に叔父貞範氏を信頼していたかの証左ともなる逸話である。

付記

一　我が国の政治体制の変遷

《大正デモクラシー》

A　大正政変

第二次西園寺内閣の後を継いだ第三次桂内閣は、桂太郎が大正天皇の内大臣兼侍従長であったことから、宮中府中の別を乱すとして議会内外の批判を受けた。憲政擁護運動に対抗し、桂は新政党の組織を企てたが内閣は総辞職。しかし桂の新党計画は立憲同志会となって結実し、後の二大政党による政党内閣への道を開くこととなった。

軍部大臣現役武官制の改正を手がけた山本内閣がシーメンス事件で倒れると、元老らの支持もあり、立憲同志会を与党とする第二次大隈内閣が成立した。

B　第一次世界大戦と日本

第一次世界大戦が勃発すると、第二次大隈内閣は日英同盟を理由に参戦する一方、中国へはいわゆる二十一カ条要求を突きつけるなど権益の拡大を図った。大戦末期にはシベリア出兵がきっかけとなり米騒動が起こり、指導層に衝撃を与えた。

一九一九（大正八）年に開かれたパリ講和会議ではベルサイユ条約が締結され、国際連盟の設立が決定された。ベルサイユ体制と呼ばれるこれらの国際安全保障体制と、その後のワシントン会議で締結された諸条約によって、戦後秩序の枠組みが成立した。

C　政党政治の時代

一九一八（大正七）年に立憲政友会総裁の原敬が初の本格的政党内閣を組織したが、原が暗殺されると政友会は分裂し「中間内閣」が続いた。清浦奎吾が超然内閣を組織すると第二次憲政擁護運動が起こり、憲政会総裁の加藤高明を首班とする連立内閣（護憲三派内閣）の成立を見た。一九二五（大正十四）年、いわゆる普通選挙法が成立し、以後、政友会、民政党（同志会・憲政会の後身）が交互に政権を担当する政党内閣の時代を迎える。

《立憲政治の危機》

A　政党内閣の終焉

政党内閣は、外交政策や経済政策の行き詰まり、政争の過熱などから急速に支持を失った。一九三一（昭和六）年の満洲事変勃発後、政党内閣が軍部の独走を抑制できず、翌年五・一五事件で犬養首相が暗殺されると、政党内閣の時代は終焉を迎えた。

支持を回復するため政党は議会改革に動く。しかし、それとは裏腹に政党内閣に憲法上の理論的根拠を与えた天皇機関説が批判を浴びるなど、政党政治の復活は遠のいていった。

B　軍部の台頭

凋落を続ける政党に対して、発言力を増大させていったのは軍部であった。特に一九三六（昭和十一）年の二・二六事件と軍部大臣現役武官制の復活は、軍部の政治的影響力の増大を象徴する出来事であった。後者は、軍部の政治的発言権を保証する手段として利用され、軍部の意向に反する宇垣内閣の成立を阻止するまでに至った。一九三七（昭和十二）年には日中戦争が勃発し、政府が軍部をコントロール出来ぬまゝ泥沼化していった。

C　政党の解消と翼賛政治

第二次世界大戦の勃発とドイツの優勢は、日本とドイツとの提携の機運を高めた。国内では近衛文麿の新体制運動が盛り上がりを見せ、一九四〇（昭和十五）年に各政党は解党し、大政翼賛会が成立する。翼賛政治体制に批判的な議員もいたが、以後終戦まで、議会は戦争遂行に協力する機関となった。

D　戦時下の日本

総力戦へ対応するため、一九三八（昭和十三）年国家総動員法が公布され、国民も大政翼賛会や大日本産業報国会などに組織化されて戦時体制への協力を求められた。一方、戦争の長期化による物資の不足は人々の生活を圧迫した。戦争末期には日本本土も爆撃対象となり、甚大な被害がもたらされた。

二　院外団《いんがいだん》

議員でない党員たちが議会外で組織した政治団体。

帝国議会の開設時〔一八八九（明治二十二）年〕に、政治党派は議員集団としての院内集団と非議員集団としての院外集団に分化した。政党政治が確立し、政党が議員集団として機能するようになると、院外集団は政党本部に直属する行動隊としての院外団に制度化されることになった。第二次大戦前の日本の政党政治に於いて、議会の外で政党活動を行う議員以外の党員及びその団体を言うようになった。

日本の政党は自由民権運動に由来するが、帝国議会開設後は議員を中心とした議会内政党の性格を強める。そこでは、議員が政党を作るのであって政党が議員を出すのではないから、議員以外の党員の存在は限定されるし、議会外における政党の日常的な活動というイメージは成立しない。落選代議士や壮士と呼ばれた政治青年の集まる院外団の主な仕事は、党幹部の護衛、選挙時の有権者狩り出しなどで、反対党の演説会荒しは特に有名であった。

立憲政友会が院外団を正規の機関として発足させたのは、二十世紀の初頭であった。立憲政友会が結党される前の自由党段階に於いて、院外者の組織は壮士団の形をとっていた。名望家集団としての自由党にあって、壮士団は地方組織の役割を果たしていた。村野常右衛門に代表される三多摩壮士の動向が壮士団の代表例である。大正政変を機会に政治活動を開始した大野伴睦は、村野への接近から政友会院外団員となった。

大野は院外団出身政治家の代表例であるが、村野と大野のつながりは、そのまゝ壮士団から院外団への転化の過程を示すものとなっている。

大正政変時の活躍で、院外団は存在意義を認められたが、その活動内容は暴力団に近いものであった。かつての民党《みんとう》（明治時代の自由民権運動を推進してきた自由党・立憲改進党などの民権派各党の総称）の壮士団にみられた暴力主義的行動様式は、そのまゝ吏党《りとう》（明治時代中期の初期帝国議会に於ける政府寄りの姿勢を示した政党の事。但し、本来は自由民権運動を継承する民党側からの蔑称）の院外団組織に受け継がれたが、やがて国家主義団体にその地位を奪われる要因となっている。日本の政党が近代政党化する過程で露呈させた徒党的性格は、院外団に最も端的に現れていた。

三　貴族院研究会

貴族院研究会とは、大日本帝国憲法下の貴族院における政党・院内会派の一つである。

帝国議会創設時に誕生した**政務研究会**を源流として、日本国憲法公布に伴う貴族院廃止まで政界に一大勢力を形成し、貴族院最大会派の地位を保って衆議院の政党勢力と対抗し、また時には協力もした。

研究会は子爵議員を中心に侯爵、伯爵、男爵、勅選、多額納税議員まで幅広い構成員を持っていた。特に会の中心となったのは子爵、男爵の互選議員だった。

一八九〇（明治二十三）年の帝国議会開設に備えて貴族院議員の選出が行われたが、このうち子爵出身者であった岡部長職、山内豊誠、加納久宜、堀田正養らが政策研究と懇親をかねた団体として同年九月二十二日に子爵議員を中心として立ち上げた**政務研究会**は、その後帝国議会の開始と共に小会派や無所属議員を取り込みながら、**木曜会**（同年一月九日）、**同志会**（同年三月十二日）と改称を続け、同年十一月四日に約四十名で**貴族院研究会**を発足、その後も清浦奎吾ら勅選議員や他の華族議員の加入もあり、一年後には七十名にまで増加した。

特に単独の代表者は置かれず、「特務委員」、後に「常務委員」「幹事」と呼ばれる複数の議員による合議制であった。

曾我祐準、谷干城、久保田譲ら庚子会六十二名（旧・懇話会を含む）、南郷茂光らの茶話会十七名、二条基弘ら朝日倶楽部二十四名、有地品之允らの無所属倶楽部六十四名、本田親雄、千家尊福ら木曜会十九名と協力し政党勢力に対抗、更に次々と他の貴族院政党を取り込み、最大の貴族院政党として拡大していく。

次第に山縣有朋の側近である清浦奎吾が同会の指導者として浮上してくる事になる。清浦は枢密顧問官に転身する一九〇六（明治三十九）年まで、貴族院議員として研究会に所属し、研究会を政党に対抗するための最大の牙城として育成する事に努めた。

当時、研究会の主力であった伯爵議員、子爵議員、男爵議員は、いずれも任期七年の互選による選出が行われていた。内務省や司法省の官僚を務め、議会法に通じていた清浦らの主導により、一八九二（明治二十五）年に**尚友会**《しょうゆうかい》という院外団体を結成し、非議員の華族を巻き込んで選挙運動を進めたのである。当時の子爵議員の定数は七十であったが、一八九七（明治三十）年の最初の改選では四十五議席を獲得し、一九一一（明治四十四）年には六十六議席を獲得して、総計で百議席の大台に乗せるなど他会派を圧倒したため、最大会派の地位を保つ事になった。

研究会は、山縣―清浦が主導する**超然主義**を支持して政党政治を否定する路線を取った。憲政党の第一次大隈内閣、立憲政友会の第四次伊藤内閣に際しては、政府提出法案の否決などで倒閣運動の主導的な役目を果たした。ところが、清浦と同じく山縣側近であった平田東助の**茶話会**（幸倶楽部ともいう）との主導権争いが始まり、内部では、清浦によって形成された他会派にはない「**決議拘束主義**」と呼ばれる絶対的な会派拘束（会の決議には全員従う事、会の決議なくして研究会以外の議員提出の法案・決議などに賛成してはならない事、これらに反したものは除名する事）に対する反発より、千家尊福派（主として男爵議員）の離脱、創設メンバーである堀田正養の第一次西園寺内閣（政友会）への入閣と除名騒動、それとこれに反発した議員の脱会などが発生した。

ところが第一次山本内閣総辞職後、清浦に組閣の大命降下がなされながら辞退に追い込まれた事を深く恨んだ研究会は、茶話会の非協力が清浦の内閣総理大臣就任を妨害したとして決別した。その後、青木信光、水野直ら若手議員を中心にこれまでの路線を見直して、政友会との連携や他会派との合併、世襲、勅選、多額納税者議員の勧誘により更なる拡大を目指す「大研究会」構想などが浮上した。この状況をみた政友会総裁原敬は、自らの原内閣を打ち建てると、幹部の三島弥太郎、牧野忠篤らと会談し、大木遠吉ら研究会議員の入閣及び要職への任命を推し進めた。

一方、研究会側も一九一九（大正八）年に伯爵議員が多い甲寅倶楽部を合併して伯爵議員のほとんどを押さえ、続いて一九二二（大正十一）年には将来の貴族院指導者と目されていた近衛文麿公爵（後の首相）を入会させて筆頭常務委員につけるなど勢力拡大を続け、以後四百議席前後であった貴族院の総議席のうち百四十以上を常時確保〔最大数は一九二三（大正十二）年末の百七十四〕するようになる。これは、世襲によって終身の議員身分が保証された公爵議員、侯爵議員や天皇の直接任命による勅選議員の存在により選挙による議席の大幅拡大が望めない貴族院に於いては驚異的な数字であった。原内閣以後、研究会は政党内閣、非政党内閣を問わずに閣僚を入閣させるようになった。だが、こうした姿勢に貴族院の他会派からは「権力志向」と看做され、研究会の膨張に不満を抱く茶話会、同成会、公正会（幸三派）が連携してこれに対抗する姿勢を見せた。

過去最高の百七十四議席を抱えて迎えた一九二四（大正十三）年、**清浦奎吾による清浦内閣が発足**した。同内閣は閣僚のうち外務、陸軍、海軍の三大臣以外の全閣僚を貴族院議員が占めた。しかも、他会派からは一名ずつであったにも関わらず清浦の古巣である研究会からは三名の大臣が入閣した事から、事実上の「研究会内閣」であった。

これに対して政友会をはじめとする政党や一般国民、幸三派のうち入閣を拒否された同成会は勿論のこと、閣僚を出していた茶話会、公正会までが清浦内閣と研究会の糾弾を始めたのである。ところが、一連の第二次護憲運動によって清浦内閣が五ヵ月で崩壊すると、今度は護憲三派に接近して普通選挙法通過と引き換えに政務次官の提供を受けた。これに対して近衛文麿は「貴族院万年御用党」と評している。だが、その一方で貴族院の改革を求める声が上がり、研究会内部からもこれに同調する動きが発生した。これを廓清運動《かくせいうんどう》と呼ぶ。研究会主流派は一九二七（昭和二）年に研究会規則を緩めて決議拘束主義の適用除外特例を定めたものゝ、根本的な改革については拒絶した。このため廓清運動支持派は、一九二四（大正十三）年と一九二七（昭和二）年の二度に亘って離脱した。特に後者の離脱が近衛文麿が中心であったことから、研究会の権威は大いに失墜した。

以後も研究会は最大会派の地位は保ったものゝ、有能な政治指導者を欠き、政治的発言力を失っていった。それでも貴族院を代表する勢力として歴代内閣の多くに閣僚を送り込んだ。特に一九四二（昭和十七）年の**翼賛政治会結成**には重要な役割を果たし、この功績で東條内閣以後貴族院廃止までのすべての内閣で研究会からの入閣者を出すことになった。だが、それが却って仇となり、大東亜戦争（太平洋戦争）敗戦後には石渡荘太郎、広瀬久忠、藤原銀次郎、児玉秀雄、賀屋興宣ら七十六名の所属議員が公職追放の対象となった。

なお、研究会は結成以来、決議拘束主義を堅く守ってきたが、大政翼賛会が結成される頃には、政府への協力が基本となる政治情勢からこれを撤廃した。その後、補充議員の新規参加によって議席数を回復したものゝ、日本国憲法公布による**貴族院廃止に伴って一九四七（昭和二十二）年五月二日に解散**された。なお、解散時には定数三百七十三のうち百四十二議席を占めていた。人脈的には自由民主党に引き継がれる。（出典：フリー百科事典ウィキペディア（Wikipedia)）

四　護憲運動《ごけんうんどう》

大正期、当時の藩閥・官僚政府を打倒して政党内閣を造ろうとした政治運動で、一九一二（大正元）年長州閥で陸軍の長老桂太郎が組閣したために政党、新聞記者などが中心となって起こした**第一次護憲運動**と、一九二四（大正十三）年貴族院中心の清浦内閣に反対し、普通選挙の断行、貴族院の改革を訴えて護憲三派が中心となって起こした**第二次護憲運動**とがある。

明治時代から大正時代にかけて、日本の政治は元老と呼ばれる九人の実力者たちによって牛耳られていた。この九人（山縣有朋、井上馨、松方正義、西郷従道、大山巖、西園寺公望、桂太郎、黒田清隆、伊藤博文）は江戸幕府を倒す討幕運動のとき功績を挙げ、その後の明治政府を指導してきた人物たちであり、うち、西園寺を除く八名は倒幕の中心となった薩摩藩・長州藩の出身者である。法的な規定は無かったが、首相を決定することが出来る権限を持っていた人物たちで、いわゆる藩閥政治を形成していた。

しかしこの頃、藩閥による寡頭体制を批判し、明治憲法による立憲主義思想に基づく民主的な政治を望む動きが台頭して来、「閥族打破・憲政擁護」をスローガンとする**憲政擁護運動（第一次）**が起こされた。

立憲政友会の尾崎行雄と立憲国民党の犬養毅らは、お互いに協力しあって憲政擁護会を結成する。一九一三（大正二）年二月五日、議会で政友会と国民党が桂内閣の不信任案を提案する。

尾崎行雄は、その提案理由を次のように述べている。

「彼らは常に口を開けば直ちに忠愛を唱え、恰も忠君愛国は自分の一手専売の如く唱えておりまするが、そのなすところを見れば、常に玉座の蔭に隠れて政敵を狙撃するが如き挙動を執って居るのである。彼らは玉座を以て胸壁となし、詔勅を以て弾丸に代えて政敵を倒さんとするものではないか」(『大日本憲政史』より)

このような中、桂は議会を解散して、政友会と国民党などの勢力を削ぐために政府干渉による総選挙を行うことで変事に対応しようとした。しかし、この憲政擁護運動は東京だけでは収まらず、関西などに於いても新聞社や議会の邸宅が襲われるなど、各地で桂内閣に反対する暴動が相次いだ。かくして同年二月十一日、桂内閣は総辞職を余儀なくされたのである。大日本帝国憲法の下、大衆運動で内閣が倒されたのはこの時だけである。そのため、このことは**大正政変**とも呼ばれ、藩閥政治の行き詰まりと民主政治の高まりを示す事となったのである。

桂内閣の後に組閣したのは、海軍大将で薩摩藩出身の山本権兵衛(第一次内閣)であった。山本は桂の二の舞を演ずることを避けるため、軍部大臣現役武官制を緩和(陸海軍の大臣は現役の大将・中将から出すこととなっていたが、山本は政党の軍部に対する影響を強めるために予備役や後備役にまで拡大した)して政党に譲歩するなど、国民に対して融和的な政治を執ることで政局の安定化を図っている。このような後継内閣の政策を見ても解るように、第一次憲政擁護運動が成した意義は大きかったといえよう。ただしかし、その後原敬と高橋是清によって政党内閣による政治が行われるも、わずか四年足らずで終わった。

このような中での一九二三(大正十二)年十二月二十七日、帝国議会の開院式に望んだ摂政裕仁親王(後の昭和天皇）が、自称共産主義者の青年である難波大助によって狙撃されたが、裕仁親王は無傷であった（虎ノ門事件）。しかし、この事件により第二次山本権兵衛内閣は責任を取る形で総辞職を余儀なくされ、代わって枢密院議長の清浦奎吾に内閣組閣の大命が下った。しかし清浦内閣は、総理大臣と外務・陸海軍大臣を除くすべての閣僚が貴族院議員から選出されるという**超然内閣**であった。貴族院も帝国議会を構成する両院の一つであったが、一般国民が選挙する議員はいなかった。

この頃には政党内閣の復活や普通選挙要求などが日増しに高まっていたこともあって、再び憲政擁護を求める運動が発生した。いわゆる**第二次憲政擁護運動**である。ただし、第二次憲政擁護運動は第一次のように暴動が起こることもなく、それほど盛り上がることもなかった。これは当時、清浦内閣が一九二四（大正十三）年五月十日に予定されていた総選挙施行のための期間限定の選挙管理内閣であり、中立性に配慮した結果、政党色のない貴族院議員が占めるのは仕方がないとする見方もあったからである。憲政会の加藤高明と革新倶楽部の犬養毅が清浦内閣を批判してその打倒を進めるという、第一次と較べるとあまりにも小規模な運動に過ぎなかったのである。

一九二四（大正十三）年一月十五日、立憲政友会総裁の高橋是清も、加藤や犬養に呼応して清浦内閣打倒を決断する。この頃、政友会は衆議院で二百七十八名の議席を取る第一党であり、高橋は当初、清浦内閣を支持していた。しかしそれは、半年間の期限付の内閣であると見なされていた事、清浦内閣を支持する勢力が衆議院に存在しなければ社会主義者などの過激な運動が高まる危険性があるとしてそれを恐れていた事を理由とするものであり、高橋も本心では清浦内閣にはあまり好意的ではなかったのである。しかし、床次竹二郎らが犬養らと結託して清浦内閣を倒すことに反対し、床次らは政友会の反対派百四十八名を集めて政友会を脱党して**政友本党**を結成する。この政友本党は政友会に残った百三十名を凌ぐことから、第一党となって清浦内閣を支持したのである。これによって政友会は倒閣運動における主導権を失った。

同年一月十八日、退役陸軍中将三浦梧楼の斡旋によって三浦邸に集まった加藤高明、高橋是清、犬養毅らは、互いに協力しあって**護憲三派**を結成し、「清浦内閣を倒して憲政の本義に則り、政党内閣制の確立を期すること」で互いに合意した。

「我輩は前年一度三党首の結合を計って失敗したが、今や官僚内閣の続出するを見て黙止せられず、二度その結合を計るの必要を感ずるに至った。……加藤と前後して高橋も来た。犬養も来た。三党首皆揃うた。そこで我輩が一通り憲政擁護のため三派連合の必要を説くと、何れも異議なく賛成して、護憲三派の結合がいよいよこれに成立ったのだ。……三党首の申し合わせは、憲政の本義に則り政党内閣制の確立を期する事というのであった」(『観樹将軍回顧録』より)

そして同年五月十日に行われた第十五回衆議院議員総選挙の結果、護憲三派からは二百八十六名(憲政会百五十一名。政友会百五名。革新倶楽部三十名)が当選する。これに対して清浦内閣を支持していた政友本党は百九名が当選したに留まり、護憲三派の圧勝に終わった。そして六月、遂に清浦内閣は倒れ、第一党の加藤高明に内閣組閣の大命が下った。加藤は、政友会から二名、革新倶楽部から一名を加えた**護憲三派内閣**を組閣する。こゝに、高橋是清以来三代ぶりの政党内閣が復活したのである。

加藤内閣は陸軍四個師団の廃止（いわゆる「宇垣軍縮」）や予算一億円の削減、有爵議員（註参照）のうち伯・子・男の数を百五十名に減らすなどの貴族院改革、幣原喜重郎の協調外交によるソ連との国交樹立、普通選挙法及び治安維持法の制定などを行った。

（註：**爵位**とは貴族の称号を序列化したものであり、国家が賦与する特権や栄典の制度である。**五爵**《ごしゃく》あるいは**五等爵**《ごとうしゃく》、**公**《こう》**・侯**《こう》**・伯**《はく》**・子**《し》**・男**《だん》などをいう）

五　田中上奏文

田中メモリアル、田中メモランダム、田中覚書とも呼ばれ、中国では田中奏摺、田中奏折と呼ばれる。田中上奏文は中国語で四万字といわれる長文のものである（**日本語の原文は未だ確認されていない**）。

中国の征服には満蒙（満洲・蒙古）の征服が不可欠で、世界征服には中国の征服が不可欠であるとしているため、日本による世界征服の計画書だとされた。しかし、下記の項目を見れば一目瞭然であるが、その内容の要点は満蒙を征服して傀儡政権を作り、如何にして経営するかを具体的に示したものであり、世界征服の計画を示したものではない。

内容は次のような項目と附属文書から構成されている。

一　満蒙に対する積極政策（資料により「総論」とする）
二　満蒙は支那に非らず
三　内外蒙古に対する積極政策
四　朝鮮移民の奨励及び保護政策
五　新大陸の開拓と満蒙鉄道
　通遼熱河間鉄道、洮南より索倫に至る鉄道、長洮鉄道の一部鉄道、吉会鉄道、吉会線及び日本海を中心とする国策、吉会線工事の天然利益と附帯利権、揮春・海林間鉄道、対満蒙貿易主義、大連を中心として大汽船会社を建立し東亜海運交通を把握すること
六　金本位制度の実行
七　第三国の満蒙に対する投資を歓迎すること
八　株式会社経営方針変更の必要
九　拓殖省設立の必要
十　京奉線沿線の大凌河流域
十一　支那移民侵入の防御
十二　病院、学校の独立経営と満蒙文化の充実

最後の病院、学校については極めて短い文章で唐突に終わっている。従って、この文書は不完全な文書を

ベースに作られたとも考えられる。尚、訳語については日華倶楽部（次節註参照）による。

《日本政府による文書の認知》

日本政府は、一九二七（昭和二）年九月に田中義一が上奏したという国策案なるものを入手、それを中国政府が第三回太平洋会議（京都会議）に提出しようとしているという情報を掴んだ。

しかし外務省亜細亜局長有田八郎は、この文書に誤りを見出した。上奏が内大臣ではなく宮内大臣を経由している記述、九ヵ国条約に対する打開策協議に死んだはずの山縣有朋が参加しているという内容、田中義一の欧米訪問やフィリピンでの襲撃事件の記述などについての誤りである。

そこで会議に於いて、田中上奏文が偽書であることを暴露しようとした。しかし、日華倶楽部によると、他国側よりの勧告があり中国は提出を見合わせたという。これが、田中上奏文の存在が確認された最初ということになる。

日華倶楽部が邦訳した田中上奏文の四つの序文のうちの一つに民国十八年九月という日付があることも、一九二九（昭和四）年九月にはこの文書が存在していたことを示しているものといえよう。

〔註：日華倶楽部という団体は、一九二五（大正十四）年十月に創設された日中文化交流団体で、町田経宇が会長、駐日中華民国公使の汪栄寶が名誉会長になっていた。犬養毅や森恪も評議員として名を連ねていた。出版事業も行っている〕

《南京での中国語での雑誌発表》

田中上奏文が中国を始め一般に知られたのは、一九二九（昭和四）年十二月、南京で発行されていた月刊誌『時事月報』に、中国文で「驚心動魄之日本満蒙積極政策（田中義一上日皇之奏章）」が発表されたことによる。（藤井一行談）

『時事月報』の序文は、「明治天皇の遺訓が、第一に台湾掠奪、第二に韓国併合、第三に満蒙掠奪であり、現在は第三期で、現に政治的進取、経済的侵略、人口的移植が上奏文に従って行われつゝある」として警鐘を鳴らしている。田中上奏文はその後、東三省を中心に流布した。

《日中政府の対応》

一九三〇（昭和五）年一月十八日、石射猪太郎吉林省総領事が幣原外務大臣と南京の公使に対して、『時事月報』に掲載された「田中義一の上奏文」と題する長文の「排日記事」が吉林で一部人士にセンセーションを起こし単行本の計画があるらしい事、奉天方面では既に配布されたとの噂がある事、を電報で報じた。

二月九日、重光葵公使は中国国民政府外交部部長王正廷と会見し、「田中上奏文」が事実無根として取り締まることを要請した。王は四月十一日に「出来る丈け取り締まりをなすべし尤も冊子の発売を禁止するが如きは事実上中々徹底せざる感あるから、むしろ貴方公文中の説明を適宜発表し一般の誤解を解く様にしては如何」と答え、四月十二日には機関紙『中央日報』で「田中上奏文」の誤りを報じた。このように当初、中国政府も偽書であると認識していたのである。

《国際連盟理事会論戦に於ける中国の対日勝利》

一九三一（昭和六）年九月、満洲事変が勃発。中国は翌年、ジュネーブの国際連盟第六十九回理事会に於いて「日本は満洲侵略を企図し、世界征服を計画している」と訴え、その根拠として一九三〇（昭和五）年に中国国民政府機関紙で偽書であると報じた田中上奏文を真実の文書として持ち出した。そのため日本政府は田中上奏文が偽書であることを立証する必要にせまられた。

中国は日本が世界征服を目論んでいると強調し国際世論に訴えた一方、日本側は文書の真贋を問題とするに留まった。中国は各国の支持を得て日本を論戦に於いて制した結果、後に日本は常任理事国の地位を捨て国際連盟を脱退し、国際的孤立への道を余儀なくされた。

《国際連盟評議会に於ける日中の見解》

一九三二（昭和七）年の国際連盟評議会に於いて、松岡洋右は日本政府の公式見解として、田中上奏文を北平（北京）駐在陸軍武官と中国人の合作（ただし、翻訳からの二次引用）としている。

「私はその記録が、北平に於ける或公使館附陸軍武官によって或支那人の黙認のもとに造り上げられたものであると信じ得る報告を前にしている。

後に私は確実に信頼し得る方面から、或日本人が東京会議に於ける日本の参加者側の行動計画を含むと称する秘密の報道の報告を起草したということを知ったのであり、今日までそれが真相であることに些少の疑も有して居ない。その記録は支那人に五万ドルで買われた。それは事実であって私に関する限り、私はそれを真実であると信ずるものである」

これに対して同評議会に於いて顧維鈞は中国政府の公式の見解として、

「もしもこの記録が仮に捏造されたものとするも、それは或日本人によって捏造されたに相違ない。何となれば現代の日本が行った政策を、如何なる支那人も詳細に亘ってかくまでうまく言い表し描き出すことは出来ないからである。この問題の最善の証明は実に今日の満洲に於ける全事態である」

と答えた。

《東京裁判での田中文書》

第二次世界大戦敗戦後、極東国際軍事裁判（東京裁判）では、侵略戦争の共同謀議の証拠とすべく国際検察局（ＩＰＳ）が開廷の直前まで田中上奏文を探した。しかし、一九四六（昭和二十一）年五月五日ニューヨーク・タイムズに、元内閣書記官長の鳩山一郎が偽文書であることを主張したインタビューが掲載され、更に、元国務省極東局長のＪ・バランタインが田中上奏文は存在しないことを説明したので、ＩＰＳはこの上奏文を探し出すことを諦めた。

東京裁判当時、中華民国の国防次長であった秦徳純は一九四六（昭和二十一）年七月二十四日、日中戦争の開始に関する証言への反対尋問の中で田中上奏文の真実性について明言はしなかったが、田中上奏文は実在しないとしても現実に行われた行動によって表現されていると主張した。二十五日には、文書の真実性に何か確信があるかとの裁判長の問に対し、「真実のものとも、否とも言えぬ。だが日本が実際に行った事実は田中が預言者であったかの如くさえ思われる」と答えた。最終的に田中上奏文は東京裁判では証拠として採用されなかった。

《最新の中国見解》

しかし、田中上奏文がそれで滅びたわけではない。中国では公式的には依然、歴史事実とされており、一九九一（平成三）年に北京で発行された『民国史大辞典』（尚海・孔凡軍・何虎生 主編　中国広播電視出版社）では次のように記載されている。

「田中義一首相兼外相が一九二七年九月、天皇に上奏した文書。

内容は、支那を征服するためには、まず満蒙を征服しなければならず、世界を征服するためには、まず支那を征服しなければならないとし、そのために鉄血手段を以て中国領土を分裂させることを目標としたもので、日本帝国主義の意図と世界に対する野心を暴露したもの」

《田中上奏文の来歴》

田中上奏文がどのようにして入手されたかについては諸説がある。

◎**余日章説**

『支那人の観た日本の満蒙政策』（日華倶楽部刊）の「緒言」には「余日章が五万ドルの出費によって日本に於いてその原文書を入手し、これを英語に翻訳し、先の第三回太平洋問題調査会会議に提出しようとしたのであったが、他国側よりの勧告があり提出は見合わせた。しかし、その英文訳は諸外国に配られたものであるという」と書かれている。

余日章は、京都会議で議長をつとめた中国側理事会の代表である。

◎**王家楨説**

一つは児島襄の著者『日中戦争一』に掲載されたもので、一九五四（昭和二十九）年八月二十八日付にて香港の雑誌『新自由人』に掲載された「我怎様取得田中密奏」（私はこうして田中秘密上奏文を入手した）と題する**蔡智堪**なる人物の手記が出典である。

手記によると、一九二八（昭和三）年六月に奉天の東三省保安総局司令官公署外交委員王家楨の依頼で、政友会代議士の床次竹二郎を通じて内大臣牧野伸顕に渉りをつけ、その手引きで宮内庁書庫に潜入して上奏文の全文を写し取り、それを王家楨が漢訳したという。宮内庁潜入の経緯は詳しく書かれているが、誤りや不審な記述がみられ、この証言への信頼を失わせている。しかし、全体的な構図としては一致する王家楨自身の書いた文書が存在し、全くでたらめな証言ともいえない。なお、王家楨は張学良の下で働き、日本への留学経験もある。後に国民政府外交部常務次長（一九三〇年―一九三一年）となった。

もう一つは、現代史家・秦郁彦が、一九六〇（昭和三十五）年に発行された中国の史料集に収録されている王家楨の『日本両機密文件中訳本的来歴』という文書で見出したものである。

それによると、「台湾人の友人（秦は蔡智堪と推定する）が某政党の幹事長宅で書き移した機密文書だとして、王家楨に分割して送ってきた。第一級の内容で日本の満蒙政策にも合っているので弁公室のスタッフを動員して翻訳したが、誤字脱字が多く判読困難な部分も少なくなかったので、整合性のある文章に直すのに苦労した。張学良の許可を得て印刷し、うち四冊を南京へ送った。それが、南京で公表され心ならずも宣伝材料として使われてしまった」というものである。

◎ソ連説

（1）ソ連・ロシア公式説

ロシア対外情報庁（ＳＶＲ）の公式説によれば、一九二七（昭和二）年九月にソウルに着任したイワン・チチャエフ総領事〔実際には合同国家政治局（ＯＧＰＵ）外国課支局長〕が、コードネーム「アポ」（職業は通訳で、ロシア人女性を妻とし、貧しい侍階級出身と描写されている）を通して入手したものとされている。

（2）レフ・ダヴィードヴィチ・トロツキー説

これは、ソビエト革命政権初代元首トロツキーが一九四〇（昭和十五）年に当事者の一人として発表した回想である。トロツキーによれば、一九二五（大正十四）年に国家政治局（ＧＰＵ）の日本人協力者を通じて日本の機密文書を入手したことがソ連共産党政治局会議で報告され、米国の協力者を通じて最終的にそれを出版することになった、というものである。トロツキーは、日本政府の行動そのものが田中上奏文の真実性を証明している、としている。

しかし、いずれの説も原文がどのように入手されたかを述べているものゝ、原文の作成者の解明にはあまり結びつかない。

◎鈴木貞一の「談話」説

原文が日本人の手によることは、当時外交の場で田中上奏文に接した重光葵、石射猪太郎、松岡洋右らの人々の見解であるが、この中で松岡洋右が国際連盟で行った発言は注目に値する。「私はその記録が、北平に於ける或公使館附陸軍武官によって或支那人の黙認のもとに造り上げられたものであると信じ得る報告を前にしている…。後に私は確実に信頼し得る方面から、或日本人が東京会議に於ける日本の参加者側の行動計画を含むと称する秘密の報道の報告を起草したということを知ったのであり、今日までそれが真相であることに些少の疑も有していない。その記録は支那人に五万ドルで買われた」と述べている。

公使館附陸軍武官ではなかったが、東方会議のために報告書を書いたという人物が存在する。それは、参謀本部作戦課にいた鈴木貞一である。田中上奏文に関して鈴木貞一が原文を書いたのではないかとして「鈴木貞一氏の談話」を紹介したのは、『昭和史発掘三』（松本清張著）が最初である。『張作霖爆殺』（大江志乃夫著）にも引用されている。「談話」の出典は、一九四一（昭和十六）年に刊行された『森恪』（山浦貫一著）である。

「談話」によると、鈴木は森の依頼を受け、東方会議のために河本大作や石原莞爾らと相談して積極的な満蒙政策の案を書いた。その案というのは、方針だけいうと、「満洲を支那本土から切り離して、そうして別個の土地区画にして、その土地、地域に日本の政治的勢力を入れる。そうして東洋平和の基礎にする」というものである。

結局、東方会議ではこの案の通りにはならなかったが、これが流出して田中上奏文の基となった可能性は考えられる。河本大作や石原莞爾の考えが入っているとすれば、満洲事変などその後の日本の中国侵略の具体的経過と符合するのは当然であるともいえる。

《外交関係者の見解》

当時の外交に関わった人たちが田中上奏文に対しどう述べているかを紹介する。

重光葵は、中国代理公使当時、中国政府に田中上奏文の取り締まり要請をした。

（要約）日本軍部の極端論者の意見が書き変えられたもの。日本の行動は、あたかも田中上奏文を教科書として進められたような状態となった。

「しかし恐らく、日本軍部の極端論者の中にはこれに類似した計画を蔵した者があって、これら無責任なものの意見書なるものが何人かの手に渡り、この種の文書として書き変えられ、宣伝に利用されたものと思われる。

要するに田中覚書なるものは、左右両極端分子の合作になったものと見て差し支えない。而して、その後に発生した東亜の事態と、これに伴う日本の行動とは、恰も田中覚書を教科書として進められたような状態となったので、この文書に対する外国の疑惑は拭い去ることが困難となった」

石射猪太郎は、吉林総領事当時、田中上奏文が『時事月報』十二月号に掲載されたことを幣原外務大臣に報告した。

（要約）後日の巷説によると、一日本人が書きおろし、数万円で中国側に売り込んだもの。満洲事変から太平洋戦争に於いて、この創作が殆どその筋書き通りに実演された。

「会議は私の関するところではなかったが、私はその経過の大様を聞知していた。私の知る限り、東方会議は田中上奏文にあるような、とてつもない大陸侵略計画を評議したものではなく、この上奏文は確かに誰かの創作であった。しかもすばらしい傑作であった。後日の巷説によると、一日本人が書きおろし、数万円で中国側に売り込んだものだとの説であった。

然るにやがて起こった満洲事変、中日事変、太平洋戦争に於いて、この創作が殆どその筋書き通りに実演されたのは驚嘆の他なく、創作者の着想の非凡さとビジョンの広遠さが今さら振り返えられるのであった」

六　金本位制と金解禁・金輸出解禁

金本位制とは、一国の貨幣価値（交換価値）を金に裏付けられた形で金額表示するものであり、商品の価格も金の価値を標準として表示される。この場合、その国の通貨は一定量の金の重さで表わすことが出来、これを**法定金平価**という。

狭義では、その国の貨幣制度の根幹を成す基準を金と定め、その基礎となる貨幣、すなわち本位貨幣を金貨とし、これに自由鋳造、自由融解を認め、無制限通用力を与えた制度である。これは特に**金貨本位制**という。つまり、金そのものを貨幣として実際に流通させる事である。実際には、流通に足りる金貨が常備できない、高額になりがちな金貨は持ち運びが不便などの理由により、金貨を流通させられない場合が多い。そこで、中央銀行が金地金との交換を保証された兌換《だかん》紙幣とその補助貨幣を流通させる事により、貨幣価値を金に裏付けさせる事が行われた。これを**金地金本位制**《きんじきんほんいせい》という。

一般には、金貨本位制と金地金本位制を含めて金本位制という。さらに、自国で金本位制を実施出来ない場合でも、これを行っている他国の通貨と自国通貨との一定の交換性が保証されている場合には、為替を通じて間接的に金との兌換が行われていると考え、これを**金為替本位制**《きんがわせほんいせい》と呼ぶ。広義では、この金為替本位制も金本位制に含める。

金解禁或は**金輸出解禁**とは、金（金貨及び金地金）の輸出許可制を廃止して金本位制に復帰すること。特に日本に於いては、一九三〇（昭和五）年に濱口内閣によって行われた金解禁（一九二九（昭和四）年大蔵省令第二十七号）の措置を指すが、翌年の犬養内閣によって行われた**金輸出（再）禁止**（一九三一（昭和六）年大蔵省令第三十六号）に至るまでの一連の経済政策をまとめてそう呼称する場合もある。

七　近衛文麿

こゝで、憲法研究会なるものを森恪ら少壮議員と共に組織し、政党政派を超えて時事問題を研究し、森が少なからず影響を与えたその後の近衛文麿氏を見てみる必要性に迫られる。

近衛氏の政治思想は、京大在学中にオスカー・ワイルドの『社会主義の下に於ける人間の魂』を訳したことでも解るように、社会主義的人道主義、平等主義から出発している。ところが、こうした彼の人道主義、平等主義は、次第に日本民族の伝統精神に基礎をおくようになって行ったのである。

一九一八（大正七）年に発表した論文『英米本位の平和主義を排す』によると、植民地国家である英米のいう平和とは「英米に都合のよい現状維持」であり、「日本のような後発国が膨張発展すべき余地がない状況を打破することは正当だ」という論旨を述べている。

近衛氏の時局に対する見方は、満洲事変勃発の頃より急速に森恪らの主張に近づいて行き、西園寺公を始めとする重臣らとの意見に疎隔を生じるようになった。こうした近衛氏の意識の変化は、実は国民の意識の変化とパラレルの関係にあって、なぜあれだけ政党政治や議会政治を擁護した近衛氏が、満洲事変以降、軍を支持するに至ったのかを理解すれば、それは同時に当時の国民の思想を理解することにもなる。満洲事変以降の軍の行動を思想的或は心情的に是認していた。それ故に、軍の支持を受けた訳だが、近衛氏としてはそうした自らの思想（持たざる国の現状打破を正当化する思想）に沿って、むしろ積極的に「先手」を打ち、日本の「運命の道」を切り拓くことで政治の主導権を軍から取り返そうとしたのである。

欧米が国際連盟規約や不戦条約を根拠に日本を非難する資格はない、とする近衛氏の強硬論は、軍部を勢いづかせ、国民的人気も高まった。これらに後押しされる形で一九三七（昭和十二）年六月、首相になる。その後の支那事変に始まる日中戦争の下で進行した我が国の国家的変質には深く関与した。それは、国際秩序への挑戦であり、立憲体制の崩壊だった。更には、軍官僚主導による国策決定であり、国家総動員体制の確立だったのである。これらにより大東亜戦争への道を驀進したのである。

結局、近衛氏の思想は、尊皇思想に基づく天皇親政という家族主義的国家観に由来する一君万民平等思想であったことに決着したのであった。

後年の近衛氏の述懐に「西園寺公は強い人であった。実に所信に忠実な人であった。そして徹底した自由主義、議会主義であった。自分は思想的に色々遍歴をした。社会主義にも、国粋主義にも、ファッショにも惹かれた。各種の思想、党派の人々とも交友を持った。しかし老公は徹底していた。終始一貫して自由主義者であり、政党主義者であった。自分は、ナチ化は飽くまで防いだが、大政翼賛会という訳の判らないものまで作ってしまった。がやはり、老公の政党政治が良かったのである。これ以外によい政治方式はないのかも知れない。識見といゝ、勇気といゝ、やはり老公は偉い人であった云々」とあり興味深い。

一九四五（昭和二十）年十二月六日にＧＨＱからの逮捕命令が伝えられ、近衛氏はA級戦犯として極東国際軍事裁判で裁かれることが最終的に決定したが、巣鴨拘置所に出頭を命じられた最終期限日の同月十六日未明、荻外荘で青酸カリを服毒して自殺した。五十四歳二ヵ月での死去は、日本の総理大臣経験者では最も若い没年齢である。また総理大臣経験者として死因が自殺である人物は、近衛氏が唯一でもある。

八　統帥権干犯問題

統帥権《とうすいけん》とは、大日本帝国憲法下の日本における軍隊を指揮監督する最高の権限（最高指揮権）をいう。大日本帝国憲法第十一条が定めていた天皇大権のひとつで、陸軍や海軍への統帥の権能を指す。その内容は陸海軍の組織と編制などの制度及び勤務規則の設定、人事と職務の決定、出兵と撤兵の命令、戦略の決定、軍事作戦の立案や指揮命令などの権能である。これらは陸軍では陸軍大臣と参謀総長に、海軍では海軍大臣と軍令部総長に委託され、各大臣は**軍政権**を、参謀総長と軍令部総長は**軍令権**を担った。

この軍令と国務大臣が輔弼するところの軍政の範囲についての争いが原因で、**統帥権干犯問題**が発生する。この明治憲法が抱えていた欠陥が大東亜戦争終戦に至るまでの日本の軍国主義化を助長した点は否めない。

一事例として、海軍軍令部長加藤寛治大将らロンドン海軍軍縮条約の強硬反対派（艦隊派）は統帥権を拡大解釈し、兵力量の決定も統帥権に関係するとして、濱口雄幸内閣が海軍軍令部の意に反して軍縮条約を締結したのは統帥権の独立を犯したものだ、として攻撃した。

一九三〇（昭和五）年四月下旬に始まった帝国議会衆議院本会議で、野党の政友会総裁の犬養毅と鳩山一郎は「ロンドン海軍軍縮条約は、軍令部が要求していた補助艦の対米比七割には満たない」「軍令部の反対意見を無視した条約調印は統帥権の干犯である」と政府を攻撃した。元内閣法制局長官で法学者だった枢密院議長倉富勇三郎も統帥権干犯に同調する動きを見せた。六月海軍軍令部長加藤寛治大将は昭和天皇に帷幄上奏し辞職した。この騒動は、民間の右翼団体をも巻き込んだ。

条約の批准権は昭和天皇にあった。濱口雄幸総理はそのような反対論を押し切り帝国議会で可決を得、その後昭和天皇に裁可を求め上奏した。昭和天皇は枢密院へ諮詢、倉富の意に反し十月一日同院本会議で可決、翌日昭和天皇は裁可した。こうしてロンドン海軍軍縮条約は批准を実現したのである。

森恪　年表（一九一九年～死亡まで）

西暦	年号	年齢	事績	参照事項
一九一九	八	三十七歳	五月　慶応義塾にて「支那解放論」を講演。 六月　二男卓生まれる。（二十七日） ○この夏、松野鶴平の補欠選挙に熊本にて最初の政談演説をする。 十二月　海州鉱山採鉱権を獲得、錦屏公司を興してこれを経営する。 ○この年、東京地下鉄道会社を計画する。	一月　パリ平和会議開催、国際連盟樹立決定。 二月　支那南北平和会議開催。 三月　朝鮮万歳事件。 〃　コミンテルン創立大会、モスクワで開催。 五月　支那にて排日及び排日貨運動起きる。 六月　ベルサイユ条約（国際連盟規約）調印。 十月　孫文、中華革命党を中国国民党に改組。総理に就任。
一九二〇	九	三十八歳	四月　三井物産株式会社退社。（二十三日） 五月　搭連炭鉱売買契約成立。（四日） 〃　神奈川県より立候補し、初めて衆議院議員に当選。（十日） 十一月　銀杯一組を賜う（大正四年及至九年事件の功）。（一日） ○満洲採炭株式会社を興し、専務取締役となる。 ○この年、琉球燐鉱公司経営。	一月　世界平和克復の大詔下る。国際連盟発足。 三月　尼港にて日本人、ロシア・パルチザンに惨殺さる。 四月　沿海州守備のため出兵。 五月　尼港事件。 六月　尼港占領。

一九二一	一〇	三十九歳	○この春、近衛文麿公、山口義一らと憲法研究会を開く。 三月　長女禎子生まれる。（二十日） 五月　岳父海軍大将瓜生外吉、米国アナポリスの兵学校同窓会出席のため出発。ワシントン会議参加を諾す。（八日）	二月　衆議院予算総会にて憲政会早速整爾、満鉄事件を政府に肉薄する。（二日） 三月　満鉄副社長中西清一、背任罪として告訴れさる。（七日） 〃　政府問責決議案上程、少数を以て否決される。（十七日） 五月　東方会議開催。 八月　ワシントン会議参加招請公文を受ける。 九月　徳川家達、加藤友三郎らをワシントン会議全権委員に命ずる。 十一月　首相原敬、東京駅にて暗殺される。（犯人・中岡良一） 十二月　日英同盟廃棄。
一九二二	一一	四十歳	四月　琉球近海の漁業権を獲り、南海漁業公司を興す。	一月　大隈重信没。 二月　山縣有朋没。 〃　ワシントン会議終結（海軍軍備制限条約調印・中国に関する九カ国条約・中国の関税に関する条約調印）。 四月　第一次奉直戦争。 五月　張作霖、東三省独立宣言。 八月　第一次国共合作。 十月　シベリア派遣軍すべて帰還。 十二月　ソビエト社会主義共和国連邦成立。

一九二三	一二	四十一歳	六月　南海漁業公司並びに琉球燐鉱公司現場視察する。 十二月　小田原電鉄副社長となる。 〃　政友会院内幹事となる。 ○この年、琉球燐鉱公司解散。	一月　孫文、上海で中国国民党宣言発表。 二月　孫文、広東に帰り大元帥となる。 三月　日本に日支二十一ヵ条条約破棄を通告。日本これを拒否。 九月　関東大震災。 十二月　虎ノ門事件（犯人・難波大助、摂政を狙撃）、山本内閣引責辞職。
一九二四	一三	四十二歳	一月　県会議員選挙に当たり秦豊助の地盤浦和にて貴革演説をする。 〃　三派少壮代議士、六本木大和田にて会して貴革申合せをなす。（十四日） 〃　床次派、政友会を脱して政友本党を組織する。（十六日） 〃　第四十八回議会解散。（三十一日） 二月　東洋塩業株式会社解散。 〃　政友会幹事。 五月　衆議院議員選挙に落選。 〃　貴革運動鮮烈化する。 六月　政友会院外団常任幹事。 〃　書記官長江木翼、貴革案を提出する。	一月　清浦奎吾内閣成立。第一次護憲運動始まる。 〃　中国国民党第一回大会開催（国共合作）。孫文、三民主義。 六月　清浦内閣総辞職、第一次加藤高明内閣成立。 九月　支那動乱（第二次奉直戦争）、厳正中立不干渉声明。 十月　孫文『大亜細亜問題（俗に大アジア主義と呼ばれる）』講演。

西暦	一九二五	一九二六
大正	一四	一五 ※十二月二十五日より昭和一
年齢	四十三歳	四十四歳
事項	二月 横田千之助逝去。(四日) 〃 初めて田中義一と会見する。 三月 故横田千之助選挙地盤栃木より衆議院議員選挙に立候補。 〃 衆議院議員当選。(三十日) 十月 群馬館林にて貴革演説をなす。(十七日)	
一般	一月 日ソ基本条約調印。 三月 東京放送局開設。 〃 無産政党出現。 〃 農商務省を農林・商工二省に分かつ。 〃 孫文、北京に歿する。 四月 高橋是清、農商務大臣及び政友会総裁を辞す。(三日) 〃 田中義一、政友会総裁となる。(十〇日) 〃 治安維持法公布。 五月 政友、革新、中正合同有志協議会開催。(五日) 〃 犬養毅、逓信大臣並びに代議士を辞す。(二十八日) 七月 加藤高明内閣総辞職、翌三月再組閣。 八月 政本提携成る。 十二月 政本提携反古となり、鳩山一郎ら二十一名政本党を去り同交会を結成する。 〃 北支にて奉国両軍開戦、郭松齢軍敗滅、処刑される。	一月 加藤高明歿し、若槻禮次郎内閣成立。 二月 鳩山一郎らの同交会、政友会に合同する。

一九二六	一五 ※十二月二十五日より昭和一	四十四歳		三月　大阪松島事件起こる。 七月　蒋介石、国民革命軍総司令に就任。北伐開始。 十月　労働農民党成立。 十一月　後藤新平政本提携に乗り出す。 十二月　社会民衆党成立。 〃　張作霖、北京で安国軍組織、総司令就任。 〃　大正天皇崩御。（二十五日）
一九二七	二	四十五歳	二月　山本条太郎、松岡洋右らと共に政友会代表として武漢政府視察に赴く。 三月　支那視察より帰る。（十七日） 四月　外務政務次官に任ぜられる。叙高等官一等。（二十二日） 〃　森恪事務所を法人組織とし中公司と改称する。 五月　外務省所管事務政府委員被仰付。（三日） 〃　外務省所管事務政府委員被免。（九日） 〃　叙正五位。（十六日） 〃　憲政会政友本党と合同して民政党組織される。（二十八日） 六月　東方会議。（二十七日～七月七日） 七月　人口食糧問題調査会委員被仰付。（七日）	一月　第五十二回議会再開、朴烈事件に関する政府不信任案撤回。 三月　片岡蔵相の失言に端を発し財界混乱。 〃　上海日本領事館襲撃事件（南京事件）。 四月　田中義一内閣成立。（二十日） 〃　全国に三週間モラトリウム施行。 〃　漢口日本租界襲撃事件（漢口事件）。 〃　露支両国、国交断絶する。 五月　第一次山東出兵断行。 六月　立憲民政党発会式。 〃　支那、日本の出兵に抗議。 〃　張作霖、安国軍政府を組織。大元帥に就任。 八月　満洲に排日運動起こる。 〃　日本、山東派遣軍撤退。

			〃 関税調査委員会委員被仰付。(二十一日) 八月 満蒙積極策への実情調査のため渡満。(十一日) 〃 奉天にて東方会議。(十三日) 〃 大連にて東方会議。(十四日) 〃 旅順にて東方会議。(十五日) 十一月 拓殖省設置準備委員会委員被仰付。(三十日) 十二月 厳父作太郎翁逝去享年七十四歳。(二十四日) 〃 外務省所管事務政府委員被仰付。	十月 山本条太郎満鉄社長・張作霖会談（満蒙五鉄道建設諒解成立）。 十一月 国民党の南京武漢両軍抗争。蒋介石、汪兆銘と妥協。 十二月 国民政府、対露断交を宣言。
一九二八	三	四十六歳	一月 第五十四議会解散。(二十一日) 〃 外務省所管事務政府委員被免。(二十一日) 二月 衆議院議員当選(第一次普選)(二十日) 四月 外務省所管事務政府委員被仰付。(二十一日) 五月 外務省所管事務政府委員会被免。(七日) 十月 対支文化事業調査会政府委員被仰付。(十三日) 十一月 金杯一個を賜る。(十日) 十二月 外務省所管事務政府委員被仰付。(二十四日)	二月 普選最初の総選挙。 三月 日本共産党大検挙。 四月 第二次山東出兵。 四月 尾崎行雄の政治国難決議案上程される。(二十八日) 五月 鈴木内相辞任。(四日) 〃 内閣改造、望月圭介逓相より内相に転じ、久原房之逓相となる。 〃 水野文相優諚問題にて辞任、勝田主計文相となる。(四日) 〃 第三次山東出兵。 〃 済南にて日支兵衝突し第三師団出動（済南事件）

一九二八	三	四十六歳		六月 張作霖退京通電、張作霖呉俊陞京奉鉄道列車にて爆死、国民軍北京入城、北京を北平と改める（北伐完成）。 八月 日本、ケロッグ・ブリアン条約（不戦条約）に署名。 十月 国民政府組織法発布され、蒋介石政府主席となる。 十二月 東三省易幟通告。
一九二九	四	四十七歳	三月 外務省所管事務政府委員被免。（二十六日） 四月 依願免本官。（二十七日） 〃 政友会幹事長に就任する。（二十八日） 十一月 金解禁反対の大論文を「政友」十一月号に発表する。	一月 漢口に排日暴動起る。 〃 日支関税協定成立。 二月 南京事件支払交渉解決。 三月 日支済南事件調印。 〃 済南事件協定成り正式調印。 六月 拓務省新設。 七月 濱口雄幸民政党内閣成立。 〃 政府、張作霖爆殺事件の責任者処分を発表。 〃 政府金解禁断行を予告。 〃 ソ連、中国との国交断絶宣言。 九月 政友会総裁田中義一急逝。（二十九日） 十月 犬養毅第六代政友会総裁となる。（十二日） 十一月 ロンドン海軍軍縮会議全権委員若槻禮次郎、財部彪出発。

一九三〇	五	四十八歳	一月　第五十七回議会解散。（二十一日） 二月　衆議院議員当選。（二十日） ○この年、霧社蕃事件調査のため坂本一角を台湾現地に派す。 ○この年、ブラッセル万国議員会議に土倉宗明を派し、序に欧州諸国の政治事情を調査せしむ。	一月　政府金解禁を断行す。（十一日） 〃　ロンドン軍縮会議開会。 六月　若槻全権軍縮会議を終えて帰朝。 十月　台湾霧社の蕃人反乱を起こす。 十一月　濱口首相東京駅にて狙撃される。（犯人・愛国社員佐郷屋留雄） 十二月　南京、漢口、両事件賠償交渉、日支間に成立。
一九三一	六	四十九歳	二月　衆議院予算総会にて幣原首相代理の失言問題起こる。同夜政友会幹部会にて森幹事長、幣原失言問題について声明文を発表。（三日） 三月　政友会総務となる。 七月　万宝山事件を中心に満蒙視察に赴き八月帰る。 十二月　任内閣書記官長。敍高等官一等。特に親任官の待遇を賜う。（十三日） 〃　敍従四位。（十五日） 〃　資源審議会委員被仰付。（二十二日）	一月　松岡洋右議員、衆議院本会議で幣原喜重郎の対外政策批判、「満蒙は日本の生命線」と演説。 三月　ロシア通商代表東京駅に狙撃さる。 四月　第二次若槻内閣成立。 六月　宇垣一成朝鮮総督となる。 〃　大日本生産党、全国労農大衆党生まれる。 七月　万宝山事件。 八月　濱口前首相逝去。 九月　満洲事変勃発。国際連盟、日支紛争に関する緊急理事会開く。

一九三一	六	四十九歳	十二月 中央諸官衛建築準備委員会委員仰付。（二十二日） 〃 第六十回帝国議会政府委員被仰付。（二十四日） 〃 中央統計委員会委員被仰付。（二十八日） 〃 対支文化事業調査委員会委員被仰付。（二十八日）	十二月 犬養毅政友会内閣成立。（十三日） 〃 金輸出再禁止。 〃 国際連盟理事会、満洲問題調査委員会設決議案可決（リットン調査団）。関東軍、錦州に進撃開始。
一九三二	七	五十歳	一月 行政裁判法及訴願法改正委員会委員を命じられる。（十四日） 〃 議会解散（二十一日） 〃 国際観光委員会委員被仰付。（二十三日） 二月 法制審議会委員被仰付。（十日） 〃 臨時ローマ字調査委員被仰付。（十日） 〃 衆議院議員当選。（二十日） 三月 文政審議会委員被仰付。（三日） 〃 第六十一回帝国議会政府委員被仰付（十九日）。 〃 辞表提出。（二十一日） 四月 叙勲三等授瑞宝章。（十三日） 五月 政友会関東大会にて連盟脱退暗示の演説をなす。（八日）	一月 桜田門事件（犯人・李奉昌）（八日） 〃 関東軍、錦州を占領。 〃 外務、陸軍首脳部の対満政策審議会開かる。 〃 第一次上海事変突発。（十八日） 二月 上海事件に関し、英米両国より正式抗議来る。 〃 前蔵相井上準之助兇漢の狙撃に斃る（犯人・血盟団員）。 〃 国際連盟の支那調査委員（リットン調査団）一行来朝。 三月 満洲国建国。 〃 團琢磨兇漢の狙撃に斃る（犯人・血盟団員菱沼五郎）。 〃 中橋内相辞任、首相これを兼任する。

〃　依願免本官。（二十六日）
七月　中央統計委員臨時委員被仰付。（一日）
〃　発病。
九月　国民新聞社主催大講演会にて「亜細亜に還れ」と題して獅子吼す。（十八日）
十二月　鎌倉にて死去する。（十一日）
〃　特旨を以て位一級追陞さる。敍正四位。
（昭和十年）叙勲二等授旭日重光章（昭和六年及至七年事変の功）

〃　内閣改造成り、鈴木喜三郎内相、川村竹治法相となる。（二十五日）
〃　山口義一政友会幹事長となる。（二十七日）
〃　国際連盟総会、日中紛争に関する決議案（満洲国不承認）採択される。
四月　上海排日テロ団のため白川、野村陸海軍司令官、重光公使等負傷する。（二十九日）
五月　日支停戦交渉の協定成立。
〃　犬養首相暗殺さる（五・一五事件）（十五日）
〃　鈴木喜三郎政友会後任総裁に決定。（十六日）
〃　鈴木政友会総裁荒木陸相と会見、政党軍部の妥協成立。（十八日）
八月　斉藤實内閣成立。（二十三日）
〃　陸軍大将武藤信義、関東軍司令官、特命全権大使並びに関東長官に親補さる。
九月　日満議定書調印。
〃　我国、満洲国を承認。
〃　松岡洋右国際連盟帝国代表に任命される。
十一月　日満連絡航空開始。
十二月　露支国交回復。

おわりに

森は、どんな場合でも先ず的確な情報を掴んでそれを判断行動の基礎にすることを支那生活で学んだ。そして、それを政治生活に存分に活用した。

森恪の信念に基づいた思考、行動力、粘り強い交渉力、人・会社・社会を動かす説得力は稀有の才能であろう。

如何なる事項に対しても、知友、専門家たちの知遇を駆使し、意見を集約し、その得られた思考を自分のものとして、又、反対の意見を有する者へは説得して対処し、それらを政策へと反映させる手法が政治の一手法であると見るならば、機に及び敏なる事が必要である事を森の言動により垣間見る事が出来る。

それらは、独特のセンスと経験の積み重ねからなされたものであり、その決断と実行力は何人もなし得ない森独特のものでなかろうか。

その上、政治家として、然諾を重んじ、党人として公約を守る事の大切さを痛烈に説得すると共に、自ら立ちはだかる姿こそ森恪の真骨頂である。

その例の代表が、第二次山東出兵に際し、森の取った政治家として、党人としての一本筋の通った言動である。

国内はもとより、国外で活躍している人たちにとって自国の政治体制は掛け替えのないものであり、又、頼りである。まして戦時の最中の外国での活動は如何ばかりであろうか。外地で奮闘し、恐怖に慄いている在留邦人への力は如何ばかりであったろうかは想像に難くない。それは遠く離れた外国で活躍する日本人に対する信義であり、これこそが政治ではなかろうか。

この様にして、森の内外人・政府を説く手法は、懇々と実情を説き、その改善策を提案するものであり、将来の我が国の国策上に大いに貢献した。

森は特に「日本人はもっともっと政治と外交に関心を持たなければ国が亡びる」と憂い、自身はそれを実業家時代に肌身で学んだ。また、「内閣の寿命は十年くらい続かなければ一貫した政策は行えぬ」と、変遷する国家の政治体制・政策を嘆いていた。それらは、いずれも現代にも生きている理念である。

我々は森恪を通して、政治とは何か、或は政治とは何を意味するかという問いに対する一つの答を学んだ。しかしそれは、観察者、研究者の持っている経験や問題意識によって異なり、更にまた政治という言葉それ自体がもっている語源的な意味に影響される面があろう。

国際政治は、国内政治と根本的に異なる性質を持っている。国内政治は国家の内部での事象であったが、国際政治は国家の関係の中で発生するからである。

国内政治を観察する場合は、国家には主権があり、領域に於いてその主権は絶対的なものとされる。しかしながら実際には理論通りではない。国家の主権が有効である領域に於いても、例えば外国の軍事力により占領された場合には、最早その地域の主権の実際の有効性は失われる。その意味で主権は国際政治に於いては多数が並存する相対的なものとして捉えることが出来る。

世界政府というものが存在しないため、主権国家同士は国内政治とはまた異なる種類の権謀術数を行うために、国内政治には見られない同盟や貿易、戦争などの現象も見られる。

また有史以来、政治のあるところには特定の思想、世論、意識、行動を誘導する意図を持った宣伝行為があり、しばしば大きな政治的意味を持つプロパガンダが存在した。どのような形態の国家にも多かれ少なかれ存在するものだが、特定のグループが政治権力とメディアを掌握している国でそれは行われるものである。

更に、教育とプロパガンダが表裏一体となる場合がしばしば見られる。初等教育の頃から国民に対して政府や支配政党への支持、ナショナリズム、国家防衛の思想などを擦り込むことにより、国策プロパガンダの威力は絶大なものとなる。これ故、あらゆる政治的権力がプロパガンダを必要としている所以でもある。

その一つの例に、我が国で戦後教育を指導してきた似非左翼と日教組がある。彼らはプロパガンダを利用して日本人の戦後史観を歪め、そしてそれが現代の今も持続している。そのために、それらの矯正の責任は、国民一人一人に委ねられているのである。

ところで、森恪をして現代の識者の一般的な論評に「明治維新以来の自由民権運動の積み重ねの中でようやく確立しつゝあった日本の立憲政治、政党政治を、軍や右翼と結託して内部から崩壊させ、それを軍主導の一国一党制の全体主義体制へと強引しようとし、この間、日本の立憲政治確立のために尽くしてきた政治家をテロの標的としたと言われ、将に日本の近代政治史上最強の疫病神ともいうべき人物」と評されていることも大変興味深いのでこゝに紹介し、筆を置こう。

著者の言葉（後記）

本著は、山浦貫一《やまうらかんいち》編の『東亞新体制の先駆　森恪』（森恪伝記編纂会）を基に大略を得たが、事業家を試みる人、政治家を志す人、外交官を目指す人、将又国家安全保障への奉職に貢献する人々には是非読了を願いたい。

ところで、山浦氏は同書『森恪』を上程するに当たり、伝記の主人公と編者の関係を述べさせて頂きたい、として次のように記している。

「森さんと私の交際は、大正九年、森さんが代議士に当選してきてからであるが、私の義兄（妻の兄）工藤耕一の母富子は、森さんの商工中学時代に知己であったという。

森さんがかつて当時の追想談をした時『君のおふくろは女丈夫だった』と言ったことがある。

そんな関係もあって、政治家と新聞記者の交際から一歩進んだ関係にまで深入りしたのであった。伝記編纂の業に当たるのも偶然ではなかったかも知れぬ云々」

それにしても、山浦氏の言語の操り様に感嘆したのは幾度あったであろうか。感服という他表現のしようがない。

しかしながら、同書を完読するには、意志と根性がなければ到底適わず、まして内容を理解するには歴史・地理・科学・哲学・経済・政治・人事管理能力・人間関係の綾を理解し、また駆使しなければ不可能であることを改めて知ることになろう。

尚、当用漢字で育った愚者は、旧漢字、旧仮名づかいには閉口したものである。国語、まして漢学の素養は全くの皆無である。辞書を右手に、難音難訓漢字表を左手に、その上、編集者に紹介された新聞用字用語集を使用する校正時には悪戦苦闘の毎日であった。吐き気さえも催したことがあった。ために本著では、基本的に山浦氏編の原著を尊重しつゝも出来得る限り読み易くしたいと努力したつもりであるが、不手際の段は愚者の不徳の至らす所でありご容赦いただきたい。

最後に、改めて山浦貫一氏を紹介しよう。

長野県上田市で一八九三（明治二十六）年三月二十日に生まれる。旧制上田中学を卒業。一九一九（大正八）年時事新報記者となり、一九二四（大正十三）年東京日日新聞に転じ、一九二七（昭和二）年新愛知東京支社、次いで国民新聞、読売新聞各論説委員を務め、一九四八（昭和二十三）年読売新聞社を定年退社。一九四六（昭和二十一）年には憲法普及会理事を務めた。その後、東京新聞編集顧問、NHK中央番組審議委員、中央選挙管理委員会委員などを務めた。晩年は東京新聞のコラム「放射線」に池上五六のペンネームで反共評論を書いた。森恪、鳩山一郎らと親交があった。

東京日日新聞時代、光文事件（大正天皇の崩御の折、「大正」の次の元号をめぐって起こった誤報事件）で、時の政治部長が責任を取ろうとしなかったことに対し、部長排斥運動を展開したことでも知られる。

一九六七（昭和四十二）年九月二十六日に死去している。

著書として、

『政局を繞る人々』四海書房　一九二六年
『政治家よ何処へ行く』日本書院出版部　一九二九年
『失はれた政権 フアシヨか憲政か』今日の問題社　一九三七年
『非常時局と人物』信正社　一九三七年
『近衛時代の人物』高山書院　一九四〇年
『森恪は生きて居る』高山書院　一九四一年
『森恪』高山書院　一九四三年
『新憲法の解説』憲法普及会　一九四六年
『国会・内閣・政党』開隆堂 社会科叢書　一九四八年
『日本の政治家』弘文堂 アテネ文庫　一九四九年
『日本の顔』小説朝日社　一九五二年

編著・共著として、

『議会政治と予算の話』中津海知方共著　誠文堂文庫　一九三二年
『東亜新体制の先駆 森恪』森恪伝記編纂会　一九四〇年
『日本政治百年史』金森徳次郎共編　時事新報社　一九五三年

などがある。

平成二十九年七月

樋口　正士

【著者プロフィール】

樋口正士（ひぐち まさひと）

１９４２（昭和１７）年　東京都町田市生まれ
日本泌尿器科学会認定専門医　医学博士

著書『石原莞爾将帥見聞記―達観した生涯の蔭の壮絶闘病録―』（原人舎）
『―日本の命運を担って活躍した外交官―芳澤謙吉波瀾の生涯』（グッドタイム出版）
『下剋上大元帥―張作霖爆殺事件―』（グッドタイム出版）
『藪のかなた―駐華公使・佐分利貞男変死事件―』（グッドタイム出版）
『ＡＲＡ密約―リットン調査団の陰謀―』（カクワークス社）
『捨石たらん！満蒙開拓移民の父　東宮鉄男』（カクワークス社）
『福岡が生んだ硬骨鬼才外交官　山座圓次郎』（カクワークス社）

趣味　家庭菜園

東亜新秩序の先駆　森恪―下巻　日本を動かした男―

2018年1月1日　初版第1刷発行

著　　者　樋口正士
発 行 人　福永成秀
発 行 所　株式会社カクワークス社
〒150-0043　東京都渋谷区道玄坂2-18-11　サンモール道玄坂212
電話　03(5428)8468　ファクス03(6416)1295
ホームページ　http://kakuworks.com

印刷・製本　日本ハイコム株式会社
装　　丁　なかじま制作
Ｄ Ｔ Ｐ　スタジオエビスケ

ISBN978-4-907424-15-2